Maria Nikolai

DIE
SCHOKOLADEN
VILLA

Roman

 **PENGUIN** VERLAG

Verlagsgruppe Random House FSC® N001967

PENGUIN und das Penguin Logo sind Markenzeichen
von Penguin Books Limited und werden
hier unter Lizenz benutzt.

2. Auflage 2018
Copyright © 2018 Penguin Verlag, München,
in der Verlagsgruppe Random House GmbH,
Neumarkter Straße 28, 81673 München
Umschlag: Favoritbuero, München
Umschlagmotiv: © Yolande de Kort/Trevillion Images;
© Kindra Clinaft/getty Images; © Yolande de Kort/www.arcangel.com;
© Ciro Orabona Creative, Pipochka, Mosay Tlay und DJ Srki/
www.shutterstock.com
Redaktion: Friederike Achilles
Satz: Buch-Werkstatt GmbH, Bad Aibling
Druck und Bindung: GGP Media GmbH, Pößneck
Printed in Germany
ISBN 978-3-328-10322-6
www.penguin-verlag.de

Dieses Buch ist auch als E-Book erhältlich.

DEN VERFÜHRUNGEN DIESER WELT

∾

1. KAPITEL

Die Bonbon- und Schokoladenfabrik Rothmann in Stuttgart,
Ende Januar 1903

Das Glöckchen der Eingangstür gab sein vertrautes, helles Bimmeln von sich, als Judith Rothmann das Ladengeschäft der Zuckerwarenfabrikation ihres Vaters betrat. Sorgfältig schloss sie die Tür hinter sich und streifte ihre nassen Stiefel flüchtig auf dem dafür vorgesehenen Teppich ab. Das Wetter war wirklich furchtbar. Wind und Nebel, dazu kam der Regen, und das seit Tagen.

Doch kaum war die unwirtliche Außenwelt ausgesperrt, versöhnte sie der unverwechselbare Duft von Schokolade und Zuckerwerk, der sie im Laden umfing. Ihre Laune stieg. Mit raschen Schritten durchmaß sie den mit Spiegeln, Goldleisten und reichlich Stuck ausgestatteten Raum und ließ ihren Blick routiniert über die Auslagen schweifen.

Unzählige feine Köstlichkeiten präsentierten sich auf der blank polierten Verkaufstheke und in den weiß lackierten Vitrinen entlang der Wände. Wo man auch hinsah, standen Schalen und Etageren, gläserne Bonbonnieren und kunstvoll gestaltete Dosen mit verführerischem Inhalt. Schokoladeumhülltes Konfekt aus getrockneten Früchten oder Marzipan fand sich neben schokoladeüberzogenen Zuckerstäbchen, verschiedenste Sorten Tafelschokolade neben allerlei Arten von Bonbons. Eine exklusive Auswahl Rothmann'scher Leckereien wartete, sorgsam auf heller Spitze in hübsch bemalten Holzkästchen arrangiert, auf die gebotene Aufmerksamkeit.

An diesem Donnerstagnachmittag war der Laden gut besucht. Während Judith umherging und hier und da einige Schalen neu arrangierte, steckte sie sich heimlich ein Stückchen ihres Lieblingskonfekts in den Mund und genoss die herbe Süße der zart schmelzenden, dunklen Schokolade mit Beerenfüllung. Nebenbei taxierte sie unauffällig die Kundschaft.

Ein Herr im vornehmen Anzug hatte seinen Hut abgenommen und suchte offensichtlich ein passendes Präsent für eine nachmittägliche Visite. Möglicherweise wollte er seine Angebetete entzücken, denn er entschied sich für eine Mischung feiner Pralinés und einige filigrane, rot gefärbte Zuckerröschen. Neben ihm standen zwei Mädchen im Backfischalter und beugten sich kichernd über eine Silberschale mit bunt gemischten Dragees. Einen Tresen weiter ließen sich drei in teure Seidenkostüme gekleidete Damen eine Auswahl des Besten zeigen, was das Haus zu bieten hatte, während eine Mutter Mühe hatte, trotz der tatkräftigen Hilfe ihrer Gouvernante die lautstark geäußerten, überbordenden Wünsche ihrer vier Kinder zu zügeln.

Kommenden Sommer sollten wir Gefrorenes verkaufen, dachte Judith beim Anblick der stürmischen Rasselbande und beschloss, ihren Vater darauf anzusprechen. Sie hatte kürzlich ein gebrauchtes Rezeptbuch von Agnes Marshall erstanden und fasziniert von der darin beschriebenen Eismaschine gelesen, mit deren Hilfe Milch, Rahm, Zucker und Aromen zu einer kühlen Creme verarbeitet wurden. Die zahlreichen Zubereitungsideen der Engländerin hatte sie in ihrer Fantasie längst weiterentwickelt und sah die Firma Wilhelm Rothmann bereits als ersten Hersteller von Quitten-, Ananas-, Vanille- und vor allem Schokoladeneis in Stuttgart. Vielleicht würde ihr Vater gar zum Hoflieferanten bestellt?

Judith war stolz auf das, was ihre Familie erreicht hatte. Und es war ihr ureigenes Metier. Sobald sie in die Welt der Schokolade eintauchte, sprudelte sie vor Eifer und Einfällen. Insgeheim hoffte sie darauf, eines Tages die Geschicke der Rothmann'schen Fabrik mitbestimmen zu dürfen, auch wenn ihr Vater sämtliche dahin gehende Andeutungen stets als unsinniges Weibergeschwätz abtat. Seiner Meinung nach hatten Frauen ihren Platz im Hintergrund, sollten den Haushalt führen und die Kinder erziehen. Doch Judith war nicht entgangen, dass dies keineswegs eine unumstößliche Einstellung sein musste. In Städten wie München oder Berlin drängten Frauen mehr und mehr in kaufmännische Geschäfte. Warum sollte das nicht auch in Stuttgart möglich sein?

Unterdessen hatte sie ihren Rundgang fortgesetzt und wandte sich schließlich an eine der drei Verkäuferinnen, welche in schwarzen Kleidern und frisch gestärkten weißen Schürzen die Kunden bedienten.

»Fräulein Antonia, empfehlen Sie den Kunden heute unbedingt auch die frischen Pfefferminzplätzchen. Am besten legen Sie die Schächtelchen direkt auf den Verkaufstischen aus.«

»Sehr wohl, gnädiges Fräulein«, antwortete das Mädchen und machte sich sofort daran, den Auftrag auszuführen.

Unterdessen hatte die Mutter samt Gouvernante und Kinderschar ihren Einkauf beendet und schickte sich an, den Laden zu verlassen. In der Eingangstür kam es zu einer kleinen Rangelei, da jedes der Kinder als erstes hinauswollte. Die Gouvernante, beladen mit unzähligen kleinen Päckchen, wurde dabei unsanft gestoßen und ließ im Taumeln einen Teil ihrer Last fallen. Während sie versuchte, sich zu fangen, stolperte das kleinste der Geschwister über eine der Schachteln, schlug der Länge nach auf den gefliesten Boden und brach sofort in heftiges Geschrei aus.

»Willst du wohl still sein!«, entfuhr es der Gouvernante, während die Mutter lediglich über die Schulter sah und ungerührt den Rest ihres Trosses ins Freie schob. Das Heulen wurde lauter, der Junge lag noch immer auf dem Boden, die Gouvernante zischte eine weitere Ermahnung, rappelte sich auf und machte sich daran, die Päckchen einzusammeln.

Damit die Situation nicht weiter eskalierte, schnappte sich Judith ein Quittenbonbon, gab es dem weinenden Buben und half ihm auf. Gleichzeitig wies sie die Verkäuferin Trude an, der Gouvernante mit den am Boden liegenden

Geschenkkartons zu helfen, und schloss schließlich erleichtert die Tür, als alle hinaus waren.

Die übrigen Kunden hatten das Malheur teils pikiert, überwiegend aber amüsiert verfolgt und widmeten sich nun wieder ihren eigenen Wünschen. Mit einem kurzen Nicken verabschiedete sich Judith von den Angestellten und trat durch eine Verbindungstür in ein geräumiges Treppenhaus, welches das Ladengeschäft mit der Fabrik verband.

Hier begann das pulsierende Innenleben des Unternehmens, ein Zauberreich aus Kakao, Zucker und Gewürzen, das Judith liebte, seit sie als Kind zum ersten Mal mit fasziniertem Staunen die Schokoladenfabrik betreten hatte. Zugleich spürte sie ein ungewohntes Unbehagen in der Magengegend.

Bereits beim Frühstück hatte ihr Vater anklingen lassen, am Abend etwas Wichtiges mit ihr besprechen zu müssen, und Judith fragte sich seither, worum es sich wohl handeln könnte. Derart vage Andeutungen waren untypisch für ihn, und weil ihre unruhige Neugier ständig größer wurde, hatte sie beschlossen, ihn gleich im Comptoir der Firma aufzusuchen. Vielleicht gab er ja schon etwas preis, auch wenn sie wusste, dass er private Visiten zu Geschäftszeiten nicht schätzte.

Die mahnende Stimme in ihrem Inneren ignorierend, stieg sie entschlossen die Stufen in den oberen Stock des Verkaufsgebäudes hinauf, wo sich die Büroräume des Unternehmens befanden.

Geschäftige Stille begrüßte Judith, als sie das Comptoir

betrat. An Schreibpulten aus lackiertem Eichenholz arbeiteten über ein Dutzend Herren in Anzug und Krawatte. Konzentriert führten sie Buch über die Geschäfte und Waren der Schokoladenfabrik. Hier roch es nach Tinte und Papier, nach Politur, Bohnerwachs und dem Eau de Cologne der Angestellten. Als diese Judiths Anwesenheit bemerkten, eilte einer von ihnen auf sie zu.

»Was kann ich für Sie tun, Fräulein Rothmann?«

»Ist mein Vater in seinem Bureau?«

»Gewiss. Ich gebe ihm Bescheid.«

»Das ist nicht nötig. Ist er allein?«

»Im Augenblick ist niemand bei ihm, gnädiges Fräulein.«

Judith nickte. Während der Herr an seinen Platz zurückkehrte, ging sie zu einem abgeteilten Raum, der am gegenüberliegenden Ende des Comptoirs lag, klopfte an die mit buntem Glas filigran verzierte Tür und trat ein.

Ihr Vater stand am Fenster und sah hinaus auf die Straße vor der Fabrik. Als er Judith bemerkte, drehte er sich abrupt um, so, als hätte sie ihn bei etwas Verbotenem ertappt.

»Judith!« Er klang unwirsch. »Was willst du hier?« Rasch kehrte er hinter seinen imposanten, akkurat aufgeräumten Schreibtisch zurück, auf dessen Platte ein aufgeschlagenes Kontobuch lag. »Haben deine Brüder wieder etwas angestellt?«

»Nein, Herr Vater«, begann Judith, vorsichtig lächelnd. »Diesmal nicht.«

»Dann wäre es gut, du würdest nach ihnen sehen, bevor etwas passiert.«

»Keine Sorge, Robert hat ein Auge auf sie, Herr Vater.« Der Hausknecht der Familie hatte ihre achtjährigen, umtriebigen Zwillingsbrüder mit auf einen Botengang genommen. »Ich bin hier, weil ich Ihnen einen Vorschlag machen möchte«, setzte Judith an. Sie hoffte, ihm durch ein unbefangenes Gespräch entlocken zu können, was er ihr denn so Wichtiges zu sagen hatte.

»Ich habe jetzt keine Zeit«, erwiderte ihr Vater und nahm einen Bleistift zur Hand. »Am besten gehst du gleich nach Hause. Oder hilfst beim Vorbereiten der Musterpäckchen für die Reisenden. Wir reden dann heute Abend.«

»Aber ich halte es für wichtig.« Judith ließ sich nicht so leicht abwimmeln. »Sie sind doch immer auf der Suche nach neuen Verkaufsartikeln, nicht wahr?«

»Und dazu hast du wieder einmal etwas beizutragen?«

Judith überhörte seinen gereizten Unterton. »Ja, wenn Sie erlauben. Es ist zwar noch ein bisschen früh im Jahr, aber manche Dinge müssen gut geplant werden. Das sagen Sie uns doch immer wieder, Herr Vater. Und deshalb habe ich mir überlegt, ob es nicht gut wäre, im Sommer Gefrorenes anzubieten.«

Ihr Vater lachte spöttisch. »Das verstehst du unter wichtig? Sei so gut, Judith, und lass mich meine Arbeit machen. Hier läuft es drunter und drüber. Da kann ich mir nicht über Gefrorenes Gedanken machen.«

»Manche Ideen kann man nicht aufschieben«, beharrte Judith. »Gerade waren Kinder im Laden, die würden so etwas mögen. Man müsste natürlich vieles bedenken, die Kühlmöglichkeiten und den Transport, aber …«

»Ach, sei doch bitte still.« Ihr Vater wurde ungeduldig. »Sie mag überlegenswert sein, deine Idee, aber mir steht hier das Wasser bis zum Hals. Mach dich auf den Weg nach Hause. Am besten, ich lasse Theo kommen, er soll dich fahren. Und über den Sommer wirst du ohnehin anderes zu tun haben, als dich um die Herstellung von Gefrorenem zu kümmern.«

Judith horchte auf. »Wie darf ich Sie verstehen, Herr Vater?«

»Da gibt es nichts zu verstehen.« Er trommelte mit den Fingerspitzen auf die Tischplatte. »Du weißt wohl selbst am besten, was ein Vater von seiner erwachsenen Tochter erwarten kann. Deshalb wirst du bald damit beschäftigt sein, deine Aussteuer zu vervollständigen.«

Einen Augenblick lang herrschte angespannte Stille im Raum, und Judith versuchte, das Gesagte zu begreifen. Schließlich fand sie stammelnd ihre Sprache wieder.

»Heißt das, ich soll …«

»Du wirst heiraten. Exakt das heißt es. Mit einundzwanzig Jahren bist du wirklich alt genug dafür. Eigentlich wollte ich es dir heute Abend mitteilen, doch sei es drum. Nun weißt du es.«

Er wandte sich wieder seiner Arbeit zu.

»Aber wen soll ich denn heiraten?«, fragte Judith entsetzt. Sie konnte kaum glauben, was ihr gerade verkündet worden war, auch wenn sie seit geraumer Zeit eine leise Ahnung gehabt hatte. »Es gibt doch niemanden, oder?«

»Noch nicht, aber das wird nicht mehr lange dauern«, meinte ihr Vater nur und begann, eine Seite des Kontobuchs mit Anmerkungen zu versehen. »Ich werde dich rechtzeitig in Kenntnis setzen. Du solltest mir ein bisschen vertrauen.«

Judith zitterten die Knie. Ihr ungutes Gefühl hatte sie nicht getrogen. Das also hatte er ihr kundtun wollen. Sie sollte verheiratet werden, und das ohne jedes Mitspracherecht.

Mühsam unterdrückte sie den Impuls, etwas Unangebrachtes zu erwidern. Eine spitze Antwort würde alles nur noch schlimmer machen. So ballte sie nur die Hände zu Fäusten, drehte sich auf dem Absatz um und verließ fluchtartig das Comptoir. Mit laut klappernden Stiefeln eilte sie die Treppe hinunter, über ihr Gesicht liefen Tränen, die sie eigentlich gar nicht weinen wollte.

War es denn zu viel verlangt, mit der Ehe noch ein wenig abzuwarten? Bis sie sich selbst für jemanden entschied? Einen Mann, den sie mochte. Und der akzeptierte, vielleicht sogar schätzte, dass sie die Arbeit in der Schokoladenfabrik liebte und nicht zu Hause verkümmern wollte, so wie ihre Mutter.

Judith zog ihren Mantel enger um sich und trat hinaus in den feuchten Nachmittag. Sie spürte weder Regen noch Kälte, als sie ziellos durch Stuttgarts Straßen lief und sich schließlich vor der Station der Zahnradbahn am Marienplatz wiederfand. Sie bestieg einen der Wagen nach Degerloch, dem der Residenzstadt vorgelagerten Luftkurort, wo sie mit ihrer Familie in einem Anwesen innerhalb der neu erbauten Villenkolonie wohnte. Auf der Fahrt nach Hause wandelte sich ihre Verzweiflung in vertrauten Kampfesgeist. So leicht durfte niemand über ihr Leben und ihre Zukunft entscheiden. Auch nicht ihr Vater.

2. KAPITEL

Aus einem dunstigen Morgenhimmel fiel fahles Licht, ohne die Erde wirklich zu berühren. Weder vertrieb es die Kälte der vergangenen Nacht noch ihre Schatten. In der nebligen, mit dem Rauch zahlreicher Schornsteine geschwängerten Luft verloren sich Farben und Stimmen, verschwammen die Umrisse der Zitadelle, schien selbst der große Strom verstummt, der seit Urzeiten am Fuße des steil aufragenden Felssporns mit den Wassern der Mosel zusammenfloss.

Das vertraute Zurückschnappen der Querriegel seiner Zellentür durchbrach die morgendliche Stille. Victor, der am vergitterten Fenster gestanden hatte, das den kargen Raum mit Tageslicht versorgte, wandte sich um und nickte dem eintretenden Aufseher zu.

Es war Zeit.

Ein letztes Mal flog sein Blick über die Stube mit ihrer schlichten Holzmöblierung und dem eisernen Bettgestell,

dessen blau-weiß karierte Decke er sorgfältig zusammenge-
legt hatte. Dann schlüpfte er in seinen abgetragenen Mantel, hob seinen schäbigen Koffer auf, nahm seinen Hut und
folgte dem Wärter aus der Landbastion hinaus in diesen ab-
weisenden Morgen. Sie querten den Oberen Schlosshof und
erreichten die Hohe Ostfront. Vor den vier Säulen des Portikus blieben sie einen Augenblick stehen und Victor ließ noch
einmal die hellgelben Fassaden der Gebäude ringsherum auf
sich wirken, deren klassizistische Architektur in einem geradezu spektakulären Gegensatz zur martialischen Erscheinung der übrigen Festung stand. Schließlich wurde er in das
Dienstzimmer des Festungskommandanten im ersten Stock
über der Hauptwache geführt.

Als er eine halbe Stunde später wieder ins Freie trat, bat er
den Aufseher um einen kurzen Moment für sich. Dieser nickte und blieb stehen, während Victor an einer Gruppe exer-
zierender Soldaten vorbei über den weitläufigen Hof ging
und an die halbhohe Außenmauer trat. Ruhig setzte er sein
Gepäck ab und beugte sich über die massive Begrenzung.

Nur andeutungsweise ließ sich der grandiose Ausblick erahnen, der sich an klaren Tagen von hier oben auf Coblenz
und die beiden Flüsse bot, die sich an dieser Stelle in einer
lang gezogenen Schleife auf ihre gemeinsame Reise gen Norden begaben. Lediglich Schemen von Häusern, Wiesen und
Feldern deuteten sich an. Von den fernen Gipfeln der Vul-
kaneifel mit ihren stillen Seen und den dunklen Wäldern war
überhaupt nichts zu sehen.

Victor seufzte.

Diesen ersten Augenblick nach seiner Haftentlassung hatte er sich anders vorgestellt. Unzählige Male hatte er in Gedanken an dieser Mauer gestanden, wie ein Vogel, der seine Flügel ausspannt. Er hatte diese schiere Weite in sich aufnehmen wollen, die Welt von einer höheren Warte aus betrachten, bevor er sie neu in Besitz nahm – und sie ihn.

Die neblige Unbill des feuchten Februartages minderte den Genuss dieses Moments, aber er wollte nicht hadern. Nach den bitteren Lektionen der letzten Jahre musste ein fehlender Ausblick zu verschmerzen sein. Es war vorbei und das war alles, was zählte. Brüsk drehte er sich weg, nahm seinen Koffer und ließ sich die letzten Meter eskortieren.

Der Weg in die Freiheit führte durch die Felsentorwache zum vorgelagerten Fort Helfenstein, und von dort aus abwärts, an etlichen Wachposten und weiteren Toren vorbei bis in den Ort Ehrenbreitstein.

Mit jedem Schritt entlang des schroffen, bewachsenen Felsgesteins schaffte Victor Abstand zwischen sich und der weitläufigen, als uneinnehmbar geltenden Festung über ihm. Auf dem matschigen Untergrund verloren seine dünnen Sohlen mehr als einmal den Halt. Dass es ihm jedes Mal gelang, sich abzufangen, erfüllte ihn mit übertriebenem Stolz. Vereinzelte Windböen wehten kalte Feuchte in seinen Nacken und ließen ihn frösteln. Als er endlich in der Residenzstadt ankam, zitterten ihm vor Anstrengung die Knie.

An der Schiffbrücke musste er warten, bis sich die ausgefahrenen Joche hinter einem kleinen Dampfer wieder geschlossen hatten, dann überquerte er den Rhein, entrichtete die zwei Pfennige Brückengeld und erreichte schließlich die Coblenzer Rheinanlagen.

Die Wolkendecke hatte sich gelichtet.

Victor zögerte.

Dann blickte er ein letztes Mal zurück auf das trutzige Monument hoch oben auf der Felsnase, dessen grobe, unverputzte Mauern im heraufziehenden Tag allmählich Konturen annahmen.

Zwei Jahre lang war der Ehrenbreitstein sein Gefängnis gewesen; dieses kantige Zeugnis preußischer Macht im Westen des Reichs, mit seinem weitläufigen Gewirr aus Gängen, Brücken und Versorgungswegen, den Soldatenstuben, Wohnquartieren, Arbeitsstätten und Geschützkasematten, den meterdicken Mauern, Gräben und Toren. Dort hatte er gebüßt für ein Duell, welches er gerne vermieden hätte, und dessen unglücklicher Ausgang ihn überdies in den Rang eines verurteilten Straftäters katapultiert hatte. Wenigstens war er in den Vorzug einer Ehrenhaft auf der Festungs-Stubengefangenen-Anstalt bei Coblenz gekommen, weit weg von Berlin und den erdrückenden Erinnerungen, die Victor mit dieser seiner Heimatstadt verband.

Er vernahm Rufe und Lachen, ein Schiffshorn, das Bellen eines Hundes. Die Welt hatte ihre Sprache wiedergefunden und selbst die winterlich trübe Luft empfand er als belebend.

Er schritt kräftig aus. Immer schneller schienen ihn seine Beine zu tragen, und ein jähes Glücksgefühl durchströmte Kopf und Glieder. Doch bei aller aufkeimenden Euphorie war ihm sehr wohl bewusst, dass seiner neu gewonnenen

Freiheit nicht nur unendliche Möglichkeiten, sondern auch eine vage Gefahr innewohnte. Und mit demselben Willen, mit dem er seine Zukunft beginnen wollte, würde er mit seiner Vergangenheit Frieden schließen müssen.

Er erreichte das zweigeschossige, massive Steingebäude des Coblenzer Bahnhofs. Beim Laufen war ihm warm geworden, auch wenn jeder Atemzug eine neblige Wolke bildete, kaum dass er die Lippen verlassen hatte. Victor kaufte ein Billett und setzte sich auf eine Bank im Wartesaal. Bis sein Zug kam, dauerte es noch gut eine Stunde.

In einer Ecke des großen Gebäudes entdeckte er einen Automaten, an dem zwei Kinder, vermutlich Bruder und Schwester, hantierten. Eine Gouvernante saß gelangweilt daneben, die Nase in ein Buch vergraben. Derweil schienen die Geschwister einen regelrechten Kampf um den Inhalt des Automaten auszufechten, wobei das Mädchen ihrem Bruder in nichts nachstand. Schließlich hielt sie triumphierend ein kleines Täfelchen in der Hand. Schokolade, wie Victor amüsiert feststellte. Mit ihrem Schatz in der Hand lief sie dem Jungen davon, der erst ein langes Gesicht zog, dann aber entschlossen die Verfolgung aufnahm.

Victor konnte seine Neugierde nicht zügeln. Automaten hatten ihn schon immer fasziniert und dieser hier war ziemlich neu. Er stand auf und besah sich unauffällig das Gerät. *Stollwerck.* Das Kölner Unternehmen war seit Jahren sehr erfinderisch beim Vertrieb seiner Schokoladen und lieferte inzwischen selbst entwickelte Automaten in alle Welt. Diese boten unter anderem Seife an, aber auch Fahrkarten an den Bahnhöfen.

Der Apparat aus graublau bemaltem Gusseisen mit aufwendigen goldenen Verzierungen reichte ihm etwa bis zum Kinn. Hinter einem arkadenartig eingefassten Fenster befanden sich, gut sichtbar, mehrere Warenschächte mit Schokoladentafeln. Darüber gab es einen Schlitz für den Münzeinwurf, und auf einem emaillierten Schild wurde der Mechanismus erklärt. Zehn Pfennig kostete eine Tafel. Rasch überschlug Victor den Wert der darin befindlichen Schokoladentäfelchen und stellte fest, dass es sich hier um ein lohnendes Geschäft für Stollwerck handelte. Zwar verzichtete er darauf, sich eine Schokolade zu ziehen, aber sein Erfindergeist war geweckt. Während er an seinen Platz zurückkehrte, feilte er imaginär bereits an einer ähnlichen Konstruktion.

Sobald er sich in seiner neuen Heimat etabliert und eine Bleibe gefunden hatte, würde er sich an einem Entwurf versuchen. Bei diesem Gedanken zog er einen zerknitterten Zettel aus seiner Hosentasche, auf dem eine Adresse stand: *Edgar Nold, Silberburgstraße, Stuttgart.*

Victor wäre es nicht in den Sinn gekommen, nach seiner Haftentlassung ausgerechnet in Stuttgart sein Glück zu versuchen, aber als ein Mithäftling die süddeutsche Residenzstadt ernsthaft empfohlen hatte, war sie ihm nicht mehr aus dem Kopf gegangen. Stuttgart schien aufstrebend zu sein, bot deshalb vermutlich gute Arbeitsmöglichkeiten und war weit genug entfernt von Berlin, um einen unbelasteten Anfang zu ermöglichen. Jedenfalls würde ihn dort wohl keiner vermuten.

Vor wenigen Tagen hatte ihm der Mitgefangene schließlich noch die Anschrift eines entfernten Verwandten gegeben, eben jenes Edgar Nold, bei dem er sich nach seiner Ankunft melden könne. So sollte es ihm leichter fallen, in der fremden Umgebung Fuß zu fassen.

Schließlich fuhr laut pfeifend Victors Zug ein und kam mit kreischenden Bremsen zum Stehen; ein stählerner Koloss, umgeben von Dampf und Rauchschwaden. Reisende entstiegen den Coupés der ersten Klasse. Sie waren eingehüllt in wärmendes Tuch oder lange Mäntel, die Herren zogen ihre Hüte tief ins Gesicht. Einige Damen trugen wertvollen Pelz und hatten ihre Hände in fellbesetzten Muffs vergraben, während Bedienstete sich um ihr Gepäck kümmerten und eilig Schirme aufspannten, um ihre Herrschaft vor der ungemütlichen Witterung zu schützen. Aus den restlichen Waggons stiegen die weniger Begüterten, die ihre Taschen und Koffer mit klammen Fingern selbst schleppten. Eilig strebten sie dem Ausgang zu.

Victor verließ das Bahnhofsgebäude und betrat den Bahnsteig. Er wartete geduldig, bis sich die Traube der Fahrgäste auf die Waggons verteilt hatte. In einem Abteil der dritten Klasse verstaute er sein Gepäck, setzte sich auf die hölzerne Bank und beobachtete durch das beschlagene Fenster das Kommen und Gehen auf dem Bahnsteig.

Schließlich schlugen die Türen. Mit einem schrillen Pfiff setzte sich der Zug schwerfällig in Bewegung.

Sein neues Leben hatte begonnen.

3. KAPITEL

Stuttgart, die Stadtvilla der von Brauns,
an einem Märzabend 1903

Die grüne Flüssigkeit schimmerte verlockend. In jedem
der drei kelchförmigen Kristallgläser auf dem Tisch verfingen sich die Reflexionen des Absinths und erzeugten im
schummrigen Licht der herunterbrennenden Kerzen die einzigartige Stimmung einer französischen *heure verte*.

Entsprechend gelöst war daher die Laune der drei jungen
Männer, die sich an diesem frühen Abend zusammengefun-
den hatten, um ein aufwendiges Ritual zu pflegen, welches
sie seit Langem verband.

Es war der schlanke Edgar Nold gewesen, der die erste Flasche des Wermutgetränks von einer Reise nach Paris mitgebracht hatte; schwer beeindruckt von der gepflegten Nachlässigkeit, mit der die intellektuellen Franzosen ihre
Grüne Stunde zelebrierten. Seither erlag seine sensible Künst-
lerseele allzu gern dem Charme des Kräutertrunks, dessen
Genuss nicht nur einen gehörigen Rausch versprach. Stets

ergriff ihn das Gefühl, auf eigenartige Weise über den Dingen zu schweben, frei von Ärger und Verdruss. Und den gab es wahrlich, dachte er nur an den ausbleibenden Erfolg seiner Malerei. Fiele es ihm nur nicht so schwer, naturgetreue Landschaften auf Leinwände zu bannen oder auch Porträts zu malen. Beides wurde von den angesehenen Familien Stuttgarts nachgefragt und gut bezahlt, doch sein Talent lag weder im bloßen Abbilden der Wirklichkeit noch in der Herstellung schmeichelhafter Spiegelbilder einer selbstgefälligen Oberschicht. Stattdessen hatte er eine Zeitlang mit filigranen Mustern und verspielten Blumenmotiven gearbeitet, die lebensfroh und leicht wirkten statt schwerfällig und überladen. Geld freilich hatte er damit kaum verdient, doch Edgar glaubte an sein Talent. Einige Male war er in München gewesen, wo sich gerade eine neue Künstlergeneration erfand, hatte Gleichgesinnte getroffen und versucht, sich bei der *Jugend* als Illustrator zu verdingen. Das Blatt erschien bereits seit sieben Jahren und gab der ästhetischen Kunst ein populäres Forum. Es hatte ihn hart getroffen, als er eine freundliche, doch unmissverständliche Absage erhalten hatte: Seine Bilder seien zu althergebracht. Edgar verstand die Welt nicht mehr. Für Stuttgart war er zu modern, für München zu konservativ.

Dann, vor wenigen Monaten, hatte es ihn noch einmal in die französische Hauptstadt gezogen. Widerwillig hatte sein Vater die Fahrkarte spendiert und Edgar beleidigend vorgehalten, mit beinahe achtundzwanzig Jahren noch von seinen Zuwendungen abhängig zu sein. Doch genau diese

Reise war das entscheidende Mosaiksteinchen gewesen; endlich sah Edgar seine Zukunft deutlich vor Augen. Denn auf seinen ausgiebigen Spaziergängen durch Paris hatte er die Reklameplakate studiert, welche überall an Mauern und Plakatsäulen hingen und für alles Mögliche warben – Zigarren oder Likör, einen Herrenausstatter, eine Buchhandlung, Oper, Theater oder die Etablissements der leichten Unterhaltung wie das Moulin Rouge. In Kunsthandlungen hatte er sich Plakate vergangener Jahre zeigen lassen, fasziniert von der reduzierten Formensprache des verstorbenen Henri de Toulouse-Lautrec und den farbgewaltigen Entwürfen eines Jules Chéret.

Als er nach einigen anstrengenden Tagen und Nächten wieder zu Hause angekommen war, hatte er eine Entscheidung getroffen. Sein Metier würde das der Plakatkunst und Verpackungsgestaltung werden. Inzwischen war ihm ein Exemplar von Bruno Volgers *Lehrbuch der modernen Geschäftspropaganda* in die Hände gefallen. Seither versuchte er, die Illustrationen darin nachzuarbeiten und einen eigenen Stil zu entwickeln, in der Hoffnung, auf dem Gebiet der Reklame Fuß zu fassen und endlich seine monetäre Misere zu beenden. Irgendwann musste der Durchbruch einfach gelingen.

Ein leises Klirren unterbrach seine trüben Gedanken und holte ihn in die Wirklichkeit zurück.

Rasch fuhr er sich mit der Hand durch seine hellbraunen Locken und sah zu Max neben ihm, der einen geschlitzten Silberlöffel über eines der Gläser gelegt hatte und nun ein Stück in Würfelform gepressten Zuckers darauf platzierte.

Sie kannten sich von Kindesbeinen an, Söhne wohlhabender Unternehmer, deren Familien einander seit jeher freundschaftlich verbunden waren. Max, Erbe des erfolgreichen Maschinenfabrikanten Ebinger, Albrecht von Braun, Sprössling des derzeit einflussreichsten Bankiers in Stuttgart, und er selbst, der Maler und Bohemien, dessen Vater eine Seifenfabrik besaß, die in letzter Zeit nicht mehr so gut lief – und der den künstlerischen Ambitionen seines Sohnes mit demütigendem Unverständnis begegnete.

Max zwinkerte ihm zu.

Edgar zog ebenfalls Glas und Absinthlöffel heran und griff nach einem Zuckerstück. Zeit für ein paar entspannende Frotzeleien unter Männern.

»So, Ebinger. Ich hab gehört, du darfst bald deinen alten Kerl beerben?«, fragte er seinen Freund und präparierte den Silberlöffel auf die gleiche Weise wie dieser kurz zuvor.

»Nicht in hundert Jahren!«

»Das nicht, aber vielleicht in einem halben?«

»Lass es gut sein, Nold«, meldete sich der joviale Albrecht zu Wort, ebenfalls mit seinen Absinth-Requisiten beschäftigt. »Wir wissen, dass Max keinen Sinn für Strickmaschinen besitzt. Und dass sein alter Herr die Fabrik ohnehin erst im Sarg verlassen wird.«

»Du könntest es dir bequem machen, Ebinger«, fuhr Edgar fort. »Lass dir einen Schreibtisch einrichten und deinen alten Herrn weiterschaffen. Derweil vögelst du dich munter durch die Stuttgarter Dienstmädchenschaft.«

»Da ist er doch schon durch«, gab Albrecht zu bedenken

und schob sein präpariertes Glas unter einen der vier Metallhähne der gläsernen Absinthfontäne, die in der Mitte des Tisches stand.

»Schon lange!«, entgegnete Max ironisch.

»Dann solltest du darüber nachdenken, in Berlin oder München dein Glück zu versuchen«, riet Edgar. »Ich empfehle dir München. Dort sind die Mädchen drall, derb und willig.«

»Ich werde nach Italien gehen«, meinte Max.

»Wegen der Mädle?«, fragte Albrecht ernsthaft erstaunt.

»Natürlich wegen der Mädchen!«, gab Max sarkastisch zurück.

»Das ist wirklich interessant, Ebinger«, sagte Edgar. »Italien. Lässt dich dein alter Herr denn gehen?«

»Das ist meine Entscheidung, nicht seine.«

»Wie lange wirst du unterwegs sein?«

»Ich weiß nicht. Mehrere Wochen, einige Monate.«

Edgar pfiff anerkennend. »Sieh an, das wusste ich nicht. Dein Vater erzählt doch gerade jedem, dass du in die Geschäftsführung sollst. Von einer längeren Reise war nicht die Rede.«

»Er weiß es noch gar nicht.«

Albrecht gab einen erstaunten Laut von sich, während Max sein Glas ebenfalls unter die Absinthfontäne schob und vorsichtig einen der kleinen Hähne öffnete.

Gemächlich tröpfelte eiskaltes Wasser auf das Zuckerstück und rann durch die Aussparungen des Silberlöffels in den darunter stehenden Kelch mit dem hochprozentigen

Absinth. Kurz darauf setzte der *Louche* ein und verwandelte die grünliche Ausgangsfarbe des Kräutertrunks in eine milchig-weiße Flüssigkeit.

»Die *Grüne Fee* erwacht!«, rief Albrecht fasziniert. »Sie ist eindeutig sehr hübsch und sie ist eindeutig weiblich, Ebinger. Das ist halt deine Welt!«

Damit öffnete auch er den Hahn über seinem Glas und beobachtete genüsslich, wie darin die *Grüne Fee* lebendig wurde. »Aber glaubt nicht, dass ich die Hoffnung auf ein Weib aufgegeben habe«, setzte er bedeutungsvoll hinzu. »Ganz im Gegenteil.«

Er blickte in die Runde.

»Nur zu, erzähl!«, ermunterte ihn Edgar, der gerade seinen Hahn zudrehte.

»Kennt man die Dame?«, fragte Max, der erleichtert schien, dass sich das Gespräch nun nicht mehr um seine Zukunftspläne drehte.

»Rothmanns Tochter«, erklärte Albrecht mit einem triumphierenden Unterton.

»Judith Rothmann? Allen Ernstes?« Max sah Albrecht verblüfft an und schüttelte ungläubig den Kopf. »Wer hätte das gedacht.«

Albrecht nippte zufrieden an seinem Glas.

»Hübsches Ding«, stellte Edgar fest. »Goldblonde Locken und klarblaue Augen. Eine Mischung aus Kobalt und Ultramarin. Und ihre Figur ist beachtenswert ...« Er deutete eine wellenförmige Handbewegung an, während Max sich einen Seitenhieb auf den wenig attraktiven Albrecht nicht verkneifen konnte: »Wenn's um Geld geht, sind die Weiber nicht wählerisch.«

»Ihr Vater ist selbst vermögend, darum geht es nicht«, erwiderte Albrecht gekränkt.

»Darum geht es immer«, entgegnete Max.

»Hör nicht auf den Ebinger«, meinte Edgar versöhnlich und hob sein Glas. »Darf man auf diese Kunde mit Absinth anstoßen?«

»Mit Absinth trinken wir auf unser Junggesellendasein, Freunde«, sagte Max mit Nachdruck.

»Ja, für dich ist die Ehe nichts, Ebinger«, entgegnete Albrecht, noch immer leicht beleidigt. »Eine Dame allein würde dir höchstens eine Woche lang reichen.«

»Na, die kleine Rothmann vielleicht auch zwei«, konterte Max grinsend.

Albrecht schnaubte.

»Wann ist es denn soweit?«, fragte Edgar, um die Lage zu beruhigen.

»Das wurde noch nicht festgelegt.« Albrecht stürzte den Inhalt seines Glases hinunter.

»Aber du hast doch schon um sie angehalten, oder?«, hakte Edgar nach.

»Nicht persönlich. Mein Vater hat mit ihrem Vater gesprochen. Und damit ist es beschlossen.«

»Na, dann sollte dem Ganzen nichts mehr entgegenstehen. Wir sind dabei!« Edgar freute sich aufrichtig für den Freund.

»Hat die Braut in dieser Angelegenheit überhaupt etwas

zu sagen gehabt?« Max' Stimme hatte plötzlich einen beißenden Unterton.

»Du bist doch nicht etwa eifersüchtig, Ebinger?«, fragte Edgar erstaunt und sah zwischen dem dunklen, athletischen Max und dem farblosen, dicklichen Albrecht hin und her.

Max hob lediglich eine Augenbraue.

»Wisst ihr«, konstatierte Albrecht, »solch wichtige Dinge regeln die Männer. Und das schon zu allen Zeiten. Eine Frau überblickt das nicht, ihr Geist ist nicht gemacht für so … so weitreichende Entscheidungen.«

»Da wäre ich mir nicht so sicher«, erwiderte Max.

»Judith Rothmann gilt als eigensinnig und anspruchsvoll. Da ist das letzte Wort vielleicht wirklich noch nicht gesprochen«, gab nun auch Edgar zu bedenken.

Albrecht, dem das zweite Glas Absinth allmählich zu Kopfe stieg, fing unvermittelt an zu lachen. »Ach, Freunde. Diesmal bin ich dran, auch wenn ihr mir nicht zutraut, die kleine Rothmann heimzuführen! Ihr Alter wird seine Tochter schon den nötigen Gehorsam gelehrt haben. Und euch bleiben ja noch die anderen Stuttgarter Damen. Dir, Max, gar eine rassige Italienerin, wenn aus deinen Reiseplänen etwas wird.«

Max rührte noch in seinem Glas und tat, als habe er die Bemerkung nicht gehört.

»Ist schon gut, Albrecht. Judith Rothmann lässt den Max sicher kalt, der hat andere Möglichkeiten«, versuchte Edgar das Gespräch zu befrieden. »So dumm wäre er doch gar nicht, einer Jungfer zu nahe zu kommen. Da würde er riskieren, im Handumdrehen verheiratet zu sein. Und das ist für dich der Vorhof zur Hölle, nicht wahr, Ebinger?«

»Allerdings«, antwortete Max lakonisch, während er den Löffel abtropfen ließ und zur Seite legte.

»Übrigens, ich habe seit Neuestem einen Mitbewohner«, erzählte Edgar, um das Thema zu wechseln. »Einen ehemaligen Häftling vom Ehrenbreitstein.«

»Wo soll denn das sein?«, fragte Albrecht, den neuen Gesprächsgegenstand neugierig aufnehmend.

»Bei Coblenz am Rhein«, antwortete Edgar. »Man hatte ihn wegen eines Duells dort eingesperrt, aber so genau weiß ich es nicht. Viel hat er nicht erzählt.«

»Wenn man ihn wegen eines Duells inhaftiert hat, dann war er vermutlich beim Militär«, meinte Max. »Sonst gibt es Duelle kaum mehr, jedenfalls soweit ich weiß.«

»Das kann sein. Er stammt irgendwo aus dem Preußischen, hat er gemeint«, sagte Edgar nachdenklich. »Meine Adresse hat er von einem meiner Onkel bekommen, der zeitgleich auf dem Ehrenbreitstein einsaß. Das kann nur der verrückte Poet sein, ein Bruder meiner Mutter aus Coblenz. Der hat sich schon immer um Kopf und Kragen gedichtet. Meine Mutter ist, glaube ich, die Einzige, die ihm noch ab und zu schreibt.«

»Also hast du einfach so einen ehemaligen Strafgefangenen bei dir aufgenommen«, stellte Albrecht fest. »Du hast Mut.«

»Er kam mir vertrauenswürdig vor. Und er hat schon Arbeit gefunden bei der Brauerei Dinkelacker. Ich denke nicht, dass er lange bei mir wohnen wird«, gab Edgar zurück.

»Wie dem auch sei«, erklärte Albrecht gutmütig. »Ich für meinen Teil hab jetzt Hunger. Sollen wir nach Degerloch rauffahren und im Löwen etwas essen?«

»Und bei den Rothmanns vorbeischauen?«, scherzte Edgar.

Albrecht grinste.

Max leerte sein Glas. »Wir könnten doch auch hier etwas essen.«

»Ja, bleiben wir besser hier unten im Kessel. Aber ein paar Schritte an der Luft sollten uns nicht schaden. Was haltet ihr vom Adler?«, schlug Edgar vor.

»Meinetwegen.« Max stand auf.

»Auf das Essen, das Duell und die Weiber«, feixte Edgar, als sie die Bankiersvilla verließen und sich auf den Weg machten.

4. KAPITEL

Die Villa der Familie Rothmann in Degerloch bei Stuttgart,
Anfang Juli 1903

Ein warmer Sommer hatte sich über das Land gelegt. Eigentlich mochte Judith diese Jahreszeit ganz besonders, doch mit den langen Tagen war ihre Sorge zurückgekehrt, dass ihr Vater sein Vorhaben, sie zu verheiraten, bald in die Tat umsetzen könnte. Denn nachdem dieses Thema in den letzten Monaten kaum mehr erwähnt worden war, hatte er kürzlich beim Abendessen ausführlich von der Hochzeit einer entfernten Verwandten erzählt und Judith dabei bedeutungsvoll angesehen.

»Warum müssen wir Frauen eigentlich unbedingt heiraten?«, seufzte sie und verfolgte im Spiegel des Frisiertisches aufmerksam die Handbewegungen ihrer Zofe, die sich an diesem Sonntagmorgen wie üblich um ihr Haar kümmerte. Das durchs Fenster hereinströmende Sonnenlicht kitzelte sie in der Nase. Mühsam unterdrückte sie einen Niesreiz, um das entstehende Werk auf ihrem Kopf nicht zu gefährden.

»Am Heiraten ist ja eigentlich nichts Schlechtes, gnädiges Fräulein«, antwortete Dora und nahm die erhitzte Brennschere vom Ofen. »Viele von uns Dienstmädchen träumen davon, eines Tages einen eigenen Hausstand gründen zu können.«

»Viele von euch? Du auch, Dora?«, fragte Judith und spielte mit einem Cremetiegel, der vor ihr auf der Ablage stand.

»Ich weiß nicht so recht, wovon ich träumen soll, Fräulein Judith. Das ist nämlich so ein Problem mit den Träumen. Sie gehen meistens nicht in Erfüllung.« Vorsichtig teilte Dora eine Strähne von Judiths hüftlangem Haar ab, klemmte die Spitzen zwischen die runden Brennstäbe und wickelte sie auf. Auf diese Weise hatte sie bereits die Hälfte von Judiths Haar in gleichmäßige Wellen gelegt, eine Prozedur, die aufwendig und glücklicherweise nicht jeden Tag notwendig war. Doch immer dann, wenn Judith ihr Haar am Vorabend mit Seife und einer Essigspülung gewaschen hatte, musste das Brenneisen die verloren gegangene Pracht wiederherstellen. Ganz glatt war Judiths Haar allerdings nie. Ließ man der Natur freien Lauf, formte es sich zu eigenwilligen Locken.

»Aber angenommen, sie würden in Erfüllung gehen. Was würdest du dir wünschen, Dora?«

»Ich würde sehr gerne reisen, gnädiges Fräulein.«

Diese Antwort überraschte Judith. »Gefällt es dir nicht bei uns?«

»Doch, natürlich gefällt es mir hier. Aber mal was ganz anderes zu sehen, das wär schon was.«

Judith dachte einen Augenblick nach und legte dabei ihren Zeigefinger an die Unterlippe, eine Angewohnheit aus ihrer

Kindheit. »Also, das verstehe ich gut! Ich würde gerne meine Mutter am Gardasee besuchen. Das, was sie von dort schreibt, hört sich so bezaubernd an. Der riesige See und die Berge dort, das möchte ich unbedingt einmal selbst anschauen.« Judith schloss einen Moment die Augen. »Aber am meisten würde ich mich darüber freuen, *Maman* wiederzusehen.« Eine leise Traurigkeit hatte sich in ihre Stimme geschlichen.

»Ja, es ist bestimmt wunderschön dort«, meinte Dora tröstend. »Und die gnädige Frau wird sicher bald gut erholt nach Stuttgart zurückkehren.«

»Hoffentlich«, meinte Judith. »Sie ist nun schon so lange fort.«

Dora bedeutete Judith, den Kopf ein wenig zu drehen, und setzte erneut die Brennschere an. »Sie muss sich eben richtig ausruhen. Der Arzt dort wird schon wissen, wann er sie wieder nach Hause fahren lässt.«

Judith wechselte das Thema. »Wie viele Jahre bist du jetzt schon in unserem Haus, Dora?«

»Vier, gnädiges Fräulein.«

»Und davor? Wo warst du da?«

Dora zögerte. »Och, es gab so einige Stellen, aber da musste ich noch lernen«, erklärte sie schließlich vage.

Mit einem Mal wurde Judith bewusst, wie wenig sie von den Dienstboten im Haus wusste, obwohl sie mit den meisten von ihnen unter einem Dach wohnte. »Wie alt warst du denn, als du von zu Hause weggegangen bist?«, fragte sie vorsichtig weiter, obwohl sie spürte, dass Dora das Thema nicht behagte.

»Ich war fünfzehn Jahre alt. Also nicht mehr ganz so jung. Die Babette, die musste schon mit zwölf Jahren in Stellung gehen.«

Dora hatte Judiths Haar fertig onduliert und machte sich daran, eine schlichte Promenadenfrisur aufzustecken. Dazu fasste sie einige Strähnen am Hinterkopf zu einem Zopf zusammen, toupierte die übrig gebliebenen Haare auf und wand sie locker ein, sodass sie Judiths Gesicht in einer weichen Welle umrahmten. Anschließend verflocht sie den Zopf zu einem Knoten und steckte ihn mit Haarnadeln fest.

Zufrieden betrachtete Judith das Ergebnis im Spiegel. »Das hast du wieder wunderbar gemacht, Dora.«

»Danke, gnädiges Fräulein.« Dora lächelte zufrieden. Dann wurde ihr Gesichtsausdruck nachdenklich. »Darf ich fragen, warum Sie nicht für die Ehe sind, Fräulein Rothmann? Ich meine, für eine Frau ist es doch gut, wenn sie einen Mann hat, der für sie sorgt.«

»Ach, wie soll ich dir das erklären. Ich glaube, mich stört daran vor allem, dass wir Frauen nicht gefragt werden. Irgendjemand entscheidet, dass man genau jetzt heiraten muss und am besten auch noch, wen.«

»Aber«, erwiderte Dora, »vielleicht wissen es bei den jungen Frauen Ihres Standes wirklich die Väter besser, wer zur Familie passt und Ihnen das Leben bieten kann, das Sie gewohnt sind.«

»Das mag in dem einen oder anderen Fall schon so sein, Dora. Dennoch möchte ich selbst entscheiden, ob und wann und vor allem wen ich heirate. Schließlich geht es um mich und nicht nur um die Familie und das Geld. Außerdem fürchte ich nichts mehr als einen Ehegatten, der mir vorschreibt, was ich tun darf und was nicht.«

»Das muss ja gar nicht so sein«, meinte Dora. »Der Mann hat seinen Bereich, da ist er derjenige, der das Sagen hat. Aber das Haus, das ist dann Ihre Aufgabe als Frau. Dort können Sie alles so ausrichten, wie Sie es sich wünschen.«

»Aus deiner Sicht, Dora, mag das stimmen. Und für viele Frauen ist das bestimmt auch erstrebenswert. Ich dagegen finde es gar nicht so reizvoll, mich tagaus, tagein um ein Haus und Kinder zu kümmern. Jedenfalls nicht nur. Irgendwie stelle ich mir vor, dass ich …«

In diesem Augenblick klopfte es an ihre Zimmertür.

Judith und Dora sahen sich einen Moment an.

»Ja, bitte?«, rief Judith und Margarete, die Haushälterin, trat ein.

Judith bemerkte sofort ihren besorgten Gesichtsausdruck.

»Entschuldigung, gnädiges Fräulein. Ich muss die Dora mitnehmen. Der gnädige Herr hat uns alle in die Eingangshalle rufen lassen.«

Das bedeutete nichts Gutes. Wenn die Dienstboten an einem ganz normalen Sonntagmorgen noch vor dem Kirchgang in der Eingangshalle anzutreten hatten, dann musste etwas vorgefallen sein.

»Selbstverständlich«, antwortete Judith und nickte Dora zu, die rasch knickste und mit der Haushälterin den Raum verließ.

Judith ließ diese Sache keine Ruhe. Neugierde war eine

Untugend, das wusste sie sehr wohl, doch sie besänftigte ihr schlechtes Gewissen rasch mit dem Hinweis auf die Notwendigkeit, sich um das Wohlbefinden ihrer Zofe kümmern zu müssen, die ihr fast wie eine Freundin war. Und dafür musste sie Bescheid wissen, was im Haus vor sich ging.

Im Morgenrock schlich sie vorsichtig auf den Flur und spähte durch das Treppenauge in die Eingangshalle hinunter. Normalerweise war es von hier oben nicht ganz einfach, zu hören, was unten gesprochen wurde, aber die sonore Stimme ihres Vaters hatte sich markant erhoben und einen derart durchdringenden Klang angenommen, dass seine Worte über zwei Stockwerke bis zu ihr hinaufgetragen wurden.

»Diebstahl ist ein ernstes Vergehen«, referierte er. »Manch einer von Ihnen mag denken, dass es keinen armen Mann trifft. Dass genügend Geld da ist, um den Schaden problemlos zu ersetzen.«

Judith ging vorsichtig ein paar Stufen hinunter, um die Situation genauer überblicken zu können. Ihr Vater hatte sich vor der Dienerschaft aufgebaut, aber sein Blick richtete sich auf Robert, den Laufburschen. Also hatte er bereits einen konkreten Verdacht.

»Doch seien Sie gewiss«, fuhr er fort, Robert weiterhin fixierend. »Eine solch verwerfliche Tat wird im Hause Rothmann nicht geduldet und mit aller Härte bestraft. Weder rechtlich noch moralisch gibt es hier irgendeinen Spielraum!«

Normalerweise bedeutete ein überführter Diebstahl die sofortige Entlassung des Täters ohne Zeugnis, das wusste Judith aus Erfahrung, denn so etwas kam hin und wieder vor.

Oftmals erstattete die betroffene Herrschaft sogar Anzeige. Und bei aller Kritik an der rigiden Art ihres Vaters, so hatte sie in diesem Fall volles Verständnis für seine Wut und seine harte Reaktion. Es war ein absolutes Tabu, Dinge zu entwenden, die einem nicht gehörten. Auch wenn die Verlockung manchmal groß sein mochte.

Doch wem war ein Diebstahl wirklich zuzutrauen? Auch ihr fiel nur Robert ein. Dora tat so etwas ganz gewiss nicht. Ihr Chauffeur Theo und die Köchin Gerti arbeiteten schon viele Jahre bei ihnen, sodass Judith sich nicht vorstellen konnte, weshalb sie plötzlich stehlen sollten. Das Dienstmädchen Babette war zwar noch nicht allzu lange da, aber ihre zurückhaltende Art machte es Judith schwer, sie zu verdächtigen.

»Ich war es nicht!«, verteidigte sich nun Robert in einem ähnlich lauten Ton, wie ihr Vater ihn zuvor angeschlagen hatte.

»Ach so?«, entgegnete der Hausherr mit Hohn in der Stimme. »Dann werden wir zunächst Ihre Sachen nach den fehlenden Manschettenknöpfen durchsuchen, Robert. Wer sich als Erster meldet, ist auch als Erster dran.« Er packte den Laufburschen am Kragen.

Judith hatte genug gehört und wollte sich eben wieder in ihr Zimmer zurückziehen, als sie hinter sich ein aufgeregtes Flüstern vernahm. Sie drehte sich um, huschte rasch die Stufen wieder nach oben und scheuchte ihre Zwillingsbrüder von der Treppe weg.

»Das ist nichts für eure Ohren!«, raunte sie energisch. »Macht, dass ihr wieder in euer Zimmer kommt!«

»Aber Judith«, wisperte Karl, der etwas Ältere der beiden. »Wir müssen dir was sagen.«

»Ja, das müssen wir«, echote Anton, der zweite Blondschopf. »Es ist wichtig! Schau!«

Anton hielt Judith seine geschlossene Faust unter die Nase.

»Was hast du da, Anton?«

Anstelle einer Antwort öffnete Anton die Hand.

»Anton!« Judith hatte Mühe, ihre Stimme zu dämpfen. »Was hast du dir dabei gedacht!?«

»Das war ich nicht …«, rechtfertigte sich der Junge und Judith schob die beiden rasch zu sich ins Zimmer, bevor in der Halle jemand bemerkte, dass sie gelauscht hatten.

»So«, sagte sie streng, als sie die Tür hinter sich geschlossen hatte. »Was ist hier los?«

»Also, der Karl …«, setzte Anton an, wurde aber von seinem Bruder sofort unterbrochen.

»Also, der Anton fand es gut, wenn wir Soldaten spielen«, erklärte Karl wichtigtuerisch. »Und weil Soldaten immer Orden bekommen …«

»… fand Karl es gut, wenn wir uns etwas suchen, das wie ein Orden aussieht«, fiel ihm Anton ins Wort.

Dann waren beide still.

»Nun«, fasste Judith zusammen. »Ihr habt Soldaten gespielt und euch dafür etwas gesucht, das wie ein Orden aussieht. Und wie um Himmels willen seid ihr auf die Manschettenknöpfe unseres Herrn Vaters gekommen?«

»Also, er war in seinem Arbeitszimmer. Und wir haben

gedacht, wenn jemand irgendwo einen Orden hat, dann sicher er«, sagte Anton.

»Ja, genau«, ergänzte Karl, während er eine Amsel beobachtete, die vor Judiths Zimmerfenster hin und her flatterte, »aber in sein Arbeitszimmer konnten wir nicht, da war er ja drin, also sind wir in sein Schlafzimmer gegangen. Und weil die Knöpfe so schön gefunkelt haben«, er blickte jetzt zu Judith und deutete auf die Schmuckstücke aus Gold und Perlmutt in Antons Hand, »haben wir gedacht, das wäre auch gut geeignet.«

»Du hast das gedacht«, stellte Anton richtig.

»Sie lassen sich gut durch unsere Knopflöcher stecken und halten auch. Deshalb.« Karl wurde trotzig.

»Wisst ihr, dass da unten gerade jemand unschuldig verdächtigt wird?«, fragte Judith eindringlich.

Beide starrten betreten zu Boden.

»Jetzt machen wir Folgendes: Ich bringe die Manschettenknöpfe ins Schlafzimmer zurück. Ihr behaltet derweil die Eingangshalle im Auge. Falls die Versammlung aufgelöst wird, kommst du, Anton, sofort und gibst mir Bescheid. Ich lege die Dinger so hin, dass Vater sie sehen muss, wenn er sein Jackett für die Kirche holt. Aber eben nicht an ihren gewohnten Platz. Wenn wir Glück haben, denkt er, er hat sie selbst verlegt.«

Beide Buben nickten dankbar und Judith schickte sie auf ihren Posten. Dann setzte sie ihr Vorhaben eilig in die Tat um. Eigentlich, dachte sie dabei, hätten die beiden bestraft gehört. Aber sie wollte diesen Sonntag nicht schon am Morgen verdorben wissen. Deshalb ließ sie Nachsicht walten.

Eine Stunde später stand sie fertig angezogen für den Kirchgang mit Karl und Anton in der Eingangshalle. Als ihr Vater zu ihnen stieß, wanderten die Blicke aller drei sofort zu den weißen Manschetten, die aus den Ärmeln des Jacketts hervorlugten.

Und tatsächlich. Die verschwundenen Manschettenknöpfe prangten an dem für sie vorgesehenen Platz. Das Gesicht des Vaters aber war sichtlich umwölkt und Judith wusste, dass ihm das Ganze äußerst peinlich war.

»Judith!«, sprach er sie schroff an.

»Ja, Herr Vater?«

»Heute Morgen gab es«, er räusperte sich, »einen Vorfall. Ich möchte, dass du nach dem Gottesdienst zu Frau Margarete gehst und ihr mitteilst, dass sich das Problem erledigt hat.«

»Selbstverständlich«, antwortete Judith gehorsam, konnte es sich aber nicht verkneifen zu fragen: »Soll ich sonst noch etwas ausrichten?«

5. KAPITEL

Am Nachmittag desselben Tages nahm im Garten der Rothmann-Villa die Umsetzung eines weiteren ehrgeizigen Bu-
benplans ihren Lauf.

»Hast du die Zündhölzer?«

»Au, nee, die hab ich vergessen!«

»Mensch, Anton, du bist so ein Idiot.«

»Ich hol sie gleich!«

Anton drehte sich um und schlich durch die Kellertür ins
Haus zurück. Kurze Zeit später war er wieder da und präsentierte seinem Zwillingsbruder eine rechteckige Schachtel. »Gib her!« Karl riss ihm die Schachtel aus der Hand und
steckte sie in seine Hosentasche.

»Aber ich hab sie geholt!«, protestierte Anton.

Karl blieb unbeeindruckt. »Ich bin der Ältere! Und du lässt
sie bestimmt irgendwo fallen und dann finden wir sie nicht
mehr!«

»Das stimmt doch gar nicht. Und überhaupt bist du bloß
zehn Minuten vor mir auf die Welt gekommen!«, nörgelte
Anton.

»Zwölf Minuten!« Karl nahm das Leinenbündel auf,

in dem er einige dünne Holzscheite versteckt hatte. »Jetzt komm, Anton! Sonst wird es heute nichts mehr mit dem Lagerfeuer! Hast du die Gewehre?«

»Klar!«

Anton schulterte demonstrativ die beiden Holzgewehre, ein Geschenk des Vaters zu ihrem Geburtstag vor gut einem Monat, das ihre Ausrüstung eindrucksvoll vervollständigte. Bestens ausgerüstet, machten sie sich auf den Weg ins Dorf.

Beide waren für ihr Alter recht groß gewachsen und kräftig. Sie wurden selten krank und wenn doch, dann erholten sie sich rasch. Aus den üblichen Reibereien mit den Nachbarsjungen gingen sie meistens als Sieger hervor. Sorge hingegen bereitete ihrem Vater zum einen der dauerhaft ausbleibende Erfolg in der Schule. Und zum anderen die mangelnde Disziplin in derselben. Dabei gab er sich alle Mühe, Verbesserungen herbeizuführen. Schelte, Ohrfeigen, der Entzug des Abendbrotes oder die Verbannung aufs Zimmer, in schlimmeren Fällen in den Keller – keine Variante der Bestrafung war den Zwillingen fremd. Doch die väterlichen Sanktionen verpufften genauso wirkungslos wie die Züchtigungen und Appelle des Schulmeisters.

In seiner Verzweiflung hatte ihr Vater vor Kurzem zu einer geradezu revolutionären neuen Methode gegriffen und ihnen ein Buch des Schriftstellers Karl May besorgt. Er hegte die Hoffnung, dass die Faszination dieser Geschichte dazu führte, dass die beiden wenigstens mehr lesen würden. Was er allerdings nicht ahnte: Winnetou, der »rote Gentleman«, bewog die beiden nicht nur dazu, ihre Lesekompetenz zu schulen, sondern erwies sich als unerschöpfliche Fundgrube für Abenteuerideen aller Art.

Heute hatte Karl beschlossen, die auf dem Buchdeckel illustrierte Szene nachzustellen und dabei ein Feuer zu entfachen, welches der Zeichnung mindestens entsprach, wenn nicht noch etwas höher loderte. Anton, der eher vorsichtig war, sich von seinem Bruder aber meistens mitreißen ließ, hatte für Proviant gesorgt, und so freuten sie sich schon auf dem Weg auf kross gebackene Brotscheiben, die sie dick mit Butter bestreichen würden. Beides war auf nicht ganz ehrliche Art in ihren Rucksack gewandert, doch das kümmerte keinen der beiden. Wozu hatte die Familie eine Köchin?

Es war ein warmer Sonntagnachmittag. Sie streiften die Bahnhofstraße entlang und erreichten den Umsteigebahnhof der Zahnradbahn, einen breit gezogenen Bau, der gemeinhin recht respektlos als *Hundehütte* bezeichnet wurde.

»Wir haben nichts zu trinken dabei«, stellte Anton fest, als sie die Gleise der Zahnradbahn erreichten. »Und ich hab Durst.«

»Selber schuld. War ja klar, dass du was vergisst«, erwiderte Karl und ließ das Bündel mit dem Holz auf den Boden gleiten. Anton legte die Gewehre und den Rucksack ab, den er getragen hatte. Sie sahen sich um.

»Ich glaub, wir gehen besser ein Stück hinter die Hundehütte«, schlug Karl nach einer Weile vor. »Sind doch ein paar Leute unterwegs.«

»Willst du das Feuer hier machen? Wir sollten lieber ans Steigeloch gehen«, sagte Anton. »Nicht, dass die noch die

Feuerwehr rufen und unser Feuer gleich wieder gelöscht wird.«

»Ach, da ist es langweilig. Außerdem sind da immer die Böpple-Buben und auf die hab ich heute keine Lust.«

Auf die rauflustigen Böpple-Buben hatte auch Anton keine Lust und so gab er seinen Widerstand schnell wieder auf.

»Gleich kommt der Wagen von Stuttgart rauf«, meinte Karl. »Beeil dich ein bissle!«

Sie sammelten ihre Sachen wieder ein und stapften um die Empfangshalle herum, bis sie sich außer Sichtweite von Fahrgästen und anderen Passanten wähnten. Etwas abseits, beim Abort, machten sie sich ans Werk.

Victor war am Talbahnhof an der Filderstraße in die *Zacke* eingestiegen und freute sich auf die Fahrt aus dem rauchgeschwängerten Stuttgarter Talkessel hinauf nach Degerloch. Der Luftkurort war in aller Munde und so hatte er beschlossen, seinen Sonntag dort oben zu verbringen und sich selbst ein Bild von der heimeligen Weite der Filderebene zu verschaffen.

Er lehnte sich zurück und ließ die Landschaft an sich vorbeiziehen, während eine Dampflok schnaubend die beiden Sommerwagen in die Höhe schob. Die Bäume entlang der steilen Trasse leuchteten in sattem Sommergrün. Die Luft im Inneren des Wagens hingegen war trotz der fehlenden Fensterscheiben stickig und die Ausdünstungen der zahlreichen Fahrgäste machten es nicht besser. Victor hätte die Fahrt lieber auf einer der offenen Plattformen verbracht, doch dort war kein Plätzchen mehr zu ergattern gewesen. Zu viele Stuttgarter wollten den Sonntagnachmittag dazu nutzen, dem Gewächshausklima der Stadt zu entkommen und im Degerlocher Wald ein wenig Höhenluft zu schnuppern. Diese wurde als geradezu »balsamisch« gepriesen, geeignet, allerlei Leiden zu lindern oder gar zu heilen. Er würde sich überraschen lassen.

Einige einheitlich gekleidete junge Burschen, offensichtlich Mitglieder eines Vereins, stimmten ein sommerliches Lied an. *Vermutlich nicht das letzte heute,* dachte Victor. Er hatte gehört, dass es in Degerloch unzählige Gaststuben geben solle, die zur Einkehr luden und von Ausflüglern gerne und gründlich frequentiert wurden. Glaubte man dem allgemeinen Geschwätz, so würden die letzten Zecher erst spät am Abend in reichlich angeheiterter Stimmung ihren Weg zurück nach Stuttgart finden.

Er lockerte seinen Kragen. Sie passierten die Brücke über den Wassergraben am Pfaffenweg und bogen auf die Alte Weinsteige ein, und mit jedem Meter wuchs seine Begeisterung über die Ausblicke, die sich immer wieder boten. Gut vier Monate war er nun in der Stadt und begann allmählich, sich auf eine befremdliche Art heimisch zu fühlen. Maßgeblich dazu beigetragen hatte das zunehmend bessere Verständnis der schwäbischen Mundart. War ihm der Dialekt zu Beginn nicht nur unverständlich gewesen, sondern geradezu primitiv erschienen, hatte er inzwischen festgestellt, dass die nasalen Vokale, gepaart mit einer zuweilen gestelzten Ausdrucksweise, perfekt zur Mentalität der Menschen hier passte. Diszipliniert, zurückhaltend und mit einem Hang zur religiösen Strenge. Doch geradeso, als ob damit die fehlende Weltläufigkeit wettgemacht werden könnte, vibrierte unterschwellig ein Erfindergeist, der fast im Widerspruch zu den oft verschlossen wirkenden Gesichtern auf den Straßen stand. Zweifellos war Stuttgart dabei, den wirtschaftlichen Rückstand zu anderen Metropolen im Reich aufzuholen. Dieser war vor allem der verkehrsungünstigen Lage geschuldet, die eine durchgehende Anbindung an Straßennetz und Eisenbahn verzögert hatte. Auch ein schiffbarer Fluss fehlte, man nutzte den einige Kilometer entfernt liegenden Neckar, was wiederum einen zusätzlichen Aufwand für An- und Abtransport von und nach Cannstatt bedeutete. Aber wenn sie weiterhin so stur und strebsam auftraten, würden die Schwaben irgendwann die industrielle Produktion dominieren und sich kaum mehr aus ihrer Vorreiterrolle drängen lassen, dessen war sich Victor sicher.

Er nahm seinen Hut ab und fuhr sich mit der Hand durchs kurz geschnittene dunkle Haar. Wäre ihm zu Jahresbeginn prophezeit worden, dass er sich im Sommer in der württembergischen Residenzstadt wiederfände, hätte er gelacht. Aber nun, da es so war, gefiel es ihm von Tag zu Tag besser.

Kurz vor der Restauration zur Wielandshöhe bot sich ein besonders schönes Panorama auf Stuttgart und seine zahlreichen Türme. Die Lok pfiff geradezu vergnügt und Victor empfand großen Respekt vor der Leistung, welche Konstrukteure und Bauunternehmen hier vollbracht hatten. Immerhin mussten auf dem Weg vom Talbahnhof bis hinauf auf die Filder fast zweihundert Meter Höhenunterschied überwunden werden, und die steile Trasse entlang satter Obstgärten und rebenbestandener Hänge war anspruchsvoll, mit Steigungen von schätzungsweise bis zu fünfzehn Prozent. Die Elektrifizierung war augenscheinlich vorbereitet worden, doch die Umstellung auf den modernen Antrieb noch nicht erfolgt.

Schließlich, der Berg war fast erklommen, ratterten sie über eine Eisengitterbrücke, und Victor fielen einige prächtige Villen ins Auge, zwischen denen ein schlanker, filigran gebauter Aussichtsturm aus Backstein in den Himmel strebte. Zahlreiche Fahrgäste verließen die Wagen an der nächsten Haltestelle. Victor blieb sitzen, ebenso wie die Vereinsmitglieder, welche ihre musikalische Darbietung in Scherz und Gelächter ausklingen ließen. Kurz darauf verkündete der Schaffner in routiniertem Ton das Erreichen der Endstation. Victor erhob sich und stieg hinter den Burschen aus, die sich wie vermutet geradewegs in den nächstgelegenen Gasthof begaben.

Interessiert sah er sich um. Doch das Erste, was er wahrnahm, war keineswegs die erwartete frische und klare Luft, sondern ein strenger Rauchgeruch. Außer ihm schien das niemand zu bemerken, doch Victors Sinne waren seit den Festungstagen geschärft, und so blieb er stehen, um die Ursache festzustellen. Während sich die Menschen rasch verstreuten, verließ er langsam den Umsteigebahnhof und musterte aufmerksam die Gegend. Zunächst fiel ihm nichts Ungewöhnliches auf. Er umrundete den niedrigen Fachwerkbau mit dem flachen Satteldach, grüßte beiläufig die vorbeiflanierenden Menschen in ihrem Sonntagsstaat und behielt dabei die Umgebung im Auge.

Eine helle Bubenstimme erregte seine Aufmerksamkeit.

»Oh je, Karl! Mach schnell was!«

Ein zweites Kind antwortete, unüberhörbar verärgert. »Mensch, Anton, du kriegst aber auch gar nichts hin!«

»Mach es aus! Los, das brennt sonst alles!«

»Blödsinn, so schnell brennt der Schuppen auch wieder nicht ab. Jetzt hilf mir mal!«

Victor beschleunigte seinen Schritt.

»Doch, Karl! Der brennt! Und wie der brennt, der ist ja aus Holz!«

Die Panik in diesen Worten war deutlich zu hören, und als Victor die Wagenhalle umrundet hatte und die Rückseite des Gebäudes erreichte, sah er dort zwei junge Burschen stehen, die sich redlich bemühten, ein außer Kontrolle geratenes Lagerfeuer zu löschen. Während der eine mit einem Rucksack auf die Flammen eindrosch, versuchte der andere, sie unter einem Tuch zu ersticken. Allen Anstrengungen zum Trotz leckte das Feuer weiter an seiner hölzernen Nahrung.

»Weg da, alle beide!«, rief Victor den Buben zu, die verdutzt zu ihm hersahen.

Er riss einem der Jungen das Tuch aus der Hand und schlug kräftig auf die Flammen ein. Einige kleinere Brandnester am Boden trat er mit den Schuhen aus. Dann packte er den Rucksack und warf ihn auf die provisorische Feuerstelle, um auch diese zu löschen.

»Was habt ihr euch denn dabei gedacht?«, fragte Victor unwirsch, als die Gefahr gebannt war.

Die beiden standen betreten nebeneinander und Victor musste trotz seines Ärgers schmunzeln. *Ein unternehmungslustiges Zwillingspärchen.* Als er sie eingehender musterte, erkannte Victor sofort die unterschiedlichen Charaktere hinter dem einheitlichen Äußeren. Der eine sah ihn mit vorgeschobener Unterlippe herausfordernd an, aus dem Gesicht des anderen sprach Erleichterung und Dankbarkeit.

»Wir haben ein Feuer gemacht.« Widerwillig begann der Forschere mit einer Erklärung.

»Das habe ich bemerkt«, meinte Victor etwas freundlicher. »Hieltet ihr das für ratsam? Holz brennt nun einmal wie Zunder!«

»Ja, Herr, ähm, nein, natürlich nicht, das ist …«, stammelte sein Bruder.

»Halt die Klappe, Anton«, fuhr ihm der Frechere über den Mund. »In der Prärie ist überall trockenes Gras und die Indianer machen trotzdem Feuer!«

Victor begann, sich trotz der ernsten Lage zu amüsieren. »Aha. Ihr habt Indianer gespielt. Und hier ist die Stuttgarter Prärie.«

»Genau!« Dieser Bengel war um keine Antwort verlegen.

»Was, glaubt ihr, hätte der Sheriff dieses Ortes mit euch gemacht, wenn seine Wagenhalle abgebrannt wäre?« Victor versuchte es mit Einsicht, und der Ruhigere, Anton, zeigte sich gesprächsbereit.

»Er hätte uns eingesperrt wie Banditen«, murmelte er.

»Und er hätte alles unserem Vater gepetzt«, knurrte der andere.

»Und was wäre schlimmer gewesen?«, fragte Victor.

»Der Vater!«, riefen beide wie aus der Pistole geschossen.

»Aber es ist ja nichts abgebrannt«, insistierte der Trotzige sofort.

Victor verzichtete auf eine Antwort. »Wie heißt ihr denn?«

Karl knuffte Anton in die Seite, um ihn am Reden zu hindern, aber dieser sagte im selben Moment: »Karl und Anton Rothmann.«

»Rothmann? Gehört eurem Vater etwa die Schokoladenfabrik Rothmann?«

»Ja, genau.«

Das klang interessant. Rothmann-Schokolade war Victor ein Begriff gewesen, schon bevor er nach Stuttgart gekommen war.

»Wohnt ihr hier in der Nähe?«

»Ja, es sind nur …«, sagte Anton.

»Nicht direkt«, fuhr Karl dazwischen.

»Was heißt das, nicht direkt?«

»Na ja, ein Stückle muss man schon laufen.«

»Ich denke, ihr packt eure Sachen und wir gehen gemeinsam zu euch nach Hause. Vielleicht kann ich ja ein gutes Wort bei eurem Vater einlegen. Ich habe als Bub auch so manchen Unsinn angestellt«, meinte Victor.

Die beiden Jungen starrten ihn verblüfft an und sagten ausnahmsweise nichts mehr.

Victor besah sich noch einmal die Wand des Schuppens.

Viel war nicht passiert. Aber man musste den Schaden melden, daran bestand kein Zweifel. Für Rothmann dürfte die Übernahme der Kosten kein nennenswertes Problem darstellen, der Fabrikant galt als vermögend. Den Buben hingegen würde wohl eine saftige Strafe ins Haus stehen.

Kleinlaut sammelten die beiden ihre Sachen ein und folgten ihm.

Als sie gemeinsam den Bereich der Zahnradbahnstation verließen und auf die Straße traten, hörte Victor plötzlich Rufe und ein heftiges Rasseln. Gewarnt sah er sich um, während der Lärm weiter anschwoll – aufgeregte Schreie mischten sich in lautes Ächzen, Klappern und Rattern.

Nur Sekundenbruchteile später raste mit hoher Geschwindigkeit eine Kutsche auf sie zu. Der Kutscher hielt sich nur mit Mühe auf dem Bock, während er mit aller Kraft an den Zügeln zerrte und versuchte, die beiden durchgehenden Pferde zum Stehen zu bringen. Instinktiv breitete Victor die Arme vor den Zwillingen aus, um sie zu schützen. Doch während Anton zur Seite wich, stolperte Karl auf die Straße. Ohne nachzudenken stürzte Victor hinterher und bekam ihn genau in dem Moment zu fassen, als die Kutsche an ihnen vorbeischlingerte. Er zog Karl zurück, konnte aber nicht verhindern, dass eines der panischen Pferde das Kind mit dem Huf am Bein traf.

Das knackende Geräusch und Karls gellender Schrei ließen Victor zusammenzucken. Sekundenbruchteile später sackte der Junge in seinen Armen zusammen. Mit einem Ruck zog er ihn aus der Gefahrenzone, während die Kutsche einige Meter weiter allmählich zum Stehen kam.

Für einen Moment herrschte Totenstille.

Anton stand verstört am Straßenrand und hatte die Hände vor den Mund geschlagen. Um sie herum hatten sich einige Sonntagsausflügler versammelt, denen eine Mischung aus Schreck und Schaulust ins Gesicht geschrieben stand. Der Kutscher bemühte sich, die nass geschwitzten, schnaubenden Pferde zu beruhigen und blickte besorgt zu ihnen herüber.

Victor sah auf den Jungen in seinen Armen. Er war kreideweiß und rührte sich nicht, sein Unterschenkel stand in einem unnatürlichen Winkel ab, in der offenen Wunde erkannte man den gebrochenen Knochen.

Langsam löste sich die allgemeine Schockstarre. Irgendjemand rief nach einem Arzt, ein anderer nach einem Karren, woraufhin einer der Anwohner einen Leiterwagen brachte. Vorsichtig legte Victor den verletzten Karl hinein, der langsam zu sich kam und vor Schmerz zu schreien begann. Victor sprach beruhigend auf ihn ein, zog seine Jacke aus und legte sie unter das verwundete Bein.

Die Gruppe der Zuschauer wich zurück, als Victor die Deichsel aufnahm.

»Warten Sie doch, bis der Doktor kommt«, rügte einer der Umstehenden.

Victor ging nicht darauf ein. »Du musst mir zeigen, wo ihr wohnt«, raunte er stattdessen Anton zu.

Dieser sah zu seinem Bruder, nickte und ging langsam voran. Victor folgte ihm. Obwohl er den Leiterwagen mit Bedacht bewegte und Erschütterungen so gut es ging vermied, mussten die Schmerzen für den wimmernden Karl unerträglich sein. Immer wieder verlor der Junge das Bewusstsein. Doch das Kind inmitten gaffender Leute am Rand der staubigen Straße liegen zu lassen, bis ein Arzt zu ihnen gefunden hätte, war keine Option gewesen. Zumal es ja offensichtlich nicht weit bis zum Zuhause der beiden Buben war.

Tatsächlich erreichten sie nach einem kurzen Fußweg durch baumbestandene Wiesen eine Kolonie mondäner, in üppiges Grün eingebetteter Wohnsitze. An einem verhältnismäßig neuen, zweigeschossigen Gebäude mit einem hohen Sockel aus Ziegelmauerwerk blieb Anton kurz stehen, drehte sich zu Victor um, bedeutete ihm, dass sie ihr Ziel erreicht hatten und stürmte dann die wenigen Stufen zum Eingangsportal hinauf.

Victor nahm Karl behutsam auf die Arme und folgte ihm.

6. KAPITEL

Judith konnte sich einfach nicht entscheiden.

Eigentlich hatte sie schon ein Kleid für den heutigen Abend ausgesucht, aber nun zweifelte sie an ihrer Wahl. Vielleicht war die aufwendig verzierte Robe doch etwas zu üppig für einen sonntäglichen Hausmusikabend. Dora hatte kritisch geschaut, als sie darum gebeten hatte, es herauszulegen. Aber es war nun einmal ganz neu und sie konnte es kaum erwarten, es zu tragen.

Sie seufzte.

Ungeduld war, genauso wie Neugier, eine schlechte Eigenschaft, das hatte man ihr oft genug gepredigt. In Gedanken ging sie rasch die gesellschaftlichen Ereignisse der kommenden Wochen durch und erwog, zu welchem Anlass das Kleid besser passen könnte. Ihr kam der Sommerball bei den von Brauns in den Sinn und in ihrer Vorstellung sah sie sich bereits elegant die geschwungene Marmortreppe hinabsteigen, die von den Repräsentationsräumen im Hochparterre in den Garten der Villa der Bankiersfamilie führte. Dort wurden bei schönem Wetter die Gäste begrüßt, und alle könnten einen Blick auf sie werfen.

Ob zu diesem Anlass auch Max Ebinger kommen würde?

Beim Gedanken an den attraktiven Sohn des angesehenen Maschinenbauunternehmers pochte Judiths Herz ein wenig schneller. Der groß gewachsene, schwarzhaarige junge Mann gefiel ihr gut. Zu gut. Schon oft hatte sie sich vorgestellt, wie es sich wohl anfühlen würde, sollte ihr Vater ihn als Ehekandidaten in Betracht ziehen. Wäre er der Mann, der ihren Ansprüchen genügte?

Judith wusste um Max' Ruf; es hieß, er sei verantwortungslos und leichtlebig, habe ständig Frauengeschichten und ziehe lieber mit seinen Freunden durch Stuttgarts Gasthäuser, als einer ernsthaften Arbeit nachzugehen. Doch als einziger Erbe seines erfolgreichen Vaters brauchte er ohnehin nicht viel zu tun. Sein Weg stand sicherlich schon fest.

Je mehr sie über ihn nachdachte, desto mehr musste sie sich eingestehen, dass sie Max überhaupt nicht kannte. Weder seine Interessen und Vorlieben noch seine Einstellungen. Er zog sie sehr an, doch ein hübsches Äußeres allein würde ihr nicht reichen. Bisher hatte er ohnehin kein größeres Interesse an ihr gezeigt. Würde ein gelungener Auftritt in einem hinreißenden Kleid das möglicherweise ändern?

Sie rief sich zur Vernunft. Diese Partie war für sie ohnehin so gut wie ausgeschlossen, denn ihr Vater hegte eine jahrzehntelange Abneigung gegen den alten Ebinger, deren Ursprung keiner so genau kannte. Die beiden konnten sich einfach nicht ausstehen. Also spielte auch der Sommerball keine Rolle.

Judith seufzte und sah sich in ihrem Zimmer um. Auf dem

Frisiertisch lag die neueste Ausgabe der *Illustrierten Frauenzeitung,* daneben ein Werbeprospekt des Kaufhauses Breuninger. Sie nahm beides und ließ sich auf ihr Bett fallen. Vielleicht enthielten die Blätter eine reizvolle Inspiration, was sie heute Abend tragen könnte.

Sie schob den Gedanken an Max beiseite und vertiefte sich in die Welt der Schnitte und Stoffe. Besonders gut gefielen ihr derzeit Modelle mit Fantasie- oder Blumenmustern. Es dauerte nicht lange und sie kam zu dem Entschluss, dass ein dunkelblaues Seidenkleid mit dezentem Blumendekor dem heutigen Anspruch genügen sollte. Sie stand schwungvoll auf, warf die Zeitschriften mit einer raschen Bewegung auf ihren Nachttisch und wollte gerade nach Dora rufen, als ihr einfiel, dass die Zofe heute einen freien Nachmittag hatte. Also musste sie sich mit dem Kleiderwechsel noch etwas gedulden.

Ein Blick auf die Uhr auf dem Kaminsims zeigte ihr, dass es ohnehin Zeit für einen Rundgang durchs Haus war. Seit der Abreise ihrer Mutter erfüllte Judith die Pflichten einer Hausherrin und kam dieser Aufgabe gewissenhaft nach – in der Hoffnung, dadurch die Heiratspläne, welche ihr Vater für sie hegte, verhindern oder zumindest weit hinausschieben zu können. Schließlich brauchte er sie derzeit hier. Wer sollte sich sonst mit der Haushälterin Margarete abstimmen, die Zwillinge beaufsichtigen oder als Gastgeberin auftreten? Inzwischen nahm sie an, dass er seine Absichten tatsächlich zurückgestellt hatte. Denn bis auf seine mehrdeutige Bemerkung kürzlich beim Essen hatte er nichts mehr darüber verlauten lassen.

Judith musste an ihre Mutter Hélène denken. Diese hatte die Verantwortung für Haus und Familie niemals gerne getragen. Meistens war sie müde und erschöpft, zuweilen gereizt gewesen, hatte ständig Kopfschmerzen. An fröhliche Augenblicke konnte sich Judith kaum erinnern. Seit der Geburt der Zwillinge hatte sich ihr Leiden verstärkt gehabt. Arzt um Arzt war aufgesucht oder herbeizitiert worden, bis einer schließlich *Neurasthenie,* eine Nervenschwäche, diagnostizierte. Diese sei typisch für weibliche Wesen von zarter Statur.

Zahlreiche Therapieversuche waren erfolgt, ohne dass eine Besserung eintrat. Auch den Rat einer Luftveränderung hatte ihr Vater beherzigt und vor Kurzem die Villa in Degerloch gebaut. Doch anstatt zu gesunden, war die Mutter noch kränker geworden, sodass erstmals ein radikaler Ortswechsel erwogen wurde. Damals entschied man sich für Wildbad im Schwarzwald, und tatsächlich war die Mutter nach drei Monaten Aufenthalt sichtlich erholt heimgekehrt – versank in den darauffolgenden Wochen aber erneut in Melancholie und überreizter Erschöpfung.

Es folgte eine Zeit ständiger Auseinandersetzungen zwischen den Eltern. Diese hatte es zwar schon immer gegeben, doch mit einem Mal erschienen sie Judith bedeutsamer. Es ging um eine neuartige Behandlungsmethode, die ihre Mutter ausprobieren wollte, eine Art Natur-Kur, so hatte es Judith jedenfalls verstanden. Für den Vater eine überzogene Spinnerei seiner Frau. Und als er erfuhr, welche Kosten auf ihn zukommen sollten, war die Sache für ihn erledigt gewesen.

Doch die Mutter hatte nicht nachgegeben.

Wochenlang diskutierte sie mit einer für ihren Gemütszustand erstaunlichen Kraft, bat unter Tränen, schmollte und verlegte sich schließlich auf diffuse Androhungen, was den Vater zunächst zu heftigen Wutausbrüchen und schließlich zum Einlenken brachte.

Im Mai war sie dann endlich zu ihrer Reformkur an den Gardasee aufgebrochen und im Haus atmete man auf. Judith vermisste ihre Mutter sehr, doch die schwierigen Zeiten des vergangenen Jahres ersehnte sie nicht zurück.

Der durchdringende Ton der Messingklingel an der Haustür holte Judith aus ihren Gedanken. Irgendjemand schien sie permanent zu drehen, sodass es ohne Unterbrechung laut schellte. Beunruhigt trat Judith auf den Flur hinaus. Das heftige Läuten hörte erst dann auf, als ein metallenes Knacken verriet, dass die Tür geöffnet wurde. Ein leiser Schrei war zu vernehmen, kurz darauf eine Männerstimme und Kinderweinen. Alarmiert beschleunigte Judith ihre Schritte.

Auf der breiten Treppe, die von den privaten Räumen der Familie zunächst in die Beletage und weiter hinab ins Erdgeschoss und den Eingangsbereich führte, kam ihr Babette entgegen. Blankes Entsetzen war in ihrer Miene zu lesen.

»Gnädiges Fräulein!«, rief sie atemlos.

»Nicht so hastig, Babette«, mahnte Judith. »Sag, was ist passiert?«

»Gnädiges Fräulein«, keuchte Babette, »die Buben. Karl ist verletzt!« Sie deutete nach unten.

Ohne ein weiteres Wort raffte Judith ihren Rock und eilte überstürzt die restlichen Stufen hinunter.

Als sie die geräumige Eingangshalle erreichte, lief ihr Anton in die Arme und verbarg schluchzend sein Gesicht an ihrer Brust. Sie strich ihm geistesabwesend über den hellblonden Lockenschopf, während sie fassungslos den Fremden anstarrte, der ihr mit Karl auf dem Arm langsam entgegenging.

»Oh mein Gott, Karl!«, brach es aus ihr heraus. »Das sieht ja furchtbar aus! Wie konnte das nur passieren?« Eine Welle der Übelkeit erfasste sie angesichts der tiefen, klaffenden Wunde. Und gerade jetzt war der Vater aus dem Haus!

Babette, die ihr gefolgt war, nahm Anton an sich, dem noch immer rückhaltlos die Tränen übers Gesicht liefen, und zog ihn sanft, aber bestimmt von Judith weg in Richtung des Küchentrakts.

»Kann ich ihn irgendwo hinlegen? Er braucht schnell einen Arzt!« Die eindringliche, tiefe Stimme des unbekannten Mannes, der ihren Bruder hielt, ließ Judith aufschauen. Sie riss sich zusammen.

»Ja, natürlich. Folgen Sie mir.«

Eilig ging Judith voran zu einem nahe gelegenen Salon und deutete auf das darin stehende Kanapee. Während der Mann Karl ablegte, stand auf einmal der Hausknecht Robert in der Tür. »Babette meinte, ich soll Doktor Katz holen?«

»Ja, Robert«, bat Judith, »lauf zu ihm, ganz schnell!«

»Es handelt sich um einen offenen Bruch, sag das dem Doktor«, ergänzte der Fremde.

Robert nickte. Als er zur Tür hinaus war, wandte sich der

Mann an Judith, die sich neben ihn gekniet hatte und Karls Wange streichelte. Der Junge stöhnte. »Wir brauchen saubere Tücher und etwas abgekochtes Wasser. Ich werde schon einmal anfangen, die Wunde zu reinigen.« Er sah sie an. »Machen Sie sich keine allzu großen Sorgen um ihn, Fräulein Rothmann. Er scheint ein zäher Bursche zu sein.« Seine Stimme hatte einen sanften, beruhigenden Ton angenommen und Judith wurde klar, wie aufgelöst sie wirken musste.

»Wasser und Tücher, das besorge ich sofort, Herr, Herr …«, versicherte sie, stand auf und straffte ein wenig die Schultern.

»Rheinberger.« Der Fremde nickte ihr zu. »Victor Rheinberger.«

»Herr Rheinberger, ja.«

Eine halbe Stunde später versorgte der Arzt den Bruch. Victor Rheinberger, der inzwischen berichtet hatte, was passiert war, unterstützte ihn dabei, und auch Judith blieb an Karls Seite, beobachtete Atem und Herzschlag. Dr. Katz hatte den Jungen mit Äther betäubt. Zum einen musste er für die Behandlung ruhiggestellt werden, zum anderen wären die Schmerzen für ihn sonst unerträglich geworden.

»Er sollte so wenig wie möglich bewegt werden«, meinte der Arzt, als er fertig war und seinen Mundschutz abnahm. »Am besten, Sie lassen ihn zunächst in diesem Zimmer.«

Judith nickte. »Das werde ich machen.«

»Und«, fuhr Dr. Katz fort, »es ist gut möglich, dass er sich schlecht fühlt, wenn er aufwacht. Äther verursacht oft

Übelkeit. Möglicherweise wird er auch etwas unruhig. Geben Sie ihm dann einige Tropfen Baldrian und sorgen Sie dafür, dass jemand bei ihm bleibt. Er darf auf keinen Fall versuchen, aufzustehen.«

»Danke, Herr Doktor«, sagte Judith. »Wie lange, denken Sie, wird es dauern, bis er wieder gehen kann?«

»Na, bei einem so jungen Mann«, er zwinkerte ihr zu, »schätze ich, dass er vielleicht in zwei bis drei Wochen an Gehhilfen laufen kann. Natürlich nur, wenn keine Komplikationen auftreten und er das Bein zunächst schont. Der Bruch an sich ist nicht allzu kompliziert.«

»Gott sei Dank«, entfuhr es Judith.

»Es sah schlimmer aus, als es ist. Am Schienbein befindet sich nicht viel Gewebe über dem Knochen, deshalb wirkt eine Wunde dort schnell bedrohlich. Das Einzige, was unbedingt verhindert werden muss, ist eine Entzündung. Deshalb komme ich vorerst jeden Tag vorbei und nehme den Verbandswechsel selbst vor. Wenn wir dann sicher sein können, dass die Heilung gut verläuft, können Sie diese Aufgabe übernehmen, Fräulein Rothmann.«

»Ich kann Ihnen gar nicht sagen, wie dankbar ich Ihnen bin!« Judith war, als löste sich ein großer Stein von ihrem Herzen.

»Er hat einiges an Blut verloren«, fügte der Arzt an. »Sorgen Sie dafür, dass er eine Fleischbrühe bekommt, sobald er wieder etwas zu sich nehmen kann.«

»Das werde ich.«

»Ich mache mich jetzt wieder auf den Weg, Fräulein

Rothmann. Wenn irgendetwas Ungewöhnliches sein sollte, dann lassen Sie sofort nach mir rufen. Es ist ja nicht allzu weit.«

Judith wollte sich eben noch einmal bedanken, als mit einem heftigen Ruck die Zimmertür aufgestoßen wurde.

»Wie konnte es dazu kommen!« In der Stimme Wilhelm Rothmanns schwangen Besorgnis und Wut gleichermaßen mit. »Judith! Du solltest doch auf deine Brüder aufpassen!« Mit drei großen Schritten lief er zum Kanapee und sah auf Karl hinab, der zwar blass war, aber ruhig schlief.

Der Arzt erfasste sofort, in welchem Zustand sich der Vater befand, und sprach ihn an: »Auf ein Wort, Herr Rothmann.«

Wilhelm Rothmann sah von Judith zu Victor und von Victor zu Dr. Katz.

»Folgen Sie mir bitte in mein Arbeitszimmer, Herr Doktor«, sagte er, nun etwas ruhiger. »Und Sie«, er deutete auf Victor, »würde ich auch gerne sprechen, in etwa zwanzig Minuten. Judith, du gehst auf dein Zimmer!«

»Mit Ihrer Erlaubnis bleibe ich hier bei Karl«, widersprach Judith vorsichtig.

Der Arzt nickte. »Erlauben Sie es ihr, Herr Rothmann. Sie muss auf ihn achtgeben.«

»Nun gut.« Wilhelm Rothmann sah wieder zu Victor. »Dann warten Sie bitte in der Eingangshalle, bis ich Sie holen lasse.«

»Natürlich«, versicherte Victor, und Judith sah ein unauffälliges Lächeln über sein Gesicht ziehen, das ihn sehr sympathisch machte. Er schien Verständnis für die väterliche Sorge zu haben.

Dr. Katz legte Judiths Vater eine Hand auf die Schulter und verließ mit ihm gemeinsam den Raum. Victor Rheinberger hob seine Jacke auf, die er achtlos auf den Boden hatte fallen lassen. Als er sie anziehen wollte, fielen Judith mehrere Blutflecke daran auf.

»Oh, warten Sie!« Sie trat näher, um ihm das verschmutzte Kleidungsstück aus der Hand zu nehmen. »Wir werden dafür sorgen, dass Ihr Jackett gereinigt wird. Das sind wir Ihnen mindestens schuldig.« Sie lächelte ihn dankbar an.

»Das ist ein sehr freundliches Angebot, Fräulein Rothmann«, antwortete Victor. »Aber ich nehme es lieber mit und mache es selbst sauber. Ich habe kein anderes.«

Judith hielt inne und ließ ihren Blick über seine große, kräftige Gestalt wandern. Erst jetzt fiel ihr auf, dass sein Sonntagsanzug abgetragen war und nicht gut saß. Offensichtlich hatte er ihn ausgeliehen oder von irgendjemandem geschenkt bekommen. Der Kragen seines Hemdes war abgeschabt, allerdings tadellos sauber, ebenso wie die Krawatte, die er umgebunden hatte.

»Ich wollte Ihnen nicht zu nahetreten«, stammelte sie. »Entschuldigen Sie, Herr Rheinberger.«

Er sah sie an und wieder stahl sich ein verschmitzter Ausdruck auf sein Gesicht. In einer raschen Bewegung fuhr er sich mit der Hand durch sein dunkles, kurzes Haar. »Machen Sie sich keine Gedanken, Fräulein Rothmann. Mein Jackett ist heute das geringste Problem. Wichtig ist vor allem, dass es ihm«, er deutete auf Karl und seine Miene wurde für einen Moment wieder ernst, »bald wieder gut geht.«

Judith nickte. Mit einem Mal fiel es ihr schwer, den Blick von seinem gut geschnittenen Gesicht zu lösen. Irgendetwas an ihm zog sie an.

Er lächelte und seine blaugrünen Augen blitzten. »Sie werden sich sicher bestens um Ihren kleinen Bruder kümmern, Fräulein Rothmann. Und ich werde in der Halle warten, bis Ihr Herr Vater mich rufen lässt.«

Er ging an ihr vorbei zur Tür und streifte dabei versehentlich ihren Oberarm. »Sonst hat er am Ende mehr Tadel als Lob für mich übrig.«

7. KAPITEL

Es war Babette, die Victor eine halbe Stunde später in der repräsentativen Eingangshalle abholte, um ihn zu Wilhelm Rothmann zu bringen. Victor hatte die Wartezeit genutzt, um die Holzvertäfelung mit den aufwendigen Intarsien und einige wertvolle Gemälde zu betrachten. Auch der kostbare Teppich auf dem hellen Marmorboden und die frischen Blumenarrangements in den Porzellanvasen waren ihm aufgefallen. Ein hoher Spiegel aus Bleikristall ließ die Halle noch geräumiger erscheinen, als sie ohnehin schon war. Die Villa des Schokoladenfabrikanten war in der Tat imposant ausgestattet. Der Familie schien es gut zu gehen.

Auf dem Flur begegnete ihnen Dr. Katz, der eben seinen Hut aufsetzte und sich auf den Heimweg machte. »Da haben Sie sehr mutig reagiert«, meinte er anerkennend und blieb kurz stehen. »Der kleine Anton hat uns ganz aufgeregt vom Hergang des Unfalls erzählt.«

»Das war nicht mutig«, antwortete Victor. »Es war selbstverständlich.«

»Für Sie und mich mag es so sein«, entgegnete Dr. Katz. »Aber gewiss nicht jeder hätte sich vor zwei durchgehende

Pferde geworfen, um einen Jungen zu retten, den er nicht einmal kennt. Karl hat großes Glück gehabt.«

»Ich bin froh, dass ich zum rechten Zeitpunkt am richtigen Ort gewesen bin«, sagte Victor. »Zum Glück wird der Bursche bald wieder gesund sein.«

Dr. Katz lachte. »Wenn er sich an die Spielregeln hält. Das wird ihm nicht immer leichtfallen.«

»Ja, er scheint ein durchaus eigenwilliges Wesen zu haben. Das ist mir trotz unserer kurzen Bekanntschaft aufgefallen«, schmunzelte Victor.

»Eigenwillig ist ein wenig zu gelinde ausgedrückt. Nun ja, vielleicht lernt er aus dem heutigen Erlebnis.« Dr. Katz tippte sich zum Gruß an den Hut. »Einen schönen Tag noch!«

»Ich komme sofort«, beeilte sich Babette zu sagen, aber Dr. Katz schüttelte den Kopf. »Danke, ich finde selbst hinaus.«

Während sich der Arzt mit großen Schritten entfernte, kamen Babette und Victor vor Wilhelm Rothmanns privatem Arbeitszimmer an.

Das Dienstmädchen klopfte und ließ Victor auf Rothmanns Aufforderung hin hinein. Dann schloss sie leise die Tür hinter ihm.

Wilhelm Rothmann saß an einem schweren Schreibpult aus lackiertem Nussbaum. In einer marmornen Schale lagen einige Schreibgeräte, darunter ein dicker Kolbenfüller mit Goldmine, womit er wohl alle wichtigen Angelegenheiten zu unterzeichnen pflegte. Ein silbernes Tintenfass stand an der Seite.

»Ich bin sofort bei Ihnen«, meinte der Unternehmer, während er einige Unterlagen sortierte.

»Selbstverständlich«, entgegnete Victor und trat einen Schritt zur Seite.

Auch in diesem Raum atmete alles Reichtum und Noblesse, angefangen von der Schreibtischlampe aus weißem Opalglas, deren bauchige Mitte mit Goldelementen verziert war, bis hin zu einer Einbauwand aus Schränken, Vitrinen und Bücherregalen, die über zwei Wandseiten verlief. Victor fiel die aus siebzehn Bänden bestehende neue Jubiläumsausgabe des *Brockhaus Konversations-Lexikons* ins Auge, neben Hunderten weiterer wissenschaftlichen, historischen und literarischen Werken. Eine demonstrative Gelehrtheit drängte sich auf und das diffuse Licht, welches nur gedämpft durch die von schweren Samtvorhängen umrahmten hohen Fenster hereinfiel, verstärkte diesen Eindruck.

Im Hintergrund tickte laut das Pendel einer reich geschnitzten Standuhr und verkündete soeben unüberhörbar die volle Stunde.

Als habe er auf dieses Signal gewartet, schob Wilhelm Rothmann die Papiere zusammen und richtete sich in seinem Armlehnstuhl auf.

Einen Moment lang fühlte Victor sich taxiert, dann erhob sich der Fabrikant und kam auf ihn zu. »Ich denke, ich muss mich nicht mehr vorstellen. Aber wenn Sie mir bitte Ihren Namen nennen würden, mein Herr?«

»Victor Rheinberger.«

»Sie haben meinem Sohn heute wohl das Leben gerettet, Herr Rheinberger.«

»Es war in der Tat recht knapp.«

»Ich habe Anton vorhin bereits gefragt, was die beiden überhaupt am Bahnhof zu suchen hatten«, meinte Rothmann. »Er konnte mir keine rechte Auskunft geben, er ist natürlich völlig durcheinander. Allerdings erwähnte er ein kleines Feuer, das er mit Karl entfacht hätte und das nicht mehr ausgehen wollte.«

»So könnte man es ausdrücken. Ich habe den beiden beim Löschen geholfen. Als wir die Bahnstation verlassen haben, kam dann das Gespann auf uns zugerast.«

»Und Sie zogen Karl von den Pferden weg. Er hätte zertrampelt werden können.«

»Ich bin selbst dankbar, dass es nicht schlimmer gekommen ist. Allerdings wird Ihr Sohn eine Weile lang an sein Missgeschick erinnert werden. So ein Bruch schmerzt.«

»In diesem Fall habe ich nur wenig Mitleid mit ihm. Er ist einfach zu ungestüm. Möge es ihm eine Lehre sein.« Rothmann ging zu einer kleinen Anrichte. »Darf ich Ihnen einen Cognac anbieten, Herr Rheinberger? Oder lieber einen Schnaps? Birne? Zwetschge? Apfel?«

»Vielen Dank, gerne einen Birnenschnaps«, antwortete Victor.

Rothmann schenkte zwei Schnapsgläser ein und reichte ihm eines davon. »Meinen zutiefst empfundenen Dank, Herr Rheinberger.«

Sie stießen an. Victor genoss das leichte Brennen des Alkohols in seiner Kehle und schloss für einen Moment die Augen. Erst jetzt, wo die Anspannung von ihm abfiel, spürte er die Müdigkeit in seinen Gliedern.

»Setzen Sie sich doch«, bot Rothmann an und deutete auf einen der beiden Lederfauteuils, die zusammen mit einem Beistelltisch in einer Ecke des Raumes standen.

Dankbar nahm Victor Platz.

»Sie kommen nicht aus der Gegend?«, fragte Wilhelm Rothmann und setzte sich in den Sessel neben ihm.

»Nein«, antwortete Victor.

»Man hört es an Ihrem Tonfall. Vielmehr am Fehlen des schwäbischen Akzents.«

»Ich stamme aus Preußen.«

»Können Sie die Menschen hier dann überhaupt verstehen?«

Victor lachte. »Inzwischen ja. Zu Anfang war es nicht einfach.«

»Auf der Schwäbischen Alb würden Sie sich noch schwerer tun«, meinte Rothmann. »In Stuttgart spricht man etwas distinguierter.«

»Da haben Sie sicher recht. Doch so weit bin ich noch nicht herumgekommen.«

»Wie hat es Sie denn hierher verschlagen, Herr Rheinberger?«

»Ich wollte etwas Neues wagen.«

»In Stuttgart? Wären nicht Köln oder Hamburg interessantere Städte gewesen?«

»Nicht unbedingt. Und ich habe einen Freund in der Stadt, das machte die Entscheidung etwas einfacher«, hangelte sich Victor an der Halbwahrheit entlang. Von seiner Vergangenheit wollte er nichts erzählen. »Außerdem ist Stuttgart dabei, sich zu entwickeln. Diese Dynamik ist faszinierend«, fügte er hinzu.

»Ja, das traut man den Schwaben eigentlich gar nicht zu«, sagte Rothmann schmunzelnd. »Nach außen hin wirken sie ruhig, manchmal sogar verstockt. Und dann geht plötzlich die Tür irgendeiner Werkstatt auf und heraus kommt eine neue Erfindung, ohne die die Welt fortan nicht mehr leben kann. Denken Sie nur an Robert Bosch und seine Hochspannungsmagnetzündung.«

»Oder Gottlieb Daimler und das Automobil.«

»Sie kennen sich aus«, bemerkte Rothmann gefällig. »Schade, dass er nicht mehr lebt, der Gottlieb. Doch sein Compagnon, der Maybach, hat das Geschäft weitergeführt. Inzwischen konstruiert er ständig irgendetwas für diesen überspannten Österreicher, Emil Jellinek. Haben Sie von dem schon gehört, Herr Rheinberger?«

»Nein, bisher nicht.«

»Der tauchte eines Tages vor Maybachs Werkstatt auf und ließ nicht locker, bis dieser ihm einen zweisitzigen Rennwagen konstruiert hatte, mit dem er 1901 am Autorennen in Nizza teilnahm. Und prompt gewann. Seither heißen Maybachs Automobile übrigens Mercedes, nach Jellineks Tochter.«

»Darf ich fragen, ob Sie auch ein solches Automobil besitzen, Herr Rothmann?«

»Oh ja!« Die Augen des Fabrikanten leuchteten auf. »Schon seit zwei Jahren, einen Mercedes 35 PS. Einen der Ersten dieser Serie. Es gibt inzwischen ja schon den Simplex, aber der kostet wahrlich ein Vermögen.«

Victors Aufmerksamkeit war geweckt. »Alles Technische interessiert mich sehr. Ich hatte nur leider nie die Gelegenheit, mir entsprechende Kenntnisse anzueignen.«

»Wenn Sie das Verständnis dafür haben, bestehen durchaus Möglichkeiten hier in der Stadt, Herr Rheinberger.«

»Stammen Sie aus Stuttgart, Herr Rothmann?«

»Ja. Ich bin hier aufgewachsen. Allerdings habe ich zwei Jahre in Paris verbracht, bevor ich in die Schokoladenfabrikation meines Vaters eintrat. Jeder, der eine außergewöhnlich gute Schokolade herstellen will, sollte in Paris gearbeitet haben. Möchten Sie noch einen?«, fragte er und hob sein leeres Glas.

Victor nickte und Rothmann schenkte ihm einen zweiten Schnaps ein.

»Nun, Herr Rheinberger. Meinen Dank möchte ich natürlich nicht nur in Worten ausdrücken. Ich dachte an 400 Mark Belohnung. Wären Sie damit einverstanden?«

Victor verschluckte sich an seinem Schnaps und hustete. Rothmann klopfte ihm lachend auf den Rücken. »Das haben Sie sich verdient.«

»Das ist sehr großzügig von Ihnen.«

»Na also, dann wäre das geklärt.«

»Aber«, Victor musste sich immer noch räuspern, »meine Bitte wäre eine andere.«

»Eine andere? 400 Mark entsprechen dem halben Jahressalär meines Chauffeurs!«

»Die Höhe Ihrer Zuwendung ist es nicht. Sie ist äußerst großzügig.«

»Was ist es dann?«

»Ich würde gerne für Sie arbeiten, Herr Rothmann.«

»Hatten Sie keinen Hut dabei, Herr Rheinberger?«, fragte das Dienstmädchen, als es Victor zwei Stunden später wieder in die Eingangshalle brachte. Er schüttelte den Kopf. »Der ist verloren gegangen, als ich Karl von der Straße gezogen habe.«

»Der gnädige Herr wird ihn sicher ersetzen«, beteuerte sie.

Victor lächelte nur. Der Hut war nicht wichtig. Er war ohnehin ziemlich ramponiert gewesen; möge er irgendwo auf Degerlochs Straßen sein Schicksal finden. Oder einen neuen Besitzer.

Das Mädchen öffnete die Tür und Victor stieg, um Haltung bemüht, langsam die kurze Treppe hinunter. Es war nicht bei den zwei Schnäpsen geblieben. Und zuletzt hatte Rothmann einen sehr guten Wein angeboten.

Als er auf der Straße stand, drehte Victor sich noch einmal um und sah zur Villa der Rothmanns zurück. Im milden Licht des Sommerabends wirkte der noch junge Bau mit seinen vielfältigen Fensterformen und Achsen, den zahlreichen Erkern und Vorsprüngen, dem Wechsel zwischen verputzter Fassade und Ziegelmauerwerk nicht mehr ganz so markant wie in der hellen Nachmittagssonne. Das ganze Ensemble war gewiss mit enormem Aufwand geplant und gebaut worden. Dennoch wirkte es auf Victor, als stünde es für eine vergangene Epoche – klobig, abweisend und blasiert. So hatte er die Stimmung darin gar nicht empfunden.

Wie auch immer. Wenn er noch etwas Licht für den Heimweg haben wollte, musste er los. Um die 20 Pfennig für die Rückfahrt mit der Zahnradbahn zu sparen, machte er sich zu Fuß auf den Weg durch Wald und Weinberge hinunter nach Stuttgart.

8. KAPITEL

Riva am Gardasee, Anfang August 1903

Hélène atmete tief ein, hielt die Luft an und entließ sie mit einem leisen Zischlaut. Mit geschlossenen Augen spürte sie ihrem Atem nach, und der Wärme des Sommertages auf ihrer Haut. *Panta rhei,* ging ihr ein Sprichwort von Heraklit durch den Sinn. *Alles fließt. Wie wahr.*

Sie blinzelte.

Von Süden her strich ein kräftiger Wind über den See. Er brachte die Wasseroberfläche in rege Bewegung und blies einen erfrischenden Hauch in die kleinen, von Korkeichen, Araukarien und alten Maulbeerbäumen umstandenen Lufthütten am Nordufer.

Nahezu zwanzig dieser Holzbauten für jeweils zwei Personen befanden sich verstreut auf dem weitläufigen Parkgelände des Sanatoriums Dr. von Hartungen, direkt am Gardasee. Sie wurden den Patienten für Luftkuranwendungen empfohlen und besaßen deshalb große Fensteraussparungen ohne Verglasung. Derart gut durchlüftet ließ sich hier die sommerliche Hitze gut aushalten, welche andernorts für Schwüle und Trägheit sorgte.

Hélène allerdings war, so wie auch jetzt, lieber am steinernen Seeufer und genoss den tiefen inneren Frieden, welchen sie angesichts der changierenden Blautöne des Wassers zu ihren Füßen empfand. Die Strömung schien ihre Nöte einfach mitzunehmen, um sie durch eine heitere Gelassenheit zu ersetzen. Der Gegensatz zu den mächtigen, rauen Bergen in ihrem Rücken war dabei nicht beängstigend, sondern ein eindrücklicher und inspirierender Kontrast. Hier das Tor in südliche, warme Gefilde, dort eine unzähmbare Natur mit kargen, schroffen Zinnen und schneebedeckten Gipfeln. Hélène erschienen sie nicht bedrohlich, ganz im Gegenteil, sie fühlte sich beschützt. Scheinbar unüberwindbar standen diese Höhenzüge zwischen Gegenwart und Vergangenheit, zwischen ihrer Zuflucht hier und den Ketten ihres Lebens nördlich der Alpen, die zu sprengen sie endlich bereit war.

Viel zu lange hatte sie gehadert, ihr Schicksal bejammert und doch nicht versucht, es zu ändern. Jetzt aber hatte sie begonnen, die Welt mit anderen, mit eigenen Augen zu sehen und ihr in lebendigen Malereien Ausdruck zu verleihen. Diese Schöpferkraft in ihrem Inneren war ihr nicht bewusst gewesen und überraschte sie täglich aufs Neue; die Arbeit mit Pinsel und Farbe brachte ihr Ruhe und ein vollkommen neues Lebensgefühl. Es war ihre Hand, die erschuf, das Spiel aus Licht und Schatten einfing, lenkte und die Komposition bestimmte. Welch ein Geschenk.

Sie breitete die Arme aus, warf ihre dunklen Locken in den Nacken und drehte sich langsam im Kreis.

»Net zu schnell, gnädige Frau, sonst wird's Eana ganz schwindlig!«

Hélène hielt inne und lächelte.

Georg Bachmayr, ein Kurgast aus München, hatte, wie so oft, eine Lufthütte in ihrer Nähe bezogen.

Sie drehte sich zu ihm um. »Oh, aber das ist doch der Sinn dieser Übung, Herr Bachmayr!«, gab sie launig zurück und drehte sich gleich noch einmal.

»Kreiseln'S nur weiter! Ich fang Sie gerne auf!« Er zwinkerte ihr vergnügt zu.

Hélène hatte sich in den Wochen ihres Aufenthaltes an die unkonventionelle Lebensart im Sanatorium und den relativ freizügigen Umgang von Frauen und Männern dort gewöhnt. Die Sonne weckte Lebensgeister und Sinne, und keiner störte sich an den größeren und kleineren Liebeleien unter den Kurgästen. Das mochte am Publikum liegen, welches bevorzugt hier verkehrte; Schriftsteller, Musiker, Maler, Dichter und Denker – die künstlerische und kulturelle Elite, so hatte es den Anschein, gab sich hier ein Stelldichein. Wie auch Hélène kämpften die meisten von ihnen mit einem überstrapazierten Nervenkostüm, und sie war glücklich, einige Leidensgenossen gefunden zu haben. Zu Hause hatte man ihre Beschwerden als lästiges Übel hingenommen, verstanden hatte man sie nicht. Diese Diagnose *Neurasthenie,* die gestellt worden war, und die verschiedene Symptome, von Unruhe bis hin zu tiefster Melancholie, zusammenfasste, war in Hélènes Augen nur der hilflose Versuch einer Erklärung. Erkrankte, so war ihr beschieden worden, taten sich schwer, »die Bilanz zwischen Produktion und Verbrauch der Nervenkraft herzustellen«. *Nun ja, so konnte man es ausdrücken.*

»Wie wär's, gnädige Frau, wenn'S mit mir einen Ausflug nach Torbole machen?« Georg Bachmayr führte die Unterhaltung fort, obwohl Hélène wieder mit ihrer Atemübung begonnen hatte. Sie ließ ihn einige Zeit auf die Antwort warten.

»Ach, Sie wissen doch, dass ich am liebsten an der Staffelei stehe, Herr Bachmayr«, gab sie dann zurück. »Nach einem Ausflug ist mir nicht zumute.«

»Ein Fehler, gnädige Frau, ein Fehler! Dort hat anno 1786 schon der große Johann Wolfgang von Goethe Halt gemacht. Für Sie als Künstlerin muss der Hauch der Antike doch ebenso belebend sein, wie er für ihn gewesen ist!«

Hélène mochte den Münchner, aber sie ahnte, worauf es hinauslaufen würde, sollte sie seinem Drängen nach gemeinsamen Unternehmungen nachgeben. Georg Bachmayr war erst seit einigen Tagen in Riva und hatte sofort ihre Nähe gesucht. Sein Interesse tat ihr zwar gut, aber eine Affäre wollte sie nicht beginnen. Da sie selbst bisher nur wenige Ausflüge in die Umgegend unternommen hatte, reizte sie die Besichtigung des nahen Torbole gewiss, doch sie musste ihr Leben ordnen und dazu brauchte sie Abstand und Ruhe und ganz bestimmt keinen Liebhaber.

»Wissen Sie, der Herr Geheimrat Goethe hat seine Eindrücke in Worte gefasst. Die Malerei braucht andere Anregungen«, meinte Hélène, die das Gespräch bereits anstrengte.

Bis sie wieder ganz bei Kräften war, würde es noch eine Weile dauern.

»Papperlapapp«, wischte Bachmayr ihren Einwand beiseite, »Kunst ist Kunst.«

»In welcher Kunst sind Sie bewandert, Herr Bachmayr, dass Sie das so genau zu beurteilen vermögen?«, fragte Hélène spitz.

»Na, ich bin kein Dichter, kein Maler und auch kein Musiker. Ich bin ein Kritiker, also ein Kenner der Kunst.« Sichtlich zufrieden mit seinem Wortspiel strich Bachmayr über seinen üppigen grauen Backenbart, mit dem er ein wenig an den österreichischen Kaiser erinnerte.

»Meine Kunst kennen Sie nicht«, konterte Hélène und erschrak zugleich über sich selbst. Beherrscht zu bleiben war eine der Tugenden, die man ihr von Kindheit an eingebläut hatte, und diese Antwort war ihr ohne Nachdenken entschlüpft. »Verzeihen Sie, Herr Bachmayr. Ich würde mich vor dem Abendessen noch gerne zurückziehen, ich bin lange genug an der Luft gewesen.«

»Ja, ja, machen'S das, gnädige Frau«, beschied Bachmayr großmütig, ganz so, als ob er einem Kind einen schlechten Scherz verzeihe. »Und das mit Torbole, das bekommen wir hin. Das werden'S seh'n!«

Mit diesen Worten entledigte er sich seiner Kleidung und stürzte sich nackt wie Gott ihn geschaffen hatte in die kühlenden Fluten. Hélène schmunzelte angesichts seiner Unbekümmertheit. So sehr er ihr auf die Nerven ging, so oft entlockte er ihr ein Lächeln. Die Herren hier führten sich wirklich auf wie die Kinder, planschten mit Vorliebe hüllenlos im See, schwammen und tauchten, bespritzten sich mit Wasser. Die Frauen, deutlich in der Minderzahl, hielten sich meist vornehm zurück – wie überall galt auch am Privatstrand des Reform-Sanatoriums ein ungeschriebenes Gesetz, welches den Damen Sittsamkeit und Tugendhaftigkeit vorschrieb, während die Männer weitreichende Freiheiten genossen.

Hélène sollte es recht sein. Sie war froh, dass sie bequeme Reformkleider tragen und auf die fürchterlich steifen Korsetts verzichten durfte und ansonsten weitgehend tun und lassen konnte, was sie wollte.

»Das Wasser ist herrlich«, tönte es vom See her, und Hélène wandte den Kopf.

Bachmayr spritzte mit lautem Lachen in ihre Richtung.

Wenn ihr Gatte über die Gepflogenheiten hier im Bilde wäre – er würde sie umgehend nach Stuttgart zurückzitieren. Doch da ihn, abgesehen von seiner Fabrik und der eigenen Person, nur wenig interessierte, war ihm nicht bewusst geworden, an welch umtriebigen Ort es seine Frau gezogen hatte. Er hatte lediglich die Kosten moniert. Doch seine Überweisungen kamen pünktlich und mehr war für Hélène im Augenblick nicht von Belang. Sie konnte endlich richtig durchatmen.

Beim Abendessen sah sie Bachmayr wieder. Zusammen mit einigen anderen Kurgästen bildeten sie eine feste Tischgemeinschaft. Es war eine gesellige und heitere Runde, und Bachmayr erhob sich galant, als sie an die runde Tafel trat.

Er wünschte einen guten Abend, schob ihr den Stuhl zurecht und setzte sich erst wieder, als sie Platz genommen hatte. Hélène, die ausgeruht war und sich frisch fühlte, dankte ihm. Das leise Summen gepflegter Unterhaltung schwebte durch den Raum, dezent klirrten Geschirr und Besteck, der Duft eines leichten Abendessens weckte ihren Appetit.

Frisch gebackenes dunkles Brot lag in geflochtenen Körben, daneben standen Platten mit verschiedenen Käsesorten und frischen Feigen. Während vorab eine bekömmliche Gerstensuppe aufgetragen wurde, entspann sich eine angeregte Unterhaltung.

»Hat der Christl euch auch schon erzählt, wie er letztes Jahr mit den Brüdern Mann auf dem Gardasee rudern war?«, fragte ein Mittvierziger in die Runde und hob sein Glas. Er hatte sich Hélène als Egon Leitz vorgestellt und betrieb nach eigenen Angaben eine gut gehende Papierfabrik in der Nähe von Berlin.

»Auch Ihnen zum Wohle«, gab Bachmayr leicht despektierlich zurück, um sofort versöhnlich fortzufahren: »Ich hab' davon g'hört, Herr Leitz. Sie sollen sich arg gestritten haben.«

»Ja, das haben sie«, bekräftigte Leitz und nahm einen guten Schluck des bekömmlichen Vino Santo. »Ein sehr edler Tropfen«, konterte er fein Bachmayrs verdeckten Hinweis auf den ausgebliebenen Trinkspruch.

»Tatsächlich? Worum ging es denn?«, forschte Bachmayr nach.

Das Ehepaar Klock-Sander, welches Hélène schräg gegenübersaß, merkte auf.

Egon Leitz beugte sich verschwörerisch vor. »Thomas Mann hat seinen Bruder offenbar direkt angegriffen, mit Worten natürlich, nicht mit den Fäusten. Sie hatten einen Dissens hinsichtlich, nun, lassen Sie es mich so ausdrücken, spezieller moralischer Grundansichten ... und er behauptete, Heinrich habe ihn plagiiert.« Dann lehnte er sich zurück und ließ den Satz wirken.

Frau Klock-Sander atmete hörbar ein, ihr Mann neigte den Kopf, um besser zu verstehen.

Bachmayr schmunzelte.

Als Leitz sich der Aufmerksamkeit aller sicher war, erzählte er weiter, wobei er seine Stimme etwas dämpfte: »Er hat seinen Bruder und dessen Bücher durch den Schmutz gezogen. Ganz wie der große Schriftsteller soll er sich aufgeführt haben, der Thomas Mann.«

»Er *ist* ein großer Schriftsteller«, ließ sich Herr Klock-Sander vernehmen. »Die *Buddenbrooks* sind ein Meisterwerk.«

»Gewiss. Doch das gibt ihm nicht das Recht, das Werk seines Bruders völlig zu verunglimpfen. Ich habe *Die Göttinnen* gelesen und bin beeindruckt. Etwas völlig Neues, was Heinrich Mann damit in die Welt entlassen hat.«

»Dieses Stück kenne ich nicht«, meinte Klock-Sander. Unterschwellig vernahm Hélène deutliche Abneigung. »Im Übrigen empfiehlt der gnädige Herr Doktor Zurückhaltung bei der Lektüre.«

»Das müssen Sie aber trotzdem unbedingt lesen«, erwiderte Leitz betont freundlich. »Er habe das Leben einer leidenschaftlichen Frau mit drei starken Motiven gefüllt, so schrieb Heinrich Mann selbst in der *Zeit*: Freiheit, Kunst und Liebe.«

»Hört sich net schlecht an«, stellte Bachmayr fest. »Net wahr, Frau Rothmann?«

Hélène, die angesichts des pikanten Diskussionsgegenstandes still geblieben war, senkte den Kopf. Leitz bemerkte ihre Beschämung und sprang ihr bei: »Sie kennen sicher die *Buddenbrooks,* nicht wahr, Frau Rothmann?«

Hélène sah Leitz dankbar an. »Mein Mann hat das Werk erstanden. Ich kam bedauerlicherweise noch nicht dazu, es zu lesen.«

»Na, das wird ohnehin ein Jahrhundertwerk. Da haben Sie noch genügend Zeit, sich der Lektüre zu widmen«, gab Leitz unbefangen zurück.

»Also, ich weiß«, knüpfte Herr Klock-Sander an, »dass Heinrich Mann etwas leichtlebig ist.«

»Affären hat er«, brachte sich jetzt wieder Bachmayr ein, »und net zu knapp. Aber mei, er is halt ein Schriftsteller, ein Künstler, die ham da eine andere Einstellung.«

»Gerade als Künstler sollte er ein Vorbild abgeben!«, widersprach Klock-Sander.

Seine Frau nickte heftig.

Bachmayr lachte leise. »Er soll derzeit in Mitterbad sein, der Heinrich Mann. Das hab ich vorhin am See g'hört. Zusammen mit dieser Malerin … Ach, jetzt is mir der Name wieder entfall'n … Irgendwas mit Preußen …« Er rieb sich den Bart.

»Hermione von Preuschen«, half Leitz aus.

»Genau! So heißt sie«, erwiderte Bachmayr.

»Auch so eine Dame der Unmoral«, schnaubte Klock-Sander verächtlich.

Hélène blieb still, doch in ihrem Inneren regte sich Neugier. An Affären mangelte es hier im Sanatorium gewiss nicht, die nächtlichen Aktivitäten schienen geradezu Teil des Therapiekonzeptes zu sein. Klock-Sanders Empörung wirkte fadenscheinig und sie argwöhnte, dass der distinguierte Herr sich nur allzu gerne der allgemeinen Unmoral anschließen würde – wäre da nicht seine Frau.

Frau Klock-Sander schüttelte missbilligend den Kopf. Ihr Mann begann sich zu ereifern: »Das waren alles Halbweltsdamen, die dem Heinrich Mann den Kopf verdreht haben!«

Seine Frau sah ihn pikiert an.

»Woher wissen'S denn das?«, fragte Bachmayr süffisant.

»Das weiß doch jeder«, winkte Klock-Sander ab, und Leitz hielt es für an der Zeit, sich einem anderen Thema zu widmen: »Also, dieser Vino Santo macht seinem Namen Ehre. Was mich betrifft, so trägt er wesentlich zur Gesundung bei. Er lagert in Kastanienfässern und wird stets zu Weihnachten gekeltert.«

»Welche Rebe?«, fragte Bachmayr.

»Trebbiano und Malvasia.«

Während sich das Gespräch nun wieder um unverfänglichere Inhalte drehte, dachte Hélène über die drei Motive nach, die Heinrich Mann seinem Roman angeblich zugrunde gelegt hatte: Freiheit, Kunst und Liebe. Genau diese Dinge waren Frauen wie ihr üblicherweise verwehrt. Nicht nur ihre Körper wurden in ein Korsett gezwängt – ihr ganzes Sein hatte starren gesellschaftlichen Normen zu genügen, die niemals infrage gestellt wurden. Und Hélène, die sich nach außen hin noch schwertat, ihre Sittsamkeit abzulegen, spürte in ihrem Inneren eine aufregende Faszination für diese ihr völlig neue Welt heranwachsen.

9. KAPITEL

Victor wischte sich mit einem Taschentuch den Schweiß von der Stirn, steckte es zurück in die Hosentasche und schulterte einen der schweren Säcke mit Rohzucker, der in großen Mengen im Zuckermagazin lagerte. Er umrundete einige frisch angelieferte Fässer und Kisten gleichen Inhalts, bevor er einige Meter weiter die Räume der fabrikeigenen Zuckerraffinerie betrat.

Stickige Hitze schlug ihm entgegen, als er seine kristalline Last zu einem der großen, mit Wasser gefüllten roten Kessel brachte und hineinschüttete. Der feucht-klebrige Dampf ließ ihn erneut in Schweiß ausbrechen. Noch lagen einige Stunden harter Arbeit vor ihm, denn wenn er gerade nicht Säcke zu den Kesseln schleppte, musste er die eingekochte Zuckerlösung zum Abdampfen bringen. Kaum weniger mühsam war es, die schweren Metallkästen über eine Treppe in einen noch heißeren Raum zu hieven, damit sich ihr Inhalt in eine halbflüssige, bräunliche Masse verwandeln konnte, bevor sie in der Zentrifuge zu schneeweißem Zucker geschleudert wurde.

Es war eine schwere Arbeit und der Lohn war allenfalls durchschnittlich. Dennoch verrichtete er die Plackerei mit Ehrgeiz. Wenn dies der Ort war, an dem seine Zukunft begann, dann sollte es so sein.

Victor leistete weit mehr als die anderen Männer. Und er nutzte jede Möglichkeit, sich Wissen anzueignen, verinnerlichte die Abläufe der Raffinerie, studierte die Maschinen. Er wusste, wo welches Werkzeug lag und wer wofür zuständig war. Inzwischen zog man ihn immer häufiger heran, wenn es etwas zu reparieren gab. Seine technischen Ideen fanden Anklang, wurden geprüft, teilweise umgesetzt. In kleinen Schritten machte er sich unentbehrlich.

»Rheinberger!« Einer der Vormänner kam heftig gestikulierend auf ihn zu. »Rheinberger, du sollst ins Comptoir kommen. Schnell.«

Victor sah den Mann fragend an.

»Ich weiß auch net, was die von dir wollen«, sagte der Arbeiter und deutete mit dem Finger zur Tür ins Treppenhaus. »Geh einfach.«

Victor warf den leeren Zuckersack in eine Ecke, fuhr sich durch das feuchte Haar und zog die Hosenträger zurecht.

Der Vormann lachte. »Brauchst dich nicht schick zu machen, dort sind eh nur Mannsbilder.«

»Aber die Hosen lass ich trotzdem nicht runter«, konterte Victor grinsend und ging zur Tür.

Eine vertraute Geräuschkulisse begleitete Victors Weg von den Produktionssälen zum Comptoir, welches über den Verkaufsräumen im Haupthaus lag: Das stete Rauschen in den Dampf- und Kühlluftröhren, das Rattern der Aufzüge, das rumpelnde Surren der riemengetriebenen Transmissionen und der Lärm des Kesselhauses mit seinem riesigen Schornstein. Überall war ein unterschwelliges Vibrieren spürbar und ließ die Kraft erahnen, mit welcher die Dampfmaschinen die für die Herstellungsprozesse benötigte Energie erzeugten.

Was, wenn alles elektrisch angetrieben werden würde?, dachte Victor bei sich, als er durch eine Seitentür das Hauptgebäude betrat und die Stufen in die erste Etage hinaufstieg. Eigentlich wunderte er sich, dass Rothmann im Gegensatz zu zahlreichen anderen Stuttgarter Unternehmern noch nicht in diese Technologie investiert hatte. Die Elektrifizierung schritt unaufhaltsam voran, eroberte nicht nur die Fabriken, sondern auch den Wohnraum. Zumindest in begüterten Familien ersetzten Glühbirnen zunehmend Gaslicht und Petroleumlampen. In Victors Augen war sie einer der Grundpfeiler künftiger Entwicklungen, und jeder weitsichtige Unternehmer sollte diese Tatsache berücksichtigen.

Einmal mehr erfasste ihn ein leises Bedauern darüber, keine Ingenieurslaufbahn eingeschlagen zu haben. Schon als kleiner Junge hatten ihn Maschinen und Mechanik fasziniert. Es fiel ihm leicht, deren komplexe Strukturen zu erfassen und weiterzudenken. Ein technischer Werdegang wäre sein Bestreben gewesen, stattdessen hatte er auf Befehl seines Vaters an der Kriegsakademie studiert und sich dort durchgekämpft. Zumindest bis zum Tag jenes Duells, das er gar nicht hatte bestreiten wollen und dessen unglücklicher Ausgang ihn hinter Gitter gebracht hatte.

Victor wischte den Gedanken beiseite. Die Vergangenheit konnte keiner mehr ändern. Viel wichtiger war es, in die Zukunft zu schauen.

Inzwischen war er an der Tür zum Comptoir angelangt. Er sammelte sich, straffte die Schultern und klopfte an.

Einer der Angestellten öffnete ihm.

»Sie wollen zu Herrn Rothmann, er hat nach Ihnen geschickt, gell? Es dauert einen Moment. Er hat noch Besuch.«

Wieder einmal musste Victor warten. So war es meistens, wenn er zu Wilhelm Rothmann gerufen wurde.

Inzwischen war ihm das Comptoir vertraut, ein großer Raum, dessen Wände sich aus unzähligen kleinen Kästchen zusammensetzten. Sie waren gefüllt mit Proben aller Süßwarenarten des Hauses. Jede Warenprobe hatte eine eigene Nummer.

An den Schreibpulten arbeiteten Männer, die Bestände überprüften, Bestellungen listeten oder Rechnungen schrieben. Zwei von ihnen besprachen sich gedämpft, während ein Bote darauf wartete, Briefe und Schreiben in Empfang zu nehmen und auszutragen.

Victor mochte das ruhige Ambiente im Comptoir. Hier oben war der Fabriklärm kaum noch zu hören.

Einige Minuten später ging die Tür zu Rothmanns Büro auf. Ein untersetzter, elegant gekleideter älterer Herr mit Gehstock blieb kurz in der Öffnung stehen, setzte seinen schwarzen Filzhut auf das schüttere Haar, sah auf seine goldene Taschenuhr und verließ eilig das Comptoir.

Die leisen Gespräche der Sekretäre waren mit dem Erscheinen des Mannes verstummt. Kaum war er zur Tür hinaus, schien eine gewisse Erleichterung durch die Pultreihen zu gehen.

Schließlich trat Wilhelm Rothmann selbst aus der Tür und winkte Victor zu sich.

»Nehmen Sie Platz, Rheinberger«, sagte er und Victor setzte sich auf einen von vier lederbezogenen Holzstühlen, die an einem kleinen Besprechungstisch standen.

Rothmann trat an seinen Schreibtisch und schien für kurze Zeit in Gedanken versunken zu sein. Fast sorgenvoll. Dann schüttelte er den Kopf, so als wollte er eine lästige Einbildung verscheuchen, griff nach einigen Skizzen und kam damit zu Victor.

»Ich habe mir von Ihrer Arbeit berichten lassen, Herr Rheinberger. Alle sind außerordentlich zufrieden mit dem, was Sie leisten.«

»Danke, Herr Rothmann. Aber die Arbeit im Zuckermagazin ist nicht allzu anspruchsvoll. Ich meine, körperlich natürlich schon. Aber die Abläufe sind stets gleich.«

»Die Arbeit im Zuckermagazin hatte ich auch gar nicht gemeint. Obwohl es eine gute Voraussetzung ist, wenn man diese Arbeit kennt. Ich selbst habe einst auch im Zuckermagazin angefangen. Und auch meine Söhne werden nicht umhinkommen.«

»Wie geht es denn Karl mittlerweile?«, fragte Victor.

»Schon wieder viel zu gut, wenn Sie mich fragen«, sagte Rothmann schmunzelnd. »Die Wunde ist recht schnell verheilt. Jetzt humpelt er zwar noch ein bisschen, aber das wird sich bald geben, meint der Arzt. Der nächste Ärger dürfte nicht mehr lange auf sich warten lassen.«

Victor lachte. »Das steht zu befürchten. Aber es freut mich, dass der Unfall keine schweren Folgen hatte.«

»Dank Ihnen, Herr Rheinberger. Und da komme ich schon zum eigentlichen Grund, weshalb ich Sie hergebeten habe. Sehen Sie, Ihr technisches Talent, von dem Sie mir ja bereits bei unserer ersten Begegnung erzählt haben, ist in der Tat beachtenswert. Und ich brauche dringend einen guten Monteur.«

»Und da dachten Sie an mich?«

»Genau. Ich will ehrlich sein. Zunächst war es mir wichtig, ein Bild von Ihnen zu bekommen. Ich meine, Sie sind relativ neu in der Stadt. Sie erzählten nur von einer Ausbildung beim preußischen Militär und dass Sie dort nicht bleiben wollten. Zunächst schien es mir also ratsam, ein wenig abzuwarten, bis ich Sie in eine verantwortungsvollere Position hole.«

Rothmann legte die Skizzen auf den Tisch. »Dies sind technische Zeichnungen unserer wichtigsten Maschinen. Röstmaschine, Kakaobutterpresse, Walzen et cetera, et cetera. Ich möchte, dass Sie sich mit allen intensiv vertraut machen. Ab sofort sind Sie verantwortlicher Monteur für sämtliche Apparate, die mit der Herstellung von Süßwaren und Schokolade zu tun haben. Ausgenommen davon sind vorerst die Dampfmaschinen.«

Victor verschlug es einen Augenblick die Sprache. Dann nahm er die Skizzen auf und blätterte darin. »Das ist genau die Arbeit, die ich mir immer gewünscht habe. Nun ist es an mir, mich aufrichtig zu bedanken, Herr Rothmann.«

»Ich erwarte viel von Ihnen, Rheinberger«, betonte Rothmann. »Ihnen unterstehen fortan zwei Arbeiter, die Sie anleiten. Wenn Sie sich bewähren, dann haben Sie sehr gute Aussichten. Nutzen Sie Ihre Möglichkeiten.«

»Das werde ich«, antwortete Victor begeistert. »Und noch einmal vielen Dank für Ihr Vertrauen!«

Er stand auf und ging zur Tür.

»Noch etwas, Herr Rheinberger.«

»Ja?«

»Machen Sie sich bei Ihrer Arbeit bitte Gedanken darüber, wo wir im gesamten Herstellungsablauf Kosten einsparen können. Notieren Sie alle Möglichkeiten, die Sie für erwägenswert halten, und legen Sie mir diese bei nächster Gelegenheit vor.«

»Das werde ich tun, Herr Rothmann.«

10. KAPITEL

Die Schokoladenfabrik Rothmann,
Mitte August 1903

Es war noch früh am Tag. Theo, Kutscher und Chauffeur der Rothmanns, hatte Judith und ihren Vater an diesem Donnerstag ausnahmsweise mit dem Mercedes von Degerloch nach Stuttgart hinuntergefahren. Allzu oft war das nicht der Fall, denn der Wagen wurde geschont und deshalb vornehmlich für kurze Spazierfahrten auf der Filderhöhe genutzt. Warum er ausgerechnet heute zum Einsatz kam, wusste Judith nicht. Das Gefälle der Weinsteige hatte er jedenfalls gut gemeistert, auch wenn Theo sehr viel Kraft zum Lenken und Bremsen aufwenden musste. Hoffentlich würde er später genauso problemlos wieder hinaufkommen. Von Pannen konnte Theo ein Lied singen, doch das minderte die Begeisterung ihres Vaters für sein Automobil in keiner Weise.

Vermutlich wollte er irgendjemanden besonders beeindrucken. Vor dem Bankhaus von Braun war er ausgestiegen, nun saß Judith für die letzte Strecke bis zur Calwer Straße allein im offenen Fond des teuren Gefährts. Noch immer erregte ein Automobil die Aufmerksamkeit der Passanten und noch immer fühlte es sich seltsam an, damit gefahren zu werden. Als Theo vor der Schokoladenfabrik hielt und ihr beim Aussteigen half, hatte sie das Gefühl, auf wackeligen Stelzen zu gehen, so angespannt war sie gewesen.

Kurz darauf betrat sie den Mädchensaal des Betriebs. Wie die anderen jungen Frauen hatte sie ein weißes Häubchen und eine ebensolche Schürze angezogen, denn Reinlichkeit war unerlässlich im Umgang mit den empfindlichen Spezialitäten, für die das Haus Rothmann weithin bekannt war.

Judith war gerne in diesem Bereich der Fabrik. Hier stellten zahlreiche Arbeiterinnen aufwendig gestaltete Delikatessen her. Über der konzentrierten Ruhe des Raumes lag das auffällige Klacken der auf- und zuklappenden Blechformen, in welchen die geschmeidige Schokoladenmasse zu Schokoladezigarren, Schokoladefläschchen oder Tabakspfeifen gepresst wurde.

Leiser ging es an anderen, mit Dampf erwärmten Tischen zu, an denen gefüllte Zuckerstäbe in einem Tauchbad ihre Schokoladenhülle bekamen. Ein paar Schritte weiter gossen die jungen Arbeiterinnen halbflüssige Schokolade über aromatisierte Fondant-Kügelchen. Das leise Rascheln ihrer Röcke begleitete den regelmäßigen Gang zu einem der beiden Eiskästen, in denen die auf Brettchen aufgereihten Pralinés abkühlten und eine knackige Hülle entwickelten.

Auch heute nahm sich Judith Zeit, ging zu den Mädchen hin und begutachtete ihre Arbeit. Das tat sie regelmäßig und hatte festgestellt, dass sich die jungen Frauen durch ihr Interesse ernst genommen und angespornt fühlten. Nebenbei erfuhr sie nicht nur von dem einen oder anderen persönlichen Problem, sondern auch wichtige Einzelheiten, die den Herstellungsprozess betrafen. Und nicht zuletzt erlernte sie dadurch selbst wesentliche Fertigkeiten der Zuckerbäckerei.

Die Vorarbeiterin machte durch ein Handzeichen auf sich aufmerksam. »Fräulein Rothmann!«

»Einen Moment, Martha.« Judith hatte sich zu zwei der Mädchen hinuntergebeugt, welche gekonnt die bei der Kundschaft sehr beliebten Zuckerrosen modellierten. Auch sie selbst hatte sich schon ein paarmal darin versucht, aber ihr Ergebnis hatte sich bei Weitem nicht mit den grazilen Kunstwerken vergleichen lassen, die gerade vor ihren Augen entstanden. Deshalb sah Judith noch einmal genau hin, wie die beiden vorsichtig rote Zuckermasse aus einer Papiertüte auf ein Metallstäbchen mit flachem Kopf aufspritzten und dieses dabei so geschickt drehten, dass sich Blütenblatt an Blütenblatt reihte und schließlich eine zarte Rose entstand.

»Wunderschön«, lobte Judith. »Man möchte sie am liebsten gleich vernaschen.«

»Heute Nachmittag machen wir Veilchen«, meinte eines der Mädchen eifrig. »Sie wurden extra bestellt.«

»Das möchte ich auch noch lernen«, meinte Judith und richtete sich auf. »Sobald ich Zeit dafür finde.«

Sie sah sich nach der Vorarbeiterin um, die sie offenbar im Auge behalten hatte und nun auf sie zukam. »Fräulein

Rothmann, einer der beiden Abkühlungskästen scheint nicht mehr richtig zu tun«, meinte sie.

»Dann geben Sie in der Werkstatt Bescheid, Martha. Die Monteure werden sicher schnell helfen können.«

»Ich hab schon die Pauline runtergeschickt, aber ich dachte, Sie wollen vielleicht informiert sein.«

»Das ist gut. Benutzen Sie solange bitte nur den einen funktionierenden Abkühlkasten. Und entfernen Sie alles, was in dem kaputten Apparat noch drinsteht.«

»Gut, Fräulein Rothmann.« Martha ging zu einem der beiden Eisschränke, die ihr jeweils bis zum Bauch reichten. Judith hielt einen Moment inne und folgte ihr dann, denn mit dem Ausräumen allein war es nicht getan. Man musste die Ware im Kühlraum zwischenlagern, sonst verdürbe sie in der warmen Luft dieses Sommertages.

Gemeinsam setzten Judith und Martha die Brettchen mit dem glasierten Fondant auf zwei flache Bleche. Sie waren noch nicht ganz damit fertig, als Pauline zurückkehrte. In ihrer Begleitung befand sich zu Judiths Überraschung der Fremde, Victor Rheinberger, der damals Karlchen nach Hause gebracht hatte. Sie wusste, dass ihr Vater ihm zum Dank eine Anstellung gegeben hatte und Herr Rheinberger seither im Zuckermagazin arbeitete; begegnet war sie ihm seit Karls Unfall aber nicht mehr.

Als er sie erkannte, glitt ein Lächeln über sein Gesicht. Fast schien es, als freute er sich, sie zu sehen. Judith empfand mit einem Mal ein leichtes Ziehen in der Magengegend, das sie nicht einordnen konnte und das sich verstärkte, als er sie direkt ansah.

»Guten Morgen, gnädiges Fräulein.« Das Leuchten in seinen Augen, welches seinen Gruß begleitete, war ihr bereits bei ihrer ersten Begegnung aufgefallen. Und wie am Tag des Unfalls wirkte er auch heute auf ruhige Art entschlossen, voll positiver Kraft. Es war eine natürliche Autorität, die er ausstrahlte.

»Oh, guten Tag, Herr Rheinberger«, sagte sie ein wenig befangen. »Was für eine Überraschung, Sie hier zu sehen – ich dachte, Martha hätte nach einem Monteur geschickt.«

Victor Rheinberger sah sie vergnügt an. »Das trifft sich gut. Zufälligerweise wurde mir von Ihrem Herrn Vater vor Kurzem genau dieser Posten angeboten.«

»Tatsächlich?« Judith lächelte anerkennend. »Dann scheint er sehr zufrieden mit Ihnen zu sein. Das freut mich.«

Sie deutete auf den schadhaften Abkühlkasten. »Bitte sehen Sie sich doch den Apparat hier an. Er kühlt nicht mehr.« Sie wandte sich an Martha, die inzwischen alle Brettchen umgesetzt hatte. »Am besten, Sie bringen zusammen mit Pauline die Ware rasch in den Keller, Martha. Ich bleibe hier.«

Während Martha und Pauline die Bleche aufnahmen, kniete sich Victor vor den offenen Eisschrank. Er prüfte die Temperatur, tastete über die Porzellanverkleidung des Innenraums und stand dann auf, um sich die beiden mit Zinkblech ausgeschlagenen Kühlfächer anzusehen, die darüberlagen.

»Es ist nicht mehr viel Eis darin«, meinte er. »Wann wurde er zuletzt aufgefüllt?«

»Soweit ich weiß, wird das Eis täglich ergänzt«, antwortete Judith. »Und während der warmen Tage jetzt sogar noch öfter. Vielleicht war heute Morgen noch keine Zeit dafür, dazu müsste ich Martha fragen.«

Victor drehte den kleinen Hahn auf, der an der unteren Kante der Vorderfront angebracht war. Sogleich plätscherte Wasser in die darunter stehende Schüssel.

»Also«, stellte er schließlich fest, »ich vermute, dass irgendwo in der Schalung Risse aufgetreten sind.«

»Aha«, meinte Judith sichtlich ahnungslos, und erneut lächelte Herr Rheinberger sie an.

»Um die Kälte im Innenraum zu halten, sind die Wände des Eisschranks mit Holz oder Kork verstärkt«, erklärte er ihr. »An irgendeiner Stelle ist diese Schicht nicht mehr in Ordnung. Vielleicht liegt es an einer der beiden Türen, das wäre das Naheliegendste.«

Judith gefiel es sehr, dass er sich die Zeit nahm, ihr seine Überlegungen zu erläutern. Obwohl sie eine Frau war und von Technik nichts verstand und nach Ansicht der meisten Menschen auch gar nichts davon verstehen sollte.

Victor Rheinberger verschloss sorgfältig sowohl die beiden Klappen der Eisfächer als auch die Türen des Abkühlkastens.

»Ich werde jemanden suchen, der mir hilft, das Ding in die Werkstatt zu bringen«, sagte er. »Es ist zu schwer und zu unhandlich, um es allein zu transportieren, und hier kann ich nicht daran arbeiten. Sonst kaufen die Kunden statt feiner Rothmann-Schokolade nur grobe Rothmann-Sägespäne.«

Judith musste lachen, und Victor Rheinberger grinste breit.

Während er unterwegs war, um die benötigte Verstärkung

zu holen, ging Judith durch eine breite Verbindungstür in den angrenzenden Versandraum. Hier wurden Musterpakete konfektioniert und Musterkoffer für die Handlungsreisenden der Firma Rothmann bestückt.

An zwei langen Holztischen waren Arbeiterinnen damit beschäftigt, unterschiedliche Päckchen den entsprechenden Adressaten zuzuordnen. Judith ging an den beiden Tischen entlang und begutachtete die verschiedenen Zusammenstellungen. Hin und wieder sah sie genauer hin, nahm eines der Kästchen vom Tisch, klappte es auf und prüfte die durch Spitzenpapier getrennten Lagen an Vanilleschokolade, Quitten- und Ananasbonbons oder schokoliertem Veilchenfondant. Alle waren perfekt gefüllt, die einzelnen Süßigkeiten ohne Makel oder Bruch und mit Wattelagen gut geschützt.

Eines der Mädchen trat mit hübschen Schatullen neben sie. »Hier haben wir noch Schokoladenmandeln und die neuesten Tafeln aus Milchschokolade, gnädiges Fräulein.«

Judith nahm ihr die Schachteln ab. »Danke, Berta. Sehr schön. Die Milchschokolade ist gefragt, ohne diese brauchen unsere Herren Reisenden gar nicht erst aufzubrechen.«

»Ja, die ist lecker«, lächelte Berta.

»Hast du genascht?«

»Eine Tafel war zerbrochen …«, meinte Berta etwas verlegen. »Ich habe natürlich wieder eine dazugelegt«, fügte sie rasch an.

»Ist schon gut, das passiert mir auch allzu oft«, versicherte Judith beruhigend. »Und sie schmeckt wirklich sehr gut.«

Berta deutete erleichtert einen Knicks an, drehte sich um und kehrte eiligen Schrittes in den Mädchensaal zurück.

Judith sah ihr nach.

Für die jungen Frauen hatte sich mit dem Aufkommen der Fabriken vieles verändert. Ihnen standen nun andere Möglichkeiten offen, für ihren Unterhalt zu sorgen, als nur die, sich als Magd oder Dienstmädchen zu verdingen. Ob sie die Arbeit in der Rothmann'schen Fabrik schätzten? Konnte man von einem Arbeiterinnenlohn leben?

Etwa zwei Drittel der hiesigen Belegschaft war weiblich. Es hieß, dass Mädchen für den Umgang mit Nahrungsmitteln besser geeignet seien. Das mochte wohl richtig sein, doch Judith störte sich an der Tatsache, dass die jungen Frauen nur selten für anspruchsvollere Aufgaben herangezogen wurden, beispielsweise im Comptoir. Und deutlich weniger verdienten als die männlichen Arbeiter. Andere Fabriken stellten bereits Handelsgehilfinnen ein, das wusste Judith aus ihrer Zeit an der Stuttgarter Handelsschule.

Tiefe Stimmen und laute Geräusche aus dem Mädchensaal ließen Judith aufhorchen. Sie legte die Milchschokolade auf den Tisch und ging wieder hinüber, um nachzusehen, was nun mit dem Eisschrank geschah.

Martha stand gestikulierend neben Victor Rheinberger und einem jungen Burschen. Die beiden legten gerade Trageriemen um den Kühlapparat, um ihn besser transportieren zu können.

»Nein, setz ihn weiter innen an, so wie ich«, wies Victor Rheinberger seinen Gehilfen an. »Und jetzt … hepp!«

»Bitte, meine Herren, geben Sie gut darauf acht!«, beschwor Martha alle beide und machte ein sorgenvolles Gesicht.

»Herr Rheinberger bringt uns den Eisschrank sicher in bestem Zustand wieder zurück«, meinte Judith. »Er weiß genau, was er tut.«

Victor Rheinberger sah überrascht auf.

Judith senkte schnell den Kopf und faltete die Hände vor ihrer Schürze. Dieses Lob war ihr spontan entschlüpft und vermutlich nicht schicklich. Die Arbeiterinnen hatten es sicherlich gehört. Doch allem Anstand und aller Bedenken zum Trotz konnte sie sich nicht davon abhalten, ihn weiterhin aus den Augenwinkeln zu beobachten. Er war ein sehr ansehnlicher Mann. Und er hatte eine gewinnende Art. Als sie seinen erfreuten Blick wahrnahm, breitete sich unwillkürlich ein warmes Lächeln auf ihrem Gesicht aus.

Am Nachmittag machte sich Judith auf den Heimweg. Theo hatte den Mercedes mittlerweile nach Hause gebracht und war nun mit der Kutsche vorgefahren. Gleichzeitig hatte er Dora mit in die Stadt genommen, die einige Einkäufe für die Haushälterin zu erledigen hatte und später mit der Zahnradbahn nach Degerloch zurückkehren würde. Judith wusste, dass Dora sehr gerne einkaufen ging. Das Treiben in den Läden war unterhaltsam, und meistens traf sie sich noch für ein halbes Stündchen mit anderen Dienstmädchen auf einen Plausch.

Am Bankhaus von Braun stieg auch ihr Vater wieder ein. Judith wunderte sich zwar, dass er den ganzen Vormittag dort zugebracht hatte, aber Finanzgeschäfte brauchten sicherlich viel Zeit. Es war eine fremde Welt, dort hinter den hohen Portalflügeln des Bankhauses, eine, die ihr völlig verschlossen war und die sie gleichzeitig faszinierte. Denn wer über genügend Mittel verfügte, konnte sein Leben selbst in die Hand nehmen. Eine herrliche Vorstellung.

Während Theo die Pferde antraben ließ, machte es sich Wilhelm Rothmann neben Judith bequem. Er schien erfolgreich gewesen zu sein, denn ein selbstzufriedener Blick stand in seinem bärtigen Gesicht, als er sich ihr zuwandte.

Judith sah ihn fragend an.

»Ach, Kind«, meinte er mit ungewohnter Güte in der Stimme. »Dich und uns erwartet ein wunderbares Leben.«

»Mich und euch?«, fragte Judith verwirrt.

»Gewiss. Zuallererst aber erwartet dich ein umwerfendes Hochzeitsfest. Eines, wie es Stuttgart in den letzten Jahrzehnten nicht gesehen hat, und über das die Menschen noch so lange sprechen werden wie über die Hochzeit von Herzog Ulrich. Und das war ...« Er überlegte. »Anno 1511, glaube ich.«

»Herr Vater ...?« In Judith keimte Angst auf.

»Keine Sorge«, sagte er schmunzelnd. »Ganz so alt ist dein Bräutigam nicht!« Er lachte laut über seinen eigenen Scherz.

»Mein Bräutigam ...«

»Ja, Kind, dein Bräutigam. Die nächsten Monate werden voll mit Vorbereitungen sein. Noch heute Abend schreibe ich an deine Mutter. Sie darf sich den schönsten Tag im Leben ihrer Tochter natürlich nicht entgehen lassen. Es wird ohnehin Zeit, dass sie wieder nach Hause kommt.« Er sah sie an. »Na, na. Keine Angst. Noch ist es eine Weile hin.«

11. KAPITEL

Im Dienstbotentrakt der Villa Rothmann,
Ende August 1903

»Wo ist denn die Babette?«

Margarete, die Haushälterin, sah in die Runde und deutete verärgert auf den leeren Platz neben Dora.

»Wer zu spät kommt, für den gibt's halt nix mehr«, meinte Gerti, die Köchin.

Auf dem Tisch stand die Nachtmahlzeit, eine große Schüssel gestockter Milch, in die Brot eingebrockt war.

»Die ist noch ins Dorf gegangen«, wusste Robert.

»Um diese Zeit?«, fragte Dora.

»Ist mir egal, ich hab Hunger.« Robert nahm demonstrativ seinen Löffel in die Hand.

»Aber sie geht doch normalerweise nicht einfach so aus dem Haus! Es ist noch nicht einmal Sonntag!« Gerti schüttelte den Kopf, während sie einen Krug mit Most auf den Tisch stellte und sich hinsetzte. »Sie wird nachher noch gebraucht!«

»Das kann und das werde ich nicht dulden«, meinte die

Haushälterin. »Doch darüber muss sich keiner von euch den Kopf zerbrechen. Fangen wir an.«

Sie neigte den Kopf, faltete die Hände und sprach ein kurzes Tischgebet.

»Aber«, hob Dora wieder an, als alle reihum ihre Löffel in die Sauermilch tauchten und nach den Brotstücken fischten, »sie ist in letzter Zeit oft seltsam, weit weg mit ihren Gedanken. Und ich glaub schon, dass sie ab und zu heimlich aus dem Haus geht. Sie ist einfach eine halbe Stunde unauffindbar, und dann ist sie plötzlich wieder da.«

»Wahrscheinlich hat sie einen Burschen, der ihr den Hof macht«, versuchte sich Theo an einer Erklärung. Der Kutscher hatte die fünfzig bereits überschritten und war damit der älteste Dienstbote im Hause Rothmann.

»Umso schlimmer«, entfuhr es der Haushälterin, während Gerti beschwichtigte: »Na, die wird bestimmt gleich wiederkommen.«

»Hoffen wir's«, brummte Robert missmutig. »Ist das alles, was es heut gibt?«

Die Köchin zuckte mit den Achseln. »Die Herrschaften haben alles aufgegessen. Da gibt's halt keine Reste für uns.«

»Der wird immer knausriger, der Alte«, schimpfte Robert, dämpfte aber seine Stimme.

Die Haushälterin hob tadelnd die Brauen.

»Beherrsch dich!«, fuhr Theo ihn an. »Besser das hier als gar nichts im Bauch.«

»Und denk dran, hier haben wir wenigstens jeden zweiten Sonntagnachmittag frei«, mahnte Dora.

»Das war die gnädige Frau«, knurrte Robert. »Die hat dafür gesorgt, dass wir freihaben. Der gnädige Herr … würde das am liebsten wieder zurücknehmen, da bin ich mir sicher.«

»Na, na«, meinte Gerti und Margarete sah ihn noch einmal mahnend an.

Robert sagte nichts mehr, auch wenn es in seinem Inneren rumorte. Diese ständige erzwungene Unterwürfigkeit, die vom Hauspersonal selbstverständlich erwartet wurde, fiel ihm schwer.

Derweil trieb Dora immer noch die Sorge um Babette um. »Vielleicht sucht sie auch nach einer anderen Stelle. Erst vor ein paar Tagen hat sie davon gesprochen, wie gerne sie einmal Paris sehen würde, oder London. Eine aus ihrem Dorf soll als Dienstmädchen in Kopenhagen leben. Das hat sie schon sehr beeindruckt.«

»Manche kommen bis nach Übersee«, wusste Theo, und die Köchin ergänzte: »Hab auch schon von St. Petersburg gehört, dort sollen sie auch gerne Mädchen von hier nehmen.«

»Ich bitte um Zurückhaltung!«, unterbrach die Haushälterin energisch. »Das wird doch alles ausgeschmückt. Keiner weiß, was dort wirklich auf die jungen Dinger wartet. Die fremde Sprache! Und von den fremden Sitten ganz zu schweigen.«

»Ja, aber die Sprache kann man lernen, und die Sitten werden so anders nicht sein«, entschlüpfte es Dora und in ihren Augen leuchtete ein Hauch von Fernweh auf.

»Morgen kommt die Wäscherin«, sagte Margarete, um das Thema zu wechseln. Sie stand auf, womit sie den anderen bedeutete, dass das Abendbrot beendet sei. »Babette wird ihr helfen.«

Jemand betätigte den Klingelzug, der den Dienstboten signalisierte, dass die Herrschaft ein Anliegen hatte.

»Das gnädige Fräulein«, seufzte Dora. »Eigentlich wollte ich mich um meine Kleidersäume kümmern, einige müssten dringend nachgenäht werden. Ich mag sie schon sehr, das Fräulein Judith, aber manchmal geht mir die Arbeit einfach auf die Nerven.«

»Vielleicht hättest du die gnädige Frau nach Italien begleiten sollen?«, frotzelte Robert. »Dort, wo die ist, soll es ja gut sein bei Nervensachen.«

Dora warf ihm einen verächtlichen Blick zu.

Während die Köchin den Tisch abräumte und Dora sich zu Judith Rothmann begab, wischte sich Robert mit dem Handrücken über den Mund und ging nach draußen, um das Feuerholz für den nächsten Tag bereitzulegen. Jetzt, während der Sommermonate, war diese Aufgabe eigentlich schnell erledigt, anders als zur Winterzeit, wenn nicht nur der Herd, sondern auch die Räume der Herrschaft beheizt werden mussten. An den im zweiwöchigen Rhythmus stattfindenden Waschtagen jedoch wurde grundsätzlich mehr Brennstoff benötigt. Morgen früh, noch bevor das Haus erwachte, würde er bereits das Feuer unter dem Waschkessel entzünden, damit um sechs Uhr, wenn die Waschfrau eintraf, mit der Arbeit begonnen werden konnte.

Während er seinen Korb füllte, dachte Robert an die zierliche Babette und an die harte Arbeit, die ihr morgen wieder bevorstand. Das ständige Rühren der kochenden Wäsche war eine Schinderei und sie tat ihm dann immer von Herzen leid – auch wenn er es insgeheim genoss, wie sich im Laufe der Stunden einzelne blonde Strähnen aus ihrem festen Haarknoten lösten und durch den heißen Wasserdampf ganz reizend um ihr Gesicht ringelten. Er nahm seine Last auf und dachte an ihren konzentrierten Gesichtsausdruck, wenn sie die Wäsche schrubbte und rieb und anschließend spülte, zuerst mit Seife und Soda, und dann noch einmal mit klarem, brühend heißem Wasser. Wenigstens das Auswringen wurde inzwischen durch eine Maschine erledigt. Und man hätte es noch leichter machen können.

Robert war zu Ohren gekommen, dass die gnädige Frau gar mit dem Gedanken gespielt hatte, eine dieser neumodischen Maschinen anzuschaffen, welche die Wäsche fast von allein wuschen. Dann war sie jedoch krank geworden und dem alten Pfeffersack war die Anschaffung natürlich zu teuer gewesen. Also musste sich Babette an den Waschtagen weiterhin ihre Hände ruinieren. Am Abend waren sie immer rot, schrumpelig und rissig, auch wenn die Köchin versuchte, mit einer Ringelblumensalbe das Schlimmste zu lindern.

Es war einfach unrecht, dass Leute wie er und Babette oder Dora und Gerti den ganzen Tag und oftmals die halbe Nacht bereitstehen mussten, um auch die unwichtigsten Wünsche der Herrschaft zu erfüllen. Für ein paar Mark Lohn, Kost und Logis. Wer teilte denn die Welt ein in diejenigen, die bestimmen durften, und diejenigen, über die bestimmt wurde? Ihm wäre es zudem lieber, wenn er auswärts wohnen könnte, dann hätte er wenigstens einen festen Feierabend, so wie die Männer und Frauen, die in den Fabriken arbeiteten. Vielleicht sollte er doch einmal sein Glück versuchen und in einer vorstellig werden. Kräftige Burschen wie ihn konnte man dort sicher gut gebrauchen.

Derart sinnierend stapfte er durchs Haus und legte seine Holzbündel ab. Zwei Dinge ließen ihn am Ende seiner Runde dann doch noch zufrieden grinsen: Die Vorfreude auf Babettes Anblick, wenn sie sich morgen Nachmittag reckte, um die ausgewrungenen Wäschestücke auf die Leine zu hängen. In einem unbeobachteten Moment würde er heimlich ihre schlanke Figur und den hübschen Busen bewundern, der sich unter Kleidung und Schürze abzeichnete. Und überdies liebte er den Geruch frisch gewaschener Wäsche, die draußen in der Sonne zum Bleichen und Trocknen hing.

12. KAPITEL

Heilquelle Mitterbad in Südtirol,
Anfang September 1903

Hélène war in Hochstimmung. Seit einigen Tagen saß sie Hermione von Preuschen Modell, die mehrere Aktbilder von ihr anfertigte. Es hatte Hélène einige Überwindung gekostet, ohne Kleidung zu posieren, auch wenn sie im Zimmer der vielseitigen Künstlerin in der Villa Waldruhe unter sich waren. Doch inzwischen war ihre Befangenheit verflogen.

Hermione lobte ihren schönen, schlanken Körper, die strahlend blauen Augen, welche einen so ungewöhnlich reizvollen Kontrast zu ihrem dunklen Haar bildeten, ihre anmutige Haltung. Hélène fühlte sich wohl in ihrer Nacktheit.

Seit etwas mehr als einer Woche hielt Hélène sich nun in Mitterbad auf, nachdem Dr. von Hartungen einen vorübergehenden Aufenthalt in den malerischen Höhen der Außenstelle vorgeschlagen hatte, die ebenfalls zum Hartungen'schen Sanatoriumsbetrieb gehörte. Er meinte, ein Ortswechsel könne Hélènes Konstitution weiter stärken.

Georg Bachmayr war sofort bereit gewesen, sie zu begleiten, und so hatten sie den Zug über Rovereto und Bozen nach Meran genommen. Eine Kutsche brachte sie nach Lana, wo sie eine Nacht geblieben waren. Die anschließende Weiterreise zu Pferd nach Mitterbad am nächsten Morgen hatte der ohnehin anstrengenden Tour drei beschwerliche Stunden hinzugefügt, wenngleich grandiose Ausblicke auf sattgrüne Wiesen, bewaldete Bergrücken und die schneebedeckten Alpenspitzen für die Mühen entschädigten.

Vor allem aber hatte sich Hélène in Mitterbad sofort wohlgefühlt. Hier war alles beschaulicher, rustikaler und weniger prätentiös als in Riva.

Hermione von Preuschen arbeitete zügig. Souverän glitt der Bleistift über das Papier, ein leises Kratzen begleitete jeden Strich, jedes Schraffieren.

»Fertigen Sie häufig Porträts an?«, fragte Hélène.

»Hin und wieder«, meinte Hermione. »Überwiegend aber male ich Stillleben. Ungewöhnliche Stillleben, dafür bin ich bekannt.«

»Inwiefern ungewöhnlich?«

Hermione von Preuschen neigte den Kopf und kniff konzentriert die Augen zusammen, während ihr Blick vom Papier zu Hélène und wieder zurück zu ihrer Skizze wanderte. »Meine Gemälde orientieren sich an historischen Vorbildern. Oftmals wähle ich jedoch ein ungewöhnliches Format, manches Mal einen extraordinären Bildausschnitt.«

»Ah, das ist interessant. Mit dieser neuen Stilrichtung, die derzeit so *en vogue* ist, haben Sie also nichts im Sinn?«

»Sie meinen den Jugendstil? Oh, nein. Das ist keine echte Kunst. Das sind Kinderbilder«, meinte Hermione verächtlich.

»In Frankreich nennen sie es *Art Nouveau*. Ich finde diesen neuen Stil durchaus interessant«, erwiderte Hélène.

Allmählich begann ihr linker Fuß unangenehm zu prickeln. Seit über einer halben Stunde verharrte sie bereits in der gleichen Position, niedergesunken auf einem Hocker, ein schmales Leintuch um die Hüften geschlungen und die Beine auf unnatürliche Weise verschränkt. Sie versuchte unauffällig, sich etwas anders hinzusetzen.

»Bleiben Sie so, wie Sie sind! Nicht bewegen!«, tadelte Hermione. »Sie sind Französin, nicht wahr? Ihr leichter Akzent verrät Sie.«

»*Absolument!* Ich bin in Paris aufgewachsen. Meine Eltern hatten dort eine Schokoladenfabrikation.«

»Ah. Dieselbe Profession wie Ihr Gatte«, stellte Hermione fest.

»Ja, auch wenn unser Betrieb längst nicht so groß war, wie es Rothmann heute ist«, erklärte Hélène. »Und immer wieder gab es Geldschwierigkeiten. Mein Gatte kaufte unserer Familie ein besonderes Herstellungsrezept ab, entledigte sie damit ihrer Sorgen und bekam die Tochter gleich dazu.«

»Das klingt, als wären Sie darüber nicht sehr glücklich, meine Liebe«, bemerkte Hermione mitfühlend.

»Nun ja«, seufzte Hélène. »Was ist schon Glück für uns Frauen. Wir sollten dankbar sein, wenn wir ein präsentables Heim und gesunde Kinder haben.«

»Das sollten wir«, gab Hermione nachdenklich zurück. »Aber wir sind es nicht.« Sie warf den Kopf zurück und fuhr mit fast trotzigem Unterton fort: »Ich habe mich scheiden lassen.«

Hélène suchte ihren Blick. »Wie mutig von Ihnen! Das ist ein schwieriger Schritt.«

»Er ist nicht schwierig, wenn man wirklich liebt. Und zu dieser Zeit habe ich wirklich geliebt. Nur eben nicht meinen damaligen Gatten.« Unvermittelt mischte sich tiefe Trauer in Hermiones Stimme. Sie seufzte. »So ist mein Leben. Von den höchsten Gipfeln hinunter in tiefste Täler. Wie froh war ich, jene unsägliche Ehetragödie zu beenden. Dieser Mann wollte mich zu einer der unzähligen winselnden Gattinnen machen, die ihr Leben selbstlos der Familie und insbesondere dem Manne widmen. Mit meiner Kunst fing er nichts an, ganz im Gegenteil. Ich sei nur ein *Malweibchen,* so sagte er. Und er versuchte mit derben Mitteln, die korrekte Allerweltsdame aus mir zu machen, die er gerne haben wollte. Welch Kleingeistigkeit.«

»Woher nahmen Sie die Kraft, ihn zu verlassen?«

Nun lächelte Hermione. »Wenn Freiheit und Lust und Abenteuer rufen, wachsen Courage und Stärke. Und natürlich wartete der richtige Mann auf mich. Leider waren uns nur wenige Jahre beschieden.«

»Er ist bereits verstorben?«

»Ja.«

»Das tut mir leid.«

»Die Trauer ist ein riesiger See.« Hermione fuhr fort, an

Hélènes Bild zu arbeiten. »Doch ich wollte nicht darin ertrinken. Und so widmete ich mich meinen Kindern, dem Schreiben, dem Malen.«

»Die Kunst kann den Mann vollkommen ersetzen«, stellte Hélène nüchtern fest.

»Nicht ganz«, erwiderte Hermione und sah Hélène direkt an. »Liebe und Leidenschaft gehören zum Leben. Sie treiben uns voran. Selbst wenn diese Gefühle allzu oft als Besitzstand betrachtet werden oder in einem Gefängnis aus Moral und Ehre verkümmern. Es gibt kaum einen stärkeren künstlerischen Ansporn als verzweifelte Hingabe, tiefe Zuneigung oder auch die Trauer, wenn unser Begehren abgewiesen wird.«

»Dann habe ich noch nie geliebt«, stellte Hélène nachdenklich fest. »Ich musste mit noch nicht einmal siebzehn Jahren einen wesentlich älteren Mann heiraten. Er hat vor mir eine Ödnis ausgebreitet zwischen dunklen Möbeln und marmornen Wänden. Inzwischen verabscheue ich ihn.«

»Und in all den Jahren ist Ihnen niemand begegnet, der Ihr Herz berührt hat? Oder auch nur Ihre Sinne?«, fragte Hermione ungläubig. »Dass Ihnen der Ehegatte gleichgültig ist, ist nicht weiter ungewöhnlich. Zu viele Ehen werden unter den falschen Voraussetzungen geschlossen. Aber es gibt doch auch andere Bekanntschaften«, setzte sie vielsagend hinzu.

»Zu der Zeit, als ich nach Deutschland ging – gehen musste –, gab es einen jungen Mann in Paris, den ich lieb gewonnen hatte. Doch das ist lange her und damals wollte ich mir keine Träumerei gestatten, die mich lediglich unglücklich gemacht hätte. Ich habe nicht mehr an ihn gedacht. Jedenfalls so wenig wie möglich.« Hélène lächelte wehmütig.

»Sehen Sie, Frau Rothmann. Und sind Sie glücklich geworden, weil Sie sich Ihre Wünsche verboten haben?«

Hélène sank leicht in sich zusammen. Hermione bemerkte ihre Reaktion, ließ den Skizzenblock sinken und schaute sie verständnisvoll an. »Ich denke, für heute ist es genug der Kunst. Wollen wir den Nachmittag nutzen, um ein paar Schritte zu wandern?«

»Ah, die gnädigen Damen, grüßen'S Eana!« Georg Bachmayr saß vor dem Badehaus auf einer Bank in der Nachmittagssonne und stand höflich auf, als Hélène und Hermione von ihrer kleinen Tour durch den nahen Wald zurückkehrten.

»Ich grüße Sie, Herr Bachmayr. Wohin hat Sie Ihr Weg heute geführt?«

»Oh, eine weite Strecke. Durch den Wald. Ganz wie der Herr Doktor empfohlen hat.« Er deutete verschmitzt auf seine Wanderschuhe. »Sehen'S die Spuren?«

Hélène besah sich lächelnd das derbe Schuhwerk, an dem einige erdige Fichtennadeln klebten. Bachmayr folgte schmunzelnd ihrem Blick. »Heut ganz in der Früh war ich beim Wassertreten. Mei, des war eiskalt. Und als ob's net g'nug g'wesen wär, gab's danach eine Dusche unterm Wasserfall. Des müssen'S probieren, gnädige Frau, so erfrischt war ich mein Lebtag net.«

»Das glaube ich Ihnen gern, Herr Bachmayr. Auch mir hat

Dr. von Hartungen diese Anwendungen empfohlen. Eine leichte Verkühlung hielt mich bisher davon ab.«

»Heute Abend gibt es Tanz im Kaffeehaus, Herr Bachmayr«, mischte sich Hermione ein. »Sie werden uns doch dorthin ausführen?« Dabei zwinkerte sie ihm kokett zu und Hélène war erstaunt, wie unbekümmert die fast fünfzigjährige, gut aussehende Künstlerin mit Georg Bachmayr schäkerte.

»Aber selbstverständlich, meine Damen!« Georg Bachmayr gefiel sich sichtlich in der Rolle des Umworbenen und setzte ein breites Grinsen auf. Sein Blick aber richtete sich auf Hélène, und sie meinte, eine unausgesprochene Frage darin wahrzunehmen. Doch ehe sie sich unwohl fühlen konnte, stand Bachmayr auf.

»Also, dann werd ich mich präsentabel machen. Zum Glück ist der Heinrich Mann schon abgereist, sonst hätt ich harte Konkurrenz g'habt. Bis heut Abend!« Er deutete eine Verbeugung an.

»Nun, meine Liebe. Dieser Herr ist in Zuneigung zu Ihnen entflammt«, stellte Hermione amüsiert fest, als Bachmayr im Badehaus verschwunden war, in dem er ein Zimmer gemietet hatte. »Genießen Sie seine Bewunderung.«

Hélène sah sie irritiert an. »Genießen?«

Hermione ließ sich auf der frei gewordenen Bank nieder und bedeutete Hélène, sich neben sie zu setzen.

»Ach, Frau Rothmann, Sie müssen lernen, das Leben zu genießen. Ihre Weiblichkeit zu genießen. Wir Frauen müssen uns unserer Natur nicht schämen. Ganz im Gegenteil!« Sie ordnete ihre Röcke. »Glauben Sie mir, ich schwimme seit Jahrzehnten gegen den Strom. Es ist zwar schwer und braucht viel Kraft. Aber ich kann nicht anders.«

»Und macht es Sie glücklich? Immer gegen den Strom anzuschwimmen?«

Hermione seufzte.

»Es macht mich frei. Glücklich nicht immer«, gab sie nachdenklich zu. »Aber zufriedener, als mich ein Leben in den für uns Frauen vorgesehenen Bahnen gemacht hätte.«

»Waren Sie schon immer so …«, Hélène suchte nach der passenden Formulierung, »…ungewöhnlich?«

Hermione betrachtete ihre Hände und rieb über die Farbreste, die an ihnen hafteten.

»Irgendetwas treibt mich schon immer voran. Gewöhnlich, wenn Sie so fragen, war ich nie. Meine Kunst hat Skandale verursacht und mich zu einer *Outsiderin* gemacht. Und mir zugleich viele Möglichkeiten eröffnet. Ich habe Tabus gebrochen. Ich habe Menschen schockiert und verletzt.« Sie lächelte. »Aber ich lebe mein Leben mit Leidenschaft. Ich empfinde höchste Freude und tiefste Traurigkeit. Für das Gewöhnliche bin ich offensichtlich nicht geschaffen.«

»Manchmal frage ich mich«, sinnierte Hélène und strich eine lose, dunkle Haarsträhne zurück, »wofür ich geschaffen bin. Mein Leben hat mich unglücklich gemacht und krank.« Sie legte den Kopf in den Nacken und deutete auf die zarten Wolkengebilde am Himmel, welche eine leichte Brise nach Osten trug. »So wie diese Wolken fühle ich mich jetzt. Leicht und unbeschwert. Doch allein die Vorstellung, nach Stuttgart zurückzukehren, nimmt mir die Luft zum Atmen.«

»Dann kehren Sie nicht mehr dorthin zurück.«

Hélène neigte den Kopf. »Wie sollte ich nicht mehr dorthin zurückkehren? Mein Gatte wird mich dazu zwingen.«

»Es ist Ihre Entscheidung, Frau Rothmann. Wir alle haben einen freien Willen. Natürlich wird es kein leichter Weg. Aber wenn sie ihn selbst wählen, dann wird es der Ihre sein. Denken Sie darüber nach.«

»Meine Kinder …«, wandte Hélène ein.

»Kommen im Augenblick gut ohne Sie zurecht. Ihre Tochter ist bereits eine junge Frau. Möglicherweise ist sie beeindruckt von einer solchen Entscheidung.«

»Meine Söhne sind noch zu klein«, sagte Hélène mit Nachdruck.

»Wie alt sind die beiden?«

»Acht. Es sind Zwillinge.«

»Auch da hängen sie nicht mehr nur am Rockzipfel der Mutter. Sie müssen junge Männer werden. Sie werden sich den Vater zum Vorbild nehmen. Oder einen Lausbuben aus der Nachbarschaft«, sagte Hermione scherzend. »Frau Rothmann, letzten Endes kann niemand für Sie entscheiden. Aber denken Sie gut über Ihre Möglichkeiten nach.«

»Mein Mann bezahlt diesen Aufenthalt hier«, gab Hélène zu bedenken.

»Nun. Dass Sie nicht im Sanatorium bleiben können, ist gewiss«, meinte Hermione. »Doch ein kleines, helles Zimmer dürfte Ihnen genügen. Halten Sie etwas vom Geld Ihres Mannes zurück, um über den Winter zu kommen, und nutzen Sie die Zeit, um zu malen. Sie haben wirklich eine hübsche Begabung, und wenn im Sommer die ganzen Leute aus Deutschland und Österreich an den See kommen, verkaufen Sie Ihre Bilder.«

»Der Erlös wird niemals reichen!«

»Wenn Sie sich bescheiden, schon. Und wenn Sie etwas dazuverdienen wollen, dann führen Sie Besucher hier herum. Zeigen Sie Ihnen die Schönheiten der Gegend!«

Hélène nickte geistesabwesend.

Hermione erschuf ein Gedankengebilde, das ungeheuerlich war. Gefährlich. Und doch von verhängnisvollem Reiz. Könnte so ein Neubeginn für sie aussehen? Oder wäre es ihr Untergang? Was, wenn sie verarmt und krank nach Stuttgart zurückkehrte? Würde der Skandal das Haus Rothmann zerstören – und damit die Zukunft ihrer Kinder?

Hermione fasste sie leicht am Arm. »Sie werden spüren, was das Richtige für Sie ist. Bis dahin genießen wir die Septembertage, Frau Rothmann. Und dann findet sich eine Entscheidung.«

13. KAPITEL

Der Nill'sche Tiergarten in Stuttgart,
am zweiten Septembersonntag 1903

Bestens aufgelegt, liefen die drei jungen Frauen die Wieder-holdstraße im Osten Stuttgarts entlang. Der Tag war warm und sonnig, wie geschaffen für einen Ausflug.

Judith hatte sich bei ihren Freundinnen Dorothea von Braun und Charlotte Wenninger untergehakt. »Was wollen wir denn als Erstes anschauen?«, fragte sie gut gelaunt.

»Na, die Affen!«, erwiderte Charlotte. »Die sind nicht so arg weit vom Eingang weg.«

Und Dorothea fügte hinzu: »Kann man den Nill eigentlich auch anschauen, der wohnt doch bei denen?«

Judith und Charlotte prusteten los. Adolf Nill, der Betrei-ber des Zoos, wohnte über dem Warmhaus, das die Men-schenaffen beherbergte.

Sie lachten immer noch, als sie das Kassenhäuschen des Tiergartens erreichten und jede von ihnen fünfzig Pfennig Eintrittsgeld aus der Handtasche nestelte.

Theo hatte Judith vor etwa einer Stunde mit der Kutsche zur Villa der Familie Wenninger gebracht, wo sie nach offizieller Verlautbarung den Nachmittag verbrachte. Ihr Vater ging also davon aus, dass sie mit ihren Freundinnen dort im schattigen Garten saß und artig Konversation betrieb, allenfalls unterbrochen von dem einen oder anderen Ballspiel. Besuche im Tiergarten hielt er für einen Zeitvertreib der gewöhnlichen Leute, allenfalls für Kinder geeignet, aber indiskutabel für drei junge Frauen aus bestem Hause.

Charlottes Vater war ein angesehener Stuttgarter Architekt, Dorothea die Tochter des Bankiers von Braun. Charlottes Eltern, die etwas weniger streng waren, hatten keine Einwände bezüglich der Ausflugspläne der Mädchen gezeigt. Die Bankiersfamilie von Braun dagegen teilte die Ansicht von Judiths Vater, und Dorothea hatte auf dieselbe trickreiche Vorgehensweise wie sie zurückgreifen müssen, um den Tiergartenbesuch zu verschleiern.

Doch nun waren sie da und standen vor einer Hütte, in der *Tierschleck* angeboten wurde. Dazu gehörten Haselnüsse, Weißbrot, Feigen, Johannisbrot und Obst. Alles wurde in kleine Papiertüten abgefüllt und durfte an die Tiere verfüttert werden. Judith und ihre Freundinnen investierten ein paar weitere Pfennige und versorgten sich ausreichend, denn die leckeren Happen schmeckten nicht nur den Tieren gut.

Sie schlugen den Weg zum Affenhaus ein, der an Ziegen, Eichhörnchen und einem Seehund vorbeiführte. Bei den Bären blieben sie eine Weile stehen.

»Die gute Mascha«, erklärte Charlotte. »Sie ist eine richtig alte Braunbärdame. Und sie hat an die fünfzig kleine Bärchen zur Welt gebracht. Sogar Eisbärmischlinge waren dabei.«

»An die fünfzig?«, rief Judith aus. »Das kann ja gar nicht sein!«

»Doch, doch, das ist so«, versicherte Charlotte.

»Gott sei Dank bin ich kein Braunbär«, murmelte Judith.

Dorothea grinste. »Ja, da hast du wirklich großes Glück gehabt! Fünfzig kleine Kinderlein, das wäre nichts für dich.«

Kichernd gingen sie weiter.

»Gott sei Dank ist heute keiner dieser ›billigen Sonntage‹«, meinte Charlotte, als sie endlich vor dem Gitter des Affenhauses standen. »Sonst wäre es fürchterlich voll hier. Da kommen nicht nur die Stuttgarter, sondern alles, was Beine hat, von nah und von fern.«

»Es soll nur zwanzig Pfennig Eintritt kosten an solchen Sonntagen«, bemerkte Judith, während sie einem Kapuzineräffchen eine Johannisbrotschote hinhielt. Der kleine Fratz schnappte sich die leckere Beute und verzog sich in eine ruhigere Ecke, um sie zu verspeisen. Nur ein einziges Mal war sie bisher im Tiergarten gewesen, vor vielen Jahren, als Kind mit ihrer Mutter. Deshalb genoss sie den Tag heute ganz besonders.

»Das stimmt. An einem solchen Sonntag sind schon einmal zwanzigtausend Menschen hergekommen!«, bestätigte Charlotte. »Huch, mein Futter ist auch weg!«, rief sie kurz darauf, als ein Krallenäffchen durch die Gitterstäbe griff und ihr die angebotene Dattel aus der Hand nahm.

Dorothea war ein Stück um das Affenhaus herumgegangen

und lockte einen der Mantelpaviane. Sofort machte sich ein großes Männchen auf den Weg ans Gitter. »Ich finde die Paviane gar nicht so schön«, meinte Dorothea. »Die kleinen Äffchen sind viel goldiger. Aber zu fressen sollen sie alle was haben.«

Eine Weile beobachteten sie die Affen beim Spielen, Hangeln, Streiten und Lausen, dann schlenderten sie weiter, bewunderten die Singvögel, das Aquarium und die größeren Raubkatzen, sahen bei der Fütterung der Strauße zu und kamen schließlich zu den Menschenaffen.

»Wo ist denn jetzt der Nill?«, fragte Charlotte schmunzelnd.

»Ja, wo ist er denn? Ich hab noch etwas Futter übrig«, ergänzte Dorothea und alle drei kicherten wieder.

Als sie das Gebäude betraten, sahen sie allerdings nur den großen Orang-Utan, der in einer Ecke saß und döste. Als er auch nach einigen Minuten keinerlei Regung zeigte, zog Dorothea die beiden anderen weiter. »Och, das ist langweilig hier. Lasst uns lieber den Elefanten anschauen.«

Dem Warmhaus gegenüber lag ein im orientalischen Stil gebautes Elefantenhaus. Als die Freundinnen näher kamen, bewegte sich das große graue Tier neugierig an den Zaun des Außengeheges.

Judith hielt ihm einen Apfel hin.

»Das ist übrigens ein Elefantenmädchen«, sagte Dorothea und beobachtete, wie es den Apfel vorsichtig mit dem Rüssel aufnahm und mit einer eleganten Bewegung ins Maul beförderte.

»Ja, sie heißt Zella«, wusste Charlotte, die unweit des Tiergartens wohnte und regelmäßig herkam. »Bis vor ein paar Jahren lebte hier noch Peter, ein Elefantenbulle. Als er älter war, wurde er immer wilder und hat sich eines Nachts an den Eisenstäben in seinem Gehege verletzt. Das war so schlimm, dass der Nill ihn erschießen musste.«

»Oh«, sagte Judith mitfühlend, »wie traurig!«

Charlotte nickte und führte ihre Freundinnen weiter zu den Antilopen und den kleineren Raubtieren. Schließlich blieben sie an einem großen, rechteckigen Platz stehen.

»Das ist die große Völkerwiese«, sagte Charlotte. »Dort gibt es Ponyreiten und die Völkerschauen.«

Sie spazierten ein wenig über den weitläufigen Rasen.

»Wie sind die denn eigentlich, diese Völkerschauen?«, fragte Judith, die von der Nutzung der Völkerwiese für menschliche Vorstellungen zwar gehört, aber noch nie eine gesehen hatte.

»Man sieht andere Völker«, erläuterte Charlotte. »Lappländer zum Beispiel. Oder Feuerländer, die hab ich schon besichtigt. Das ist wirklich sehr beeindruckend. Die bauen alles so auf, wie sie es von zu Hause kennen. Und tanzen und singen und zeigen, wie sie leben.«

»Wirklich? Und es stört sie nicht, dass ihnen alle zuschauen?«, fragte Dorothea.

»Offenbar nicht«, antwortete Charlotte und senkte die Stimme. »Manche Völker sind nachts sogar nackt, dann, wenn niemand hier ist. Aber tagsüber dürfen sie das nicht, sonst gibt es Ärger.«

Judith schlug die Hand vor den Mund, und Dorothea machte große Augen.

Charlotte nickte. »Ihr könnt mir glauben«, betonte sie.

»Ich weiß nicht, ob ich mir so etwas ansehen wollte«, überlegte Judith. »Das ist doch entwürdigend.«

»Ich auch nicht«, kam es von Dorothea.

Charlotte zuckte mit den Achseln. »Ich fand es nicht so arg schlimm. Es ist ja keiner eingesperrt, und sie bekommen dafür Geld. Aber noch mal mag ich auch nicht hingehen.«

Sie traten zurück auf den Fußweg. Nur wenige Sekunden später fuhr Judith ein gehöriger Schreck in die Glieder, denn am anderen Ende der Völkerwiese erkannte sie plötzlich Max Ebinger. An seinem Arm hing eine hübsche Weibsperson, die lebhaft auf ihn einredete.

Judith hätte sich am liebsten auf der Stelle umgedreht und wäre weggelaufen. So lange hatte sie ihn nicht mehr gesehen, bei keiner gesellschaftlichen Einladung, keinem Musikabend war er anwesend gewesen, und auch zum Sommerball von Dorotheas Eltern war er zu ihrer großen Enttäuschung nicht gekommen. Und ausgerechnet hier und heute lief sie beinahe in ihn hinein. In ihn und seine viel zu kokette Begleitung.

»Da ist ja der Max Ebinger!« Nun hatte auch Dorothea das Paar bemerkt. »Ein hübscher Mann«, entfuhr es Charlotte.

»Wer ist denn diese Frau?«, fragte Dorothea. »Ich kenne sie jedenfalls nicht.«

»Vermutlich keine Rechtschaffene«, platzte es aus Judith heraus, die Mühe hatte, ihre Frustration zu verbergen.

»Ja, der Max hat immer eine im Schlepptau«, seufzte

Dorothea. »Das ist das Problem bei so anziehenden Kerlen. Die sind nie allein.«

Judith, der gerade dämmerte, dass Dorothea ebenfalls für Max schwärmte, reagierte unwillkürlich patzig. »Woher kennst du denn den Max Ebinger?«

»Er ist ein Freund von Albrecht. Manchmal kommt er uns besuchen. Aber leider hat er nie Augen für mich.«

Natürlich, fiel Judith ein. Max und Dorotheas langweiliger Bruder Albrecht waren im selben Alter und die Familien Ebinger und von Braun schon lange miteinander befreundet.

Als das Paar an ihnen vorbeiflanierte, hob Max Ebinger höflich den Strohhut. Seine Begleitung fügte ein knappes »Guten Tag« hinzu, setzte ein besitzergreifendes Lächeln auf und drängte ihn weiter.

»Wir haben es etwas eilig«, meinte Max entschuldigend und seine weißen Zähne blitzten, als er charmant lächelte. »Haben Sie noch einen schönen Tag zusammen!« Damit gingen sie weiter.

»Das wünschen wir Ihnen auch«, sagte Judith leise und merkte plötzlich, dass sie vor Aufregung leicht zitterte.

Dorothea sah sie wissend an. »Aha!«

Charlottes Blick wanderte von einer zur anderen. »Ich kann euch verstehen«, sagte sie seufzend.

Eine Weile schwiegen alle drei.

Dann beschlossen sie, ihren Tiergartenbesuch zu beenden und auf dem Weg zum Ausgang bei den Kamelen vorbeizuschauen.

Als sie am Gehege vorübergingen, in welchem sich zwei

ältere Tiere und ein Kamelfohlen aufhielten, schnappten sie zufällig die Unterhaltung einer Mutter mit ihrer kleinen Tochter auf, die fragte: »Wie kann man denn bei den Kamelen Mann und Frau voneinander unterscheiden?«

Judith sah, wie Dorothea grinste und blieb stehen. Auch Charlottes Lippen zuckten verdächtig.

»Schau mal, Liebes«, antwortete jetzt die Mutter. »Die beiden großen Kamele stehen gerade hübsch beieinander. Sieh sie dir an.«

Das Mädchen nickte eifrig.

»Und jetzt«, fuhr die Mutter fort, »sag mir, was du auf den ersten Blick erkennst!«

Das Kind zeigte mit dem Finger auf eines der Tiere. »Das da ist viel größer als das andere.«

»Genau. Und das ist die Antwort auf deine Frage«, meinte die Mutter zufrieden. »Das größte Kamel ist immer der Mann.«

Über diese eindrückliche Erklärung amüsierten sich die Freundinnen köstlich, und Judiths schlechte Laune verflog. Auch als sie schon längst auf dem Heimweg waren, konnten die drei einfach nicht aufhören zu lachen.

14. KAPITEL

Restauration zur Charlottenhöhe in Degerloch,
am selben Nachmittag

»Ich weiß nicht, Karl, aber ich glaub, das ist keine gute Idee.«
Antons Stimme klang belegt. »Was ist, wenn die alle auf einmal da rauskommen?«

»Mensch, Anton, das sollen sie ja«, meinte Karl ungeduldig und zog einen selbst gebastelten Pfeil aus dem hölzernen
Köcher, den er auf dem Boden abgelegt hatte. »Stell dich lieber richtig hin, damit du auch genau zielen kannst.«

»Wie schnell sind die denn?«

»Was weiß ich, schneller als du.« Karl spannte seinen Bogen.

»Und ganz bestimmt schneller als du«, gab Anton beleidigt zurück, doch sein Ehrgeiz gewann allmählich Oberhand
über die Angst.

Karl grinste in sich hinein.

Er wusste genau, wie er seinen Bruder herausfordern
konnte. Und das war wichtig. Denn der Effekt, wenn beide

Pfeile gleichzeitig trafen, sollte gewaltig sein. Was genau passieren würde, das wusste auch Karl nicht, aber in ihm brannten Neugier und Forschertrieb und hielten ihn davon ab, etwaige Folgen genauer zu überdenken.

Er konzentrierte sich und behielt nicht nur das Erdloch, sondern auch Anton genau im Auge, sah, wie auch er einen Pfeil in den Bogen spannte.

»Ich zähl auf drei. Die Pfeile müssen genau treffen«, raunte Karl.

Plötzlich senkte Anton den Bogen.

»Was tust du?«, fauchte Karl.

»Wir können nicht gleichzeitig da reinschießen«, stellte Anton fest.

»Warum nicht?«

»Weil sich unsere Pfeile gegenseitig ablenken würden«, erklärte Anton.

Karl ließ seinerseits den Bogen sinken und überlegte.

»Vielleicht. Dann schießen wir halt kurz hintereinander. Ich gebe das Kommando!«

Anton nickte. Beide nahmen ihre Bogen wieder auf und richteten sie auf das im kurzen Gras kaum verborgene Mauseloch, worin sich ein Erdwespenvolk eingenistet hatte.

Karl beobachtete das Surren der an- und ausfliegenden Insekten am Boden. Anton dagegen schielte sicherheitshalber noch einmal zu ihrem Vater hin, der sich in einiger Entfernung mit dem Bankier von Braun auf einer Bank niedergelassen hatte. Die beiden Männer genossen ihren Wein und achteten nicht auf sie.

Eigentlich hatte der Vater ihn und Karl gar nicht mitnehmen wollen. Wieso er dann doch darauf bestanden hatte, dass sie ihn begleiteten, konnte Anton sich nicht erklären. Wollte er sehen, wie gut Karl inzwischen laufen konnte? Denn mehr als zwei Monate nach dem furchtbaren Unfall ging es ihm wieder ziemlich gut. Selbst Dr. Katz sagte, Karl habe großes Glück gehabt und eine unverwüstliche Gesundheit noch dazu.

Nun also dieser Sonntagsspaziergang.

Sonntagsspaziergänge mit dem Vater waren schlimmer als Hausarrest. Denn dabei nutzte dieser die Zeit, um ihnen alle Verfehlungen der vorangegangenen Woche aufzuzählen und gleich die entsprechenden Strafen mitzuteilen. Um nicht noch eine weitere Buße aufgebrummt zu bekommen, waren sie ohne Murren mitgegangen. Ein Sträuben hätte ohnehin keinen Sinn gehabt.

Der Vater hatte heute allerdings recht geistesabwesend gewirkt.

Es war ihm zunächst nicht einmal aufgefallen, dass sie unauffällig Köcher und Bogen mitgenommen hatten, und als er es schließlich bemerkt hatte, waren sie schon so weit von zu Hause entfernt gewesen, dass er es dabei belassen hatte. Allerdings nicht ohne den Hinweis, dass die Bogen gleich nach der Heimkehr eine ganze Woche weggeschlossen werden würden. Ohne Sanktion ging es nie.

So hatte sich ihr Mut nicht ausgezahlt, denn benutzen durften sie ihre Spielzeugwaffen nicht. Er hatte ihnen unter weiterer Strafandrohung verboten, damit zu schießen.

Missmutig waren sie also hinter dem Vater her gestapft, als sich das Blatt in Gestalt des vornehmen Bankiers von Braun unverhofft wendete. Dieser stieg, einen Gehstock mit Silberknauf in der Hand und einen schwarzen Filzhut auf dem Kopf, nur wenige Schritte von der Restauration Charlottenhöhe entfernt aus seiner Kutsche und begrüßte ihren Vater mit Handschlag. Offensichtlich hatten sich die Männer verabredet, denn sie ließen sich umgehend im Garten des Gasthauses nieder.

Und siehe da: Auf einmal waren die Söhne überflüssig. Der Vater schickte sie mit einer raschen Handbewegung fort.

Da Anton und Karl nicht recht wussten, wie weit sie sich entfernen durften, ohne eine weitere Strafe zu riskieren, waren sie im Garten und auf dem Spielplatz der Charlottenhöhe umhergestreift und hatten nach einem günstigen Platz Ausschau gehalten, um in aller Heimlichkeit ein paar kleinere Schießübungen zu machen. Aber da das Lokal bis zum letzten Platz mit vornehmen Sonntagsausflüglern aus der Stadt besetzt war, hatten sie sich nicht richtig getraut.

Erst als sie sich auf das Wiesenstück neben den Stallungen verzogen hatten, war Karl das Erdwespennest aufgefallen, vor dem sie jetzt mit ihren gespannten Bogen standen.

»Also auf drei!«, sagte Karl noch einmal leise.

Anton nickte.

»Eins, zwei … drei!«

Gedankenversunken lief Robert die Kirchheimer Straße entlang. In ihm brodelte es gewaltig und selbst die beiden Krüge mit kühlem Bier, die er gerade eben im Hirsch getrunken hatte, hatten es nicht vermocht, seinen inneren Aufruhr zu besänftigen.

Sie traf sich mit einem Kerl, seine süße Babette. Er hatte es beobachtet, verborgen hinter einem Busch. Doch das war nicht alles. Denn obwohl der Nachmittag bereits fortgeschritten war, hatte sie mit diesem Mann die *Zacke* bestiegen, hinunter nach Stuttgart. Wusste der Kuckuck, was sie dort mit ihm machen wollte. Aber das kokette Lächeln, mit dem sie ihren Begleiter bedachte, während dieser ihr in den Wagen geholfen und dabei seine Hand auf ihren Rücken gelegt hatte, war beredt genug gewesen.

Robert hatte es bereits seit geraumer Zeit geahnt, doch gleichzeitig gehofft, dass dem nicht so sei. Jetzt aber war offensichtlich, was hinter Babettes ständigem Verschwinden und Zuspätkommen steckte; ergab ihr verändertes Verhalten in letzter Zeit einen Sinn.

Das Fehlen am Abendbrottisch. Die Nachlässigkeit, mit der sie ihre Arbeit versah. Ihre Tagträumereien, die kaum einem der Dienstboten verborgen geblieben waren. Und schließlich die Tatsache, dass sie seine vorsichtigen Annäherungsversuche so brüsk zurückgewiesen hatte.

Das Herz war ihm schwer.

Er hatte sich ausgemalt, dass es etwas werden könnte, mit ihm und Babette. Nicht sofort, aber in ein paar Jahren, wenn sie genug für ihre Aussteuer angespart und er selber eine ordentliche Arbeit in der Fabrik haben würde. Viele Dienstmädchen heirateten irgendwann.

Doch an diesem Nachmittag waren all seine Hoffnungen zerstoben. Hatten sich in Luft aufgelöst angesichts einer Babette, die sich schamlos mit einem Hallodri zeigte. Wenn die Herrschaft davon erfuhr, musste sie mit ihrer Entlassung rechnen.

Je mehr Robert über Babette nachdachte, desto klarer wurde ihm, dass sie Hilfe brauchte. Sicher erkannte sie keine Gefahr im Werben dieses Mannes. Doch der ganze Habitus des Kerls, seine zu feine Kleidung, die im Gegensatz zu einem grobschlächtigen, vom Trunk leicht aufgedunsenen Gesicht stand, verhieß nichts Gutes. Sie wäre nicht das erste Mädchen, welches, blutjung vom Land in die Stadt gezogen, den verbotenen Verführungen dort erlag. Die Geschichten über Dienstmädchen, die in falsche Kreise geraten und schließlich in der Gosse geendet waren, kursierten in schöner Regelmäßigkeit unter den Stuttgarter Dienstboten.

Babette war erst seit Anfang des Jahres im Hause Rothmann angestellt, zuvor hatte sie schon ein paar Jahre bei einer anderen Herrschaft gearbeitet. Sie stammte aus einer armen Handwerkerfamilie in einem der Dörfer im Stuttgarter Umland und hatte etliche Geschwister. Da war man froh um jedes Maul weniger, das gestopft werden musste. Das entwurzelte Mädchen aber, das in die Enge eines Dienstbotenverhältnisses gedrängt und ausgebeutet wurde, war unglücklich. Das hatte Robert gespürt. Zwischen zwölf und vierzehn Stunden dauerte ein Arbeitstag bei den Rothmanns, alle Tage die Woche, nur jeden zweiten Sonntagnachmittag hatten sie frei. Und seit die gnädige Frau nicht mehr da war, fiel Wilhelm Rothmann oftmals am späten Abend noch eine Aufgabe für Babette ein. Ob das ein Fleck an einem Anzug war, der entfernt werden sollte, oder eine Kleinigkeit zu essen, die serviert werden musste. Wirklich Ruhe hatte das Mädchen erst nach Mitternacht. Selten schlief sie ungestört mehr als fünf Stunden, ebenso wenig wie er selbst. Nur Dora erging es deutlich besser, da diese für das gnädige Fräulein arbeitete und nur selten von Rothmann beansprucht wurde.

Roberts Ärger über Babettes Leichtfertigkeit steigerte sich zu einem Groll gegenüber dem ganzen elenden Dienstbotendasein. Die aufgestaute Wut ließ ihn schneller laufen. Genau in dem Moment, als er das Restaurant Charlottenhöhe passierte, erschollen aus dem dortigen lauschigen Garten panische Rufe.

Abrupt blieb er stehen, wandte den Kopf in die Richtung, aus der die Schreie kamen, und wurde nur einen Wimpernschlag später beinahe von einer kleinen, aufgeregten Menschentraube überrannt. Vor allem die Damen schlugen wie von Sinnen mit Händen und Sonnenschirmen um sich, stießen jämmerliche Schreie aus und verhedderten sich in ihren Röcken, während die Herren versuchten, ihnen irgendwie behilflich zu sein.

Robert schaute verdutzt und regungslos zu, bis die aufgescheuchte Gesellschaft ihren Weg die Kirchheimer Straße hinunter in Richtung Zahnradbahnhof nahm und sich der Tumult allmählich legte. Sie würden wohl den nächsten Wagen der *Zacke* besteigen, die sie zurück nach Stuttgart brächte.

Doch Ruhe war damit noch lange nicht eingekehrt.

Als Robert zum bogenüberspannten Eingang der Charlottenhöhe hinüberging, sah er im Garten weitere Gäste umhereilen. Vereinzelt war Gekreische zu vernehmen, doch im Wesentlichen schienen sich die verbliebenen Damen und Herren mit einer konkreten Gefahr zu befassen. Zeitungen wurden geschwenkt, ebenso Hüte und Jacketts. Sonnenschirme fuhren in wenig eleganten Bewegungen durch die Luft.

Roberts Neugierde verdrängte allen Unmut. Er trat in den Gartenbereich.

»Wo ist denn der Wirt?«, brüllte eine männliche Stimme, die Robert sofort Wilhelm Rothmann zuordnete.

»Der wurde gestochen!«, antwortete eine Frau hektisch.

»Herrgott … Holt ihn zurück! Das ist seine Restauration hier!« Wieder Wilhelm Rothmann.

Robert hatte seinen Herrn inzwischen entdeckt, gemeinsam mit diesem Bankier, der in den vergangenen Wochen so oft bei ihm gewesen war. Während Rothmann mit hochrotem Gesicht kurze Befehle brüllte, ansonsten aber wenig Aktivität zeigte, schlug der Bankier wie von Sinnen um sich. Gläser lagen umgestoßen auf dem Tisch, die Weinkaraffe hatte auf einem der Stühle ihr scherbenreiches Ende gefunden. Rotwein tropfte zu Boden.

Während der Tumult sich fortsetzte, erfüllte ein aggressives Surren und Summen die Luft. Schlagartig wurde Robert klar, welches Drama sich vor seinen Augen abspielte: Eine Schar Wespen umschwärmte die Tische und attackierte die Gäste der Charlottenhöhe. Sofort zog er sich etwas zurück, um nicht selbst Opfer des angriffslustigen Insektenschwarms zu werden. Doch noch während er in Erwägung zog, sich schleunigst vom Ort des Geschehens zu entfernen, zupfte ihn jemand am rechten Ärmel.

Eine zitternde Bubenstimme fragte: »Robert, gehen Sie mit uns nach Hause, ja?«

Überrascht erkannte Robert den kleinen Anton Rothmann, unmittelbar dahinter seinen Zwillingsbruder Karl. Die schmerzverzerrten Gesichter beider Buben waren mit dicken roten Pusteln übersät. Robert dämmerte, dass zwischen der Anwesenheit der Kinder an diesem Ort und dem Drama, welches sich hier abspielte, ein Zusammenhang bestehen könnte.

Er musste schmunzeln, doch zugleich taten sie ihm leid. Wespenstiche schmerzten höllisch. Dass die beiden sich derart zusammenrissen, ließ auf ein schlechtes Gewissen und die Angst vor Entdeckung schließen. Doch bevor er reagieren konnte, sah er Wilhelm Rothmann auf sich und die Kinder zukommen.

»Karl! Anton!«

15. KAPITEL

Über eines war sich Wilhelm Rothmann im Klaren. Nie wieder bekäme das Personal den Sonntagnachmittag frei, ohne dass jede einzelne Stunde minutiös mit ihm abgestimmt wäre. Die bisherige Regelung, dass nahezu alle Hausangestellten im zweiwöchentlichen Rhythmus nach Gutdünken über die Nachmittagsstunden zwischen zwei und fünf verfügen konnten, war ab sofort abgeschafft. Natürlich war es nur Hélènes übergroßem und neumodischem Verständnis für die Bedürfnisse der Dienerschaft geschuldet gewesen, dass es im Hause Rothmann überhaupt zu einem solch abartigen Brauch gekommen war. Und zu den verheerenden Folgen.

Wäre an diesem Nachmittag eine zuverlässige Aufsichtsperson im Hause gewesen, hätte er sich nicht selbst um die Zwillinge kümmern müssen. Dass Judith heute bei einer ihrer Freundinnen eingeladen gewesen war und daher ebenfalls kein Auge auf ihre Brüder haben konnte, hatte er schlichtweg vergessen.

Bisher war er hinsichtlich seiner Söhne niemals übermäßig besorgt gewesen. Meistens hatte er sie eher beiläufig wahrgenommen, insbesondere dann, wenn ein Tadel oder eine Strafe anstand. Seit Karls Unfall allerdings wusste er sie lieber unter erwachsener Aufsicht. Als ihm klargeworden war, dass er für die Zeit seiner Verabredung mit Bankier von Braun niemanden für die Buben hatte, war ihm nichts anderes übrig geblieben, als die beiden zur Charlottenhöhe mitzunehmen.

Dort hätten sie sich die Zeit recht vertreiben können, so wie sich artige Kinder die Zeit üblicherweise vertrieben, während er mit dem Bankier die für ihn existenzentscheidende Verbindung ihrer beider Familien endgültig fixierte. Doch anstatt zu schaukeln oder Ball zu spielen, hatten Karl und Anton diesen Wespenschwarm aufgeschreckt und ihn damit in eine höchst unerfreuliche Situation manövriert.

Wilhelm Rothmann saß an seinem Schreibtisch und spielte ungewohnt nervös mit dem silbernen Tintenfass, das vor ihm stand. Als er an den verheerenden Ausgang jenes Nachmittags zurückdachte, bildeten sich kleine Schweißperlen auf seiner Stirn.

Keinem Mann sollte innerhalb solch kurzer Zeit so viel Ungemach widerfahren. Renitente Söhne mit nichts als Unfug im Kopf, eine Tochter mit eigensinnigen Zukunftsplänen und eine Gattin, die sich in den Süden verabschiedet und ihre Familie sich selbst überlassen hatte.

Und über allem schwebte drohend und dunkel die Wolke des möglichen Bankrotts seiner Fabrik.

Wenigstens letzteres Problem sollte sich in absehbarer Zeit lösen, denn Judiths Hochzeit mit Albrecht von Braun war nun beschlossene Sache. Damit würden endlich Gelder fließen, die er dringend brauchte.

Er kratzte sich am Kopf.

Natürlich wäre es ihm lieber gewesen, zur Rettung seiner Fabrik nicht auf einen solchen Schacher angewiesen zu sein. Doch seine finanzielle Situation ließ keinen Spielraum mehr. Wie oft hatte er im letzten Jahr den Tag verwünscht, an welchem er einen Stapel wertloser Immobilienanteile gekauft hatte, empfohlen als angeblich todsichere Kapitalanlage mit hoher Rendite, abgewickelt über das Bankhaus von Braun.

Todsicher ist sie wirklich gewesen, dachte Rothmann zynisch. Das Investment hatte einen Großteil seines privaten und des firmeneigenen Vermögens vernichtet.

Beinahe in letzter Minute hatte sich nun doch alles zum Guten gewendet. Vielleicht plagte von Braun auch ein schlechtes Gewissen, wer wusste das schon so genau, und er unterstützte deshalb die Partie zwischen ihren Kindern.

Auf jeden Fall hätte es Judith schlechter treffen können. Das Bankhaus von Braun war hoch angesehen, und wenn sie ihrem Gatten erst einmal zwei oder drei Kinder geschenkt hätte, könnte sie sich verdient von ihm zurückziehen und fortan ein zufriedenes, ruhiges Leben führen.

Ein schlechtes Gewissen brauchte er sich wirklich nicht zu machen.

Die Zukunft der Schokoladenfabrik und damit das Erbe seiner Söhne war gesichert, und Judith würde in eine respektable Familie einheiraten, ohne finanzielle Sorgen. Daran gab es eigentlich nichts auszusetzen.

Doch die ganze Sache hatte einen letzten Haken: Seine Tochter wusste noch nichts von Albrecht. Und beim

Gedanken an ihre Reaktion auf diese Bekanntgabe machte sich Unbehagen in Wilhelm Rothmann breit. Denn derart ablehnend, wie sie bisher auf jeden seiner dezenten Hinweise bezüglich einer Verheiratung reagiert hatte, befürchtete er ernstzunehmende Gegenwehr. Er kannte das nur zu gut von seiner Frau Hélène.

In diesem Moment fiel ihm wieder ein Brief ins Auge, der gestern abgegeben worden war und den er zunächst zur Seite gelegt hatte. Als Absender war Friedrich Ebinger vermerkt, ausgerechnet Ebinger, sein persönlicher Widersacher, dem das Geld ohne Unterlass in die Börse kroch.

Obwohl es ihn auch heute nicht drängte, den Brief zu öffnen, griff er nach dem Umschlag. Er wendete ihn einige Male unschlüssig von der einen auf die andere Seite, nahm dann aber doch seinen Brieföffner und schlitzte das Kuvert auf.

Aufmerksam las er die darin enthaltene Karte. Sein Gesicht hellte sich auf.

Mit einem Mal ergab sich ein raffinierter Weg, Judith bezüglich seines Entschlusses in Kenntnis zu setzen, ohne dass ihr Dickkopf alle Pläne vereiteln würde. Dem alten Ebinger sei Dank. Leiden konnte er ihn deshalb allerdings noch immer nicht.

Es klopfte.

»Ja!«, rief er energisch, legte rasch das Billett zur Seite und setzte eine strenge Miene auf.

Die Tür ging auf und Babette schob Karl und Anton ins Zimmer. Anschließend machte sie die Tür leise zu und blieb zwei Schritte hinter den Zwillingen stehen.

»Verehrter Herr Vater…«, setzte Karl zerknirscht an.

»Schweig!«

Stumm und mit gesenktem Blick standen seine Söhne vor ihm.

Ein Hauch von Mitleid wollte in Wilhelm Rothmann aufkommen, aber er hatte sich sofort wieder im Griff. Strafe tat Not. Nur so würden sie zu ehrbaren und disziplinierten Bürgern heranwachsen. Und vor allem musste er ihnen allen Schabernack austreiben, damit sie die notwendige Reife erwarben, um später die Fabrik zu führen.

Er legte sich den Ersten übers Knie und begann, ihm den blanken Hosenboden zu versohlen.

»Der Karl hat geknurrt. Der Anton hat gar nichts gesagt, aber dem sind die Tränen übers Gesicht gelaufen«, berichtete Babette, als sie Gerti bei den Vorbereitungen für das Abendbrot half.

Die Herrschaft durfte sich auf einen kalten Schweinebraten mit frisch gebackenem Brot und eine Apfelrolle freuen. Für die Dienerschaft gab es einen Linseneintopf. Leider ohne Speck. Mit dem Fleisch war Rothmann knauserig, seit die gnädige Frau im Sanatorium war.

Die Tür zur Küche flog auf. »Der Alte … gnädige Herr befiehlt uns alle nach dem Abendbrot in die Eingangshalle«, sagte Robert außer Atem.

»Was will er denn von uns?«, fragte die Köchin erstaunt.

»Ich ahne es«, meinte Babette. »Uns wird der Ausgang gestrichen.«

»Das vermute ich auch«, pflichtete Robert bei.

»Ich habe es gehört. Er hat es zu seiner Tochter gesagt«, erklärte Babette. »Damit die Buben nicht mehr ohne Aufsicht sind.«

»Er selber hat ja nicht das richtige Händchen für seine Söhne«, empörte sich Robert.

»Robert!«, mahnte die Köchin. »Kritisiere nicht die Herrschaft!«

Robert trat an den großen, gusseisernen Herd und zupfte Babette an den Bändern ihrer Schürze. »Was gibt es denn Gutes?«

Babette schubste ihn weg. »Lass mich in Ruhe, sonst kriegst du nichts!«

Robert lachte. »Ich hab's eh schon gerochen. Lecker.« Er sah liebevoll in Babettes konzentriertes Gesicht. Doch sie hatte nur einen nervösen Seitenblick für ihn übrig.

»Du würdest mich doch nicht verhungern lassen, Babette«, versuchte er es noch einmal mit einem scherzenden Unterton. »Sonst hättest du keinen Beschützer mehr!«

Nun richtete sie sich doch auf und sah ihn direkt an. In ihren hellgrünen Augen lag ein Flackern. »Wenn ich eins nicht brauche, dann einen Beschützer wie dich! Ständig kriechst du mir hinterher!« Ihre Stimme wurde lauter und schneidend. »Ich brauche dich nicht. Ich kann dich nicht einmal gut leiden. Also lass mich in Ruhe!«

Robert zuckte zusammen.

Gerti ließ ein lautes Räuspern vernehmen. »Also, ich finde nicht, dass der Robert dir hinterherkriecht«, meinte sie und stellte einen Korb mit Brot auf den langen Holztisch, an dem sich die Dienerschaft in Kürze zum Abendessen versammeln würde. »Er macht sich halt Sorgen. So wie ich auch.«

Sie hatte ruhig gesprochen, doch Babette warf den hölzernen Kochlöffel in die Linsen und verließ ohne ein weiteres Wort den Raum.

Robert stand wie erstarrt, die Köchin seufzte. »Ich weiß wirklich nicht, wo das noch hinführen soll mit der Babette.«

»Auf jeden Fall in die falsche Richtung«, meinte Robert frustriert. Wut mischte sich in seine Sorge. »Aber wenn uns ab jetzt der Ausgang gestrichen wird, dann beruhigt sie sich vielleicht wieder.«

»Was meinst du …?«, fragte Gerti, aber in diesem Moment fand sich mit einem »Ah, das riecht ja köstlich!« Theo in der Küche ein, dicht gefolgt von Dora.

»Ich habe gerade das gnädige Fräulein aus Stuttgart abgeholt. Die war vielleicht lustig aufgelegt!«, erzählte er.

»Dann hatte sie einen schönen Nachmittag«, brummte Gerti und fischte den Kochlöffel aus den Linsen.

»Sie hatte einen außergewöhnlichen Duft an sich«, sagte Theo. »Irgendwie nach Stall …«

»Ach was, das war sicher nicht das gnädige Fräulein, sondern deine Zossen vor der Kutsche«, erwiderte Dora schnell und setzte sich an den Tisch. Sie hatte von Judiths Tiergartenbesuch gewusst und wollte sie schützen.

»Jetzt setzt euch hin, das Essen ist fertig!«, befahl die Köchin, nahm den Eintopf vom Herd und schleppte ihn zum Tisch.

Theo zuckte mit den Achseln und setzte sich.

In diesem Moment fand sich auch die Haushälterin ein.

Sie überflog ihre Dienerschaft mit einem schnellen Blick. »Wo ist Babette denn schon wieder?«

Für einen kurzen Moment herrschte betretenes Schweigen, dann meldete sich Robert zu Wort: »Ihr war nicht gut. Vermutlich ist sie auf ihr Zimmer gegangen.«

Margaretes Blick wurde streng. »Das sollte nicht zur Regel werden. Es gibt feste Essenszeiten, die einzuhalten sind. Und noch etwas. Die Zwillinge bekommen in den nächsten Tagen kein Abendbrot. Eine Anordnung des gnädigen Herrn.«

»Was?«, entfuhr es der Köchin. »Das sind doch noch Kinder, die brauchen genug zu essen!«

»Der gnädige Herr hat seine Gründe, die wir nicht infrage zu stellen haben«, wies die Haushälterin sie zurecht und nahm an der Stirnseite des Tisches Platz.

Während des Essens durfte nicht laut gesprochen werden. Robert hatte wirklich Hunger, aber richtig schmecken wollte es ihm nicht. Was konnte er nur für Babette tun? Dem Rothmann etwas sagen? Der würde sie sofort vor die Tür setzen, und dann wäre sie erst recht verloren.

Nein – er würde Babette nach wie vor im Auge behalten müssen, auch wenn das bedeutete, dass sie sich noch mehr vor ihm verschloss. Eine andere Möglichkeit gab es nicht.

16. KAPITEL

Der Wind war ungebärdig. Er fegte um das Haus, zerrte an den Dachziegeln, rüttelte an den Türen. Donnergrollen kündigte eines der letzten Sommergewitter des Jahres an. Blitze zuckten durch die Nacht und erhellten in unregelmäßigen Abständen Judiths Zimmer. Dann fielen die ersten schweren Regentropfen. Es dauerte nicht lange, bis sie in überlauter Regelmäßigkeit gegen die Fensterscheiben prasselten.

Nachdem Judith sich zunächst geweigert hatte, ihren kostbaren Schlummer dem Wetter preiszugeben, ließ ein lautes Klirren draußen sie aufschrecken.

Verärgert strampelte sie die weiche Decke von ihren Füßen, ging zum Fenster und zog den schweren Vorhang zur Seite, um nachzusehen, ob etwas passiert war.

Draußen war es stockfinster und das herablaufende Regenwasser an der Scheibe nahm noch den letzten Rest an Sicht. Es war unmöglich, irgendetwas zu erkennen. Lediglich die verschwommenen Schemen der im Wind hin und her schwankenden Bäume ließen sich erahnen.

Judith verharrte einige Augenblicke und lauschte angestrengt in die Dunkelheit, ob sich das Geräusch wiederholte, doch bis auf das Brausen des Windes blieb es ruhig. Mit einem frustrierten Seufzen ließ sie den Vorhang zurückgleiten und legte sich wieder ins Bett. Möglicherweise war das Schutzglas einer Straßenlaterne zu Bruch gegangen. Oder sie hatte sich schlicht verhört.

Als sie gerade wieder in einen dösigen Schlaf gefallen war, wurde sie erneut geweckt. Diesmal durch das vertraute Klicken ihrer Zimmertür.

»Anton?« Judith richtete sich in ihrem Bett auf.

Ein paar schnelle, leise Schritte waren zu vernehmen, dann stand einer ihrer Brüder neben ihrem Bett.

»Judith?«, flüsterte er.

Judith streckte eine Hand nach ihm aus. »Komm, setz dich zu mir, Anton. Hast du Angst? Es ist nur ein Gewitter.«

»Nein«, sagte Anton leise. »Der Karl hat so Hunger.« Er nahm ihre Hand und zog nachdrücklich daran. »Und ich auch!«

Judith musste schmunzeln und ärgerte sich doch zugleich über ihren Vater. Wie so oft, wenn ihren Brüdern zur Strafe das Abendessen gestrichen wurde, konnten die beiden nicht richtig schlafen.

»Ich mache euch eine heiße Schokolade«, sagte sie und stand wieder auf.

»Au ja«, wisperte Anton. »Da freut sich der Karl!«

»Und du gewiss auch«, meinte Judith fürsorglich. »Geh solange wieder ins Bett, Anton.« Ein lauter Donnerschlag ließ sie instinktiv die Arme um ihren Bruder schließen. Sie spürte, wie er zitterte. »Du hast doch Angst!«

»Nein, ich hab keine Angst!«

»Jetzt holst du den Karl, und wir gehen zusammen in die Küche.«

»Aber wenn der Vater das merkt? Es ist doch so laut heute Nacht!«

»Und das ist gut so. Je lauter es draußen ist, desto weniger hört er uns. Los, mach schnell. Und seid leise!«

Anton machte sich auf, seinen Bruder zu holen.

In der Zwischenzeit zog Judith einen Morgenrock über ihr Nachthemd und zündete eine Kerze an, die in einem mit bunten Blumen verzierten, emaillierten Kerzenständer auf dem Nachttisch stand. Als sie kurz darauf Flüstern und das Tapsen von nackten Füßen hörte, stülpte sie rasch ein Schutzglas vor die Flamme und trat auf den Flur.

»Judith! Ich will viel Zucker in meine Schokolade!« Karl lief beinahe in sie hinein.

»Mensch, sei doch leise, Karl!«, mahnte Anton. »Sonst bemerkt uns der Herr Vater, und es gibt wieder eine rechte Strafe!«

»Anton hat recht«, meinte Judith, »wir schleichen uns jetzt ganz vorsichtig in die Küche. So wie Indianer auf dem Kriegspfad! Die darf auch keiner entdecken, sonst werden sie gefangen genommen.«

Möglichst geräuschlos stiegen sie hintereinander die beiden Stockwerke zur Eingangshalle hinunter, während draußen das Gewitter weitertobte. Im fahlen Licht der Blitze hatte das Haus etwas Unheimliches, und Judith spürte die Mischung aus unterdrückter Angst und Abenteuerlust, mit der ihre Brüder ihr folgten. Ihre Kerze flackerte.

Judith, die genauso gerne barfuß ging wie die Buben, genoss das Gefühl des weichen Treppenläufers unter ihren bloßen Füßen, die sich daran anschließende, samtig-kühle Oberfläche des Marmorbodens in der Eingangshalle, die wiederum von der härteren Kälte der Keramikfliesen im Dienstbotenbereich abgelöst wurde.

Dann öffnete sie die Tür zum Reich der Köchin. Die Zwillinge drängten hinter ihr hinein.

»Vielleicht gibt es irgendwo noch Kekse«, überlegte Karl und begann umgehend damit, die Regale abzusuchen.

»Au ja, bestimmt«, raunte Anton, und machte sich daran, seinen Bruder zu unterstützen.

»Dort werdet ihr sicherlich nichts finden«, erklärte Judith, während sie die Kerze auf dem großen Holztisch abstellte, an dem tagsüber die Köchin und die Küchenhilfe werkelten. »Die Kekse sind gut versteckt. Außerdem mag es die Gerti gar nicht, wenn ihr hier rumstöbert und alles durcheinanderbringt.«

Judith war selbst ein häufiger Gast in der Küche und wusste, dass die Köchin Streifzüge durch ihr Hoheitsgebiet nicht schätzte. Die Vorratskammer samt ihrem verlockenden Inhalt war daher stets abgeschlossen.

Mit einem routinierten Griff fasste Judith hinter eine an der Wand hängende Backform und förderte den passenden Schlüssel zutage. Als sie gerade im Begriff war, das Reich der Köstlichkeiten aufzuschließen, klapperte die Küchentür. Nicht laut, aber doch so geräuschvoll, dass Judith sich sofort umdrehte, während Karl vor Schreck eine blecherne Milchkanne fallen ließ, die scheppernd auf dem Boden landete.

Eine schmale Gestalt war auf der Schwelle stehen geblieben, ebenfalls eine Kerze in der Hand, mit der sie in den Raum hineinleuchtete.

»Wer ist da?«, wisperte eine Stimme.

»Wir sind es.« Judith trat in den Lichtschein der Kerze.

»Ah, gnädiges Fräulein! Und die Zwillinge! Treibt Sie das Gewitter in die Küche herunter?«

Judith lachte leise. »Nein, Dora. Ich dachte, ich bereite den beiden hungrigen Gesellen hier eine warme Schokolade zu.« Sie deutete auf die Kinder, welche sich leise darum stritten, wer die Milchkanne vom Boden aufheben sollte. Karl bestand darauf, dass Anton ihn geschubst habe und er sie deshalb nicht mehr habe festhalten können. Anton wies jede Beteiligung am Geschehen von sich.

»Das ist eine gute Idee«, meinte Dora mit einem vielsagenden Blick auf die Buben. »Ein hungriger Bauch schläft nicht gut.«

»Und du, hast du auch Hunger, Dora?«

»Nein, eigentlich nicht. Ich hab ein Klirren gehört, das hat mich aufgeweckt. Jetzt bin ich einfach mal durchs Haus gelaufen, um nachzusehen, ob alles in Ordnung ist.«

»Ja, ich habe vorhin auch etwas gehört. Ich dachte, es käme von draußen«, meinte Judith. »Und ihr zwei gebt jetzt endlich Ruhe!«, zischte sie in Richtung ihrer Brüder, die neben der noch immer am Boden liegenden Kanne eine Balgerei angefangen hatten.

»Vermutlich haben Sie recht, Fräulein Judith. Aber raus kann man jetzt eh nicht, bei dem Wind und dem Regen. Ich geh dann wieder nach oben.« Dora und die anderen Dienstboten hatten ihre Kammern in der Mansarde der geräumigen Villa.

»Bleib doch und trink eine Schokolade mit uns, Dora«, bot Judith an.

Dora war bereits seit einigen Jahren im Hause Rothmann beschäftigt und versah mittlerweile vornehmlich die Aufgabe einer Zofe für Judith. Und für ihre Mutter, wenn diese zu Hause war.

»Eine Schokolade, ja, sehr gern, Fräulein Judith. Danke.« Während Dora ihre Kerze neben Judiths stellte, war letztere mit drei Schritten bei den streitenden Kindern und packte sie jeweils am Kragen. »Ruhe jetzt! Ihr weckt noch alle auf. So laut kann es gar nicht donnern, damit es euch übertönt!« Karl und Anton wanden sich unter ihrem Griff, gaben aber nach. Anton hob die Kanne auf und stellte sie zurück ins Regal.

»Na seht ihr«, bemerkte Judith zufrieden. »Es geht also. Eigentlich hat der Vater recht. Ihr solltet wirklich eine Nacht lang richtig Hunger haben. Ohne Strafe werdet ihr nicht vernünftig.« Sie seufzte. »Karl, nimm die Kanne und hol Milch!« Sie wandte sich wieder der Tür der Vorratskammer zu.

»Vielleicht ist ein Fenster kaputtgegangen«, spekulierte Karl. »Ich meine, wo es doch draußen geklirrt hat.«

»Was hat geklirrt?«, fragte auf einmal eine männliche Stimme, und nun war es Dora, die erschrocken herumfuhr.

»Robert! Menschenskinder, hast du mich erschreckt!«

Der junge Bursche grinste. »Du solltest um diese Uhrzeit gar nicht in der Küche sein, Dora.«

An Doras Stelle antwortete Judith: »Sie aber auch nicht, Robert!«

Robert stutzte und spähte um Dora herum in das Zwielicht der Kerzen.

»Guten Abend, gnädiges Fräulein. Und die Herren Karl und Anton. Bitte entschuldigen Sie meine Unverfrorenheit«, sagte er halb scherzend.

»Schon gut«, meinte Judith versöhnlich, denn eigentlich mochte sie Robert ganz gern, wenn der Vater auch meinte, mit ihm einen potenziellen Unruhestifter im Haus zu haben.

»Ich hab auch ein Geräusch gehört, ein Scheppern oder so was Ähnliches«, erläuterte Robert. »Jetzt wollte ich lieber nachsehen. Bei dem Wetter kann schon mal was kaputtgehen.«

»Ja, Dora und ich haben es auch gehört. Es ist gut, wenn Sie sich darum kümmern«, antwortete Judith und drehte den Schlüssel zur Vorratskammer um.

»Warten Sie doch, gnädiges Fräulein, ich koche die Schokolade!« Flugs trat Dora neben Judith.

»Nein, nein, Dora. Lass mich nur!« Judith schlüpfte in die Vorratskammer.

»Warten Sie, Fräulein Rothmann, da drin ist es stockdunkel! Sie sehen ja gar nichts!«, schaltete sich Robert ein, nahm eine der tragbaren Petroleumlampen vom Wandregal und zündete sie an. Als ihr Licht die Küche erhellte, gab er sie Dora. »Hier, du kannst ihr leuchten. Ich geh solange nach draußen. Und wenn ich zurückkomme, will ich auch eine warme Schokolade! Sozusagen als Dank.« Er zwinkerte Dora zu.

Dora schüttelte lachend den Kopf. »Du bist unverschämt, Robert!«

Sie nahm die Lampe und stellte sie so hin, dass Küche und Vorratsraum einigermaßen ausgeleuchtet waren. Während Robert seine Jacke enger um sich zog und zur Dienstbotentür ging, wandte sie sich dem großen, mit Kacheln verzierten Herd zu. Dieser gab während der Nacht seine Restwärme ab, weshalb sich an heißen Sommertagen rund um die Uhr eine unangenehme Schwüle in der Küche hielt. Ein Effekt, der den Raum im Winter wiederum gemütlich machte und jederzeit gut ausreichte, um eine warme Schokolade zu erhitzen.

Dora stellte einen emaillierten Kochtopf auf die große dunkle Platte, während Judith mit zwei Weißblechdosen aus der Vorratskammer kam. Eine davon war mit einer tanzenden jungen Frau inmitten blumiger Ornamente bemalt, auf der anderen stand in schwarzer Schnörkelschrift auf weißem Grund das Wort »Zucker«.

Karl hatte frische Milch aus dem Keller geholt, und Dora schüttete sie vorsichtig in den Topf.

»Machst du eine Würzschokolade, Judith?«, bat Anton seine Schwester.

Judith nahm einen Schneebesen vom Hakenbrett neben dem Herd, an dem alle möglichen Küchenutensilien hingen. Dann sah sie ihren Bruder an. »Wir haben noch lange nicht Weihnachten!«

»Aber Würzschokolade schmeckt viel besser als die normale Schokolade«, argumentierte Anton, und Karl kam ihm zu Hilfe: »Ja genau, die schmeckt langweilig!«

Judith sah Dora an. »Ich mag Würzschokolade auch«, meinte diese und zwinkerte den Buben zu.

»Also gut. Holst du dann bitte die Gewürze, Dora?«

Judith hatte sich inzwischen einen kleinen Löffel genommen, maß sorgfältig erst das feine Kakaopulver, dann den Zucker ab und gab beides in die angewärmte Milch. Anschließend verquirlte sie alles mit dem Schneebesen, damit Pulver und Zucker sich auflösten.

Dora fügte jeweils eine Prise gemahlenen Zimt, Kardamom und Anis hinzu, und sogleich stieg der zarte Duft von exotischen Gewürzen und Schokolade aus dem Topf auf und erfüllte die Küche. Judith schnupperte den delikaten Aromen nach, wurde jedoch gleich wieder auf den Boden der Wirklichkeit zurückgeholt.

»Da fehlt die Vanille!«, protestierte Karl.

»Ich habe keine Schote gefunden«, erwiderte Dora. »Und wir können der Gerti nicht die ganze Küche auf den Kopf stellen.«

»Es geht auch ohne Vanille«, entschied Judith und reichte den Schneebesen an Karl weiter. »So, jetzt rührst du, bis sie richtig schön schaumig ist.«

Karl quirlte mit aller Kraft, bis die Trinkschokolade zu dampfen begann. »Holst du die Tassen, Anton?«, fragte Judith.

»Und vergiss eine für den Robert nicht!«, ergänzte Dora.

Unter Judiths kritischem Blick füllte Karl die heiße Schokolade vorsichtig in fünf Henkelbecher aus Steingut. Während sich die Zwillinge auf dem Boden vor dem Herd niederließen, setzten sich Judith und Dora an den langen Holztisch im Nebenraum, der den Dienstboten als Esstisch diente und durch einen offenen Durchgang von der Küche getrennt war.

»Sie sind immer noch in der Indianerphase«, bemerkte Judith mit Blick auf ihre Brüder. »Ich bin gespannt, ob die jemals zu Ende geht.«

»Meine Brüder mussten in diesem Alter schon auf dem Hof mithelfen«, erzählte Dora und nippte an ihrem Becher. »Raus aufs Feld, die Tiere versorgen oder Holz hacken. Nur im Winter war es besser, da gab es weniger Arbeit. Da konnten sie auch zur Schule gehen.«

»Hast du viele Geschwister?«, fragte Judith.

»Vier Brüder. Aber wir sind nur Halbgeschwister. Meine Mutter starb früh, deshalb hat der Vater wieder geheiratet.«

»Du kommst von der Alb, nicht wahr?«

Dora nickte. »Ja, aus einem kleinen Dorf. Aber ich bin schon lang da weg. Die Stiefmutter hat es nicht gut gemeint mit mir, und so ist's für alle besser.«

»Ja, für mich auch. Wer würde sonst meine Haare frisieren?«, meinte Judith aufmunternd und sah zur Tür. »Ich glaube, da kommt Robert wieder.«

In diesem Augenblick fegte er auch schon herein und brachte reichlich Feuchtigkeit mit.

»Und? Hast du was gefunden?«, fragte Dora sofort.

Robert grinste und zog ein rot getigertes Fellknäuel unter seiner Jacke hervor. »Ja, ich hab was gefunden.«

»Vladimir!« Judith sprang auf und nahm ihm den Kater ab. »War er draußen?«

»Offensichtlich.«

»Hat er etwa den Lärm veranstaltet?«, fragte Dora.

»Nein, er hatte sich im Gartenpavillon verkrochen und ist mir beinahe in die Arme gesprungen, als er mich entdeckt hat. Das Scheppern kam von zwei der hohen Amphoren im Garten. Sie wurden wahrscheinlich umgeweht und sind in tausend Scherben zersprungen. Eine echte Sauerei. Ich werde mich morgen darum kümmern, wenn der Wind hoffentlich etwas nachgelassen hat. So, und jetzt wäre eine heiße Schokolade genau richtig.« Mit diesen Worten ließ Robert sich auf die Bank am langen Esstisch fallen.

Dora brachte ihm den bereitgestellten Becher, und Judith setzte sich mit dem Kater auf dem Arm wieder hin. »Komisch. Die Amphoren sind sehr schwer. Bisher hat kein Sturm es geschafft, sie umzuwehen«, überlegte sie.

»Ich schau noch mal nach, wenn es hell ist, Fräulein Rothmann«, erbot sich Robert. »Aber der Wind war wirklich sehr stark diesmal.«

»Wie dem auch sei. Ich finde es immer gemütlich hier unten bei euch«, erklärte Judith und kraulte den Kater. »Die heiße Schokolade schmeckt viel besser, wenn man sie nicht mit abgespreiztem kleinen Finger und spitzem Mund aus einer kostbaren Porzellantasse mit Goldrand trinken muss.«

Robert und Dora sahen sie verwundert an. Dann brachen alle drei in Gelächter aus.

Plötzlich legte Dora den Finger an die Lippen. »Psst. Ich glaube, da kommt jemand!«

Alle horchten auf. Karl und Anton unterbrachen ihr Schnick-Schnack-Schnuck-Spiel. In der Ferne rumorte das letzte Nachhallen des abziehenden Gewitters.

»Das ist der Herr Vater«, wisperte Anton erschrocken. »Und die Mamsell ist auch dabei!«

»Schnell, in die Vorratskammer mit euch!«, befahl Robert den Zwillingen. »Und nehmt eure Becher mit!« Er wandte sich an Judith. »Sie müssen auch da rein, Fräulein Rothmann.«

Judith nickte, setzte den Kater auf den Boden und folgte ihren Brüdern in den Vorratsraum.

»Räum hier schnell auf. Und schau zu, dass du in deine Kammer kommst«, sagte er leise zu Dora.

Dann verließ er die Küche, um seinem Herrn und der Haushälterin entgegenzugehen.

Er würde sie zurück in die Eingangshalle lotsen, ihnen ausführlich von dem ungewöhnlichen Geräusch berichten, die zerbrochenen Amphoren erwähnen und so hoffentlich für genügend Ablenkung sorgen. Es war nicht mehr lange bis zum Morgengrauen. Bis dahin mussten das gnädige Fräulein und ihre Brüder wieder auf ihren Zimmern sein.

17. KAPITEL

Stuttgart, einige Tage später

Judith stand im großen Lichthof des Kaufhauses E. Breuninger und bestaunte wieder einmal die Eleganz dieses Gebäudes mit seiner großen, facettenartig gestalteten Glaskuppel.

Erst in diesem Jahr war der großzügige Neubau in der Münzstraße fertiggestellt worden und bot der Kundschaft eine nie dagewesene Auswahl. Schon von außen beeindruckten die hohen, durch eckige Säulen unterbrochenen Schaufenster mit ihrer lockenden Dekoration. Darüber setzten zwei Reihen symmetrisch angeordneter Fenster auf, wovon die erste arkadenartig, die zweite in klassischen Rechtecken ausgeführt war. Je weiter der Blick nach oben glitt, desto aufwendiger gestalteten sich die Verzierungen der Fassade in Form von geschmackvollen Stuck-Ornamenten. Entlang des Walmdachs reihten sich in gleichmäßigen Abständen Fenstergauben und verspielte Türmchen aneinander. Und über allem thronte ein pavillonartiger Turm, dessen Spitze eine schlanke Statue schmückte.

Den großzügigen Eingangsbereich des Gebäudes über-
spannte ein stuckverziertes Gewölbe, das die Aufmerksamkeit gekonnt auf das glanzvolle Innenleben des Kaufhauses
lenkte.

Hier war alles in hellen Farben gehalten, offen und einla-
dend. Das einströmende Licht unterstrich die geschmackvolle Ausstattung und die präsentierten Waren. Auf den Stürzen der durch Pfeiler geteilten Galeriestockwerke standen in
großen Lettern die verschiedenen Abteilungen des Hauses
geschrieben.

Eine doppelt geschwungene Treppe führte in das erste
Stockwerk, eine weitere Doppeltreppe schwebte baldachin-
artig darüber und verband die zweite mit der dritten Etage.
An den schmiedeeisernen Geländern der umlaufenden Galerien standen zahlreiche Menschen und beobachteten das
konsumgeschwängerte Treiben in der hohen Halle.

Am liebsten hätte Judith den Kopf in den Nacken gelegt
und sich so lange um die eigene Achse gedreht, bis all die
herrliche Exklusivität zu einem mondänen Kaleidoskop verschmolz, doch sie begnügte sich mit einem Blick nach oben,
wo sich die Sonnenstrahlen im raffinierten Schliff der Glas-
scheiben brachen.

Neben ihr stand Dora und deutete dezent in Richtung
der Damen-Konfektion. Judith wollte ein neues Kleid aussuchen, denn völlig unerwartet und zudem reichlich kurzfristig hatte der Maschinenbauunternehmer Ebinger zu einem
Ballabend eingeladen. Das hatte allenthalben für interessierte
Aufregung gesorgt, denn eigentlich war mit dem Sommerball

bei den von Brauns im Juli der Höhepunkt der großen gesellschaftlichen Ereignisse vorerst vorüber. Anschließend waren
wie üblich die heißen Hochsommertage ins Land gezogen,
einige Familien hatten sich aufgemacht in die Sommerfrische
an den Bodensee oder in den Schwarzwald, und auch in diesem Jahr waren viele erst in der letzten Augustwoche nach
Stuttgart zurückgekehrt.

Nun also eine aufwendige Gesellschaft Ende September. Sogar Verwandte der verstorbenen von Siemens, die in
Degerloch eine Sommerresidenz unterhielten, wollten angeblich daran teilnehmen.

Judith vermutete einen konkreten Grund hinter dieser
Einladung. Im schlimmsten Fall verkündete der alte Ebinger die Verlobung von Max mit irgendeiner Baroness. Diese
Sorge trieb Judith seit der verstörenden Begegnung mit Max
und seiner unbekannten Begleitung in Nills Tiergarten um.
Dem alten Ebinger wäre ein solches Arrangement zuzutrau-
en. Vielleicht waren ihm Max' Weibergeschichten ein Dorn
im Auge. Außerdem war allgemein bekannt, dass er nach einem Weg suchte, in Adelskreise aufgenommen zu werden.
Mit einer passenden Heirat seines Sohnes hätte er schnell,
elegant und vor allem unwiderruflich dafür gesorgt. Denn
zappelte dieser erst einmal am Haken einer gewöhnlichen
jungen Frau, würden sich die Wünsche des Vaters rasch in
Luft auflösen.

Judith mochte den alten Ebinger nicht. Vielleicht störte
sie auch nur, dass er ihrem Vater gegenüber so ablehnend
war und sie damit wohl von vornherein als Partie für seinen

Sohn ausschied. Max' Mutter dagegen war eine zuvorkommende Dame, hatte immer ein Lächeln auf den Lippen und ein freundliches Wort für jedermann. Judith bewunderte ihr Engagement im Schwäbischen Frauenverein, der junge Frauen dabei unterstützte, einen Beruf zu erlernen. Sie selbst hatte die dort geförderte Töchter-Handelsschule besucht und sich wichtige kaufmännische Grundlagen angeeignet für den Fall, eines Tages doch in der Schokoladenfabrik Fuß fassen zu dürfen.

Ihr Vater war davon erwartungsgemäß wenig begeistert gewesen, aber ihre Mutter hatte damals so lange insistiert, bis er seine Zustimmung nicht länger verweigern konnte. Judith war ihr bis heute dankbar dafür, zugleich stieg ein überwältigendes Bedauern in ihr auf, dass sie nichts von ihr hörte, obwohl sie kürzlich zwei Briefe nach Riva geschickt und darin ihr Herz ausgeschüttet hatte. Darüber, dass der Vater sie vor vollendete Tatsachen stellen wollte und dennoch keinen Laut über die Person ihres angeblichen Bräutigams verlauten ließ. Über ihre Wut und ihre Angst vor einer solchen Ehe.

Sie versuchte, die trostlosen Gefühle abzuschütteln, und ließ ihre Gedanken zu Max Ebinger zurückkehren.

Von seiner Mutter hatte er das tiefdunkle Haar und die attraktiven Gesichtszüge geerbt. Im Gegensatz zu deren heiterer Art wirkte Max allerdings distanziert, fast arrogant. Wobei dieser Eindruck stets gebrochen wurde, wenn er sein ironisch schiefes Lächeln aufsetzte. Das waren die Momente, in denen sich Judiths Herz weitete. Und in denen sie den unwiderstehlichen Drang verspürte, diesen Mann zu erobern.

Sie seufzte leise.

Was auch immer der Anlass für dieses Fest sein mochte – sie würde sich von ihrer besten und schönsten Seite zeigen. Vielleicht ergab sich ja eine ungeahnte, letzte Möglichkeit, sich den Plänen ihres Vaters zu entziehen.

»Gnädiges Fräulein!«

Dora zupfte sie leicht am Ärmel, und Judith wandte sich den exquisiten Dingen zu, die das Kaufhaus Breuninger auf Tischen und Ständern, in gläsernen Vitrinen und Regalen präsentierte.

Sie durchschritten den Lichthof mit seinen Unmengen an seidenen Stoffballen, der ausgelegten Tischwäsche, den hübsch arrangierten Handschuhpaaren, sorgfältig dekorierten Taschentüchern und unzähligen weiteren Waren, die kunstvoll dargeboten auf Käufer warteten, und stiegen die Stufen hinauf in den ersten Stock. Auf Büsten waren unterschiedliche Damenkostüme drapiert und zeigten die Mode der Saison.

Judith hatte bereits ausgiebig im Modekatalog des Berliner Warenhauses Wertheim gestöbert, der ihr ins Haus geschickt wurde, und sich von den abgebildeten Kleidern inspirieren lassen. Dieses Mal würde es eine aufwendige Robe werden. Die Erlaubnis dafür hatte sie ihrem sonst eher sparsamen Vater erstaunlich leicht abgerungen. Sie hoffte, dass mit seiner ungewöhnlichen Großzügigkeit keine anderweitigen Verpflichtungen verbunden waren.

Jedenfalls hatte er ihrer Bitte mit einem geistesabwesenden Handwedeln stattgegeben, und Judith beschloss, sich über seine Beweggründe keine weiteren Gedanken zu machen.

Dora lächelte ihr zu. »Wir werden bestimmt etwas Wundervolles finden!«

Eine halbe Stunde später wurde in einem Separee Maß genommen.

»Bitte drehen Sie sich zum Spiegel, gnädiges Fräulein.«

Judith übte sich in Geduld, während zwei beflissene Verkäuferinnen mit Stoffbahnen unterschiedlichster Qualitäten um sie herumschwirrten, ihr das feine Gewebe um Schultern und Hüften schlangen und versuchsweise in hübsche Falten legten. Ein passendes Ballkorsett war bereits gefunden, und für die modische Silhouette nahm Judith es gern in Kauf, dass ihre Taille eng geschnürt und ihr Körper in eine unnatürliche, S-förmige Haltung gezwungen wurde. Hauptsache, das fertige Kleid saß wie angegossen und zeichnete die gewünschte elegante Linie.

Inzwischen war die Näherin dazugekommen und notierte sich sorgfältig Judiths vom Wertheim-Katalog inspirierte Wünsche. Schließlich empfahl sie Schnitt und Stoffe, woraufhin eine erschöpfende Debatte über modische Aktualität und Tauglichkeit entbrannte. An deren Ende stand eine festliche Robe aus kunstvoll bestickter, hellblauer Seide mit einem elfenbeinfarbenen Unterkleid, dessen Rüschen verspielt unter der reich verzierten Schleppe hervorschauten. Die kurzen Ärmel aus schimmerndem Tüll waren mit seidenen Stoffröschen besetzt.

Judith war zufrieden, die Schneiderin letzten Endes auch, insbesondere, da der stolze Preis anstandslos akzeptiert worden war.

Zusammen mit Dora wählte Judith einen elfenbeinfarbenen Gazefächer aus, der wegen seiner Spitzenapplikationen und dem eingearbeiteten Silberflitter perfekt zu ihrer Ballgarderobe passen würde. Eine der Verkäuferinnen präsentierte ein Paar eleganter Ballschuhe aus hellblauem Atlas. Zusammen mit einem federnbesetzten Umhang aus Kaschmir ließ Judith sie ebenfalls einpacken.

»Ich kann es kaum erwarten, die Robe zu tragen«, flüsterte sie Dora zu, während diese ihre Kleider ordnete und ihr beim Anziehen half.

»Erst einmal wird die Näherin Tag und Nacht daran arbeiten«, antwortete Dora.

»Aber sie wird es doch schaffen?«

»Aber ja.« Dora grinste. »Sie wird es sich recht bezahlen lassen!«

»Das spielt keine Rolle. Diesmal nicht«, meinte Judith und zog den Bauch ein, während Dora das Korsett einhakte.

18. KAPITEL

Berlin, ein Etablissement in der Friedrichstraße

Gedämpftes Gaslicht färbte die trägen Schwaden exquisiter Zigarren zu dunkelgelben Schlieren. Das sentimentale Spiel eines Pianisten untermalte anzügliche Bemerkungen und geraunte Unanständigkeiten. Kehliges Lachen begleitete den Klang klirrender Champagnerflöten, mit denen die ausschweifende Abendgesellschaft unentwegt anstieß.

Das über zwei Etagen reichende, üppig ausgestattete und als Vergnügungspalast kaschierte Bordell zog schon seit geraumer Zeit die Herren der Metropole in seinen Bann. Über mehrere Zimmer verteilt, boten sich ihnen ausgewählte Lustbarkeiten und verschwiegene Nischen. Und es waren nicht nur Künstler und reich gewordene Mitglieder des Bürgertums, die hier verkehrten und sich für eine Weile ihren Alltag versüßten. Auch einige der vornehmsten Mitglieder des kaiserlichen Hofstaates und des preußischen Offizierskorps fanden sich regelmäßig ein, um einen entspannten Umgang zu pflegen oder extravaganten Lüsten zu frönen.

Eine der ebenso edel wie kess gekleideten jungen Frauen erhob sich und schlenderte mit wiegenden Hüften zum Klavier, spähte dem Tastenkünstler kurz über die Schulter, küsste ihn auf die Wange, wandte sich dann dem Publikum zu und begann, mit tiefer, vibrierender Stimme zu singen.

Paul Roux ließ sich von der tief dekolletierten Dame auf seinem Schoß noch einmal nachschenken. Kaum war das Glas gefüllt, leerte er es in einem Zug und stieß die Dirne anschließend mit einem leisen Laut des Bedauerns von sich.

Sein Besuch war angekommen.

»Oh, der gnädige Herr möchte schon gehen?«, säuselte die Dirne sichtlich irritiert und packte ihn mit geübtem Griff am Hintern.

Roux entwand sich ihr, richtete Hemd und Kragen und griff nach seinem Jackett.

»Möchten nicht, Lore. Aber die Pflicht ruft.« Er drückte ihr einen Kuss auf den blank liegenden Busen.

»Och, die olle Pflicht …« Lore versuchte es mit einer künstlichen Unschuldsmiene, während Roux' Augen über die Menschen im Saal hinweg huschten und den Mann suchten, der eben für einen Moment in seinem Blickfeld aufgetaucht war. Als Lore noch einmal nach ihm griff, schlug er ihre Hand barsch weg.

»Aua!«, klagte Lore beleidigt, doch Roux hatte ihr bereits den Rücken zugekehrt und schob sich durch den dicht besetzten Raum in Richtung der zweiflügeligen Saaltür. Hin und wieder streifte ihn eine Pfauenfeder, zweimal versperrte ihm ein bestrumpftes Damenbein den Weg.

»Berlin, o wie süß, is dein Paradies!«, tönte es vom Klavier her, doch Roux, der für Musik nichts übrighatte, ging die laszive Stimme auf die Nerven.

Er versuchte, seine Umgebung auszublenden und sich auf den Mann zu konzentrieren, der einige Schritte in den Tanzsaal hineingegangen war und nun den Blick unsicher über das muntere Treiben gleiten ließ. Roux hob die Hand, um auf sich aufmerksam zu machen, aber der Anvisierte reagierte nicht.

Eine Berührung an der Schulter ließ Roux herumfahren.

»Was zur Hölle ...!«

»Auf ein Gläschen?«, schnurrte eines der älteren Freudenmädchen und fuhr ihm mit ihrer roten Boa lockend über den Nacken.

»Lass gut sein, Elli.«

»Ach, Paul, einem Stündchen mit mir bist du doch sonst nicht abgeneigt?«

Roux schielte angespannt zur Tür und registrierte erleichtert, dass der Mann noch immer am selben Platz stand.

»Früher war dein Gesicht glatt und dein Hintern fest.« Er drängte sie zur Seite. »Diese Zeit ist vorbei, und jetzt lass mich durch!«

Ellis reifes, aber immer noch hübsches Gesicht verzog sich gekränkt. »Mach, dass de weiterkommst!«

Roux quetschte sich nachdrücklich voran und stand schließlich neben dem Herrn, den er heute das zweite Mal traf.

»Leutnant Rheinberger?«

Der Angesprochene drehte sich um. Roux deutete auf

einen der beiden Gänge, die vom Tanzsaal zu einigen Ne-
benzimmern führten. Friedrich Rheinberger nickte und folgte ihm. Schließlich öffnete Roux die Tür zu einem kleinen
Boudoir.

»Nach Ihnen, Herr Premierleutnant«, sagte er, eine Spur
zu freundlich.

Sie traten ein. Roux verschloss die Tür sorgfältig vor neugierigen Augen und Ohren.

»Ich muss wissen, wo er ist«, brach es aus Friedrich Rheinberger heraus.

Roux zog gemächlich ein Zigarrenetui aus der Innentasche seines Jacketts. »Er hat seine Haft in jedem Fall auf der
Festung Ehrenbreitstein verbüßt. Doch danach gibt es keinen Hinweis mehr auf seinen Verbleib«, erklärte er dabei
sachlich.

»Ehrenbreitstein.« Friedrich Rheinberger schüttelte den
Kopf. »Dort haben sie ihn also hingebracht. Und keiner hielt
es für nötig, mich darüber zu informieren.«

»Vermutlich hat er darum gebeten, dass sein Aufenthaltsort nicht mitgeteilt wird.«

»Und den Gefallen haben die ihm getan? Das kann ich
nicht glauben.«

»Es handelte sich um eine Ehrenhaft. Außerdem ist er ein
Student der Kriegsakademie. Möglicherweise hatte er Unter-
stützer, von denen wir nichts ahnen.«

»So wird es wohl gewesen sein.« Friedrich Rheinberger
klang deprimiert. »Mein einziger Sohn verschwindet. Einfach
so. Das ist unbegreiflich.«

»Wir müssen in zwei Richtungen ermitteln«, begann Roux, nahm sich eine Zigarre und setzte den Zigarrenabschneider an. »Zum einen besteht die Möglichkeit, dass er einem Verbrechen zum Opfer gefallen ist.«

Roux beobachtete, wie Friedrich Rheinberger kurz die Augen schloss. Er kappte seinen Zigarrenkopf, entzündete ein Streichholz und steckte sich die Paul Juhl an. »Oder aber … Er hat sich ganz bewusst abgesetzt.« Roux zog genüsslich an seiner Zigarre, stieß den Rauch aus und betrachtete den glühenden Zigarrenfuß. Erst jetzt bot er Friedrich Rheinberger ebenfalls eine Zigarre an. »Möchten Sie?«

»Danke, nein.« Friedrich Rheinberger schüttelte leicht den Kopf und kam sofort wieder zum Thema. »Es stünde einem Studenten der Kriegsakademie schlecht an, sich ohne irgendeine Nachricht der Pflicht zu entziehen. Sie wissen, dort studieren nur die Besten, Roux!«

»Gewiss. Dann gehen wir zunächst die Geschehnisse von damals noch einmal durch«, meinte Roux. »Vielleicht ergibt sich ein neuer Aspekt, an dem wir die Suche präziser ausrichten können.«

»Also gut, wenn Sie meinen.«

»Ihr Sohn wurde von einem Kommilitonen gefordert, weil er angeblich dessen Schwester belästigt hatte. Worum ging es damals genau?«

»Ihm wurde vorgeworfen, das Mädchen zu unsittlichen Handlungen genötigt zu haben. Welch ein Unsinn!«

»Worauf stützte sich diese Anschuldigung?«

»Auf die Aussage der Frau. Und die eines ihrer Brüder,

der das Geschehen angeblich beobachtet habe und im letzten Moment eingeschritten sei.«

»Und ein Duell war die einzige Lösung?«

»Unter den damaligen Umständen, ja. Er wurde gefordert, und eine Verweigerung wäre einem Schuldeingeständnis gleichgekommen. Die Familie des Mädchens verkehrt in besten Kreisen.«

»Und Sie wussten zunächst nichts davon?«

»Nein. Ich erfuhr es erst, als mir die Nachricht von Victors Inhaftierung überbracht wurde.«

»Er wurde erst einige Tage nach dem Duell festgesetzt, das sagten Sie mir bei unserem ersten Gespräch, Leutnant Rheinberger. Sein Gegner war unerwartet an einer Wundinfektion gestorben, und die Familie hatte daraufhin insistiert. Korrekt?«

»Ja, so war es. Victor hatte ihn getroffen und selbst einen Streifschuss abbekommen. Im Vorfeld war vereinbart gewesen, dass keine tödlichen Schüsse abgegeben werden. Daran hatten sich beide gehalten. Dass die Verletzung eine Sepsis zur Folge gehabt hatte, war ein unglücklicher Zufall. Aber Trauer und Wut können eine unselige Allianz eingehen.«

»Demnach bestünde die Möglichkeit, dass auch jetzt noch, Jahre später, jemand aus dem Umfeld des toten Kommilitonen Rache verübt haben könnte, nicht wahr?«

»Es wäre zumindest denkbar, sofern dieser Jemand wusste, wo er Victor finden würde. Aber, Roux«, Friedrich Rheinberger hatte begonnen, in dem kleinen Zimmer umherzugehen, »die Kriegsakademie verlangt Auskunft. Sollte Victor noch leben, dann kann er sich seiner Offizierslaufbahn nicht einfach entziehen. Es geht um seine Ehre. Und um meine!«

Roux horchte auf. »Wie steht es um das Verhältnis zwischen Ihnen und Ihrem Sohn?«

Friedrich Rheinberger stutzte. »Finden Sie nicht, dass diese Frage etwas zu persönlich ist, Roux?«

»Je mehr ich weiß, desto besser kann ich ermitteln. Wäre es möglich gewesen, Ihren Sohn gegen eine Kautionszahlung freizubekommen?«

»Ich hatte es versucht. Doch das steht hier ja nicht zur Debatte, Roux. Sie sollen Victor finden und zurück nach Berlin bringen.«

»Ersteres werde ich tun. Letzteres hängt von Ihrem Sohn ab – falls er noch am Leben ist.«

Friedrich Rheinberger schnaubte. »Ich bin sicher, dass er noch lebt. Und er wird wissen, was die Familienehre erfordert.«

»Wie Sie meinen.« Roux nickte beiläufig mit dem Kopf und dachte einen Augenblick lang nach, während er die Asche seiner Zigarre an einer zarten Porzellanschale abstreifte, die auf einem Beistelltischchen stand. »Ich werde meine Ermittlungen wie gewünscht forcieren. Haben Sie die vereinbarte Summe dabei?«

Friedrich Rheinberger zog einen dicken Umschlag aus der Innentasche seines Jacketts. »Achthundert Mark. Den gleichen Betrag erhalten Sie, wenn die Nachforschungen erfolgreich waren.«

»Mindestens. Denken Sie auch an den Bonus, Leutnant

Rheinberger.« Roux steckte das Geld ein. »Bei der bisherigen Kontaktadresse bleibt es?«

»Ja.«

»Gut.« Roux legte seine Zigarre in die Porzellanschale. Dann ging er zur Tür und öffnete sie. »Sie hören von mir!«

»Telegrafieren Sie mindestens einmal die Woche«, ordnete Friedrich Rheinberger im Hinausgehen an. »Bei jeder ungewöhnlichen oder vielversprechenden Entwicklung geben Sie mir natürlich unverzüglich Bescheid.«

»Selbstverständlich.«

Roux beobachtete, wie Friedrich Rheinberger sich seinen Weg zurück durch das Bordell bahnte und schließlich durch den Ausgang verschwand. Dann nahm er sein Jackett, begab sich zurück in den Tanzsaal, schnappte sich eines der blutjungen Mädchen und drängte sie in eines der Separees. Später hatte er noch eine weitere, hochinteressante Verabredung. Diese Sache um Victor Rheinberger schien für ihn ein mehrfach lohnendes Geschäft zu werden. Da durfte er sich eine vorauseilende Belohnung gönnen.

19. KAPITEL

Stuttgart, in diesen Tagen

Etwas verspätet hatte Victor an diesem Morgen das Mietshaus in der Silberburgstraße verlassen, in dem er seit seiner
Ankunft in Stuttgart mit Edgar Nold eine kleine Zweizim-
merwohnung teilte. Eigentlich hatte er sich schon lange eine
eigene Bleibe suchen wollen, aber selbst kleine Kammern
waren in Stuttgart rar und teuer. Außerdem verstand er sich
ausgezeichnet mit dem gebildeten und geselligen Maler, sodass sie übereingekommen waren, es vorläufig beim Zusam-
menwohnen zu belassen. Daran, dass es immer nach Farbe
und gebrannter Emaille roch, hatte er sich gewöhnt. Edgar
hatte einen gebrauchten Brennofen erstanden und produ-
zierte damit Unmengen an Emailleschildern mit verspielten
Motiven. Sie wurden gerne für Werbezwecke verwendet und
verkauften sich gut. Edgar war hochzufrieden und suchte bereits nach einer kleinen Werkstatt, um seine Produktion aus-
weiten zu können.

Victor eilte auf der kopfsteingepflasterten Straße in

Richtung Schokoladenfabrik. Eine knappe Viertelstunde brauchte er für gewöhnlich, um zu Fuß zur Calwer Straße zu gelangen.

Er lief die Silberburgstraße hinunter und bog dann in die Rotebühlstraße mit ihren breiten, von unzähligen Passanten bevölkerten Gehwegen ein. Rechts und links strebten Häuser mit prägnant gestalteten Fassaden in die Höhe, manche gingen über drei Etagen, andere über fünf. Nahezu jedes Gebäude besaß ein Ladengeschäft im Erdgeschoss.

Das laute Klingeln der Trambahn in der Straßenmitte übertönte hin und wieder die lebendige Geschäftigkeit dieses freundlichen Spätsommermorgens. Neben den blau-elfenbeinfarben lackierten Straßenbahnwagen rumpelten Fuhrwerke, Kutschen und der ein oder andere Leiterwagen vorüber.

Als Victor sich schließlich dem Fabriktor näherte, entdeckte er Judith Rothmann, die unschlüssig auf dem Gehweg zu stehen schien. Immer wieder glitt ihr Blick über die Fassade der einzelnen Firmengebäude, dann die Straße hinauf und hinunter. Sein Schritt hatte sich beschleunigt, doch bevor er sie ansprechen konnte, hatte sie sich weggedreht und war in Richtung des Ladengeschäfts der Familie Rothmann weitergegangen, dessen Eingang einige Meter vom Haupttor der Fabrik entfernt lag.

Schade. Er hätte sich sehr gerne noch einmal mit ihr unterhalten. Vielleicht ergab sich im Laufe des Tages noch eine Möglichkeit. Der Eisschrank war zwar längst repariert und wieder im Einsatz, aber eine Routinekontrolle der Geräte war immer zu rechtfertigen.

Doch als Victor wenig später die Werkstatt erreichte, wurde er umgehend ins Kesselhaus gerufen, denn inzwischen beaufsichtigte er auch die großen Dampfmaschinen. Bereits zum wiederholten Mal gab es Schwierigkeiten mit einem Dampfkessel, der bereits seit mehr als zwanzig Jahren in Betrieb und in letzter Zeit nicht konsequent abgesalzt worden war. Die dadurch entstandenen Korrosionsschäden betrafen nicht nur den Kessel selbst, sondern auch die Dampfleitungen. Alles war mit Kalk und Sedimenten besetzt. Dadurch hatte sich nicht nur die Wärmeleitung deutlich verschlechtert; unter Umständen bestand die Gefahr einer Explosion.

Victor hatte deshalb bereits vor Tagen veranlasst, dass die bis zu einem Zoll starken Ablagerungen im Kessel mit Meißeln abgeschlagen wurden; eine mühevolle Arbeit für die damit betrauten Arbeiter. Das Ergebnis hatte ihn noch nicht überzeugt, weshalb er seit gestern nacharbeiten ließ. Zudem gab er die Anweisung aus, künftig streng auf eine ausreichende Zufuhr frischen Wassers zu achten und vor allem das benutzte konsequent abzuleiten. Um den Austausch einiger Rohre wollte er sich heute selbst kümmern.

Kaum hatte er eine Zusammenstellung der benötigten Teile angefertigt, kam der Vormann und bat ihn um Hilfe. Eine der beiden Putz- und Sortiermaschinen, die Steine und schlechte Kakaobohnen auslas, arbeitete nicht mehr richtig. Aber hier hatte sich, wie Victor schnell feststellte, lediglich das Transportband verhakt, und das Problem war schnell behoben.

Es verging selten ein Tag ohne derartige Vorkommnisse,

und für Victor war inzwischen offenkundig, dass die Firma Rothmann mit einer grundlegenden Schwierigkeit zu kämpfen hatte: Abgesehen von den Sortiermaschinen, die das mühsame Auslesen von Hand ersetzt hatten, war die maschinelle Ausstattung in die Jahre gekommen. Victor hatte begonnen, sich über die anderen großen Stuttgarter Schokoladenfabrikanten zu informieren, derer es zahlreiche gab. Und gerade wegen der großen Konkurrenz war es Victor ein Rätsel, wieso Wilhelm Rothmann nicht systematisch in neue Maschinen investierte. Irgendwann würde sich diese Tatsache nachteilig bemerkbar machen. Einen Rückstand aufzuholen war allemal schwieriger, als zu versuchen, an der Spitze zu bleiben. Dort tummelten sich nämlich nicht nur die Stuttgarter Schokoladenunternehmen, sondern namhafte Mitbewerber aus anderen Orten des Reichs, aus der Schweiz oder Frankreich.

Als er sich bei diesen Gedankengängen ertappte, schüttelte Victor den Kopf.

Die Schokoladenfabrik war nicht sein Unternehmen. Es war Rothmann, der dafür Sorge zu tragen hatte, sie in eine aussichtsreiche Zukunft zu führen. Ihm selbst konnte es letztlich einerlei sein, wie es mit der Fabrik weiterginge, denn ihn würde der Wind weitertreiben. Noch immer träumte er davon, in einem der erfolgreichen Maschinenbauunternehmen Anstellung zu finden, die es in der Region vielfach gab.

Allerdings, das musste er sich eingestehen, hatte ihn die Schokoladenherstellung bereits verführt.

Und, wenn er ehrlich zu sich selbst war: nicht nur die.

Es war Judith Rothmann, die ihn mehr reizte, als sie sollte, und deren Bild ihm immer häufiger vor Augen stand. Das ovale Gesicht mit diesen unglaublich blauen Augen, die glänzenden blonden Locken, ihre Zugewandtheit, die ihm im Umgang mit den jungen Arbeiterinnen im Mädchensaal aufgefallen war. Ihr offenkundiger Humor, der dem seinen sehr ähnlich war. Und eine vibrierende Lebenslust, welche sie nur mühsam hinter den gängigen Konventionen zurückzuhalten schien.

Doch er konnte dieser Anziehung nicht nachgeben. Es gab Schwellen, die nicht überschritten werden durften, wollte er in Stuttgart eine Zukunft haben. Ein Unternehmer wie Rothmann würde es ihm schwer verübeln, käme er seiner Tochter zu nahe.

Er zwang sich also zur notwendigen inneren Distanz und versuchte sich wieder auf seine Aufgaben zu konzentrieren. Selbstbeherrschung und Disziplin waren Eigenschaften, die er dank der Kriegsakademie bereits vor Jahren verinnerlicht hatte.

So vergingen die Stunden, ohne dass Victor eine Gelegenheit gefunden hätte, Judith noch einmal aufzusuchen. Als er schließlich gegen Abend das Fabriktor passierte, wartete zu seiner Verblüffung Edgar Nold auf ihn.

»Was gibt's, Edgar?«, scherzte Victor. »Hast du Sorge, dass ich nicht allein nach Hause finde?«

»Ganz genau, das ist der Grund, weshalb ich hier bin«, feixte Edgar und klopfte ihm auf die Schulter. »Du siehst abgekämpft aus«, meinte er mitfühlend.

»Na, wer arbeitet, bekommt Hunger und wird müde«, antwortete Victor lapidar.

»Ich habe heute noch eine Überraschung für dich.«

»Ach ja?«

Edgar schmunzelte. »Wart's nur ab, es wird dir gefallen!«

»Könntest du dich bitte konkreter ausdrücken?«, fragte Victor, dem eher nach einer kräftigen Vesper und einem Bier zumute war als nach einer fragwürdigen Überraschung.

Doch Edgar ließ nicht locker. »Ach, komm. Wir gehen anschließend noch in den Adler. Aber zuerst muss ich mit dir wohin.«

Edgar lotste Victor einige Straßenzüge weiter, sie querten die Königstraße und den Marktplatz und bogen schließlich in die Hauptstätter Straße ein. Vor einem schmalen Eckhaus blieb Edgar stehen und deutete auf ein Firmenschild mit der Aufschrift: *Feinmechanische Werkstatt Alois Eberle.*

Mit einem Mal waren Hunger und Müdigkeit verflogen. Victors Tatendrang erwachte. »Du hast etwas vor«, stellte er fest und grinste Edgar breit an. »Lass mich raten!«

Edgar lachte. »Seit Wochen liegst du mir damit in den Ohren. Eigentlich schon seit dem Tag, als ich dich trotz deiner höchst zweifelhaften Vergangenheit aufgenommen habe.«

Victors Grinsen wurde breiter. »Da hast du gut daran getan. Mit mir kostet deine Wohnung nur noch die Hälfte. Außerdem ist das, was du mir vermutlich zeigen willst, wirklich eine geniale Idee.«

»Das ist es«, meinte Edgar. »Deshalb sind wir hier.«

Er betätigte die Klingel.

Einige Minuten lang rührte sich nichts, und Victor dachte schon, sie müssten unverrichteter Dinge wieder gehen, als endlich schlurfende Schritte zu hören waren. Kurz darauf ging die Haustür auf.

»Was ist?«

Victor schätzte den Mann, der auf der Schwelle stand, auf etwa fünfzig Jahre. Er trug eine Arbeitshose und einen Kittel aus festem blauen Stoff und hatte sich einen Bleistift hinter das linke Ohr geklemmt. Das graue Haar war kurz geschoren, und hinter den runden Gläsern einer Nickelbrille musterte ein dunkles Augenpaar die abendlichen Besucher.

»Ah, der Nold Edgar!«, meinte er dann. »Hast du heut deinen Besuch mitgebracht? Das ist recht.«

Er öffnete die Tür weit, und Victor und Edgar traten in einen engen Flur.

»Guten Abend, Alois«, sagte Edgar freundlich. »Bist du noch in der Werkstatt?«

»Ha ja. Du weißt doch, dass ich oft lang schaff. Kommt mit.« Offensichtlich fiel ihm in diesem Moment ein, dass er Victor gar nicht begrüßt hatte. »Ich bin der Eberle Alois«, erklärte er und reichte ihm die Hand.

»Victor Rheinberger. Guten Abend, Herr Eberle.«

»Sie sind net von hier, gell«, stellte Alois Eberle fest, wartete aber keine Antwort ab, sondern ging voran in einen Anbau hinter dem Haus. Offenkundig war der eingesessene Schwabe kein Mann überflüssiger Worte.

Die bestens ausgestattete Werkstatt, in der sie kurz darauf standen, ließ Victors Herz höherschlagen.

Anerkennend glitt sein Blick über die große, über Eck laufende Werkbank und die darüber hängenden Werkzeuge in verschiedenen Größen und Ausführungen. Hammer, Zangen, Sägen, Hobel, Schraubenzieher, Reformzwingen. Einige Werkzeugmaschinen mit Riemenantrieb verteilten sich über den Raum, der über elektrisches Licht verfügte. Victor fiel es schwer, die Einrichtung einem einzelnen Gewerbe zuzuordnen. Hier gab es von allem etwas, Schreiner, Schlosser, Flaschner, Feinmechaniker. Aber besonders stach ihm eine elektrische Handbohrmaschine ins Auge.

Eberle schien sein Interesse zu bemerken. »Die hat mein Freund Fein entwickelt.« Er ging zur Werkbank, auf dem die Maschine lag, und nahm sie auf. »Halten Sie sie mal, Herr Rheinberger. Die wiegt siebeneinhalb Kilogramm. Man braucht beide Hände und treibt sie mit dem eigenen Körpergewicht ins Metall.«

Victor ließ sich die Bohrmaschine geben und betrachtete sie von allen Seiten.

»Der alte Fein hat zwei Gesellen gehabt, den Heeb und den Wahl«, fuhr Eberle fort. »Die beiden wollten ein bissle schneller mit dem Löcherbohren fertig werden. Haben sich einfach einen kleinen Elektromotor genommen, das Bohrfutter auf die Spindel montiert und angefangen, den Stahl zu bohren. Das hat eben mein Freund Emil, der Sohn vom alten Fein, gesehen und das Ding zu einer richtigen Bohrmaschine gemacht. Vor acht Jahren war des.« Wenn Alois Eberle von Technik sprach, stellte Victor fest, kam er regelrecht in Fahrt. »Der alte Fein ist bald gestorben. Aber der

Emil hat noch immer die Fabrik. Die machen wirklich einmalige Maschinen.«

»Hochinteressant.« Victor gab ihm die Bohrmaschine zurück. »Wenn ich darf, würde ich sie gerne einmal ausprobieren.«

»Ja, schon«, meinte Alois Eberle und legte das Gerät vorsichtig ab. »Aber heute hat der Edgar was anderes vor. Gell?«

Edgar schnippte mit dem Finger. »Genau!«

Alois Eberle verzog das Gesicht zu einem schiefen Lächeln und schlurfte in die der Werkbank gegenüberliegende Ecke. Dort stand ein höherer Gegenstand, der mit einem Überwurf aus hellem Sackleinen abgedeckt war.

»Bist du bereit, Victor?«, fragte Edgar.

Victor lächelte breit und nickte.

»Also, Alois, dann lass mal sehen!«, rief Edgar. »Eins, zwei … drei!«

Mit einem schnellen Ruck zog Alois Eberle den Überwurf zur Seite.

Einige Sekunden lang war es ganz still. Verblüfft betrachtete Victor den stark reduzierten Entwurf einer Apparatur, die entfernt an einen Schokoladenautomaten erinnerte. Mit viel gutem Willen erkannte man eine Art Prototyp, grob aus Holzbrettern zusammengezimmert und mit einem aufgemalten Dekor versehen, das Edgars Handschrift trug.

Victor wusste nicht so recht, was er sagen sollte.

»Du hast ja wohl nicht geglaubt, dass wir dir einen fertigen Automaten hinstellen, oder?«, witzelte Edgar, der mit Victors Reaktion offensichtlich gerechnet hatte.

Victor lachte. »Oh doch. Das hier ist mit Sicherheit der raffinierteste Schokoladenautomat, den ich jemals gesehen habe«, meinte er dann und inspizierte mit gespielt konzentrierter Miene das Konstrukt. »Insbesondere die Verzierungen stammen von Meisterhand.«

Edgar konnte gar nicht mehr aufhören zu grinsen.

Alois Eberle hatte die Hände in die Hüften gestemmt und sah vom einen zum anderen.

»Ich denke, du hast es jetzt kapiert«, meinte Edgar versöhnlich. »Du und Alois Eberle, ihr baut zusammen einen Schokoladenautomaten. Einen, der dem Stollwerck das Leben schwer macht.«

Victor erinnerte sich an den Schokoladenautomaten am Bahnhof von Coblenz. Immer wieder hatte er Edgar seither von seinem Wunsch erzählt, einen solchen nachbauen zu wollen. Gemeinsam hatten sie erste Entwürfe gezeichnet und sich über die technischen Möglichkeiten unterhalten.

Und nun hatte Edgar tatsächlich einen Tüftler aufgetrieben, der ihn dabei unterstützen würde.

»Edgar Nold, das bleibt nicht ohne Folgen für dich«, drohte Victor scherzend und überspielte damit seine Rührung. »Du wirst sämtliche Schokoladenautomaten, die wir produzieren, von Hand bemalen!«

20. KAPITEL

Reform-Sanatorium Dr. von Hartungen, Riva

Hélène starrte auf die drei Briefe, die sie akkurat nebeneinander auf den Tisch in ihrem Zimmer gelegt hatte. Keinen davon hatte sie bisher zu öffnen gewagt. Die schwungvolle Handschrift ihrer Tochter auf zweien der Umschläge stand dabei im krassen Gegensatz zu den engen, gestochenen Buchstaben ihres Gatten auf dem anderen. Die Wirkung der Tinte auf elfenbeinfarbenem Grund allerdings war bei allen drei Kuverts dieselbe. Sie erzeugten schreckliche Gefühle in Hélène, und diese hielten sie vorerst davon ab, sich mit der Lektüre zu beschäftigen. Dachte sie an Judith, bekam sie Sehnsucht und ein schlechtes Gewissen. Dachte sie an ihren Mann, packte sie die Angst.

Draußen war der übliche Wind aufgekommen, aber die Temperaturen waren auch jetzt, im September, noch sehr angenehm. Hélène zog einen leichten Mantel über, setzte ihren Hut auf und verließ ihr Zimmer in der Villa Cristofero, einem der Gebäude des Sanatoriums. Bevor sie die Briefe las, wollte sie Tatsachen schaffen.

Nach einem flotten Fußmarsch erreichte sie die Via Santa Maria im Herzen Rivas. Dort, unweit der Kirche Santa Maria Assunta, drängten sich schmale viergeschossige Häuser dicht aneinander. Hélène ging suchend die kurze enge Gasse entlang und brauchte nicht lange, um die Nummer 14 zu finden.

Sie betätigte den altmodischen Messingklopfer.

Ein Fenster im obersten Stock öffnete sich.

»Grüß Gott, Sie san die Frau Rothmann? Einen Moment, i kimm runter!«

Wenig später öffnete eine kleine, rundliche Frau die Tür.

»Sie hat die Anni g'schickt, stimmt's?«, fragte sie mit einem breiten Lächeln. »Leitner mein Name, kimmen's doch rein, gnädige Frau.« Ihr Tiroler Zungenschlag machte sie sofort sympathisch.

Hélène trat ein. Frau Leitner schloss die Tür hinter ihr und führte sie über eine schmale Treppe nach oben. Das Häuschen war alt, aber sehr gepflegt. Es roch nach Bohnerwachs.

»Sie möcht'n das Zimmer haben?«, fragte Frau Leitner, als sie in ihrer Wohnung angekommen waren, und bemühte sich, Hochdeutsch zu sprechen.

»Ja, wenn es noch frei ist?«, antwortete Hélène.

»Es hab'n sich schon ein paar Leute g'meldt, aber noch hab ich es net vergeben. Also, dann darf ich es Ihnen zeigen?«

»Gerne.«

Frau Leitner ging durch die Küche in einen dahinter liegenden Raum.

»Das ist der einzige Nachteil, gnädige Frau. Man muss

durch die Küche geh'n. Aber sonst is des Zimmer wirklich schön.«

Hélène sah sich um. Der Raum war weiß getüncht und mit schlichten Holzmöbeln rustikal, aber geschmackvoll eingerichtet. Was ihr besonders gut gefiel, war die Ausrichtung der beiden Fenster nach Norden. Wenn sie malen wollte, war indirektes Tageslicht ein entscheidendes Kriterium.

Hélène ging zu einem der Fenster, von dem aus man auf die umliegenden Dächer sah.

»Ja, das ist der Vorteil hier herob'n«, erklärte Frau Leitner. »Man hat einen Ausblick. Dafür muss man halt die Treppen in Kauf nehmen.«

»Die Treppen machen mir nichts aus«, antwortete Hélène lächelnd.

Frau Leitner zeigte ihr noch das Badezimmer, das sie gemeinsam benutzen würden, und den Abort, der außerhalb der Wohnung lag.

»Was soll das Zimmer denn kosten, Frau Leitner?«, fragte Hélène, als sie wieder im Flur standen.

»Ich nehm neun Mark im Monat dafür. Und, wenn's recht ist, gerne drei Monatsmieten im Voraus. Danach dürfen'S mir das Geld einmal im Monat geb'n.«

Hélène hatte sich bereits ausgerechnet, wie viel Geld sie für eine Unterkunft aufbringen konnte, und überlegte nicht lange. »Gut, Frau Leitner. Dann würde ich das Zimmer sehr gerne nehmen.«

Frau Leitner schien kurz nachzudenken. »Die Anni hat sie mir empfohlen«, sagte sie, mehr zu sich selbst.

Hélène antwortete trotzdem. »Ja, ich kenne das Fräulein Anni aus dem Sanatorium. Sie arbeitet dort bei Doktor von Hartungen.«

»Genau. Wissen'S was? Ich geb Ihnen das Zimmer, gnädige Frau. Die Anni weiß scho', wen sie mir herschickt.«

Nachdem Hélène Frau Leitner die drei im Voraus zu zahlenden Monatsmieten übergeben und im Gegenzug zugesichert bekommen hatte, erste Habseligkeiten bereits ab der kommenden Woche einräumen zu dürfen, verabschiedete sie sich.

Beschwingt eilte sie die Treppe hinunter.

Nun hatte sie tatsächlich ein eigenes Zimmer und konnte ihren Umzug vorbereiten. Welch eine Erleichterung!

Hélènes Aufenthalt im Sanatorium von Hartungen ging in zwei Wochen zu Ende, und es wurde Zeit für sie, ihre Zukunft in die eigene Hand zu nehmen. Die vergangenen Monate dort waren bedeutsam und richtungsweisend gewesen. Durch eine einfache, natürliche Kost, Ruhe, viel Bewegung an der frischen Luft und der großen Distanz zu ihrem Ehemann war ihre Lebensfreude zurückgekehrt. Und nach den aufrüttelnden Gesprächen mit Hermione von Preuschen in Mitterbad war in ihr die Entscheidung gereift, tatsächlich in Riva zu bleiben. Selbst wenn dieser Entschluss bedeutete, fortan getrennt von ihren Kindern zu leben und selbst für ihren Lebensunterhalt sorgen zu müssen.

Ihren Gedanken nachhängend, schlug Hélène den Weg zum Hafen ein. Dort lag ein nagelneues Ausflugsschiff, die *Zanardelli*. Hélène hatte sich überlegt, ob sie auf diesem

Dampfer wohl als Fremdenführerin anheuern könnte. Es war sicher von Vorteil, dass sie neben Deutsch auch Französisch sprach, ihre Muttersprache; außerdem lernte sie seit einigen Wochen auch noch Italienisch. Denn obwohl Riva zu Österreich-Ungarn gehörte, war der Ort eng mit Italien verflochten, die Grenze nicht weit. Hier in Riva, so kam es Hélène vor, gaben sich das nördliche und das südliche Europa ein gepflegtes Stelldichein.

Sie erreichte die Piazza Benacense am Hafenbecken und schaute schnell zur Turmuhr des markanten Torre Apponale hinauf, um nach der Zeit zu sehen.

»Ah, Hélène, wie schön, Sie wiederzusehen!«

Beinahe wäre Hélène in Hermione von Preuschen hineingelaufen, die in Begleitung eines jungen Mannes über die Piazza geschlendert kam.

Die Malerin sah gut aus, geradezu strahlend, und Hélènes Blick fiel unwillkürlich auf den ansehnlichen Burschen neben ihr.

Hermione entging dies natürlich nicht. »Darf ich Ihnen Christl von Hartungen vorstellen, meine Liebe? Er ist der Sohn unseres verehrten Doktors.«

»Gnädige Frau.« Christl von Hartungen deutete eine Verbeugung an und nahm seinen Strohhut ab.

Hélène nickte leicht mit dem Kopf.

»Christl, das ist meine liebe Freundin Hélène Rothmann«, erklärte Hermione und legte in einer vertrauten Geste die Hand auf Hélènes Arm. »Wir haben diesen Sommer in Mitterbad eine recht anregende Zeit miteinander verbracht.«

»Das freut mich«, entgegnete der junge Mann knapp, und Hélène hatte den Eindruck, dass ihm die Situation irgendwie unangenehm war. »Ich möchte nicht unhöflich erscheinen«, fuhr er denn auch rasch fort, »doch ich habe noch etwas Wichtiges zu erledigen. Wenn Sie mich bitte entschuldigen, gnädige Frau.« Er nickte Hélène zu und sah zu Hermione. »Darf ich Sie ab hier Ihren eigenen Plänen überlassen?«

»Aber gewiss doch«, meinte Hermione nachsichtig. »Wir sehen uns zum Abendessen bei Ihren verehrten Eltern, nicht wahr?«

»So ist es«, antwortete Christl von Hartungen sichtlich erleichtert und ging in Richtung der Via Gazzoletti davon.

Hermione sah ihm versonnen nach.

»Es ist sehr freundlich von dem jungen Herrn, Sie in die Stadt zu geleiten«, stellte Hélène fest.

»Oh ja!« Hermiones Augen leuchteten. »Er ist großartig. Was meinen Sie, Hélène, sollen wir uns einen Kaffee im Hotel Central gönnen? Hier im Süden ist die Frühstückszeit noch nicht vorbei!«

»Mit Freuden!«

Nur wenige Schritte waren es bis zu dem beliebten Hotel direkt an der Anlegestelle des Dampfers. Sie suchten sich einen Platz auf der sonnenbeschienenen Terrasse am Seeufer und bestellten zwei Kapuziner, mit flüssiger Sahne verfeinerten Mokka.

»Köstlich«, schwärmte Hermione, nachdem sie den ersten Schluck genommen hatte. Dann sah sie Hélène an und fragte geradeheraus: »Sie wundern sich sicher über meinen

Begleiter, nicht wahr? Er ist ebenfalls ein Genuss, den ich mir gönne.«

Hélène verschluckte sich beinahe an ihrem Kapuziner. Die Künstlerin und den jungen Mann trennten mindestens zwei Dekaden!

»Ich weiß, was Sie jetzt denken. Er ist sehr viel jünger als ich, nahezu dreißig Jahre.« Sie seufzte. »Aber ich wollte mich nicht dagegen wehren. Er tut mir so gut, nachdem mich der große Literat zurückgelassen hat. Ich war so einsam und enttäuscht.«

»Der Literat? Meinen Sie etwa Heinrich Mann?«

»Ja. Sie haben ihn doch auch einmal gesehen, in Mitterbad.«

»Ah ja. Ich erinnere mich vage.«

»So lange schon pflegen er und ich eine tiefgründige Freundschaft. Und wie es bei uns Frauen oftmals ist, kommt bei einer starken inneren Verbundenheit manchmal der Wunsch nach körperlicher Nähe auf.«

Hélène nippte an ihrer Tasse, fasziniert und schockiert zugleich von dem, was Hermione ihr hier so offen mitteilte.

»Doch dann reiste er ab. Einfach so. Erklärte mir, dass seine Kraft allein dem künstlerischen Schaffen gälte, er könne keinen Menschen gebrauchen, der ihm nahestehe, das lenke ihn ab. Was für eine erbärmliche Ausrede ...« Hermione verlor sich in ihrer Erinnerung. »Er ist kein Mensch. Er ist ein Kunstwerkautomat.«

Hélène erkannte die große Pein, die ihre sonst so selbstbewusste und starke Freundin umtrieb. »Und nun ... finden

Sie Trost beim jungen Herrn von Hartungen?«, fragte sie vorsichtig.

Hermione sah sie an, und da war es wieder, das Leuchten in ihrem Blick. »Oh ja. Er stand mir Modell, als ich nach Riva zurückgekehrt war. Er hat so wunderbare Augen, Hélène, ganz dunkel. Sie schmeichelten sich in mein trostloses Herz, während er wunderbare Posen einnahm …«

»Sie haben ihn gemalt? Ähm, ohne …?«

»Gewiss. Sein Körper ist göttlich. Er hat mir Seele und Sinne genommen. Es war nicht aufzuhalten.« Hermione seufzte erneut.

»Ich gönne es Ihnen!«, brach es unvermittelt aus Hélène heraus. »Wirklich. Und von ganzem Herzen!«

Hermione blickte sie überrascht an und lächelte. »Was den Christl angeht, so weiß ich, dass er kein dauerndes Glück sein wird für mich. Ich bin eine reife Frau, und er ist noch so jung. Eines Tages wird er ein hübsches Mädchen mit einem frischen Leib finden, welches ihm seine Kinder zur Welt bringt.«

Als Hélène nicht wusste, was sie darauf antworten sollte, wechselte Hermione das Thema. »Aber nun zu Ihnen. Ich sehe, liebe Hélène, dass sich auch in Ihrer Seele viel bewegt.«

Hélène nickte.

Hermione trank ihren Kapuziner aus. »Das freut mich. Haben Sie inzwischen Pläne für die Zukunft geschmiedet?«

»Ich habe mir ein Zimmer gemietet, gerade eben, bevor wir uns trafen. In der Via Santa Maria.« Sie lächelte Hermione an. »Auf unbestimmte Zeit.«

»Das ist eine gute Entscheidung. Natürlich wird es nicht leicht. Alle großen Schritte bergen ein gewisses Risiko. Aber wären Sie zurückgegangen in Ihre Ehe, dann hätte der Unfriede Sie weiter zerstört. Betrachten Sie es als Selbstrettung. Werden Sie malen?«

»Ja, unbedingt. Aber das wird mein Auskommen nicht sichern. Wie Sie mir auch schon geraten hatten, wollte ich eben auf der *Zanardelli* anfragen, ob eine Führerin für die Fremden gebraucht wird. Ich dachte mir, wenn man interessierte Besucher an die schönsten Stellen des Gardasees führt, Ihnen von der Historie erzählt, die Schönheiten der Natur zeigt, exzellenten Wein verkosten lässt oder erstklassiges Olivenöl … Das wäre etwas, das ich gerne machen würde.«

»Das klingt fantastisch. Wissen Sie was, liebe Hélène? Es ist noch nicht einmal Mittag. Lassen Sie uns doch den nächsten Dampfer nehmen und eine kleine Rundfahrt machen. Dabei sammeln wir Inspirationen und überzeugen vor allem den Kapitän von Ihren Fähigkeiten! Damit er Sie empfiehlt.«

Es war schon spät am Abend, als Hélène schließlich in die Villa Cristofero zurückkehrte. Und endlich fand sie den Mut, ihre Post zu öffnen. Sie nahm den Brieföffner und schlitzte den Brief ihres Mannes auf.

Werte Gattin.
Nach mehreren Monaten der Erholung, des Kurens und des Müßiggangs halte ich es für dringend geboten, dass Du nach Hause zurückkehrst. Du kannst Dich Deinen Pflichten für

Heim und Kinder nicht länger entziehen.

Hier gibt es überdies hervorragende Neuigkeiten: Judith wird in einigen Monaten Hochzeit feiern, und für die Vorbereitungen ist die mütterliche Hand unerlässlich. Damit Dein Gesundheitszustand nicht beeinträchtigt wird, habe ich den Termin Deiner Rückreise dem Saisonende in Riva angepasst.

Betrachte dies als ein Entgegenkommen meinerseits.

Beiliegend findest Du die Fahrkarte, datiert auf den 29. Oktober. Zum selben Zeitpunkt werde ich die Geldanweisungen für das Sanatorium und Deinen persönlichen Bedarf einstellen.

Theo wird Dich am Bahnhof abholen.

In Erwartung Deiner Rückkehr – Wilhelm.

Stuttgart, den 18. August 1903

Judiths Briefe las sie nicht mehr. Nicht an diesem Abend.

21. KAPITEL

Stuttgart, Villa Ebinger,
am letzten Samstagabend im September 1903

Die Sonne war bereits untergegangen, als Theo die Kutsche der Rothmanns vor das hell erleuchtete Anwesen des Maschinenfabrikanten Ebinger lenkte und sich in die Schlange der anderen Karossen einreihte, die wartend auf der ansteigenden Humboldtstraße am Fuße der Karlshöhe standen.

»Es wird wohl ein paar Minuten dauern, gnädiger Herr«, sagte er, an Wilhelm Rothmann gerichtet.

»Wie viele sind denn noch vor uns?«

»Sieben Wagen.«

»Ich steige hier aus, Theo.« Wilhelm Rothmann öffnete den niedrigen Verschlag.

»Aber, Herr Vater«, sagte Judith verwirrt, »wollen Sie nicht mit mir …«

»Nein, Judith. Sei mir nicht böse, aber ich habe noch eine wichtige Verabredung, bevor der Ball beginnt.«

»Das ist mir jetzt aber gar nicht recht«, seufzte Judith, doch da hatte ihr Vater die Kutsche bereits verlassen und sich zu Fuß auf den Weg gemacht.

»Der gnädige Herr wird einen wichtigen Grund haben«, versuchte Theo sie zu trösten. »Sehen Sie es ihm nach, Fräulein Judith.«

Eine Viertelstunde später standen auch sie endlich in der kreisrunden, mit hellgrauem Kies gefüllten Auffahrt der Ebinger-Villa.

Theo sprang von seinem Kutschbock herab und half Judith beim Aussteigen. Dann musste er schnell weiter, um den nachfolgenden Gespannen Platz zu machen.

So ging Judith allein den steinernen Arkadengang zum Eingangsbereich der repräsentativen Villa entlang und trat in das großzügig angelegte Vestibül des Gebäudes, von dem beidseitig breite, geschwungene Treppen in die oberen Stockwerke führten.

Ein Dienstmädchen nahm ihr den Kaschmirumhang ab. Dann hob Judith den Rock ihres bodenlangen Kleides mit der herrlichen Schleppe an und stieg so elegant wie möglich die Stufen in die Beletage hinauf. Ihre neue Robe umgab sie mit einer feinen, glänzenden Aura, sanft unterstrichen durch ihre mit Perlenbändern durchflochtene, lockere Aufsteckfrisur. Sie hatte nur wenig Schmuck angelegt, ein zartes Collier aus Weißgold mit Perlen und dazu passende Ohrhänger. Judith wusste, dass sie hübsch aussah, spürte die Blicke, die ihr folgten, und genoss diesen wunderbaren Augenblick.

Am Zugang zu den Gesellschaftsräumen erwartete das

Ehepaar Ebinger seine Gäste. Das Defilee war in vollem Gange und Judith übte sich in Geduld, bis sie an der Reihe war. Während der alte Ebinger nur knapp grüßte, empfing seine Frau sie mit aufrichtiger Herzlichkeit.

»Fräulein Rothmann. Wie schön, dass Sie kommen konnten, genießen Sie den Abend!«

Judith bedankte sich für die Einladung, auch wenn sie vermutete, dass der Hausherr diese – zumindest ihrem Vater gegenüber – nur zähneknirschend ausgesprochen hatte, um der gesellschaftlichen Pflicht Genüge zu tun. Vielleicht aber auch, um zu demonstrieren, dass sein Anwesen das der Rothmanns an Glanz bei Weitem übertraf.

Wie dem auch sei.

Schon als sie den Festsaal betrat, fielen diese Gedanken von ihr ab, denn die prachtvolle Kulisse, die sie dort erwartete, zog sie unmittelbar in ihren Bann. Eine solche Opulenz war selbst für die höchste Gesellschaft Stuttgarts außergewöhnlich – an diesem Abend brauchte das Haus Ebinger den Vergleich mit einem Adelsbankett wahrlich nicht zu scheuen.

Um die große Menge Geladener unterzubringen, hatte man die Türen der drei hintereinanderliegenden Gesellschaftsräume geöffnet, sodass eine großzügige Zimmerflucht entstanden war. Zur Gartenseite hin zog sich eine Front bodentiefer Fenster, deren Glas das Licht zahlreicher Lampen reflektierte, die die Räume stimmungsvoll erhellten. An den gegenüberliegenden Wänden schufen mächtige Spiegel den Eindruck eines vielfach größeren Raumes. Zugleich fingen sie das Funkeln der unzähligen Kristalle ein, die kaskadenartig von den Lüstern an der Decke herabhingen, und warfen es zusammen mit den Spiegelbildern pompöser Abendroben und glitzernden Schmucks zurück in den Saal. Große Palmen in Kübeln und geschmackvolle Blumengirlanden setzten lebendige Akzente und unterstrichen die festliche Atmosphäre, die über allem schwebte. Ein Salonorchester spielte auf, leise Musik von Sibelius und Mozart wob sich in das Murmeln und Lachen der Gäste, die in kleinen Grüppchen zusammenstanden und angeregt plauderten.

Man kannte sich.

Während die Herren über geschäftliche Themen, das erste Automobil eines gewissen Henry Ford aus Amerika und das spektakuläre Radrennen »Tour de France« diskutierten, das im Juli durch ganz Frankreich geführt hatte, tauschten die Damen den neuesten Klatsch aus. Zugleich präsentierten sie ihre aufwendigen Balltoiletten aus Seide, Atlas, Spitze und anderen kostbaren Materialien. Ohnehin waren Kleidung und Putz, und damit einhergehend der Geschmack der jeweiligen Trägerin, unerschöpfliche Gesprächsthemen an solchen Abenden.

Inmitten all der schimmernden Fülle bewegte sich möglichst unauffällig eine Schar Diener, von denen die meisten eigens für diesen Abend angeheuert worden waren. Einheitlich in Servierfräcke gekleidet, trugen sie schwere Silbertabletts umher und boten Erfrischungen an.

Judith nahm sich ein Glas kühler Zitronenlimonade. Das Getränk schmeckte angenehm süß-säuerlich und prickelte auf der Zunge. Sie ließ den Blick über das Geschehen schweifen und freute sich, als sie in einer Ecke ihre Freundin Dorothea entdeckte, die sich angeregt mit einer älteren Dame unterhielt. Sie gesellte sich dazu.

»Judith, meine Liebe!« Dorothea strahlte. »Wie schön, dass du endlich da bist! Hast du Charlotte schon gesehen?«

»Nein, ich bin eben erst angekommen. Aber die Kutschen stehen draußen sozusagen Spalier, vermutlich sind sie noch nicht durchgekommen.«

»Die jungen Damen entschuldigen mich sicher«, meldete sich Dorotheas ältere Gesprächspartnerin zu Wort. »Ich sehe mal nach *meinen* Freundinnen.« Sie zwinkerte freundlich.

»Oh, gnädige Frau Ebinger, wie unhöflich von mir!«, rief Dorothea aus. »Das ist Judith Rothmann, tatsächlich eine meiner besten Freundinnen. Judith, das ist Max' Großmutter. Sie ist für diesen Abend aus Ludwigsburg hergekommen.«

»Guten Abend, gnädige Frau.« Judith deutete einen Knicks an, aber Frau Ebinger winkte ab. »Ich weiß doch, dass Sie junge Mädchen unter sich sein wollen. Und natürlich nach den Burschen schauen. Vergnügen Sie sich gut!«

Als sie allein waren, sagte Dorothea leise zu Judith: »Kaum zu glauben, dass diese nette Dame einen Sohn wie den alten Ebinger auf die Welt gebracht hat.«

Judith kicherte.

In diesem Moment betraten drei junge Männer den Raum, und Judiths Knie wurden weich, als sie Max erkannte. Sein kurz geschnittenes schwarzes Haar war ohne Pomade und sein Gesicht, im Gegensatz zur gängigen Mode kunstvoll gestalteter Bärte, glatt rasiert. Genau wie bei Victor Rheinberger, fuhr es Judith plötzlich durch den Kopf. Gleichzeitig fiel ihr ein, dass es Tage gab, an denen Herr Rheinberger ganz offensichtlich nicht zum Rasieren kam; dann verliehen ihm seine mit kurzen Bartstoppeln überzogenen Wangen einen leicht verwegenen Ausdruck.

Verwirrt über diese Gedanken, rief Judith sich zur Vernunft. Victor Rheinberger war lediglich ein Angestellter ihres Vaters und hatte in ihrem Kopf eigentlich gar nichts zu suchen.

Max hingegen war schon so lange in ihren Träumen – und jetzt auf einmal so nah! Unauffällig musterte sie seinen dunklen Frack sowie das blütenweiße Hemd mit der passenden Krawatte und befand, dass er in Abendkleidung einfach umwerfend aussah.

In diesem Augenblick flüsterte ihr Dorothea ein »Göttlich!« ins Ohr, und als Judith sie ansah, erkannte sie ein Funkeln in ihren Augen. Es gab vermutlich kaum eine Frau im Raum, die den Sohn des Hauses heute Abend nicht mit Wohlgefallen ansah.

An Max' Seite war Edgar Nold, der Maler. Judith kannte ihn nicht näher, fand ihn aber stets sympathisch. Er strahlte eine gewisse Lässigkeit aus. Bekannt dagegen war ihr Albrecht von Braun, der Dritte im Bunde, dessen Blick sich sofort auf sie richtete. Judith überkam ein unangenehmes Gefühl. Er starrte sie regelrecht an, und selbst für einen Bankierssohn war das eine Anmaßung. Sie sah rasch zur Seite und schob sich ein Stück hinter Dorothea – sollte er doch seine Schwester beäugen. Judith konnte sich nicht vorstellen, dass es auf dieser Welt ein Mädchen gab, dem Albrecht gefiel. Teuer gekleidet war er wohl, aber sein Gesicht erinnerte an das eines Ferkels, worüber auch der gepflegte dünne Schnurrbart und das übermäßig pomadisierte helle Haar nicht hinwegtäuschen konnten.

Erleichtert bemerkte Judith, dass Charlotte mit ihren Eltern angekommen war. Sie hob die Hand, aber die Freundin hatte sie längst gesehen.

»Meine Güte, das ist vielleicht ein Auflauf an Kutschen heute Abend«, stöhnte Charlotte, als sie endlich bei ihnen stand. »Ich dachte schon, wir kommen gar nicht mehr an und müssten mit der Gesellschaft unseres Kutschers vorliebnehmen!«

»Das war bei uns vorhin genauso«, sagte Judith. »Aber jetzt bist du ja da.«

Zu dritt flanierten sie durch die Räume, spielten kokett mit ihren Fächern, beobachteten die Gäste, hielten hier und da einen Plausch, genossen das Souper und naschten anschließend ausgiebig vom raffiniert bestückten Buffet, das feines Backwerk auf zartem Porzellan, frisches Obst in silbernen Schalen und exquisites Konfekt auf geschliffenen Kristallplatten darbot.

Mit besonderer Hingabe aber widmeten sie sich ihren Tanzkarten, die die meisten Damen und Herren heute Abend bei sich trugen, und hofften darauf, dass sie sich rasch füllten. Judith blieb beinahe das Herz stehen, als sich Max für zwei Wiener Walzer eintrug. Dorothea schrieb mit hochroten Wangen Polka und Walzer mit ihm auf. Charlotte wurde von Edgar mit Anfragen überhäuft und gewährte ihm lachend mehrere Tänze. Albrecht von Braun hielt sich Gott sei Dank im Hintergrund, aber einige andere junge Burschen baten die Mädchen ebenfalls um ihre Gunst. Voller Vorfreude auf die bevorstehenden Tänze schlenderte Judith mit Dorothea und Charlotte weiter. Zwischendurch machten sie sich in einem Nebenzimmer frisch.

Erst eine halbe Stunde später begegnete sie ihrem Vater wieder, den sie seit ihrer Ankunft nicht mehr gesehen hatte. Er schien in ein Gespräch mit dem Bankier von Braun vertieft zu sein, wirkte aber unkonzentriert, denn er sah immer wieder auf seine goldene Taschenuhr. Als er sie wahrnahm, nickte er ihr flüchtig zu. Der Bankier dagegen wirkte gelöst, musterte Judith mit einem milden Lächeln und winkte seiner Tochter zu, als sie an ihnen vorbeigingen. Eine leichte Beklommenheit legte sich auf Judiths Brust. Der Vater wirkte in letzter Zeit so angespannt. Und was hatte er eigentlich ständig mit von Braun zu besprechen?

In diesem Augenblick fiel ihr Blick erneut auf Max, der mit einer hübschen jungen Frau plauderte, die ihr nur entfernt bekannt war. Sie spürte einen eifersüchtigen Stich, doch als er ihr mit einem Lächeln zunickte, begann ihr Herz, schneller zu schlagen. Sie freute sich auf die bevorstehenden Tänze mit ihm. Vielleicht sah er sie heute Abend ja wirklich mit anderen Augen als bisher ...

Plötzlich ertönte ein Tusch, und der alte Ebinger trat vor

die versammelte Gesellschaft. Rasch erstarben die Gespräche rundum, und im Saal wurde es still.

»Verehrte Gäste«, begann der Maschinenfabrikant. »Meine Frau, mein Sohn und ich heißen Sie in aller Form willkommen zu diesem Hausball. Ich möchte gar nicht lange parlieren, sondern wünsche Ihnen einen angenehmen Abend hier. Aber ich verrate Ihnen schon jetzt, dass zu späterer Stunde noch ein besonderes Ereignis auf Sie wartet. Sie dürfen also gespannt sein!«

Ein angeregtes Raunen ging durch die Menge, aber Ebinger hielt sich noch bedeckt. »Werte Damen, werte Herren«, sagte er stattdessen. »Wir eröffnen mit dem ersten Tanz!«

Einer der Musiker rief »Walzer!«, und gleich darauf erklang der charakteristische Rhythmus des beliebten Tanzes.

Formvollendet forderte Ebinger nun seine Frau auf, und Max verbeugte sich vor seiner Großmutter. Nach und nach fanden sich immer mehr Paare auf der Tanzfläche ein.

Judith, Dorothea und Charlotte hatten beschlossen, diesen Auftakt auszulassen, und sich an die Fensterseite des Saals zurückgezogen. Von dort aus beobachteten sie die Gäste, insbesondere die anderen jungen Mädchen, die meisten davon Töchter der ehrbaren Bürger Stuttgarts. Es befand sich keine ihr völlig Unbekannte darunter, vor allem keine Adelige, wie Judith erleichtert feststellte.

»Was meint ihr, was nachher geschehen soll?«, fragte Dorothea.

»Ich habe keine Ahnung«, antwortete Charlotte, und auch Judith zuckte mit den Achseln.

»Ich dachte ja, dass der Max vielleicht heiratet«, bemerkte Dorothea und sah Judith prüfend an. »An der Zeit wäre es ja für ihn.«

»Genauso wie für deinen Bruder«, frotzelte Charlotte.

Dorothea lachte. »Zuvor sollte der Albrecht sich noch ein wenig in Galanterie üben. Im Augenblick bemüht er sich eher vergebens.«

»Immerhin ist er eine ausgezeichnete Partie«, bemerkte Charlotte versöhnlich, ließ das Thema dann aber fallen.

»Ich denke nicht, dass der Max heiratet«, meinte Judith. »Ich wüsste nicht, wen.«

»Och, ich wüsste da schon jemanden«, sagte Dorothea vielsagend, und Judith spürte, wie ihr entgegen aller Vernunft das Blut ins Gesicht schoss.

»Ach, kommt. Eine Weile müssen wir uns noch gedulden, dann wissen wir Bescheid«, meinte Charlotte pragmatisch, in deren Glas inzwischen statt einer Limonade der Champagner perlte. »Lasst uns solange den Abend genießen. Habt ihr eure Tanzkarten?«

Der erste Walzer war verklungen, und als kurz darauf ein weiterer angestimmt wurde, sah Judith Max Ebinger auf sich zukommen. Ihr Puls beschleunigte sich.

»Ich glaube, das ist mein Tanz. Fräulein Rothmann?«, fragte er höflich.

Judith nickte und reichte ihr Glas an Dorothea weiter, die versonnen lächelte. Max bot ihr den Arm und mit weichen Knien ging sie neben ihm her zur Tanzfläche.

Als er sie in die erste Drehung zog, breitete sich ein

triumphierendes Glücksgefühl in ihr aus. Er hielt sie souverän, führte sie sicher und aufmerksam und bedachte sie immer wieder mit einem verschmitzten Lächeln. Judith ließ sich mitreißen, nahm den feinen Duft seines Rasierwassers wahr und das angenehme Timbre seiner Stimme, wenn er ihr das eine oder andere Kompliment ins Ohr raunte. Er war ein hervorragender Tänzer und gab Judith das Gefühl, durch diesen Walzer zu schweben. Sie floss über vor Glück.

Umso entsetzter war sie, als zwei Tanzrunden später plötzlich Albrecht von Braun vor ihr stand.

»Fräulein Rothmann?«, fragte er knapp.

»Ähm.« Judith räusperte sich. »Sie sind nicht auf meiner Karte eingetragen, Herr von Braun.« Sie nestelte ihre Tanzkarte hervor und hielt sie ihm hin.

Albrecht grinste. »Gewiss doch. Sehen Sie«, er deutete auf einige Buchstaben, die sie bisher nicht genauer angesehen hatte, »da stehe ich!«

»Aber …«, stammelte Judith und starrte irritiert auf die Abkürzung »AvB«.

»Herr Nold war so freundlich, dies für mich zu übernehmen«, erklärte Albrecht. »Darf ich also bitten?«

Judith wollte kein Aufsehen erregen und folgte ihm widerwillig. Sie fühlte sich getäuscht. Sicher hatte er geahnt, dass sie ihn niemals berücksichtigt hätte, wäre er selbst vorstellig geworden. Wie armselig von ihm. Und wie niederträchtig von Edgar Nold, dass er sich für so etwas benutzen ließ. Das hätte sie ihm nicht zugetraut.

Auf der Tanzfläche stand eine glückliche Dorothea

strahlend neben Max. Charlottes Tanz ging an Edgar. Und ausgerechnet jetzt war, nach Polka und Schottischem, wieder ein Wiener Walzer an der Reihe.

Schon als sie sich aufstellten, fiel es Judith schwer, ihren Unmut zu verbergen. Und als sie tanzten, mischte sich richtiggehend Ekel in ihre Abneigung. Albrechts Leibesfülle gestattete ihr nicht, ein wenig Raum zwischen ihnen zu schaffen. Dicht an ihn gepresst, dehnten sich die Minuten ins Endlose. Bald spürte sie eine unangenehme Feuchte überall dort, wo Albrecht sie berührte – an ihrer Schulter, an ihrer Hand. Sie sah den Schweiß auf seiner Stirn und schlimmer, sie roch ihn. Der letzte Ton der Musik stand noch im Raum, da verließ sie bereits eine Entschuldigung murmelnd die Tanzfläche.

»Hach, war das wundervoll!«, schwärmte hingegen Dorothea, als die Freundinnen kurze Zeit später ihren Durst mit einer Himbeerlimonade löschten.

»Na ja«, meinte Judith verdrießlich.

»Ja, der Albrecht, der ist kein allzu guter Tänzer«, gestand Dorothea ein. »Aber so schlimm kann es nicht gewesen sein, Judith. Er ist alles in allem schon ein netter Kerl.«

»Er ist eben dein Bruder«, gab Judith etwas freundlicher zurück. »Natürlich findest du ihn nett.«

Gegen neun Uhr verstummte die Musik. Die Abendgesellschaft hielt gespannt den Atem an, als Ebinger erneut nach vorn trat. Champagner wurde ausgeschenkt, zwei Diener trugen eine große Staffelei herein, auf der, verdeckt durch ein glänzend weißes Tuch, ein riesiges Bild lehnte. Einer der Lakaien blieb neben dem Aufbau stehen.

Im Saal war es so still geworden, dass man eine Stecknadel hätte fallen hören können. Alle reckten die Hälse, so gut es eben ging, ohne allzu unhöflich zu wirken.

Max und Edgar lehnten lässig an einem der Durchgänge. Albrecht hatte offensichtlich den Raum verlassen, und Judith war froh darüber. *Vielleicht musste er nach Hause gehen, weil er zu verschwitzt war,* dachte sie schadenfroh. Gleichzeitig sah sie, dass Frau Ebinger Max ansprach, woraufhin er sichtlich irritiert zu seinem Vater trat.

Sie wurde unruhig. Was ging da vor sich? Nervös trommelte sie mit ihrem Fächer auf ihre Handfläche.

Ein Tusch erklang.

»Verehrte Gäste!«, hob der alte Ebinger an, und seine Stimme klang besonders würdevoll. »Viele von Ihnen mögen sich gefragt haben, welchen Anlass dieser außergewöhnliche Hausball heute Abend hat.« Er machte eine bedeutungsvolle Pause, und Judith erfasste Panik. Was sollte hier verkündet werden?

»Die Maschinenfabrik Ebinger entstand vor dreißig Jahren aus einer kleinen Werkstatt heraus«, fuhr der Hausherr fort. »Inzwischen ist daraus eine stattliche Unternehmung mit mehreren Tausend Arbeitern geworden. Unsere Strickmaschinen sind weit über die Grenzen des Reichs hinaus bekannt. Und als Gründer ist mir natürlich daran gelegen, den Fortbestand der Fabrik zu sichern.«

Ein kurzer, höflicher Applaus unterbrach seine Rede und Judith atmete erleichtert aus. Um eine Verlobung ging es jedenfalls nicht.

»Deshalb«, fuhr er fort, »habe ich mich dazu entschieden, bereits jetzt offiziell meinen Nachfolger zu bestimmen. Es mag ungewöhnlich sein, dazu einen solch aufwendigen Rahmen zu wählen, aber ich möchte ein Zeichen setzen.«

Er gab dem Diener ein Signal, woraufhin dieser in einer ausdrucksvollen Bewegung das Tuch vor dem Bild entfernte. Zum Vorschein kam ein Gemälde, auf dem Ebinger selbst dargestellt war. Das Bildnis, welches ihn in voller Größe zeigte, erinnerte an ein Konterfei aus einer fürstlichen Ahnengalerie, die Farben waren gedeckt, ein Jagdhund hatte darauf Platz gefunden, und ein schwerer Goldrahmen fasste das Œuvre angemessen ein. Erneut ging ein Raunen durch die Menge.

»Mit diesem Bildnis sei die Dynastie Ebinger begründet«, verkündete Ebinger und musste sich räuspern. Er schien selbst gerührt von der Choreografie, die er diesem Akt zugrunde gelegt hatte.

»Als Nächstes wird diese Ehre meinem Sohn Max gebühren. Und zwar dann, wenn er sich in allen Belangen um unsere Firma verdient gemacht hat. Und das wird er, daran zweifle ich nicht. Hiermit erkläre ich also in aller Form Max Ebinger zum Compagnon und künftigen Inhaber der Maschinenfabrik Ebinger.«

Kräftiger Applaus mischte sich in seine letzten Worte, und Ebinger sonnte sich in der Wirkung des Augenblicks.

Judith dagegen entging nicht die Überraschung in Max' Gesicht, als ihm klar wurde, dass soeben vor der versammelten Stuttgarter Gesellschaft seine Zukunft postuliert worden war. Das Prozedere schien nicht mit ihm abgestimmt gewesen zu sein. Seine Miene wurde zunehmend ärgerlich, und als sein Vater ihm anerkennend auf den Rücken klopfte, ballte er die Hände zu Fäusten und schüttelte den Kopf. Max, so viel war offensichtlich, war über seine Rolle in der neu gegründeten Dynastie Ebinger alles andere als erfreut.

Judith konnte Max' auffallend ablehnende Haltung nicht nachvollziehen. Sein Vater legte ihm die Firma zu Füßen, doch anstatt ihm zu danken, blickte er finster in die Ferne. Das war nicht der Max, der sie vorhin so unbeschwert durch den Saal gewirbelt hatte. Diese Seite an ihm kannte Judith nicht, und sie fand sie sehr irritierend.

Die Kapelle spielte erneut einen Tusch.

»Und nun«, beendete der alte Ebinger seine Rede, als sei alles in bester Ordnung, »bitte ich Sie in den Garten hinaus. Dort erwartet uns ein diesem Anlass angemessenes Feuerwerk! Zuvor allerdings lasst uns ein Hoch ausbringen auf die Maschinenfabrik Ebinger. Und auf die schönen Damen hier im Saale!«

Zufrieden hob er sein Glas.

Als die Kelche geleert waren, ließ Judith sich inmitten der Gästeschar in den Garten hinaustreiben, der von Fackeln und Laternen märchenhaft erleuchtet war. Hoch oben stand der Mond am Himmel und warf sein blasses Licht über die festliche Gesellschaft, die in aufgeputschter Stimmung darauf wartete, dass es losging.

Charlotte und Dorothea, die sie kurzzeitig verloren hatte, drängelten sich zu ihr durch und hakten sie unter.

»Das lässt sich der Ebinger ganz schön was kosten heute«, meinte Dorothea gut gelaunt. »Genießen wir es!«

In diesem Augenblick intonierten die Musiker Händels *Feuerwerksmusik*.

22. KAPITEL

Es pfiff und böllerte, knallte und schwirrte. Bunter Funkenregen prasselte über ihren Köpfen herab, glitzernd, leuchtend, schimmernd. Immer neue Feuerwerkskreationen erleuchteten den nächtlichen Himmel über Stuttgart und versetzten das staunende Publikum in Begeisterung. Beifall und Jubel zeigten dem Gastgeber, dass der Höhepunkt dieses Abends gelungen war.

»Wie schön!«, seufzte Charlotte, und auch Dorothea ließ ihrer Faszination hörbar freien Lauf.

Judith dagegen verfolgte das Spektakel mit verhaltenem Entzücken. Ihre Gefühlswelt war völlig durcheinandergeraten, wechselte zwischen einer kribbelnden Erregung, wenn sie an Max' Aufmerksamkeit und Komplimente dachte, und unbestimmter Sorge hinsichtlich dessen, was ihren Vater umtrieb. Ununterbrochen war er heute Abend in Begleitung des Bankiers von Braun, und darüber hatte sich selbst Dorothea gewundert.

Als das Feuerwerk zu Ende und nurmehr der beißende Geruch verbrannten Schwarzpulvers übrig geblieben war, drängten die Gäste plaudernd und lachend zurück ins Haus.

Auch die Kapelle wechselte wieder die Örtlichkeit und spielte im Saal erneut zum Tanz auf. Viele Gäste stärkten sich am Buffet, das in der Zwischenzeit mit Käseplatten und deftigem Gebäck aufgefüllt worden war.

»Wo ist denn der Sohn des Hauses geblieben?«, fragte Charlotte.

»Vor dem Feuerwerk habe ich ihn noch mit zwei Flaschen Champagner gesehen«, sagte Dorothea kichernd. »Ich dachte, dass er die vielleicht im Garten trinken wollte.«

»Zwei Flaschen?«, nahm Charlotte die heitere Bemerkung auf. »Dann wundert mich nicht, dass er abwesend ist. Wahrscheinlich hat er es sich im Gartenpavillon gemütlich gemacht.«

»Und wahrscheinlich nicht allein«, ergänzte Charlotte lachend.

Die Scherze ihrer Freundinnen fand Judith nicht lustig. Sie sah sich nach Max um, aber auch sie konnte ihn nirgends entdecken. Er hatte einen weiteren Tanz auf ihrer Karte eingetragen, und darauf freute sie sich eigentlich sehr. Jetzt sah es aber ganz so aus, als würde daraus nichts mehr werden. Sie konnte ihre Enttäuschung kaum unterdrücken.

»Dein Bruder jedenfalls versorgt sich mit Essen«, sagte sie zu Dorothea, als sie zu allem Überfluss auch noch Albrecht am Buffet stehen sah, und hörte selbst den Sarkasmus in ihrer Stimme.

»Ach ja, das ist mal wieder typisch«, entgegnete Dorothea gutmütig. »Sobald es irgendwo nach einer Mahlzeit riecht, ist Albrecht nicht fern.«

»Oh, bei ihm ist ja auch Edgar«, stellte Charlotte erfreut fest.

In Judith flackerte Unruhe auf. Wo war Max nur geblieben? Hatte er den Ball etwa verlassen?

Eine knappe Stunde später schien erneut eine Verkündung anzustehen.

»Hier ist ja wirklich etwas geboten!«, rief Charlotte begeistert. »Über diesen Abend werden die Leute noch monatelang reden!«

»Mein Vater diskutiert mit dem alten Ebinger«, stellte Dorothea fest. »Will er heute etwa auch noch seinen Nachfolger ausrufen?«

Charlotte schmunzelte. »Warum nicht? Wenn die Herren Väter schon einmal dabei sind …«

»Albrecht wäre es auf jeden Fall recht«, meinte Dorothea. »Er hat Sorge, dass Vater ihn übergeht, weil er sich mit dem Rechnen etwas schwertut.«

»Rechnen sollte man schon können, wenn man eine Bank führen will«, bemerkte Judith, allerdings wollte es ihr nicht recht gelingen, so scherzhaft zu klingen wie ihre Freundinnen.

»Jetzt kommt auch noch dein Vater dazu, Judith«, meinte Charlotte erstaunt. »Na, da bin ich aber wirklich gespannt.«

Die drei jungen Frauen gingen ein Stück weiter, um besser sehen zu können, was sich tat. Ebinger war inzwischen im Gespräch mit den Musikern, der Bankier von Braun holte tatsächlich Albrecht hinzu.

»Liebe Judith«, hörte sie plötzlich die Stimme ihres Vaters. »Würdest du bitte mit mir kommen?«

Judith erstarrte.

»Na komm, geh schon«, meinte Charlotte arglos. »Vielleicht gibt es ein lustiges Gesellschaftsspiel!«

Dorothea dagegen schaute skeptisch.

Derweil nahm ihr Vater Judith nachdrücklich am Arm und schob sie nach vorn. Sie sah ihn fragend an, aber er nickte ihr beruhigend zu. »Du brauchst dich nicht zu sorgen, Judith. Dies wird ein ganz besonderer Moment für dich, du wirst sehen.«

Judiths Herz begann zu rasen. Was hatte ihr Vater bloß vor? Was sollte das alles? Am liebsten wäre sie einfach weggelaufen, doch ihr Vater hielt sie mit sanftem Druck auf ihrem Platz.

Und dann ging alles sehr schnell.

Ein Tusch. Die Unterhaltung im Saal erstarb.

Der Bankier von Braun und Judiths Vater lobten zunächst den rauschenden Ballabend und die Gastgeber, dankten Ebinger für seine Großzügigkeit und begannen dann damit, abwechselnd die besondere Beziehung zwischen den beiden Familien von Braun und Rothmann hervorzuheben.

Noch während Judith überlegte, warum der alte Ebinger es an einem für ihn selbst so wichtigen Abend zuließ, dass sich ihr Vater gemeinsam mit dem Bankier so prominent in den Vordergrund rückte, sprachen die beiden auf einmal von der Zukunft und einem erfreulichen Anlass.

Und dann stand plötzlich Albrecht vor ihr. Wie in Trance

sah Judith, dass er wortlos ihre Hand anhob und ihr mit zitternden Fingern einen funkelnden Ring überstreifte.

Wieder ertönte ein Tusch, anschließend Applaus.

Und auf einmal wurde Judith klar, dass dies eine Verlobung war. Ihre eigene. Und ihr Bräutigam war niemand anderes als Albrecht von Braun.

Aufgeregtes Tuscheln erhob sich im Saal, und aller Augen waren auf sie gerichtet, während Judith das Gefühl hatte, einen Albtraum zu durchleben. Als die Kapelle einen langsamen Walzer anspielte, riss sie sich von Albrecht und ihrem Vater los, raffte den Saum ihres Kleides weit höher, als es sich geziemte, und verließ fluchtartig den Saal.

Während sie ziellos durch das riesige Anwesen der Ebingers irrte, sann Judith verzweifelt über einen Ausweg nach. Niemals würde sie Albrecht von Braun heiraten. Keiner konnte sie dazu zwingen!

Ihre Gedanken fuhren Karussell. Am liebsten würde sie zu ihrer Mutter fahren und sich am Gardasee verstecken. Aber nachdem auf ihre letzten beiden Briefe keine Antwort gekommen war, wusste sie nicht, wie diese auf ihre Ankunft reagieren würde. Am besten, sie nahm heimlich den Zug nach Hamburg. Dort legten die Auswandererschiffe in die Neue Welt ab, und es hieß, dass in Amerika jeder die Möglichkeit habe, etwas aus seinem Leben zu machen. Vielleicht galt das ja auch für eine Frau. Sie würde sich jedenfalls erkundigen. Möglicherweise hatte Dora eine Idee, die sprach immer wieder von Dienstmädchen, die im Ausland in Stellung gingen.

Dann wäre das eben ihre Zukunft, sie scheute keine harte Arbeit. Alles wäre besser als ein Leben an Albrechts Seite!

Als die Musik und der Trubel des Festes nur noch gedämpft zu hören waren, blieb Judith stehen und atmete durch. Sie befand sich in einem langen Flur im Erdgeschoss, der zu einem abgelegenen Gebäudeteil führte und nur spärlich beleuchtet war. Gefolgt war ihr niemand, weder ihr Vater noch Dorothea, Charlotte oder, Gott bewahre, Albrecht. Alles war so schnell gegangen.

Sie spürte den verhassten Ring an ihrer linken Hand und zerrte wütend daran herum, bis er sich von ihrem Finger löste. Verächtlich ließ sie ihn zu Boden fallen, besann sich dann aber, hob ihn schnell wieder auf und steckte ihn in ihr Balltäschchen. Er war sicherlich einiges wert. Sollte sie sich dazu entschließen, Stuttgart zu verlassen, würde sie Geld brauchen. Ein solches Schmuckstück ließe sich sicher gut versetzen.

Langsam ging sie weiter. Der Gang endete vor einer weiß lackierten Kassettentür. Judith drückte versuchsweise die Messingklinke und stellte erstaunt fest, dass der Raum nicht verschlossen war. Sie trat ein, schloss die Tür hinter sich, lehnte sich dagegen und machte erschöpft die Augen zu.

Eine Zuflucht, zumindest vorübergehend. Hier würde sie sich sammeln und dann darüber nachdenken, wie sie möglichst ungesehen nach Hause kommen könnte.

»Guten Abend, Fräulein Rothmann.«

Judith wusste sofort, wem diese Stimme gehörte. Ihr Herz fing heftig an zu pochen.

»Haben Sie auch genug von diesem Zirkus der feinen Gesellschaft?«, fragte Max Ebinger.

Erst jetzt wagte Judith es, die Augen zu öffnen.

Sie befand sich offensichtlich in einem Musikzimmer, das selten genutzt wurde. Viele Möbel waren mit weißen Leinentüchern abgedeckt. In der Mitte des Raumes stand ein großer, schwarz lackierter Flügel. Eine Stehlampe warf ihren begrenzten Schein auf die Tastatur und den Mann, der davorsaß. Der Rest des Zimmers lag im Dunkeln.

Während Judith noch nach einer Antwort rang, fing Max an zu spielen.

Töne perlten durch die Stille, zart, fragend und von einer nachdrücklichen Poesie, die Judith sehr berührte.

»Das ist Debussy«, wisperte Judith.

Max nickte.

»Wie wunderschön«, flüsterte sie, als die Melodie verklungen war und ging ein paar Schritte, bis sie an dem großen, geschwungenen Instrument stand.

»Ja, das ist es. *Claire de Lune*«, sagte Max und sah sie an.

Eine Weile ruhte sein nachdenklicher Blick auf ihr. Dann stand er auf, holte zwei Gläser, nahm eine Flasche mit Champagner von einem der Beistelltische und schenkte großzügig ein. Er bot Judith ein Glas an.

»Sicher wollen Sie mit mir auf meinen Platz in der Familiendynastie anstoßen«, sagte er mit Verachtung in der Stimme. »Und auf dieses großartige Fest.«

Judith zögerte.

Eigentlich machte sie sich nichts aus Alkohol. Doch an einem Abend wie diesem, da im einen Moment ihre Welt aus den Fugen geriet und im nächsten Max Ebinger mit einem Glas Champagner vor ihr stand, erschien die goldgelb schimmernde Flüssigkeit auf einmal verlockend. Warum nicht die Sinne betäuben?

Sie nahm Max das Glas ab und stieß mit ihm an.

»Nicht nur für Sie war dieser Abend grauenvoll, Max.«

Max sah sie fragend an. »Hatte mein Vater noch eine weitere Überraschung parat?«

»Nicht Ihr Vater. Meiner.« Sie nahm einen kräftigen Schluck. Es schmeckte ungewohnt, etwas weniger süß als Limonade, aber genauso prickelnd.

»Hat Ihr Vater heute Abend etwa ebenfalls eine Dynastie begründet?« Max' Stimme triefte vor Sarkasmus.

»Nein. Das heißt, nicht direkt. Er hat mich verlobt.«

»Na, dann auf Ihr Glück!«

Judith traten wütende Tränen in die Augen. »Haben Sie eine Ahnung! Ich soll Albrecht von Braun heiraten. Lieber sterbe ich.«

Unvermittelt brach Max in Gelächter aus. »Das haben Sie nicht gewusst?«

»Was soll ich denn gewusst haben?« Judith war irritiert.

»Albrecht verkündete bereits vor Monaten, dass Sie ihm versprochen sind. Ausgehandelt von euren Vätern.«

Fassungslos starrte sie ihn an. Dann hob sie das Glas an die Lippen, leerte es in einem Zug und hielt es ihm erneut hin.

Grinsend schenkte er nach. »Ihnen hat wirklich niemand

etwas davon gesagt? Einzig, dass mein Vater gestattet hat, am Abend seiner Dynastiegründung eine Rothmann-Verlobung bekannt zu geben, wundert mich. Aber für ein gutes Verhältnis zu seinem Bankhaus lässt sich auch ein Ebinger auf einen schmierigen Kuhhandel ein. Vermutlich wollte Ihr Vater Tatsachen schaffen, so wie meiner auch. Was haben Sie jetzt vor?«

»Was haben Sie denn vor?«, fragte Judith forsch zurück. Der Champagner lockerte ihre Zunge und Stimmung.

»Ich werde Architekt. Ob mit der Zustimmung meines Vaters oder ohne.«

»Und ich würde sehr gerne in die Nachfolge unserer Fabrik eintreten. Aber davon hält wiederum mein Vater nichts. Seltsam, nicht wahr? Das, was für Sie schrecklich ist, wäre für mich die Erfüllung all meiner Träume. Aber ich bin eben eine Frau. Für mich gelten andere Regeln.«

»Nun«, meinte Max. »Da kann ich Ihren Vater durchaus verstehen. Wir leben in einer Gesellschaft, die gewisse Dinge erwartet. Was ich nicht verstehe, ist, dass Sie heute Abend ohne Ihr Wissen verlobt wurden. Wir leben ja nicht mehr im Mittelalter!«

Max stellte sein Glas auf den Flügel, setzte sich und ließ abermals ein Stück erklingen. *Rêverie.*

Seine Finger glitten beinahe zärtlich über die Tasten. Judith wurde warm. Mit einem Mal schien sich die Atmosphäre um sie herum mit etwas aufzuladen, das sie nicht benennen konnte.

Als Max den Deckel des Flügels schloss und sie ansah,

nahm das Flirren in ihrem Bauch zu. Und als er aufstand, auf sie zukam und sie in den Arm nahm, fühlte sich alles völlig richtig an. Seine Lippen berührten ihre Stirn, die Schläfen, die Wangen. Mit der rechten Hand hob er ihr Kinn an und küsste zart ihre Lippen. Kundig und sanft glitten seine Hände über ihren Rücken, so wie zuvor über die Tasten aus Elfenbein und Ebenholz. Ein heftiges Zittern erfasste Judith, wurde zu einem Gefühlstaumel aus Unsicherheit und Neugier, Hoffnung und Verzweiflung. Sie schmiegte sich an ihn, auf der Suche nach Verständnis und Trost, und gleichzeitig jagte ihr die Erkenntnis, dass ihr Sehnen erwidert wurde, heftige Schauer über den Körper.

Mit bestimmender Zärtlichkeit rief er nie gekannte Gefühle in ihr hervor, zog sie hinein in eine neue Welt, beängstigend, überwältigend, voller Zauber und Verwirrung.

Sie ließ zu, dass er sie mit geschickten Händen entkleidete, genoss die ungewohnten Reaktionen, die er ihrem Körper entlockte und wehrte sich nur halbherzig, als er sie auf ein Kanapee in der Nähe drückte.

Ihr Kopf schwirrte, klare Gedanken zerstoben. Sein geschmeidiger Körper bewegte sich in einem fordernden Rhythmus und nahm ihre Sinne mit auf eine Reise, die in einer unglaublich tiefen, wohligen Erschöpfung in seinen Armen endete.

23. KAPITEL

Niemals hätte Judith es für möglich gehalten, dass ihr Kopf einmal so sehr hämmern würde. Nicht nur die Schmerzen plagten sie, ihr war speiübel und das Zimmer drehte sich, sobald sie sich im Bett bewegte. Sie hatte eine Migräne vorgeschützt, um nicht zur Kirche gehen zu müssen.

Die Erinnerung an die vergangene Nacht jedoch war gegenwärtig. Alles, was zwischen ihr und Max geschehen war, stand ihr glasklar vor Augen. Scham empfand sie merkwürdigerweise keine, in ihre Erschöpfung mischte sich eher ein leises Triumphgefühl.

Nur vage dagegen erinnerte sie sich daran, wie sie in der letzten Nacht heimgekommen war. Theo hatte dabei eine bedeutende Rolle gespielt, offensichtlich organisiert von Max, der ihr sicherlich die Schmach ersparen wollte, in solch einem derangierten Zustand ihrem Vater oder anderen Festgästen zu begegnen. War auch seine Mutter dabei gewesen? Sie meinte, eine Frauenstimme gehört zu haben, aber sie konnte sich auch täuschen.

Jedenfalls hatte sie der Kutscher nach Degerloch und über den Seiteneingang in die Küche gebracht, dann war er verschwunden und mit Dora wiedergekommen. Judith hatte inzwischen jedes Zeitgefühl verloren gehabt und war immer wieder eingedöst. Irgendwann lag sie schließlich in ihrem Bett. Dora musste sie entkleidet und ihr das Nachthemd angezogen haben. Sollte ihr dabei aufgefallen sein, was mit Judith passiert war, hatte sie es diskret übergangen. Heute Morgen jedenfalls hatte sie ihr schon in aller Frühe eine Schale mit Fleischbrühe gebracht, aber Judith konnte einfach nichts essen und war schon bald wieder eingeschlafen.

Als sie am späten Vormittag erwartungsgemäß zu ihrem Vater gerufen wurde, war ihr zwar noch immer flau im Magen, aber sie riss sich zusammen. Diesem Gespräch musste sie sich stellen, und je eher sie es hinter sich brachte, umso schneller konnte sie sich wieder hinlegen.

Doch zunächst musste sie sich in Geduld üben. Etwa zehn Minuten stand sie vor seinem Schreibtisch im Arbeitszimmer, während derer er nicht zu erkennen gab, dass er um ihre Anwesenheit wusste. Judith kannte diesen Winkelzug zur Genüge. Handelte es sich um eine Sache von hoher Wichtigkeit, drängte er sein Gegenüber gerne durch verschiedene Phasen betretenen, manchmal sogar peinlichen Wartens in die Defensive. Begann endlich das Gespräch, befand er sich in einer überlegenen Position.

Als er schließlich aufsah und sich räusperte, wackelten Judith tatsächlich die Knie.

»Was hast du zu sagen?«

Judith hatte nicht die Kraft, ein taktisch kluges Manöver zu beginnen.

»Was wollen Sie mich fragen, Herr Vater?«

»Herrgott, Judith! Du weißt genau, wovon ich rede! Du hast mich gestern Abend in eine unmögliche Situation gebracht! Dass du aus dem Saal gerannt bist, konnte ich noch mit deiner Überraschung über dein unverhofftes Glück erklären.« Wilhelm Rothmann stand auf und begann, unruhig im Zimmer umherzugehen. »Aber dass du den ganzen Abend nicht mehr auffindbar bist und ich schließlich von Theo erfahre, dass er dich nach Hause bringen musste, weil du zu viel getrunken hattest, das ist schon ein starkes Stück.«

Judith war klar, dass Theo einen triftigen Grund hatte vorbringen müssen, warum er sie ohne Rücksprache zurückgefahren hatte, und ihr alkoholisierter Zustand war in jedem Fall die bessere Entschuldigung gewesen. Sie war ihm dankbar, dass er Max nicht erwähnt hatte. Die Wutausbrüche ihres Vaters waren legendär und hätten nicht nur sie getroffen, sondern das ganze Haus.

»Ja, ich habe zu viel getrunken«, gab Judith zu. »Und das aus gutem Grund.«

Ihr Vater blieb unangenehm dicht hinter ihr stehen. Daran merkte sie, wie aufgebracht er war. »Stell nun ja nicht deine Verlobung infrage, Judith. Dazu gibt es keine Alternative.«

»Ich kann Albrecht von Braun nicht heiraten, Herr Vater. Das ist einfach unmöglich.«

»Nonsens. Natürlich kannst du. So viele Mädchen und Frauen finden sich wunderbar zurecht in ihren arrangierten Ehen. Warum solltest du das nicht können?«

Er bewegte sich wieder von ihr weg, und Judith atmete auf.

»Die Hochzeit wird am 29. Januar stattfinden. Das sind vier Monate, die du gründlich nutzen solltest, nicht nur um deine Aussteuer zu vervollständigen, sondern auch, um dich mit deinem künftigen Bräutigam gut zu stellen. Vor allem nach deinem schlechten Benehmen gestern Abend.«

»Wenn Sie mich zwingen, Albrecht von Braun zu heiraten, dann sorge ich für einen Skandal.«

»Wage es nicht, mir zu drohen, Judith! Ich habe Mittel, dich zur Vernunft zu bringen, von denen du nichts ahnst.«

Nur mit Mühe gelang es Judith, sich zu beherrschen. Doch ihn noch weiter zu reizen, erschien ihr zu gefährlich. Da sie davon ausging, dass Max oder der alte Ebinger in den nächsten Tagen vorstellig werden würde, um eine Verbindung zwischen ihren Familien zu arrangieren, müsste die Verlobung mit Albrecht von Braun ohnehin gelöst werden. Sie konnte die Sache also aussitzen.

Judith wunderte sich über ihre Kaltblütigkeit.

Eigentlich sollte sie sich beschämt und hilflos fühlen, doch es war ihr offensichtlich nicht gegeben, bedenkenlos die fixierten Pfade zu gehen, die man von ihr erwartete. Mit jedem Tag legte sie ein Stückchen mehr von dem wohlerzogenen Mädchen aus gutem Hause ab, dem sie einfach nicht entsprechen konnte.

»Herr Vater. Ich bitte Sie, lassen Sie uns dieses Gespräch ein anderes Mal fortsetzen. Ich bin sehr müde.«

Ihr Vater hatte seinen nervösen Rundgang beendet und wieder hinter seinem Schreibtisch Platz genommen. Die Art, wie er nun den Kopf in die Hände stützte, machte auf Judith einen beinahe verzweifelten Eindruck.

»Du weißt nicht, was du mit deinem Getue anrichtest, Judith. Hoffen wir, dass deine Mutter bald wieder hier ist, damit in dieser Familie endlich wieder normale Verhältnisse herrschen. Sie war dir bisher kein gutes Vorbild.«

Judith horchte auf. »Kommt *Maman* nach Hause?«

»Ich habe ihr schon eine Fahrkarte geschickt. Ende Oktober sollte sie wieder hier sein.«

Diese Nachricht löste helle Freude in Judith aus. »Wissen es die Buben schon?«

»Nein. Und ich bitte dich, sage es ihnen noch nicht. Erst wenn ihre Ankunft kurz bevorsteht. Sonst haben wir beide keine ruhige Minute mehr.«

Judith nickte. Dann drehte sie sich zur Tür um, denn ihre Beine wollten sie kaum mehr tragen.

»Also, geh, Judith«, sagte Wilhelm Rothmann, ohne noch einmal aufzusehen. »Lass dich von Dora gesund pflegen. Wir besprechen die kommenden Wochen, wenn du dich wieder wohlfühlst.«

Judith beließ es dabei.

»Es tut mir leid«, flüsterte sie im Hinausgehen.

Robert war beunruhigt.

Ganz abgesehen von dem seltsamen Geschehen in der vergangenen Nacht, als Theo und Dora das gnädige Fräulein verstohlen durchs Haus geschleppt hatten, war auch Babette bis weit nach Mitternacht verschwunden gewesen.

Sein Beschützerinstinkt für das Dienstmädchen ließ ihm einfach keine Ruhe. Inzwischen machte er sich ernsthaft Sorgen, dass ihre Herrenbekanntschaften nicht nur ihr selbst, sondern auch dem Hause Rothmann echten Schaden zufügen könnten. Bisher hatte er nicht herausgefunden, ob sie sich stets mit demselben Kerl traf, oder ob es sich um mehrere Männer handelte. Zumal sie keinerlei Heiratsabsichten verlauten ließ – die einzige Erklärung für regelmäßige Begegnungen, die von der Haushälterin und der Herrschaft akzeptiert werden würde.

»Robert, wenn Sie dann bitte den aufgebügelten Anzug zum gnädigen Herrn bringen«, drang nun die Stimme der Haushälterin an sein Ohr.

Robert, der soeben von einem abendlichen Botengang zu den von Brauns zurückgekommen war, nahm Margarete den Bügel mit dem dunklen Anzug des Hausherrn ab und machte sich auf den Weg in die zweite Etage.

Währenddessen wanderten seine Gedanken zurück zu jener Gewitternacht, in der das gnädige Fräulein mit den Zwillingen in der Küche gewesen war, während er draußen nach dem Rechten gesehen hatte. Die beiden umgestoßenen Amphoren waren schwere Gefäße aus Sandstein, die eigentlich nicht so schnell von allein umfielen und jedem Wind standhielten. Doch Robert hatte niemandem erzählt, dass er damals Abdrücke grober Schuhe in der Nähe der Amphoren gefunden hatte. Irgendjemand musste versucht haben, sie als Kletterhilfe zu benutzen.

Babettes Zimmer lag, wie das der anderen Dienstboten,

in der Mansarde und schien schwer erreichbar, doch die vor- und zurückspringenden Gebäudeteile der Rothmann-Villa boten kleine Absätze und Tritte und machten es durchaus möglich, die Fassade zu erklimmen. Zumal in einer stürmischen Gewitternacht kaum damit zu rechnen war, dass unerwünschte Zeugen des Weges kamen.

Robert hatte das Ankleidezimmer Wilhelm Rothmanns erreicht und machte sich daran, den Anzug an seinen Platz zu hängen. So viele seltsame Vorgänge in letzter Zeit.

Auch der gnädige Herr war gestern Abend erst sehr spät zurückgekehrt, zwei Stunden nach seiner Tochter. Robert hätte zu gerne gewusst, was sich in der letzten Nacht so alles abgespielt hatte, aber weder Theo noch Dora hatten auch nur eine Silbe preisgegeben.

Hier im Haus war er ohnehin ein Einzelkämpfer.

Nur weil er ab und zu daran erinnerte, dass auch Dienstboten Rechte hatten und dafür einstehen sollten, begegneten ihm alle mit Vorsicht. Robert fand das kläglich. Wie sollte sich jemals etwas an den Verhältnissen ändern, wenn keiner sich traute, den Mund aufzumachen? Dass Wilhelm Rothmann ihn für einen Revoluzzer hielt, empfand er als Auszeichnung. Er war kein Duckmäuser wie die anderen. Und eines Tages würden alle sehen, dass sich die Dinge ändern würden, dank Leuten wie ihm. Robert spielte nach wie vor mit dem Gedanken, sich in einer Fabrik Arbeit zu suchen. Doch noch hielt ihn Babette auf seiner Stellung. Er konnte sie einfach nicht allein lassen. Noch nicht.

»Margarete?«, klang die harsche Stimme des Hausherrn

durch die Zwischentür zu seinem Schlafzimmer. »Kommen Sie doch bitte einen Augenblick zu mir herein.«

Robert spitzte die Ohren, gleichzeitig fuhr ihm der Schreck in die Glieder. Wenn Wilhelm Rothmann erkannte, dass es nicht die Haushälterin war, die sich in seiner Ankleide befand, sondern der Hausknecht, konnte es kritisch werden. Er war gewiss der Letzte, der von Rothmanns Aufforderung wissen sollte.

Er versicherte sich, dass sein Auftrag ordnungsgemäß ausgeführt war und verschwand, ohne sich zu erkennen gegeben zu haben.

Doch er ging nicht direkt in den Dienstbotentrakt zurück, sondern drehte noch eine Runde ums Haus.

Und dachte grinsend darüber nach, warum der gnädige Herr die Haushälterin Margarete wohl in sein Schlafzimmer hatte bitten wollen.

24. KAPITEL

Die Schokoladenfabrik Rothmann,
vier Tage später

Der kleine, ruhige Raum neben der Dekorationsabteilung war Judiths ganz persönliche Zuflucht. Dort fand sie wenigstens ein bisschen Abstand zu den Geschehnissen der vergangenen Tage.

Obwohl das Gespräch mit ihrem Vater am Sonntag einigermaßen glimpflich abgelaufen war, spürte sie einen ungeheuren Druck auf sich lasten. Ihr Vater erwartete, dass sie eine offizielle Entschuldigung an die Familie von Braun verfasste und darin ihre Freude über die Verlobung mit Albrecht zum Ausdruck brachte. Judith allerdings dachte nicht im Traum daran. Demnächst würde Max Ebinger vor der Tür stehen und um ihre Hand anhalten, und solange wollte sie versuchen, ihren Vater hinzuhalten.

Aber Max ließ sich Zeit. Sicherlich war es nicht leicht für ihn, seinen Vater davon zu überzeugen, eine Rothmann zu heiraten. Doch allmählich wurde sie ungeduldig.

Um sich abzulenken, probierte sie neue Schokoladenkreationen aus. Eine Beschäftigung, die sie liebte. Was, wenn ihr die Entwicklung einer einzigartigen Schokoladennascherei gelänge? Hätte ihr Vater dann ein Einsehen und würde seiner begabten Tochter anspruchsvollere Aufgaben übertragen?

Immerhin – diesen Sommer hatten sie tatsächlich versuchsweise Gefrorenes im Laden angeboten, und die Kunden waren begeistert gewesen.

Für das nächste Jahr mussten sie sich etwas überlegen, um das Eis in größerem Umfang verkaufen zu können. Einen Wagen vielleicht. Sie würde Victor Rheinberger dazu befragen, er hatte ganz sicher eine gute Idee.

Judith betrachtete die Zutaten, die sie sich zurechtgelegt hatte: gehackte, geröstete Mandeln, getrocknete Johannisbeeren, weichen Butterkaramell aus der Karamellküche, einige Vanilleschoten. Auf dem mit Holz befeuerten Herd hielt sie einen Topf mit flüssiger Schokolade warm, die ihren wunderbaren Duft im Raum verbreitete.

Mit geübter Hand kratzte Judith die Vanilleschoten aus, mischte das Mark mit Mandeln und Beeren, knetete alles unter die Karamellmasse und formte kleine Kugeln daraus. Bevor sie diese mit der Schokolade umhüllen konnte, mussten sie für einige Zeit in den Abkühlkasten im Mädchensaal. Dort wiederum gab es keinen Herd, damit die wärmeempfindlichen Kunstwerke, die dort entstanden, nicht schmolzen oder zusammenfielen.

Sie war gerade dabei, ihr letztes Blech unterzubringen, als Pauline hereinkam. »Gnädiges Fräulein«, japste sie, offensichtlich in Eile. »Das Fräulein von Braun möchte Sie sprechen.«

»Dorothea von Braun?«, vergewisserte sich Judith. »Wo ist sie denn?«

»Im Laden«, sagte Pauline. »Ich muss gleich weiter, die Martha hat mich nur ausnahmsweise weggelassen.«

Judith nickte. »Danke, Pauline.«

Sie wischte sich die Hände an einem Handtuch ab, zog Schürze und Haube aus und machte sich auf den Weg in den Verkaufsraum.

»Judith, meine Liebe!«, begrüßte Dorothea sie eine Spur zu überschwänglich und kam gleich zu ihrem Anliegen. »Ich suche ein ganz besonderes Geschenk, für meine Tante. Du kannst mir sicher etwas Passendes empfehlen, nicht wahr?« Sie wirkte nervös.

»Selbstverständlich«, antwortete Judith und sah Dorothea prüfend an. Diese ernsthafte Aufgeregtheit war sonst gar nicht ihre Art. Hoffentlich war die Freundin ihr wegen des peinlichen Auftritts auf dem Ball nicht böse. »Sieh mal«, fuhr sie deshalb schnell fort, »ich habe hier ein Kästchen mit kleinen Schokoladetäfelchen, einigen gefüllten Bonbons und kandierten Veilchen.«

»Mhm«, machte Dorothea und besah sich gründlich das Präsent. »Habt ihr auch etwas mit Pfefferminze? Die liebt sie sehr.«

»Natürlich.« Aus einer Vitrine nahm Judith ein weiteres weiß lackiertes Kästchen. Als sie es öffnete und Dorothea zeigte, entströmte ihm ein intensiver Duft nach Schokolade und Minze. »Hier, das sind allerbeste Pfefferminzplätzchen. Auf einer Seite mit Schokolade überzogen. Wäre das etwas?«

Dorothea sah sich den Inhalt genau an und nickte dann. »Die treffen bestimmt ihren Geschmack. Ich nehme sie.«

Judith machte sich daran, das Ausgewählte zu verpacken.

»Wohin um Himmels willen bist du am Samstagabend denn verschwunden?«, zischte ihr Dorothea plötzlich zu und schielte dabei vorsichtig zu den beiden Verkäuferinnen hinüber, die an der gegenüberliegenden Theke Kundschaft bedienten.

»Ich brauchte meine Ruhe«, wisperte Judith und konnte nicht verhindern, dass ihre Wangen warm wurden. Sie senkte den Kopf, damit es nicht auffiel.

»Aber du bist gar nicht wiedergekommen!«

»Theo hat mich nach Hause gebracht.«

»Sag mal, Judith, hat dir dein Vater wirklich überhaupt nichts davon gesagt?«

»Nein. Er wusste sicher, dass ich dann gar nicht erst mitgekommen wäre.«

Dorothea schüttelte den Kopf. »Das ist unglaublich. Vater hat getobt und hätte am liebsten alles abgesagt, aber Albrecht besteht auf der Verlobung. Er muss unsäglich in dich vernarrt sein, und das wohl schon seit Langem! Und keiner hat etwas geahnt. Außer Max Ebinger und Edgar Nold, die wussten Bescheid. Albrecht muss es ihnen irgendwann einmal erzählt haben.«

Judith stutzte. Dann erinnerte sie sich daran, dass Max

etwas Derartiges erwähnt hatte. Sie sah Dorothea an. »Er hat also vor ihnen damit geprahlt«, stellte sie kühl fest.

»Offensichtlich, ganz genau weiß ich es nicht.« Dorothea zupfte an ihren Handschuhen herum. »Ach, da fällt mir ein – Max Ebinger hat die Stadt verlassen.«

Judith hielt inne und sah Dorothea an. Sie spürte, wie ihr das Blut aus dem Gesicht wich. »Nein, das stimmt ganz sicher nicht, Dorothea, das ist nur böser Klatsch. Weshalb sollte er gehen, und vor allem, wohin?«

»Offenbar in Richtung Italien. So genau weiß es niemand. Albrecht meinte, er habe mal davon geredet. Aber das sei schon länger her.«

»Italien?« Judith hatte das Gefühl, keine Luft mehr zu bekommen. Ihr wurde schwindelig.

»Ob es sicher stimmt, kann ich dir nicht sagen. Auf jeden Fall tobt der alte Ebinger deswegen genauso wie mein Vater wegen dir … Judith? Judith!«

Mit einem leisen Klagelaut sackte Judith hinter der Theke zusammen.

Feuchte Kühle holte sie in die Wirklichkeit zurück.

»Wach auf«, hörte sie Dorothea schimpfen. »Judith, jetzt mach die Augen auf!«

Judiths Lider flatterten. Verschwommen nahm sie ihre Freundin wahr, die ihr mit einem nassen Waschlappen übers Gesicht fuhr.

»Sie hat sich bewegt!«, rief eine der Verkäuferinnen.

»Holen Sie den gnädigen Herrn!«, befahl Dorothea.

»Nein, es geht schon«, krächzte Judith. Der Gedanke daran, dass ihr Vater sie so sehen und ihre Schwäche ausnutzen könnte, mobilisierte ihre Kräfte.

»Aha! Heidenei, Judith! Du hast mir vielleicht einen Schrecken eingejagt! Mach das nicht noch mal!« Sichtlich erleichtert entließ Dorothea ihre Anspannung in einer schnellen Schimpftirade.

Sie legte das Tuch zur Seite und half Judith dabei, sich aufzusetzen. Eines der Mädchen hatte ein Glas Wasser geholt und hielt es Judith hin, damit sie trinken konnte.

»Besser?«, fragte Dorothea.

»Ja, es geht schon wieder. Dorothea, könntest du mich ein Stück begleiten?«

»Natürlich. Möchtest du nach Hause?«

Mit Dorotheas Hilfe stand Judith auf und hielt sich wieder einigermaßen sicher auf den Beinen. Sie bemerkte die neugierigen Blicke der anderen Kunden.

»Nein. Auf keinen Fall. Ich gehe wieder an meine Arbeit«, sagte sie klar und vernehmlich.

»Deine Arbeit? Ich wusste gar nicht, dass du hier mitarbeitest. Also so richtig ...« Dorotheas Stimme klang genauso erstaunt wie begeistert.

»Ich probiere verschiedene Schokoladensorten aus. Und einige davon hat mein Vater sogar in die Herstellung übernommen.«

»Das ist ja interessant. Ich stelle mich gerne als Verkosterin zur Verfügung«, scherzte Dorothea. »Dann sag mir doch, wo es langgeht.«

Gemeinsam verließen sie den Laden, und Judith ahnte, welches Gemurmel dort anheben würde, sobald die Tür hinter ihnen ins Schloss gefallen war. Sie schob den Gedanken beiseite. Sollten sie doch tratschen. Dass hin und wieder eine Dame wegen ihrer engen Korsettschnürung in Ohnmacht fiel, war ja keine Seltenheit – und damit nicht weiter verdächtig.

Auf dem Weg zurück zur Dekorationsabteilung begegnete ihnen Victor Rheinberger.

»Fräulein Judith?«

»Grüß Gott, Herr Rheinberger.« Bei seinem Anblick richtete sie sich unwillkürlich auf und ließ Dorotheas Arm los.

Die warf ihr einen kurzen Blick zu und stellte sich dann freundlich vor, woraufhin Victor eine Verbeugung andeutete.

»Guten Tag, Fräulein von Braun.« Obwohl er Dorothea ansprach, ließ er Judith nicht aus den Augen. »Kann ich den Damen irgendwie behilflich sein?«

»Meine Freundin hat mich netterweise besucht und wollte gerade gehen, nicht wahr, Dorothea?«, sagte Judith.

»Ähm … Ja, so ist es.« Dorothea wirkte überrascht, reagierte aber sofort. »Dann wünsche ich dir noch einen schönen Nachmittag, meine Liebe.« Sie verabschiedete sich von Judith, nickte Victor zu und ging denselben Weg zurück, den sie eben hergekommen waren.

Victor sah ihr nach und schien irritiert. »Nun denn, Fräulein Rothmann, ich werde Ihnen gleich nachher die neuen Formen bringen, die Sie in der Gießerei haben herstellen lassen.«

»Das ist ja wunderbar«, freute sich Judith. »Dankeschön!«

»Die Arbeiter haben diesen Auftrag besonders schnell ausgeführt«, sagte er lächelnd, und Judith ahnte, dass er wohl auf eine rasche Bearbeitung gedrängt hatte. Sie sah ihn an und empfand eine angenehme Mischung aus Vertrautheit und angeregter Anspannung, wie eigentlich immer, wenn sie in seiner Nähe war. Seltsam, dass ihr diese Tatsache ausgerechnet heute so deutlich bewusst wurde.

»Dann bis nachher«, sagte sie und wollte weitergehen, als sie erneut ein leichter Schwindel überkam. Sie stützte sich einen Moment an der Wand ab.

Victor, der ihr Unwohlsein bemerkt hatte, eilte an ihre Seite und fasste sie sanft am Arm. »Ist Ihnen nicht gut?«, fragte er besorgt.

»Es geht schon. Danke, Herr Rheinberger.« Die Stelle, an der er leicht ihren Ellenbogen berührte, begann zu prickeln.

»Sind Sie auf dem Weg zu Ihrem Versuchsraum, Fräulein Rothmann? Darf ich Sie dorthin begleiten?«, fragte Victor vorsichtig.

»Das wäre sehr freundlich.«

Judith sollte die Situation peinlich sein, aber das Gegenteil war der Fall. Victor blieb an ihrer Seite, bis sie den Mädchensaal erreicht hatten.

»Ab hier lasse ich Sie allein weitergehen, Fräulein Rothmann«, meinte er.

»Vielen Dank, Herr Rheinberger. Das war sehr aufmerksam von Ihnen.«

Judith spürte seinen besorgten Blick auf ihrem Gesicht.

In all dem Elend dieses Tages war seine Aufmerksamkeit wie ein weicher Mantel, der sie tröstend einhüllte.

Als sie wenige Minuten später die Karamellkugeln aus dem Abkühlkasten holte und an ihren Platz trug, erfassten sie die Nachwirkungen des Schocks, den ihr die Nachricht von Max' Verschwinden versetzt hatte. Ihre Gedanken wirbelten durcheinander, türmten sich auf zu einer Gemengelage unterschiedlichster Gefühle. Verletztheit, enttäuschte Hoffnung und resigniertes Bangen wechselten sich in rascher Folge ab.

Eine Illusion war zerbrochen.

Auch wenn sie es am liebsten nicht wahrhaben wollte, musste sie sich eingestehen, dass Max sie offensichtlich nur benutzt hatte. Und zwar ohne für die Konsequenzen seines Tuns geradezustehen. Wie naiv sie doch gewesen war, zu glauben, er habe plötzlich Gefühle für sie entwickelt! Vielmehr waren es seine eigenen Schwierigkeiten gewesen, die er in ihren Armen hatte vergessen wollen.

Sie wandte sich wieder ihren Karamellkugeln zu. Doch die Arbeit mit den Pralinés erfüllte sie nicht mit der gewohnten tiefen Zufriedenheit. Mechanisch begann sie, eine Kugel nach der anderen auf Holzspießchen zu stecken und in die flüssige Schokolade zu tauchen.

Sollte sie sich an den alten Ebinger wenden? Er würde ihr sicherlich nicht glauben. Und beweisen konnte sie nichts. An das Ausmaß der möglichen Folgen dieser Nacht wollte sie gar nicht erst denken.

Die gleichförmige Beschäftigung mit den selbst kreierten

Süßigkeiten tat ihr dennoch gut, und allmählich kehrte auch in ihre Gedanken wieder etwas Ruhe ein. Nach und nach entstanden ebenmäßige und glänzende Schokoladeköpfchen. Sie steckte gerade die letzte Kugel auf eine doppelt gelegte Pappe zum Trocknen, als es klopfte und Victor Rheinberger in der Tür stand, die Schachtel mit den Formen in der Hand.

»Kommen Sie doch herein!«, bat Judith. »Am besten, Sie stellen die Kiste hier auf den Tisch.«

»Hier riecht es sehr lecker«, meinte er schnuppernd, während er an den Tisch trat.

»Das sind Karamellkugeln in einem Mantel aus Schokolade«, erklärte Judith. »Möchten Sie eine versuchen?«

»Sehr gerne, wenn ich darf?« Er zwinkerte ihr zu.

Judith reichte ihm eine ihrer Naschereien. Als er ihr das Holzstäbchen abnahm und sich ihre Finger dabei leicht berührten, spürte Judith wieder ein wohliges Prickeln.

Victors aufmerksamer Blick ruhte auf ihr, als er in die Schokolade biss. Wieder fiel ihr seine ungewöhnliche Augenfarbe auf, dieses irisierende Blaugrün. Es hatte sie schon bei ihrer ersten Begegnung fasziniert, damals, als er Karl nach seinem Unfall nach Hause gebracht hatte.

Eine erwartungsvolle Empfindung breitete sich in ihr aus, mehr noch, sie spürte eine unterschwellige Zärtlichkeit für diesen Mann, den sie doch kaum kannte. Ganz sicher, redete Judith sich schnell ein, spielte ihre Seele angesichts der Geschehnisse der letzten Tage verrückt.

»Das ist köstlich!«, erklärte Victor, als er die Kugel

vernascht hatte. »Richtig lecker, Fräulein Rothmann. Der Karamell schmeckt buttersüß. Mandeln sind auch drin, oder? Und Beeren, ich schätze, Johannisbeeren?«

»Stimmt! Träuble sagen wir hier.«

»Drumherum eine zartbittere Hülle aus Schokolade. Meinen Respekt!«

Auf Judiths Gesicht breitete sich ein strahlendes Lächeln aus. »Oh, danke! Es freut mich, dass Sie die Rezeptur mögen.«

»Mögen ist gar kein Ausdruck«, antwortete Victor, und Judith hatte das Gefühl, dass diese Bemerkung weit mehr umfasste als nur das Lob für ihre Schokoladenkreation.

»Warten Sie«, sagte Judith und konnte ein leises Lachen nicht unterdrücken. »Die Schokolade hat … Ich würde sagen … Spuren hinterlassen.« Sie griff nach einem frischen Handtuch, und ohne darüber nachzudenken, wischte sie Victors Mundwinkel ab.

Noch ehe sie sich über das Ausmaß ihres Tuns im Klaren war, hielt er ihre Hand an seiner Wange fest. Zärtlich strich sein Daumen über ihren Handrücken.

Ein warmes Gefühl stieg in ihr auf. Sie hielt einen Moment inne, genoss diesen kurzen, innigen Augenblick, wissend, dass dies nicht sein durfte. Dann entzog sie ihm vorsichtig ihre Hand.

Victor räusperte sich. »Ich bin dabei, einen neuartigen Schokoladenautomaten zu entwickeln. Wäre es vielleicht denkbar, dass Sie hierfür spezielle Schokoladentafeln entwerfen, Fräulein Rothmann?«

»Ein neuartiger Schokoladenautomat?«

»Ja. Einen, der sich von den herkömmlichen Modellen abhebt.«

»Ich kenne solche Automaten. Kürzlich las ich, dass sie sogar in New York aufgestellt werden. Wie weit sind Sie mit Ihren Plänen?«

Victor grinste. »Wir sind schon ein gutes Stück vorangekommen. Allerdings ist es nicht einfach, unsere Ideen umzusetzen. Einige der benötigten Teile kosten recht viel.«

»Sie entwickeln den Automaten nicht allein?«

»Nein. Ich habe Unterstützung. Sie kennen doch Edgar Nold? Er hat mir jemanden vermittelt, der sich sehr gut mit Feinmechanik auskennt. Technisch sind wir auf einem guten Weg. Was fehlt, ist eine zündende Idee, womit wir uns von anderen unterscheiden. Gut ausgereifte Geräte gibt es schon einige. Ich möchte etwas ganz Besonderes machen. Sozusagen den Mercedes unter den Schokoladenautomaten erfinden.«

Judith lächelte. Er war so voller Begeisterung für sein Vorhaben, dass sie ihre Sorgen fast vergaß. Und vor allem gefiel ihr, wie unbefangen er seine Ideen vortrug und sie, eine Frau, selbstverständlich darin einband.

»Aber natürlich überlege ich mir besondere Tafeln für diesen Schokoladenautomaten, Herr Rheinberger. Wir müssen darauf achten, dass sie nicht zu empfindlich sind, aber dennoch ganz besonders lecker schmecken.«

»Ich vertraue Ihnen in dieser Sache vollkommen, Fräulein Rothmann. Ich notiere die Maße für die Tafeln, sobald wir uns darüber im Klaren sind, ob wir die übliche Größe verwenden oder eine andere wählen.«

Judith dachte nach.

»Ich habe mir schon öfter vorgestellt«, sagte sie dann, »was man aus diesen Automaten machen könnte, indem man vielleicht eine Art Leierkasten oder eine kleine Bühne einbaut. Oder dass die Schokolade einen von außen sichtbaren Parcours durchläuft, ehe sie im Ausgabefach liegt.«

Victor sah sie voller Respekt an. »Das sind sehr gute Ideen, Fräulein Rothmann. Könnten Sie sich unter Umständen vorstellen, uns zu unterstützen? Ich meine, indem Sie einfach alles, was Ihnen dazu einfällt, notieren. Vielleicht auch die eine oder andere Skizze anfertigen.«

»Aber gerne. Ja, wirklich, ich freue mich sehr, wenn ich zum Gelingen Ihres Vorhabens beitragen kann.«

»Das wiederum freut mich außerordentlich, Fräulein Rothmann. Ich werde künftig regelmäßig bei Ihnen vorbeischauen. Und bei dieser Gelegenheit gerne weitere Schokoladenkreationen versuchen. Vor allem die für den Schokoladenautomaten.«

»Selbstverständlich«, sagte Judith lachend. »Sie müssen schließlich wissen, was wir unseren Kunden verkaufen.«

Der Nachmittag war schon fortgeschritten, als Victor an seinen Arbeitsplatz zurückkehrte. Judith blieb voller Euphorie zurück.

Sie konnte kaum fassen, dass es möglich war, innerhalb eines einzigen Tages tiefste Enttäuschung und wunderbares Glück zu empfinden. Ihr Kummer über Max war in den letzten Stunden zwar nicht verschwunden, das würde sicher seine Zeit brauchen. Aber sie freute sich sehr auf die Zusammenarbeit mit Victor.

Wäre da nur nicht die ungeklärte Situation mit Albrecht von Braun. Was sollte sie nun tun?

25. KAPITEL

Stuttgart, Mitte Oktober 1903

»Guck mal, Karl! Da hinten kommt der König!«

»Wo?« Karl reckte den Hals.

»Da, schau halt genau hin!«

Das übliche Treiben in Stuttgart hatte sich von einer Minute auf die andere verändert. Die Soldaten, derer es viele gab in der Stadt, waren in Habachtstellung gegangen, die Passanten auf den Bürgersteigen stehen geblieben. Die Herren hatten ihren Hut abgenommen.

Dann rauschte eine stattliche Kutsche mit zwei prächtigen vorgespannten Braunen vorüber. Zwei Reiter sprengten hinterher.

Karl und Anton blieb vor Staunen der Mund offen stehen.

»Du hättest die Mütze abnehmen müssen, Anton!«

»Du auch, Karl!«

Die Menschen um sie herum kamen wieder in Bewegung. Vermutlich sahen sie den König des Öfteren in der Stadt herumfahren. Eine kleine Weile ließen sich die beiden Buben mit der Menge die Rotebühlstraße entlangtreiben. Dann hatte Karl die imposante Begegnung bewältigt. Er knuffte seinen Bruder in die Seite. »Also, jetzt geht's los!«

Eigentlich hatten sie den Tiergarten anschauen wollen, von dem Judith vor ein paar Wochen so begeistert erzählt hatte, ihn aber nicht gefunden. Stattdessen waren sie durch die Gassen der Stadt gestromert, hatten eine ganze Weile den Bauarbeiten am Rathaus zugesehen und schließlich die Idee gehabt, mit der Straßenbahn zu fahren.

Da sie keine Fahrkarten kaufen wollten, hatten sie sich ein Spiel ausgedacht. Sie begaben sich in die Mitte der Straße, dorthin, wo die Straßenbahnen fuhren. Sie warteten, bis die nächste vorbeikam, und sprangen auf, ließen sich einige Meter mitnehmen und sprangen dann wieder ab. So »hopsten« sie von Bahn zu Bahn, die Straße hinauf und hinunter, wechselten zur Tübinger Straße und hörten auch nicht auf, als ein leichter Nieselregen einsetzte, der bald zu einem kräftigen Regenguss wurde. Schließlich hatten sie sich für ihren heutigen Nachmittagsausflug einiges vorgenommen. Nur mit Mühe waren sie der Aufsicht zu Hause entwischt, jetzt galt es, die wenigen Stunden der Freiheit zu nutzen.

»Autsch!« Anton wollte gerade eben von der Plattform des Straßenbahnwagens auf die Straße springen und hatte deshalb einen eisernen Stab umfasst, der dort angebracht war, als ihn ein heftiger Schlag durchfuhr.

»Ha, das tut doch nicht weh! Du bist vielleicht eine Memme«, mokierte sich Karl, um kurz darauf selbst laut aufzuschreien. »Aua! So ein Mist!«

Einige Erwachsene lachten.

»Das gibt ein Schlägle, manchmal, wenn's regnet!«, meinte ein älterer Herr.

Karl beherrschte nur mühsam seinen Wunsch, ihm die Zunge herauszustrecken.

Sie verzogen sich auf den Bürgersteig.

»Was meinen die denn damit, dass es immer ein Schlägle geben soll, wenn's regnet?« fragte Karl seinen Bruder.

»Das weiß ich auch net«, antwortete Anton ratlos.

Da hörten sie ein Lachen hinter sich. »Ihr zwei seid mir ja welche«, meinte ein schlaksiger Kerl, vielleicht fünfzehn Jahre alt, aber nass gespritzt und matschig wie die Zwillinge. »Jedes Kind weiß, dass es bei Regen einen Schlag gibt von der Straßenbahn, wenn man die Eisenstange anfasst. Das kommt von der Elektrizität.« Dabei dehnte er die Vokale des letzten Wortes, wohl um besonders schlau zu wirken, wie Karl fand.

»Ach so«, meinte Karl und gab sich Mühe, möglichst unbeeindruckt zu wirken.

»Wie heißt du denn?«, fragte Anton.

»Ich bin der Fritz«, antwortete der Bursche und sah grinsend von einem zum anderen. »Und wer seid ihr? Auf jeden Fall schaut ihr genau gleich aus.«

»Karl.«

»Anton. Wir sind Zwillinge.«

»Ja, das habe ich mir gedacht. Hört mal, Karl und Anton. Wenn ihr Lust habt, kann ich euch noch was richtig Spannendes zeigen.«

»So, was denn?«, fragte Karl und ließ eine Spur Hochnäsigkeit mitschwingen.

»Ich weiß nicht, Karl, wir sollten vielleicht lieber nach Hause gehen. Wir sind nass geworden und ein bisschen kalt ist mir auch«, gab Anton zu bedenken.

»Ja, aber der Regen hat doch schon wieder aufgehört. Und so arg nass fühle ich mich gar nicht«, wiegelte Karl ab, den die Aussicht auf ein Abenteuer lockte.

»Aber wenn wir einen Schnupfen kriegen, dann schimpft Judith mit uns«, meinte Anton.

»Wir kriegen aber keinen Schnupfen. Kein Indianer in der Prärie bekommt einen Schnupfen, nur weil ihm ein paar Regentropfen auf den Kopf gefallen sind«, entgegnete Karl und wandte sich an Fritz. »Wir kommen mit!«

Fritz' Grinsen wurde breiter. »Für fünf Pfennig zeige ich euch die Feuerwehr!«

»Wieso kostet es was, die Feuerwehr anzugucken?«, fragte Anton skeptisch.

»Das ist mein Lohn, weil ich sie euch zeige!«

»Klar kriegt er seinen Lohn«, erklärte Karl und kramte das Geld aus seiner Hosentasche. Sein Tonfall erinnerte dabei ein wenig an den seines Vaters.

Sie trabten hinter Fritz zur Katharinenstraße, und da Fritz ziemlich schnell lief, brauchten sie keine zehn Minuten, bis sie vor der Feuerwache standen. Vor dem großen kastenartigen Gebäude stand ein Posten, die Tore der Fahrzeughallen waren weit geöffnet. Uniformierte Männer liefen herum, Kommandos wurden gebrüllt und Pferde angespannt.

»Mensch, ihr habt Glück«, entfuhr es Fritz, »die haben gerade einen Einsatz!«

Gebannt beobachteten Karl und Anton die Vorbereitungen, Fritz grinste zufrieden, und nur wenige Minuten später sausten die ausrückenden Wagen an ihnen vorbei.

»Der erste, der Landauer, das ist der Stabswagen mit dem Brandjakob«, erklärte Fritz.

»Wer ist denn der Brandjakob?«, fragte Karl.

»Der Branddirektor Jacoby, aber alle sagen nur Brandjakob zu ihm. Dahinter fahren Mannschaftswagen, Drehleiter, Dampfspritze.« Fritz rannte plötzlich los. »Lauft, dann sehen wir noch mehr!«

Alle drei spurteten dem Feuerwehrkommando hinterher, das die Katharinenstraße hinauffuhr und über den Wilhelmsplatz in die Torstraße einbog. Dabei wurden sie beinahe von einem Polizeimotorrad mit Beiwagen überfahren.

»Ach du liebe Zeit!«, rief Fritz auf einmal. »Der Brandjakob ist rausgefallen!«

»Au weia!«, johlte Karl begeistert. »Der hat die Kurve nicht gekriegt!«

Anton blieb vor Schreck die Sprache weg. Der Stabswagen lag auf der Seite, sein Insasse saß verdutzt auf dem Boden.

»Da hat er Glück, dass heute seine Frau nicht dabei ist«, meinte Fritz.

»Seine Frau?«, fragte Anton.

»Ja, manchmal nimmt er seine Frau mit.«

Während die Zwillinge sich verwundert ansahen, näherten

244

sie sich vorsichtig und ein klein wenig außer Atem dem Ort des Geschehens in der Kurve.

»Ja, das ist das Problem mit den gepflasterten Straßen«, erklärte Fritz und erinnerte Karl in diesem Moment ein wenig an den Schulmeister. »Die haben so eine Wölbung in der Mitte. Und wenn der Kutscher nicht aufpasst, dann fängt der Wagen an zu kippen.«

Karl beobachtete fasziniert den kräftigen Brandjakob, der sich wieder aufgerappelt hatte und eine Schimpftirade von sich gab.

»In der Haut seines Kutschers möchte ich nicht stecken«, sagte Karl.

»Nein, ganz gewiss nicht«, meinte Fritz lachend. »Aber jetzt müssen sie erst mal ihren Einsatz hinter sich bringen. Das richtige Donnerwetter gibt es sicher erst, wenn alle wieder zurück sind.«

»Die fahren eh ganz schön schnell«, stellte Anton fest und Fritz nickte. »Ja, die sind immer flugs da. Müssen sie auch. Letztes Jahr hat das Hoftheater gebrannt, aber da hat das auch nicht mehr geholfen. Es ist vollkommen abgebrannt. Nur zwei Treppen sind übrig geblieben.«

Die Zwillinge schwiegen beeindruckt. Das hätten sie zu gerne gesehen. Aber auch ohne einen großen Brand miterlebt zu haben, waren Karl und Anton völlig aus dem Häuschen. Wer hätte gedacht, dass ihr erster Ausflug nach Stuttgart, den sie ganz alleine unternahmen, derart erlebnisreich werden würde?

Als sich die allgemeine Aufregung etwas gelegt hatte, der

Landauer wieder aufgerichtet und der Brandjakob eingestiegen war, um den anderen Einsatzwagen hinterherzufahren, sah selbst Karl ein, dass sie allmählich an den Heimweg denken sollten.

»Wo wohnt ihr denn?«, fragte Fritz.

»In Degerloch oben«, antwortete Karl.

»Und ihr seid allein hier nach Stuttgart runtergekommen?«

Die beiden nickten stolz.

»Dann kann es sein, dass nicht nur der Kutscher vom Brandjakob noch Ärger bekommt, sondern auch ihr heute Abend. Aber es ist ja nicht mein Hintern, der dann wehtut. Am besten, ihr nehmt die *Zacke*«, meinte Fritz fürsorglich. »Ich bringe euch noch bis zum Marienplatz. Habt ihr genug Geld?«

Karl nickte. Sie hatten aus Judiths silberner Dose, in der sie immer einige Pfennige aufbewahrte, etwas Geld genommen. Besser gesagt ausgeliehen, denn es war ihre feste Absicht, es ihr bei nächster Gelegenheit zurückzugeben. Unauffällig natürlich.

Und so kam es, dass Karl und Anton kurz vor Anbruch der Dunkelheit völlig erschöpft zu Hause ankamen, wo sie von einer sorgenvollen Judith und ihrem wutschnaubenden Vater erwartet wurden.

Im Zuge der Bestrafung an diesem Abend schwebte erstmals die erschreckende Möglichkeit des Verweises an ein Knabeninternat über den blonden Köpfen der Zwillinge.

26. KAPITEL

Riva, Mitte Oktober 1903

»In wenigen Minuten, meine sehr verehrten Reisenden, passieren wir den spektakulären Ponalefall. *Mesdames, Messieurs, dans quelques minutes, nous passerons la cascade de Ponale.* Etwa dreißig Meter stürzt hier das Wasser zu Tal – ein einmaliges Erlebnis!«

Die *Zanardelli* ließ den Passagieren einige Minuten Zeit, das Naturschauspiel in der Ferne zu bewundern, dann drehte sie bei und nahm Kurs auf Limone.

»Und hier noch eine Information: Übermorgen biete ich einen geführten Ausflug zum Ponalewasserfall und in das Ledrotal an. Wenn Sie Interesse haben, geben Sie mir bitte im Laufe des Tages Bescheid. Wir werden mit Barken hinfahren und zu Fuß nach Riva zurückkehren, achten Sie also bitte auf gutes Schuhwerk.«

Max saß etwas abseits auf dem Sonnendeck des Ausflugsdampfers und beobachtete bereits seit einer Weile die zierliche Frau, die mit dem Rücken zu ihm stand und zahlreiche

Passagiere um sich geschart hatte, um ihnen enthusiastisch die Sehenswürdigkeiten entlang der Route des Ausflugsschiffes zu erklären. Sie war schlicht gekleidet, trug einen dunklen Wollrock und passend dazu eine gestreifte Bluse. Auf ihren dunklen Haaren, die sie locker aufgesteckt hatte, saß ein schlichter Strohhut mit schwarzem Band. Ihre Erscheinung hatte etwas Leichtes und war von einer natürlichen Eleganz. Besonders aber faszinierte ihn ihre Stimme – ein weicher Mezzosopran, klar, in keiner Weise laut oder schrill, obwohl sie verbal gegen den Motorenlärm und die allgegenwärtige Brise an Deck ankämpfen musste.

Sie sprach abwechselnd Deutsch und Französisch, und je länger Max ihr zuhörte, desto sicherer war er sich, dass sie Französin sein musste, die zugleich die deutsche Sprache nahezu perfekt beherrschte.

Bisher hatte er sie bedauerlicherweise nicht eingehender betrachten können. Für Max erhöhte das jedoch auf reizvolle Art die Spannung.

Vorläufig genoss er ihre schlanke Rückenansicht und das Wissen, dass sie nichts von seinen Blicken ahnte. Außerdem hatte er Zeit. Die heutige Dampfschifffahrt würde den ganzen Tag dauern.

Hektische Zeiten lagen hinter ihm.

Seine wütende Abreise aus Stuttgart war in aller Heimlichkeit erfolgt, gepaart mit einem enorm schlechten Gewissen nach dem Griff in die Geldbörse seines Vaters und einem kurzen Abschied von seiner Mutter, die als Einzige wusste, dass er länger wegbleiben würde. Sie war es auch gewesen, die ihm geraten hatte, zunächst bis Riva zu fahren und dort eine Pause einzulegen, um in aller Ruhe die weiteren Stationen seiner Italienreise zu planen.

Erst nachdem er die Alpen zwischen sich und all den Ärger in Stuttgart gebracht hatte, konnte er wieder frei durchatmen. In Riva hatte eine Droschke ihn mitsamt seinem Gepäck zur Pension Zur Sonne gebracht, einem gepflegten, deutschsprachigen Haus unweit der Landungsstelle am Hafen. Dort hatte er einige Tage lang nachgedacht, dabei die an- und ablegenden Ausflugsschiffe beobachtet und beschlossen, dass eine Dampferfahrt vermutlich die beste Art war, um sich einen Überblick über die Gegend rund um den Gardasee zu verschaffen. Und die gemütlichste. Der heutige Tag war freundlich und mild, die Sonne gab den steil in den See abfallenden Bergwänden sanfte, blaugraue Konturen und ließ das Wasser in schillernden Blautönen glitzern.

Sie fuhren zunächst Torbole an, dann Limone als ersten italienischen Ort, bekannt für seine namengebenden Zitronenhaine, kamen abermals an einem Wasserfall vorbei und erreichten anschließend das höher gelegene Tremosine. Das Westufer des Sees war eine unzugängliche Gegend, erfuhr Max durch die versierte Fremdenführerin, und nur wenige, schlecht ausgebaute Straßen führten zu den pittoresken Dörfern entlang der felsigen Gestade.

Sie waren schon eine ganze Weile unterwegs, als die schroffen Bergwände bei Maderno zurückwichen und den Blick auf eine südländische, malerische Landschaft freigaben.

»Hinter dem Ort sehen Sie den Monte Pizzocolo

emporragen«, informierte die entzückende Dame. »Er ist 1581 Meter hoch. Maderno selbst bietet viel Sehenswertes, besonders zu erwähnen ist der Palazzo Gonzaga, die einstige Sommerresidenz der Herzöge von Mantua. Und von hier aus können Sie interessante Wanderungen unternehmen.«

Einige Passagiere verließen hier den Dampfer, andere stiegen zu, und sie setzten die Fahrt fort. Bei Salò weitete sich der See auf grandiose Weise, die Bergrücken blieben endgültig zurück und machten einer mediterranen, vor allem am Ostufer sanft gewellten Ebene Platz.

Kurz vor dem Hafen von Sirmione sammelte sich die Reisegruppe in der Absicht, das Schiff zu verlassen.

Max schloss sich kurzerhand an. Zum einen wollte er die viel gepriesene Halbinsel am Südufer des Gardasees gerne besichtigen, zum anderen auf die charmant mit französischem Akzent vorgetragenen Erläuterungen nicht verzichten.

So ging er mit den anderen von Bord.

Und endlich, bevor die Besichtigungstour begann, wandte sich die Führerin um.

Max durchzuckte ein elektrisierendes Gefühl, als er strahlend blaue Augen in einem von der Sonne leicht gebräunten Gesicht erblickte, das ein ebenso strahlendes Lächeln schmückte. Wenn sie sprach und lächelte, blitzten weiße, ebenmäßige Zähne zwischen vollen, dunkelrosigen Lippen auf. Unwiderstehlich.

Sie war nicht mehr ganz jung, er schätzte sie auf Mitte dreißig, aber ihre Ausstrahlung war die eines reifen jungen Mädchens. Sein Jagdinstinkt war geweckt. Gleichzeitig erfasste ihn eine vage Ahnung, sie schon einmal gesehen zu haben, aber da ihm nicht einfallen wollte, wo, tat er diese Empfindung als Irrtum ab.

Bevor sie sich auf den Weg machten, kam sie auf ihn zu.

»Haben Sie für diese Führung bezahlt, mein Herr?«

»Ähm, nein, bisher noch nicht. Ich wusste gar nicht, dass es sich um eine Führung handelt«, stotterte Max, eine Reaktion, die er gar nicht von sich kannte.

»Weshalb sind Sie dann in dieser Gruppe geblieben?«

Max versuchte es mit seinem schiefen Lächeln, das selten seine Wirkung verfehlte. »Ich habe mich spontan entschieden mitzugehen, nachdem ich auf dem Schiff gemerkt habe, wie gut Sie die Besonderheiten hier erläutern. Was kostet Ihre Führung?«

»Möchten Sie in Mark oder in Lire bezahlen? Oder in Kronen?«

»In Mark, wenn es möglich ist.«

»Dann kostet es Sie eine Mark und zwanzig Pfennige. Fahren Sie mit uns wieder zurück?«

»Sehr gerne. Geht das?«

Sie nickte, kassierte routiniert lächelnd ihr Geld und setzte sich anschließend völlig unbeeindruckt wieder an die Spitze der Reisegruppe.

Max war verblüfft. Keine Regung, kein Blitzen in den Augen, keine bedeutungsvolle Geste ihrerseits, nichts, was ein subtiles Interesse an ihm verraten hätte. Dann grinste er in sich hinein. Dies hier schien sich zu einer willkommenen Herausforderung zu entwickeln.

Sie wanderten aus dem Ort hinaus, durch einen würzig riechenden Olivenwald, an den alten Bädern vorbei bis hin zur Spitze der etwa zwei Kilometer langen, schmalen Landzunge, die den südlichen Gardasee in etwa zwei gleich große Becken teilte. Dazwischen gab es immer wieder herrliche Ausblicke auf den See und seine unvergleichliche Farbe.

»Meine Damen und Herren, wir haben nun die Grotten des Catull erreicht, die Überreste einer imposanten Römervilla aus dem zweiten Jahrhundert nach Christus.«

Max' Blick glitt über die selbst als Ruine noch beeindruckende ehemalige Römervilla, die vielgestaltigen Mauern, vereinzelten Torbögen und Säulen. Allein die räumlichen Ausmaße waren gigantisch.

»Im Zentrum dieser Villenanlage befand sich ein mit Säulen umstandener Garten. Die Bauten selbst waren dreistöckig, mit Mosaiken und Fresken geschmückt. Eine weitläufige Therme speiste man damals aus einer Schwefelquelle, das Wasser wurde über Bleirohre in die Becken geleitet. Und, wie Sie sehen, ist der Ausblick auf See und Ufer von jeder Stelle hier einfach atemberaubend.« Bei diesen letzten Worten hatte sie die Arme ausgebreitet und den Kopf leicht in den Nacken gelegt.

»Wer war denn dieser Catull?«, fragte ein Herr aus der Reisegruppe.

»Catull war ein römischer Dichter. Er hat Sirmione in seinen Dichtungen beschrieben, deshalb nehmen manche Forscher an, dass dies hier seine Villa gewesen sein könnte. Aus meiner Sicht ist das allerdings nicht ausreichend belegt.«

»Aus der Sicht einer Frau?«, mokierte sich der Fragesteller, und einige andere Herren fielen in das Lachen ein.

Sie wurde ernst und fixierte die Gruppe. »Sie haben nun eine halbe Stunde Zeit, um die Anlage zu erkunden«, sagte sie, ohne auf den Zwischenruf einzugehen. »Dann sammeln wir uns wieder hier. Vielleicht finden die Herren ja einen genauen Hinweis auf den einstigen Besitzer des Anwesens.«

Aha, dachte Max. Sie ließ sich nichts gefallen. Er grinste innerlich, als er einige verdutzte Gesichter sah.

»Und«, fügte sie hinzu, und ihre Stimme klang nun ein wenig strenger als zuvor. »Bitte verspäten Sie sich nicht. Wir müssen pünktlich an der Anlegestelle sein, damit wir das Schiff zurück nach Riva erreichen.«

Die Menschentraube um sie herum löste sich auf, Max aber blieb stehen.

»Haben Sie noch eine Frage?«, fragte sie, ein wenig unwirsch. Bestimmt hatte sie sich auf eine kurze Pause gefreut.

»Ja. In der Tat«, sagte Max. »Auf dem Fußmarsch hierher fielen mir einige sehr hübsche Stellen am Wasser auf. Wissen Sie, wie man dorthin gelangt?«

Sie dachte kurz nach und zog dabei die Stirn ein wenig kraus. »Sie meinen gewiss die Kalkplatten unterhalb des Felsens. An sonnigen Tagen wie heute schimmert das Wasser dort in einem eindrücklichen Türkis.«

»Genau, diese Farbe ist mir aufgefallen. Ehrlich gesagt würde mich das mehr interessieren als die alten Steine hier.«

Endlich ein Lächeln. »Sie wissen, dass Sie für eine historische Führung bezahlt haben?«

»Nein«, gab Max zu. »Ich habe für eine versierte Führerin bezahlt. Und in dem Fall ist es unbedeutend, was sie mir zeigt.« Er versuchte es noch einmal mit einem Lächeln, und diesmal schien es zu wirken. Die Doppeldeutigkeit seiner Bemerkung allerdings begriff sie nicht.

»Also, wenn Sie möchten, zeige ich Ihnen die Stelle mit den Kalksteinen. Das kostet allerdings fünfzig Pfennig extra.«

Sie war geschäftstüchtig, das musste man ihr lassen. Fünfzig Pfennig extra. Er zögerte nicht lange und drückte ihr das Geld in die Hand.

Zufrieden und deutlich entspannter schlenderten sie gemeinsam ein Stück des Weges zurück und stiegen dann einige grob in Stein gehauene Stufen hinunter. Es gefiel ihm sehr, wie wendig und geschickt sie sich anstellte. Sie gehörte nicht zu jenen Damen, die vor jeder Herausforderung zurückschreckten und ständig in Ohnmacht fielen. Allerdings trug sie bequeme Kleidung und Schuhe, das war sicher sehr viel angenehmer als mit Korsett.

Es war ein idyllisches Fleckchen dort unten. Die Kalksteine schimmerten hell unter dem flachen Wasser, als hätte man sie poliert. In der Ferne sah man auf das Ostufer des Gardasees.

Wäre es ein wenig wärmer gewesen und er vielleicht alleine, dann hätte er sich seiner Kleidung entledigt und wäre ein Stück hinausgeschwommen. So begnügte er sich damit, Schuhe und Strümpfe auszuziehen und ein wenig die überspülten Platten entlangzubalancieren.

Seine Führerin hatte sich auf einem Stein niedergelassen, das Gesicht der Sonne zugewandt, die Augen geschlossen. Wieder zog in ihm die Ahnung einer Erinnerung vorüber, doch auch diesmal ließ sie sich nicht fassen. Vermutlich besaß sie mit irgendjemandem eine gewisse Ähnlichkeit. Das kam ja ab und zu vor.

So verging die Zeit, ohne dass sie ein Wort wechselten, und doch waren sie einander irgendwie verbunden.

Deshalb erschrak er heftig, als er irgendwann auf seine Taschenuhr sah und feststellte, dass die halbe Stunde längst vorüber war.

Er gab ihr Bescheid und sie eilte voraus, während er Schwierigkeiten hatte, die Strümpfe über seine feuchten Füße zu ziehen. Es dauerte eine gefühlte Ewigkeit, bis er wieder präsentabel war und über den steilen Pfad zum Weg hinaufging.

Sie dagegen hatte ihre Gruppe bereits eingesammelt. Es machte fast den Eindruck eines Vereinsausflugs, wie sie alle anmarschiert kamen, und Max unterdrückte ein Grinsen.

Sie erreichten das Dampfschiff nach Riva in allerletzter Minute. Es war die letzte Verbindung heute. Den See an einem einzigen Tag rundum zu befahren, war nur bei genauer Planung möglich.

»Also, wann treffen wir uns denn übermorgen?«, fragte Max die Führerin, als sie wieder an Bord waren, diesmal in einem der Innensäle. Er hatte sich ihr gegenüber an einem Vierertisch am Fenster niedergelassen.

»Uns treffen?«, fragte sie irritiert.

»Sie sprachen von einem Ausflug zu diesem Wasserfall, den Sie übermorgen anbieten.«

»Ach, gewiss, der Ponalefall.«

»Ich würde sehr gerne mitgehen.«

»Gut. Wir treffen uns um neun Uhr an der Bootsliegestelle in Riva. Seien Sie bitte pünktlich.« Schließlich stand sie auf.

»Meine Damen, meine Herren, *Mesdames et Messieurs,* unsere Route zurück nach Riva führt nun entlang des östlichen Seeufers. Bitte bleiben Sie auch hier als Gruppe zusammen, damit ich Ihnen die wichtigsten Stationen erläutern kann. Wie Sie bemerkt haben, werden wir die Rückfahrt im Schiffsinneren verbringen.«

Zustimmendes Murmeln zeigte, dass viele der Ausflügler müde geworden waren. Auch Max hörte nur noch mit einem Ohr zu, als sie Bardolino erwähnte, welches vor sieben Jahren abgebrannt und ganz neu wieder aufgebaut worden war, auf die alte Burg von Lazise deutete und später, als sie in die Bucht von Garda einfuhren, die Bedeutung des Städtchens als Namensgeber für den See und Ausgangspunkt für Wanderungen auf den Monte Baldo beschrieb.

Sehr aufmerksam waren dann wieder alle, als sie die Punta San Vigilio passierten. »San Vigilio wird auch als der schönste Ort der Welt beschrieben«, ließ sie jetzt verlauten. »Auf dem höchsten Punkt steht die Villa Brenzone, erbaut von Michele Sanmicheli.« Sie erwähnte noch eine kleine Kirche und die von Zypressen und Olivenbäumen geprägte landschaftliche Gestaltung der Halbinsel. Dann waren sie auch schon vorbeigefahren.

Da sie zu spüren schien, dass die Aufmerksamkeit ihres Publikums deutlich nachgelassen hatte, begnügte sie sich mit kurzen Informationen zu Malcesine und Torbole, bevor sie am späten Abend wieder Riva erreichten.

Nachdem sich das Dampfschiff mit einem letzten lauten Signal schwerfällig an den Landungssteg geschoben hatte, verabschiedete sie sich von jedem Einzelnen der fünfzehn Teilnehmer.

Max richtete es so ein, dass er der Letzte in der Reihe war. Das gab ihm Gelegenheit, sie fürsorglich vom Schiff zu begleiten.

Auf der Piazza Benacense nahe der Anlegestelle blieben sie stehen.

»Ihre Ausführungen waren sehr interessant. Ich danke Ihnen«, sagte Max und deutete eine Verbeugung an.

»Ich danke Ihnen für Ihr Interesse«, antwortete sie etwas kurz angebunden.

»Wissen Sie«, erklärte er, »ich bin angehender Architekt und betreibe für einige Monate Studien in Italien. Da war diese kleine Tagesreise heute ein idealer Anfang.«

»Wäre das nicht im Frühjahr sehr viel schöner?«

»Oh nein, ich mag es lieber, wenn es ruhiger ist und nicht mehr so viele Menschen unterwegs sind.«

Etwas schien sie noch zu beschäftigen. Nachdem sie kurz innegehalten hatte, legte sie den Kopf ein klein wenig schief und sah ihn an. »Warum haben Sie mir bei der Villa Catull in Sirmione gesagt, dass Sie alte Steine nicht interessieren, wenn Sie doch Architekt werden wollen und zu diesem Zweck eine

Bildungsreise unternehmen? Die Grotte di Catullo ist die vermutlich besterhaltene römische Villa im nördlichen Italien. Ihr Desinteresse kann ich nur schwer nachvollziehen.«

Max lachte. »Diese Frage hat ihre Berechtigung. Im Augenblick muss ich Ihnen die Antwort darauf leider schuldig bleiben. Aber vielleicht kommt der Tag, an dem ich sie geben kann. Ich jedenfalls würde es mir wünschen.«

Sie sah ihn verwundert an, schien dann aber zu spüren, dass seine Antwort mehrdeutig war. Verlegen strich sie sich eine Haarsträhne hinters Ohr, die sich aus ihrer Frisur gelöst hatte. »Ja, unsere Wünsche und das Leben. Ebenso stark wie unvereinbar. Ich wünsche Ihnen einen angenehmen Abend, mein Herr.«

Damit ließ sie ihn stehen und ging flinken Schrittes in Richtung des kleinen Ortskerns von Riva davon. Er starrte ihr hinterher wie ein verliebter Schuljunge.

Sie war einzigartig. Tiefgründig, mit einem unglaublich feinsinnigen Humor. Und von entwaffnender Sinnlichkeit.

Unbewusst hatte sie ein verführerisches Netz aus Charme und Wissen gewebt. Und er hatte sich innerhalb eines Tages rettungslos darin verfangen.

27. KAPITEL

Liegestelle der Boote in Riva,
zwei Tage später

Hélène war nervös. Schon seit dem Aufstehen heute Morgen lief nichts so reibungslos, wie sie es gewohnt war. Ihr Haar ließ sich kaum bändigen, das schlichte Wanderkostüm hatte einen Fleck, den sie erst entfernen musste, und zu allem Überfluss hatte ihre Blutung eingesetzt. Wie, um Himmels willen, sollte sie einen ganzen Tag bewältigen, wenn sie zwischendurch nicht die Vorlage wechseln konnte? Es blieb nur zu hoffen, dass es heute, am ersten Tag, nicht ganz so stark wurde.

Sie packte Ersatz in ihren ledernen, holzverstärkten Rucksack, dazu einige Brotscheiben, Käse, Nüsse und zwei Äpfel. Soweit es möglich war, hatte sie die zurückhaltende Kost, die sie im Sanatorium kennengelernt hatte, mit in ihr neues Leben genommen. Zum Frühstück trank sie etwas Ziegenmilch.

Dann machte sie sich auf den Weg zum Hafen.

Sie legte Wert darauf, einige Zeit vor den sieben Personen da zu sein, die sie nachher zum Ponalefall begleitete, um sicherzugehen, dass der Bootsverleiher die benötigten Ruderboote samt Ruderern bereitgestellt hatte. Zudem wollte sie ihn gleich bezahlen; den Preis für die Boote hatte sie in die Gebühr für den Ausflug einberechnet.

Es lief nur schleppend an, ihr Geschäft mit den Führungen. Viele nahmen eine Frau in diesem Bereich einfach nicht richtig ernst, und erst recht keine, die nicht vom Ort war.

Doch immerhin verdiente sie genug, um davon Miete und den grundlegenden Bedarf an Lebensmitteln zu bezahlen. Die letzte Überweisung ihres Ehemannes hatte sie zur Seite gelegt und hoffte, dass noch eine weitere Summe ankommen würde. Bisher ahnte er ja nicht, dass sie die ihr zugeschickte Bahnfahrkarte nicht nutzen würde und deshalb verkauft hatte.

Ihr Leben war gewiss recht turbulent derzeit, dennoch konnte sie sich ihre innere Unruhe heute nicht erklären, die kaum zu vergleichen war mit der fahrigen Unlust, die sie aus Stuttgart kannte. Vielmehr flatterten in ihrem Magen Abertausende von Schmetterlingen, es überkam sie immer wieder ein aufgeregtes, unerklärliches Hochgefühl. Sie hoffte, dass ihre Stimmung mit ihrem monatlichen Unwohlsein zusammenhing und sich in den nächsten Tagen von selbst wieder normalisieren würde.

Eine erste Welle der Erleichterung erfasste sie, als an der Liegestelle der Boote alles in Ordnung war und der Verleiher sich an die vereinbarte Mietsumme hielt. Auch die Ruderer standen schon bereit. Sie besah sich die Boote, alle waren in gutem Zustand. Auch das Wetter zeigte sich ruhig und stabil. Die Passagiere konnten kommen.

Ihr Blick glitt über das Wasser, über dem lichter, morgendlicher Nebel hing, erfasste das nahe gelegene, frühere Kastell La Rocca und stutzte, als sie eine männliche Gestalt den Kai entlangkommen sah.

Der Tumult in ihrem Magen nahm wieder zu, als er näher kam und sie freundlich grüßte.

»Sie sind ein wenig zu früh dran«, bemerkte Hélène.

»Das ist wohl wahr, aber ich wollte auf keinen Fall die Abfahrt versäumen! Ich habe mich gestern den ganzen Tag über auf diesen Ausflug gefreut.« Er lachte verschmitzt und zog dabei einen Mundwinkel nach oben, eine Eigenart, die ihr bereits vorgestern an ihm aufgefallen war. Sie fand es auf eine unbeschwerte Art charmant.

Max. Mit diesem Namen hatte er sich ihr vorgestern vorgestellt. Und sie erinnerte sich gut an seine Versuche, mit ihr zu schäkern. Sie war zwar nach außen hin kühl geblieben, aber nicht unberührt. Er war ein groß gewachsener, ungewöhnlich ansehnlicher junger Mann mit seinem dunklen, fast schwarzen Haar und den bernsteinfarbenen Augen, die bereits wieder herausfordernd auf ihr ruhten.

Ihr kam Hermione in den Sinn, die mit ihrem Jüngling für einige Wochen nach Berlin gereist war. Sie schätzte Max auf Mitte, allerhöchstens Ende zwanzig, also bedeutend jünger als sie. Und wenn es sich auch nicht um mehrere Jahrzehnte handelte wie bei Hermione und Christl, so doch gewiss um eines.

Aber da sie nicht über Hermiones übergroßes Selbstver-
trauen verfügte, das die Künstlerin durch viele Lebenstiefen
hindurch kultiviert hatte, gebot sie sich, die Finger von so
etwas zu lassen. Eine Affäre, deren unglücklicher Ausgang
von vorneherein feststand, würde sie nicht beginnen. Hatte
er nicht gesagt, dass er eine längere Reise durch Italien plane?

»Wir haben Glück mit dem Wetter«, sagte Hélène denn
auch unverbindlich und versuchte, die aufkommende Nähe
von Anfang an zu unterbinden. Und nebenbei ihre Nervosität in Schach zu halten.

»Daran habe ich nicht gezweifelt«, antwortete Max grinsend. »Ich habe für gutes Wetter gebetet.«

»Gebetet.«

»Ja. Das tut man doch, wenn man sich etwas sehr wünscht,
nicht wahr?«

Nun musste Hélène schmunzeln. »Man kann es zumindest versuchen.«

»Und es hat funktioniert. Also werde ich weiterbeten. Ein
paar Wünsche hätte ich noch …«

Hélène war froh, als in diesem Moment eine weitere Gruppe zu ihnen stieß und ihr Gespräch unterbrach, das bereits
wieder einen spielerischen Reiz entwickelt hatte.

Max trat mit einem bedeutsamen Blick zur Seite und unterhielt sich mit einem der Ruderer, während sie die Neu-
ankömmlinge begrüßte. Eine Viertelstunde später war die
Gruppe komplett. Hélène stellte sich so hin, dass alle sie sehen und hören konnten.

»Willkommen zur heutigen Tour zum Ponalewasserfall. Es

erwarten Sie unvergessliche Eindrücke. Vielleicht haben sich einige von Ihnen bereits vorab in den einschlägigen Reiseführern oder bei Herrn Georgis Buchhandlung informiert«, begann sie, und ein bejahendes Murmeln lief durch die Umstehenden. Abgesehen von ihr selbst war nur noch eine einzige Frau dabei, die ihren Ehemann begleitete. »Einen großen Teil der Strecke werden wir zu Fuß bewältigen«, fuhr Hélène fort. »Ich hoffe, Sie haben alle an gutes Schuhwerk gedacht. Und nun«, sie deutete auf die bereitliegenden Ruderboote, »verteilen Sie sich bitte nach Anweisung auf die drei bereitgestellten Boote.«

Es dauerte nicht lange, bis alle Platz genommen hatten. Mit kräftigen Schlägen trieben die Ruderer ihre Boote auf den See hinaus und steuerten durch die vielen kleinen, krausen Wellen in südwestliche Richtung.

Hélène war wenig erstaunt, dass Max sich zu ihr ins Boot gesellt hatte, gemeinsam mit einem anderen Herrn, der ebenfalls ohne Begleitung war. Sie versuchte zu ignorieren, dass er sie immer wieder ansah, fing aber weit öfter seinen Blick auf, als sie wollte.

Entlang der steilen Felswände des Rocchetta-Massivs schoben sich die Holzboote in regelmäßigem Rhythmus voran. Hélène hatte die Ruderer gebeten, nah beieinander zu bleiben, und daran hielten sie sich vorbildlich.

Noch bevor der Ponalefall zu sehen war, hörte man das Tosen der Wassermassen, und kurz darauf kam die Schneise ins Blickfeld, die der Ponale, ein wasserreicher Gebirgsbach, in den Berg getrieben hatte. Vorgelagert spannte sich ein steinerner Brückenbogen zwischen die Felsflanken und bildete einen malerischen Rahmen für den Wassersturz, der an dieser Stelle in perlenden Staub zerschellte.

Die Ruderer verharrten lange genug vor dem Wasserfall, damit die Passagiere die Kulisse ausgiebig bestaunen konnten, dann landeten sie rechter Hand an und ließen alle aussteigen.

Max hatte Hélène zuvorkommend aus dem Boot geholfen und blieb auch in ihrer Nähe, als sie sich auf dem hölzernen Steg sammelten, der in die Schlucht hineinführte.

»Verehrte Wanderfreunde.« Sie musste gegen den Lärm des donnernden Wassers ansprechen und fasste sich deshalb kurz. »Dieser Steg führt sehr nah an den Ponalefall. Wir werden ihn gemeinsam begehen und anschließend nach oben wandern, in Richtung des früheren Saumweges zum Ledrotal. Unterwegs wartet noch eine besondere Attraktion auf Sie.«

»Da bin ich aber gespannt, was Sie sich für uns ausgedacht haben«, meinte Max augenzwinkernd, als sie gemeinsam weitergingen. »Ich glaube, ich habe bereits eine Ahnung.«

Hélène lächelte. »Gerade für die Herren dürfte dieser Ort von besonderem Interesse sein. Doch genießen wir zunächst die Natur.«

Feuchter Wassernebel hüllte sie ein, als sie schließlich unmittelbar vor dem spektakulären Naturschauspiel standen. Über mehrere Kaskaden ergoss sich der Ponale zu Tal, ein zweiter Wasserfall strömte linker Hand herab. Zu ihren Füßen sammelten sich die schäumenden Wasser, um zu einem kurzen Strom vereint die letzten Meter in den Gardasee zurückzulegen.

Anschließend führte Hélène ihre Gruppe über einen steilen und immer wieder in felsigen Stufen abgesetzten Pfad, der an der linken Seite des Ponalefalls entlangführte, ein Stück den Berg hinauf.

Schließlich erreichten sie ein markantes, geradliniges Bauwerk, das an eine Bastion erinnerte.

Hélène blieb stehen.

»Hier sehen Sie das Elektrizitätswerk der Stadt Riva. Wir befinden uns in etwa zweihundert Metern Höhe über dem Gardasee.«

Sie zog eine Karte aus ihrer Gürteltasche und hielt sie hoch. »Dies ist eine Erlaubniskarte zur Besichtigung des Werkes. Ich denke, das dürfte eine hochinteressante Unterbrechung unserer Wanderung sein.«

Es gab Applaus. Unwillkürlich sah sie zu Max.

Er nickte ihr anerkennend zu und löste damit eine irritierende Wärme in ihrem Inneren aus. Nie zuvor hatte sie sich von einem Mann so angezogen gefühlt, den sie kaum kannte.

Sie gingen hinein und wurden von einem Arbeiter des Kraftwerks empfangen, der sie durch das Gebäude führte.

»Wasserkraft wird schon seit Jahrhunderten genutzt, man denke nur an den Antrieb von Sägewerken und Mühlen«, erklärte er mit italienisch gefärbtem Akzent. »Aus den Wasserrädern entwickelten sich die heutigen Turbinen.« Er zeigte auf drei große Maschinen, die geräuschvoll ihre Arbeit taten.

»Ein Teil des Wassers des Ponale«, fuhr er fort, »wird in einer Galerie gesammelt, die eigens zu diesem Zweck in den Fels gebrochen worden ist. Sie misst etwa 520 Meter. Mit einer Fallhöhe von einhundert Metern wird das Wasser dann den Turbinen zur Elektrizitätserzeugung zugeführt.«

Hélène beobachtete ihre Gruppe und sah zufrieden die Begeisterung in allen Gesichtern. Auch Max war sehr angetan und betrachtete die großen Krafterzeuger genau. Hélène, die schräg hinter ihm stand, fiel sein breiter, muskulöser Rücken auf.

Eine gute halbe Stunde später setzten sie ihren Aufstieg fort. Unter den Teilnehmern war eine rege Unterhaltung aufgekommen, die sich um Technik, die zunehmende Bedeutung der Elektrizität und die damit verbundenen Veränderungen drehte.

Hélène beteiligte sich nicht daran, sondern achtete auf ihren Atem, so wie sie es während ihrer Sanatoriumszeit gelernt hatte. Zudem spürte sie Max' Anwesenheit dicht hinter sich und hatte Mühe, ihre Sinne nach vorne zu richten.

Es dauerte nicht mehr lange, bis sie auf einer Holzbrücke den Wasserfall querten und schließlich die Ponalestraße erreichten.

Nun setzte sich Hélène wieder an die Spitze der Gruppe.

»Vielleicht kennen einige von Ihnen diese Straße bereits«, sagte sie. »Sie verbindet Riva mit dem Ledrotal und wurde in den 1850er-Jahren gebaut. Besser gesagt, in die steil abfallende Wand der Rocchetta gemeißelt. Entsprechend werden die offenen Wegstrecken immer wieder durch Galerien und Tunnels unterbrochen. Doch wir«, sie zeigte mit der Hand in die seeabgewandte Richtung, »erwandern nun das Ledrotal bis zum Ledrosee. Dort rasten wir. Und wenn Sie Fragen haben und weitere Auskünfte wünschen, sprechen Sie mich bitte an.«

Es ging weiter, zunächst durch eine felsige, baumbestandene Berglandschaft. Sobald sie das Ledrotal erreichten, änderte sich die Szenerie. Obstgärten, Wiesen, Weiden und Wald wechselten sich ab, im Hintergrund erhoben sich majestätisch die Gipfel der Alpen.

Hier war es deutlich kühler als auf Seehöhe, und Hélène hielt an, um eine Wolljacke überzuziehen.

»Ich hätte da einige Fragen«, meinte Max, der ebenfalls stehen geblieben war, »und ich denke nicht, dass die Zeit heute ausreichen wird, um alle zu beantworten.«

»Und ich weiß nicht, ob ich genug Zeit habe, mich Ihren Anliegen in der angedeuteten Ausführlichkeit zu widmen«, erwiderte Hélène. Sie sah sich rasch um, ob irgendjemand zuhörte. Doch die anderen waren bereits weitergegangen.

Max ignorierte ihre Distanziertheit. »Wie heißen Sie?«, fragte er stattdessen.

Hélène schüttelte den Kopf. Dennoch stahl sich ein Lächeln auf ihr Gesicht.

»Sie geben niemals auf«, stellte sie fest.

»Nein«, sagte Max. »Nicht, wenn ein Kampf so lohnenswert ist.«

Schweigend gingen sie weiter. Die Stille ringsumher, die nur vom Geräusch ihrer festen Schritte unterbrochen wurde, das intensive Aroma von Wald, Erde und Kräutern, die wunderbaren Blickfänge an jeder Biegung des Weges sorgten schließlich dafür, dass Hélènes Vorsicht zu bröckeln begann.

»Ich heiße Hélène«, meinte sie unvermittelt.

Max blieb stehen. »Sie sprechen den Namen französisch aus.«

»Ja. Ich bin gebürtige Französin.«

»Hélène und Max«, sagte er sinnend. »Eine schöne Zusammenstellung.«

Hélène lachte. »Wohl eher eine Amour fou.«

»Was soll daran verrückt sein?«

»Ich bitte Sie, Max. Das ist ja wohl offensichtlich!«

»Für mich nicht«, meinte er ernst. »Es ist nicht zu leugnen, Hélène, dass hier etwas geschieht. Und wenn ich mein Interesse ausdrücke, dann nicht leichtfertig.« Er machte eine nachdenkliche Pause. »Nicht in Ihrem Fall«, fügte er dann leise an.

Diese letzte Bemerkung berührte Hélène.

Dass er im Umgang mit Frauen sehr souverän, ja erfolgsverwöhnt war, hatte sie von Anfang an geahnt. Dass er ihr gegenüber die Maskerade des sorglosen Eroberers offenbar fallen ließ, ging ihr auf eigenartige Weise zu Herzen.

Inzwischen waren die anderen Wanderer weit voraus, obwohl Hélène und Max nicht besonders langsam gingen. Doch im Laufe ihrer Unterhaltung waren sie immer wieder stehen geblieben und hatten so, ohne es zu merken, eine gewisse Distanz zu den anderen geschaffen. Als nächsten Treffpunkt hatte Hélène den Ort Molina di Ledro angegeben, bis dahin war jedem überlassen, in welchem Tempo er die Strecke zurücklegen wollte.

»Was sagt das Alter über einen Menschen aus?«, fragte Max provokant.

»Alles«, erwiderte Hélène. »Und nichts.«

»Genau. Wüssten wir unseren Geburtstag nicht, so wie es in früheren Jahrhunderten in den meisten Bevölkerungsschichten gang und gäbe war, stünden manche Dinge schlicht nicht zur Debatte.«

»Dennoch ist es ein Unterschied, ob es sich um ein Jahr handelt oder um zehn.«

»Sie schätzen mich demnach auf fünfundzwanzig.«

»In diesem Fall auf neunundzwanzig.«

Max grinste breit. »Dann trennen uns elf Jahre.«

Hélène atmete scharf ein. »Dann sind es wohl elf. In jedem Fall einige zu viel.«

»Nein. Kein einziges zu viel. Jedes dieser Jahre hat Sie zu dem gemacht, was Sie sind.« Im Gehen war Max ihr immer näher gekommen, so nah, dass ihre Hände sich immer wieder berührten. Schließlich umfasste er ihre Hand fest mit der seinen, sah sie an und lächelte. Und Hélène fühlte sich auf einmal völlig unbeschwert, ganz so wie als Kind, wenn sie mit den besten Freundinnen an Sommertagen über die Wiese hinter ihrem Elternhaus gerannt war.

Im Wirtshaus von Molina trafen sie wieder auf den Rest der Gruppe. Noch bis sie den Ort erreichten, hatte Max ihre Hand gehalten und sie dann mit spürbarem Bedauern losgelassen. Bei aller Zärtlichkeit, die zwischen ihnen aufgekommen war, achtete er darauf, ihren Ruf nicht in Gefahr zu bringen.

Hélène und Max setzten sich zwanglos an den langen Holztisch mit der rot-weiß karierten Tischdecke. Wein und Bier waren eingeschenkt, Brot, Butter, Käse und Wurst aufgetischt. Bald waren sie wieder ein Teil der munteren Runde, deren Gespräche sich um die Vorzüge einer späten Reisesaison drehten. Dann wurde es Zeit weiterzugehen.

Von Molina aus war es nicht mehr weit bis zum östlichen Uferbereich des Ledrosees.

»Hier haben wir ein weiteres Ziel unseres heutigen Ausflugs erreicht«, konstatierte Hélène. »Dieser See, der sechshundert Meter über dem Gardasee liegt, war bis zum Bau der Straße, auf der wir hergekommen sind, weitgehend von der Umgebung abgeschlossen.« Sie straffte sich ein wenig. »Wir begeben uns nun auf den Rückweg, der uns über die Ledrostraße zurück nach Riva bringen wird. Wir nehmen also nicht mehr den Weg übers Wasser.«

»Na, dann bin ich ja froh«, scherzte einer der Herren. »Es fällt mir immer schwer, in Wanderschuhen übers Wasser zu laufen!«

Unter freundlichem Gelächter machten sie sich auf den Rückweg, bogen vor dem Abstieg zum Ponalefall nach links ab und folgten der Ponalestraße nach Riva.

»Das Wasser dieses Sees war von einem wunderschönen Dunkelblau«, sagte Max zu Hélène, als sie in ihren Wanderrhythmus zurückgefunden hatten.

»Ja, und so klar«, antwortete Hélène. »Ich habe ihn schon einige Male gemalt.«

»Sie malen?«

»Die Malerei ist meine große Leidenschaft. Jetzt im Winter möchte ich einige Motive bearbeiten, die ich in den letzten Wochen skizziert habe.«

»Wie kamen Sie dazu?«

»Zum Malen? Ich habe einige Monate im Sanatorium von Dr. von Hartungen verbracht. Vielleicht haben Sie schon davon gehört.«

»Ich denke, jeder, der nach Riva reist, weiß von diesem Haus«, meinte Max. »In meinem Fall allerdings nicht allzu viel. Es soll für Nervenleiden angeraten sein, nicht wahr?«

»Ja. Auf jeden Fall habe ich dort angefangen zu malen. Und nun kann ich nicht mehr damit aufhören.« Hélène drehte sich zur Seeseite hin. »Ist das nicht ein unglaublicher Blick, Max? Dort drüben sehen Sie die Gipfelkette des Monte Baldo und das Ostufer von Torbole bis nach Malcesine. Noch ein paar Schritte weiter, dann sehen wir noch besser ins Sarcatal hinein …«

Sie schaute zu ihm hin und sah, dass sein Blick nur ihr galt, und nicht der Landschaft. In seinen Augen lag eine Tiefe, die sie sehr bewegte.

»Max …«

Er kam ganz nah und legte seine Hand an ihren Hinterkopf. Dann neigte er den Kopf und berührte ihre Lippen mit den seinen. Für einen kurzen Moment zog er sie an sich, ließ seinen Mund ihre Wange entlangwandern, bis er die empfindliche Stelle hinter ihrem Ohr erreicht hatte. Dann löste er sich langsam wieder von ihr.

Hélène stand einen Augenblick regungslos, wusste kaum, wie ihr geschah, während sich in ihrem Inneren ungewohnte Gefühle überschlugen.

Schweigend setzten sie schließlich ihren Weg fort und kamen weit hinter dem Rest der Gruppe in Riva an.

Hélène bedauerte, dass sich der Tag nun neigte, gerne wäre sie noch eine Weile mit Max allein geblieben. Eine Regung, die sie bisher allenfalls als Fantasie kannte, wenn sie einen Roman gelesen hatte.

Dennoch verabschiedete sie sich freundlich von allen. Am Schluss trat noch der Herr zu ihr, der auf der Fahrt im Ruderboot am Morgen bei ihnen gewesen war.

»Vielen Dank für diesen wunderbaren Ausflug, Frau Rothmann. Ich werde Sie weiterempfehlen. Einen guten Abend noch.«

Hélène freute das Lob, doch sie merkte, dass Max neben ihr sich plötzlich versteifte. Hatte ihn diese harmlose Bemerkung irritiert? Als sie kurz darauf zu zweit über die Piazza Benacense schlenderten, schien er jedoch wieder ganz gelöst. Gewiss hatte sie sich seine Reaktion nur eingebildet. Dieser Tag war verwirrend genug gewesen.

28. KAPITEL

»Ein sehr schönes Stück, gnädiges Fräulein. Hochkarätiges Gelbgold, mit einem mitternachtsblauen Saphir, entouriert von einem Kranz aus vierzehn Diamanten in Einzelfassungen aus Platin.« Der Pfandleiher besah sich Judiths Ring respektvoll von allen Seiten und prüfte insbesondere die funkelnden Steine. »Die Schultern sind mit weiteren Diamanten besetzt, auf jeder Seite drei.« Er ließ seine Lupe sinken. »Ich würde den Wert dieses Ringes auf etwa 450 Mark schätzen. Alle Steine sind exakt geschliffen, der Saphir dürfte 1,30 Karat haben.« Er legte Judiths Verlobungsring zurück in die Streichholzschachtel, in der sie ihn hergebracht hatte.

»Ich danke Ihnen«, sagte Judith, schob die Schachtel zusammen und steckte sie in ihre Handtasche zurück. »Sie haben mir wirklich weitergeholfen.« 450 Mark! Das war eine hübsche Summe, mit der sie einiges anfangen könnte.

»Jederzeit gerne. Ich wünsche Ihnen einen schönen Tag.«

Als Judith die Städtische Verleihanstalt verließ und auf die Straße trat, hatte leichter Schneefall eingesetzt.

Sie zog den Mantel enger um sich und spannte ihren Schirm auf. Der Winter kam früh in diesem Jahr, schon seit einigen Tagen war es richtig kalt.

Zügig machte sie sich auf den Weg in die Calwer Straße. Häuser, Straßen, Bäume und auch der Gehweg vor ihr waren mit einer feinen Decke aus frisch gefallenem Schnee überzuckert. Sie empfand ein fast trotziges Vergnügen daran, diese idyllische Perfektion zu zerstören, indem sie festen Schrittes darüber hinwegging, die Abdrücke ihrer Schuhe als Spuren hinterließ und die locker liegenden Flocken mit dem Saum ihrer Kleidung aufwirbelte.

Genau so fühlte sich ihr Leben an.

Seit jener Ballnacht Ende September und den nachfolgenden Ereignissen war sie nicht mehr dieselbe. Vieles, was bis vor Kurzem Bedeutung besessen hatte, hübsche Kleidung, Hüte, Schmuck und anderer Tand, war in den Hintergrund getreten. Stattdessen drehten sich ihre Gedanken um eine Zukunft, über die sich zäher Nebel gelegt hatte, genau wie über ihr Gemüt.

Sie lief die Königstraße hinauf, über den Schlossplatz und am Prinzenbau vorbei. An der Hofbank bog sie rechts ab in die Büchsenstraße, nur zwei Straßenecken weiter erreichte sie die Schokoladenfabrik.

Wie gewohnt ging sie durch den gut besuchten Laden, wohl wissend, dass die Verkäuferinnen sich ärgerten, wenn sie den dreckigen Schneematsch hereinschleppte, und inspizierte routiniert die Auslagen – doch so richtig bei der Sache war sie dabei in letzter Zeit nicht mehr.

Irgendwer musste ihrem Vater von ihrer Unpässlichkeit erzählt haben, vermutlich eine der Angestellten. Denn obwohl er sie nie auf ihren Ohnmachtsanfall im Ladengeschäft angesprochen hatte, ging er vorsichtig mit ihr um, ließ sie so lange in der Fabrik bleiben, wie es sich mit ihren Pflichten für Haus und Brüder vertrug, und hatte zudem von weiteren Aufforderungen, irgendwelche Entschuldigungsschreiben an Albrecht oder seine Eltern zu verfassen, abgesehen.

Judith war ihm dankbar dafür, wenngleich die Situation eher der Ruhe vor dem Sturm glich. Denn ihr Vater gab sich niemals schnell geschlagen.

Deshalb wusste sie nicht, wie es weitergehen würde. Sein hoffnungsvoller Blick, wenn sie um Erlaubnis bat, ihre Freundin Dorothea von Braun zu besuchen, war beredt. Er hielt sie wohl einfach für starrsinnig und ging davon aus, dass sie sich seinen Plänen fügen würde, sobald die Vernunft ihre kindliche Attitüde genügend gemildert hätte. Judith beließ es dabei. Die wahren Kämpfe würden erst noch kommen.

Wenn sie bei den von Brauns dann zufällig Albrecht über den Weg lief, was ihr Vater hoffte und Dorothea glücklicherweise meist zu verhindern wusste, spürte sie deutlich, wie gekränkt er noch immer war. Ab und zu unternahm der Bankierssohn einen halbherzigen Versuch, auf ihre Verlobung anzuspielen, und riskierte damit stets eine abweisende Antwort. Sie konnte es nicht ändern.

Judith stieg die Treppen zu ihrem Versuchsraum hinauf

und zog sich um. Glückliche Momente gab es für sie eigentlich nur hier, umgeben von all den erlesenen und außergewöhnlichen Zutaten für ihre Kreationen. Heute versuchte sie sich wieder an automatentauglichen Schokoladentäfelchen, wollte etwas entwickeln, das sich von der üblichen Automatenware abhob. Eine alles andere als einfache Aufgabe, denn um längere Zeit und bei unterschiedlichen Temperaturen in den Automaten zu liegen, durften sie nicht zu weich und hitzeempfindlich sein.

Gemeinsam mit Victor hatte sie eigens dafür Formteile mit passgenauen Vertiefungen entworfen, die gestern fertig geworden waren. Sie freute sich darauf, sie auszuprobieren, und bemerkte dankbar, dass Victor bereits hier gewesen sein musste, denn einige Zutaten, die sie während der letzten Tage erwähnt hatte, waren sorgfältig auf ihrem Arbeitstisch angeordnet. Auch die Kohle im Herd hatte er nachgelegt.

Seine Fürsorge rührte sie genauso wie seine Anerkennung.

Als kurze Zeit später die Überzugsschokolade in einem Topf vor sich hin simmerte, überprüfte Judith die Formen. Sie mussten ganz sauber sein, sonst würde man später jedes Kalkfleckchen und jedes Staubkorn auf dem fertigen Produkt sehen. Mit einer Schöpfkelle goss sie anschließend Schokolade in die Hohlkörper, klopfte die entstandenen Luftblasen aus und drehte die Formen nacheinander um, damit die überschüssige Schokolade ablaufen konnte. Sie wartete einige Minuten, streifte die entstandenen Ränder mit einem Spatel ab und schlüpfte hinüber in die Dekorationsabteilung, um ihre Rohlinge für kurze Zeit in den Eiskasten zu legen. Dabei fiel ihr ein großes Kunstwerk auf, an welchem zwei Mädchen gerade letzte Hand anlegten: Das Bankhaus von Braun aus Zucker und Schokolade.

Bei diesem Anblick wurde ihr mulmig, doch handwerklich war die Arbeit großartig.

Naturgetreu waren die Einzelheiten des erst wenige Jahre alten Baus nachempfunden, die symmetrisch angelegte Fassade und die Struktur der Mauern, die schmalen, hohen Fenster mit den darüber gesetzten Dreiecksgiebeln, der Portikus mit den schlanken Säulen vor dem Eingangsbereich.

Weshalb aber hatten die von Brauns dieses Stück in Auftrag gegeben?

Darüber nachgrübelnd, ging sie zurück in ihren Raum.

»Guten Morgen, Fräulein Rothmann!«

Als sie Victors Stimme hörte, machte Judiths Herz einen Satz.

»Guten Morgen, Herr Rheinberger«, sagte sie lächelnd, und wie so oft in letzter Zeit verfingen sich ihre Blicke in empfindsamer Vertrautheit. Mit jedem Mal, da sie Victor begegnete, bekam die Welt ein Stück ihrer Farbe zurück.

»Kommen Sie voran mit unseren Tafeln?«, fragte Victor, und Judith freute sich darüber, dass er von ihrer beider Tafeln sprach.

»Ich habe einige Ideen und probiere sie nacheinander aus.« Judith deutete auf ihren Arbeitsplatz. »Vor allem die gefüllten Varianten.«

»Haben Sie heute nichts zu naschen für mich?«

»Noch nicht. Aber später gewiss.«

»Das werde ich mir merken«, versicherte Viktor grinsend.

»Das möchte ich hoffen.«

»Da fällt mir ein: Hätten Sie heute Nachmittag einen Moment Zeit, Fräulein Rothmann? Ich würde Ihnen gerne etwas zeigen. Allerdings müssten wir für etwa eine Stunde die Fabrik verlassen. Ich weiß, dieses Ansinnen mag unangemessen erscheinen …«

»Ich komme sehr gerne mit!«, unterbrach Judith ihn. »Worum geht es?«

»Wirklich? Ich möchte nicht, dass Sie meinetwegen Schwierigkeiten bekommen.«

»Ich … Nein, das ist meine Entscheidung«, entgegnete Judith, eine Spur forscher, als sie sich tatsächlich fühlte. Schnell beschloss sie, Theo zu suchen und nach Degerloch zu schicken, um Dora zu holen. Dann wären sie nicht allein unterwegs und täten der Schicklichkeit Genüge.

»Ich möchte Ihnen gerne den Schokoladenautomaten zeigen«, erklärte Victor. »Wenn Sie ihn erst einmal gesehen haben, vielmehr die Entwicklungsstufe, in der er sich jetzt befindet, dann ist es für Sie einfacher, an den Tafeln zu arbeiten. Außerdem«, fügte er an, »haben Sie sicher noch einige gute Ideen dazu. Und die möchte ich mir nicht entgehen lassen.«

»Wenn Sie Wert auf meine Meinung legen«, antwortete sie geschmeichelt, und ihre Stimme vibrierte in leiser Aufregung. »Dann freue ich mich sehr, wenn Sie mir diesen Apparat zeigen.«

»Ich lege sogar großen Wert darauf, Fräulein Rothmann.«

Sein Blick hielt den ihren fest. Eine Weile sah er sie nur an, und Judith fühlte, wie der unsichtbare Kokon, der sich seit Tagen, ja schon seit Wochen um sie beide wob, stärker wurde. Eine schützende, seidige Hülle um einen Platz, der nur ihnen beiden zugänglich war.

Er kam einen Schritt näher, und Judiths Magen zog sich leicht zusammen.

Sie fühlte seine Hand auf der ihren. Ganz zart streichelte sein Daumen über ihre Haut, berührte jeden einzelnen Finger. Schließlich zog er sie an sich und berührte mit den Lippen vorsichtig ihre Stirn.

Sie schloss die Augen und genoss seine Nähe, sog seinen Geruch ein. Er tat ihr so gut.

Sie wusste, dass er sie sehr gern hatte, aber ihr fiel es noch schwer, mit den vielen widerstreitenden Gefühlen in ihrem Inneren umzugehen. Sie versuchte wohl, so wenig wie möglich an Max zu denken, und meistens gelang ihr das ganz gut, dennoch waren die Wunden nicht verheilt. Er war aus ihrem Leben verschwunden, aber Schmerz und Scham nach wie vor präsent. Sie wünschte, die Stunden im Musikzimmer wären nie passiert, doch das änderte nichts an den Tatsachen.

Deshalb genoss sie vor allem diesen inneren Gleichklang mit Victor, ein ursprüngliches Verstehen, das den Umgang mit ihm so leicht und anregend machte. Ohne dass sie darüber nachdachte, was werden würde. Ohne dass er irgendetwas von ihr erwartete.

Noch wusste sie sehr wenig über ihn, seine Herkunft, seine Vergangenheit. Er lebte bei Edgar Nold, schien also kaum über eigene Mittel zu verfügen. Und auch wenn er in der Schokoladenfabrik inzwischen eine verantwortungsvolle Stelle innehatte, so wäre dies vorbei, sobald ihr Vater auch nur ahnte, dass er seine Tochter umwarb.

Mit einem leisen Seufzen entzog sie ihm ihre Hand. Nicht abrupt, sondern sehr vorsichtig, doch sie sah den Funken Enttäuschung in seinen Augen. Gleichzeitig wusste sie, dass er sie verstand, letzten Endes vielleicht ähnliche Gedanken hatte.

Außerdem gab es einige Dinge in ihrem Leben, die sie lösen musste. Noch war sie abhängig von den Entscheidungen ihres übermächtigen Vaters. Und ob Victor ihr noch zugetan war, wenn er erst einmal alles über sie wusste, stand in den Sternen. Dazu kannte sie ihn viel zu wenig.

Victor straffte die Schultern und räusperte sich. »Nun denn«, meinte er und seine Stimme klang belegt. »Denken Sie an unseren Ausflug, Fräulein Rothmann? Gegen drei Uhr heute Nachmittag. Und vergessen Sie nicht mein Versucherle.«

Er verließ den Raum und Judith musste über den schwäbischen Ausdruck lächeln, den er verwendet hatte, obwohl er eigentlich gar kein Schwäbisch sprach. Natürlich würde sie ihm ein Versucherle mitbringen.

Theo hatte Dora in Degerloch abgeholt und in die Calwer Straße gebracht. Seither wartete Judith ungeduldig vor dem Eingangstor darauf, dass Victor erschien. Die Turmuhren hatten bereits drei geschlagen, und Unpünktlichkeit war eigentlich keine von Victors Eigenschaften.

»Vielleicht ist ihm noch etwas dazwischengekommen«, mutmaßte Dora und spannte ihren Schirm auf, weil es wieder zu schneien begann.

»Vermutlich.«

Ganz bestimmt war es so, aber Judith spürte trotzdem eine ungewohnte Unruhe. Dieses Gefühl kannte sie aus Kindertagen, von den Vorabenden ihres Geburtstags oder Weihnachten. Und ihr dämmerte, dass es sich bei dem, was sie für Victor Rheinberger empfand, um mehr handelte als nur eine zärtliche Neigung.

Mit einer Viertelstunde Verspätung eilte er auf das Fabriktor zu.

»Entschuldigen Sie bitte«, sagte er gleich, und Judith merkte, dass es ihn dauerte, zu spät zu kommen. »Ich war schon fast zur Tür hinaus, als eine der Röstmaschinen ausfiel. Ärgerlich.«

»Jetzt sind Sie ja da«, meinte Judith und legte ihm aufmunternd die Hand auf den Arm. »Wir haben uns schon gedacht, dass irgendetwas Wichtiges Sie aufgehalten hat.«

Dora schmunzelte.

»Ich bin schon überaus gespannt auf Ihren Automaten!«, redete Judith weiter und merkte selbst, dass sie eine Spur zu überschwänglich klang. »Wer weiß, vielleicht erobern Sie damit ja auch Amerika!«

Victor lachte. »Das wäre ein Traum, aber davon bin ich noch weit entfernt. Trotzdem danke, dass Sie mir das zutrauen, Fräulein Rothmann.«

»Sie trauen mir ja auch viel zu«, entgegnete Judith leise.

Sie machten sich auf den Weg.

»Funktioniert die Röstmaschine denn wieder?«, nahm Judith den Gesprächsfaden auf, als sie am alten Postplatz vorbeigingen und in die Marienstraße einbogen.

»Ja, vorerst konnte ich sie wieder in Gang bringen«, erwiderte Victor. »Aber es ist nur eine Frage der Zeit, bis irgendwo in dieser Fabrik die nächste größere Panne passiert.«

Judith hörte den resignierten Unterton in seiner Stimme. »Sind Sie nicht zufrieden mit Ihrer Arbeit bei uns?«, hakte sie vorsichtig nach.

»Oh doch, sehr sogar«, versicherte Victor. »Es ist nur so, dass viele der Maschinen einfach nicht mehr dem neuesten Stand der Technik entsprechen. Es ist unverständlich, warum sie nicht ersetzt werden. Das wäre nicht nur für die Belegschaft eine Erleichterung, sondern wichtig für die Zukunft der ganzen Firma.«

Judith kam es vor, als hielte er ein Plädoyer. »Wollen Sie damit andeuten, dass unsere Maschinen veraltet sind?«, fragte sie pikiert. »Ich meine, wirklich alle?«, fügte sie rasch an, um ihre Worte abzumildern.

»So ist es. Leider.«

Victor hatte die Hände tief in seinen Jackentaschen vergraben und hielt die Arme eng am Körper. Ihm schien kalt zu sein und in Judith erwachte sofort eine fürsorgliche Regung. Am liebsten hätte sie sich bei ihm eingehakt und sich wärmend an ihn gekuschelt, aber das war nicht möglich. Wofür sie jedoch sorgen könnte, wären eine warme Jacke und ein Paar Fellhandschuhe. Darum würde sie sich gleich morgen kümmern.

Victor schwieg, und auch Judith erwähnte das Thema der ausgedienten Maschinen nicht mehr. »Ist es noch weit?«, fragte sie stattdessen.

»Nein, wir sind gleich da.«

Judith drehte sich zu Dora um, die einige Schritte hinter ihnen ging. Als diese Judiths Blick auffing, überzog ein bedeutungsvolles Lächeln ihr Gesicht. Die Zofe schien zu ahnen, was zwischen ihr und Victor geschah.

Sie querten den Tübinger Platz und erreichten die Hauptstätter Straße.

»So, hier ist es«, meinte Victor schließlich.

Er öffnete die Tür. Kurz darauf standen sie in einer warmen Werkstatt. Judith klappte ihren Regenschirm zu und gab ihn Dora.

Dann sah sie sich um.

Der Raum war furchtbar unordentlich. Holzbretter, Eisenplatten, Stangen in verschiedenen Größen und weitere Einzelteile aus Materialien aller Art türmten sich zu mehreren Haufen. Dazwischen standen Kisten mit Glasplatten, Metallfedern, Schaltern und Knöpfen, Kabeln und vielen anderen Dingen, von denen sie nicht einmal die Bezeichnung kannte.

»Das ist Alois Eberle.« Victor deutete auf einen älteren Herrn, der an einem großen Automaten herumhantierte.

Sie grüßte höflich, aber der Mechaniker deutete lediglich eine knappe Verbeugung an.

»Wie geht es voran?«, fragte Victor.

»Wir haben den Mechanismus verbessert«, verkündete

Eberle und drehte den Automaten ein wenig, damit das technische Innenleben auf der geöffneten Rückseite besser zu sehen war.

Judith spürte, wie Dora kurz ihren Arm drückte und sich dann auf einen ramponierten Stuhl setzte, der in der Nähe stand.

In diesem Augenblick betrat Edgar Nold den Raum, in der Hand einige Pinsel und einen Farbtiegel. Er hatte sich laut Victor mitsamt seinem Brennofen bei Alois Eberle einquartiert und kam im Grunde nur noch zum Schlafen in deren gemeinsame Wohnung in die Silberburgstraße. Inzwischen stellte er Emaille-Arbeiten aller Art her, und der Verkauf brummte.

Als Edgar sah, dass Victor Besuch mitgebracht hatte, stellte er seine Utensilien ab, gesellte sich zu ihnen und klopfte ihm freundschaftlich auf die Schulter. Wer weiß, schoss es Judith in diesem Moment durch den Kopf, vielleicht kennt Victor Rheinberger auch Max Ebinger? Wundern würde es sie nicht, denn schließlich gehörte der Maler zu Max' engerem Freundeskreis.

Sie verscheuchte den Gedanken und konzentrierte sich auf das, was die Männer besprachen.

»Können wir die Größe variieren?«, wollte Victor wissen, und Alois Eberle nickte. »Innerhalb eines gewissen Rahmens, ja. Aber ich wollte eh vorschlagen, zwei Basismodelle anzufertigen, ein größeres und ein kleineres. Es gibt einfach Bereiche, die für große Automaten keinen Platz haben.«

»Daran hatte ich auch schon gedacht«, meinte Edgar.

»Das machen wir auf jeden Fall. Wenn wir das erste Modell fertig haben«, entschied Victor. »Sehen Sie, Fräulein Rothmann«, fuhr er dann fort, sichtlich bemüht, sie einzubeziehen. »Dieser Prototyp ist etwas breiter als die üblichen Apparate.«

Judith hatte herzlich wenig Ahnung von Mechanik, ließ sich aber interessiert von Victor die einzelnen Abläufe erklären. Als er geendet hatte und sie mit einem stolzen Grinsen ansah, war ihr Wissen zwar noch immer begrenzt, aber sein Zutrauen freute sie unbändig.

»Wie lange wird es noch dauern, bis dieser Automat fertig ist?«, fragte sie. »Im Grunde nicht mehr lange«, antwortete er. »Die Erfindung ist ja nicht grundsätzlich neu. Es geht eher darum, welche Besonderheiten unsere Automaten ausmachen werden und wie wir diese umsetzen können, wenn größere Stückzahlen hergestellt werden sollen.«

»Dafür denken wir an die Kooperation mit einer Maschinenfabrik, vielleicht Ebinger«, warf Edgar ein, und Judith sah ihre Befürchtungen bestätigt.

Es war undenkbar, dass der alte Ebinger zusammen mit der Schokoladenfabrik Rothmann einen Schokoladenautomaten entwickelte. Sie musste Victor unbedingt auf die gegenseitige Abneigung der beiden Fabrikanten hinweisen. Oder war ihr vielleicht eine Annäherung zwischen ihnen entgangen? Immerhin hatte der alte Ebinger zugelassen, dass ihr Vater in seinem Haus ihre Verlobung verkündete. Aber, wie Max richtigerweise festgestellt hatte: Für ein gutes Verhältnis zu Stuttgarts bedeutendem Bankier taten die

Herren alles, auch wenn sie dazu ihre Sturheit überwinden mussten.

Sie betrachtete noch einmal den großen Apparat.

»Was halten Sie von einem Kartenspiel?«, fragte sie dann unvermittelt.

»Sie wollen Karten spielen? Jetzt sofort?« Victor war amüsiert.

Edgar Nold sah auf, Alois Eberle schüttelte leicht den Kopf. Dass dieser sie nicht richtig ernst nahm, war deutlich zu spüren.

»Eigentlich dachte ich an ein Kartenspiel aus Schokolade für den Automaten«, erläuterte sie ihre spontane Idee und legte Nachdruck in ihre Stimme.

Victor grinste. »Das ist kein schlechter Gedanke. Da könnte man etwas daraus machen. Sie kennen sicher die Sammelbildchen, die Stollwerck seinen Automatentafeln beilegt?«

»Ja, natürlich. Meine Brüder sammeln sie auch, in diesen Alben, die Stollwerck extra dafür herausgibt.«

»Wir legen Spielkarten als Sammelkarten bei.«

»Genau! So bekommt man bei regelmäßigem Kauf ein ganzes Kartenspiel zusammen. Und, sagen wir, in jeder zwanzigsten Tafel ist ein Joker. Den schickt man an die Schokoladenfabrik Rothmann in Stuttgart und erhält dafür ein Geschenk.« Judith war in ihrem Element, und Victors Achtung wuchs.

»Am besten, ihr verschenkt dann eine Schokoladentafel!«, meinte Edgar, und Judith musste lachen.

Victor schmunzelte. Alois Eberle dagegen war zu seiner

Werkbank gegangen und schien ihrer Unterhaltung nicht mehr zu folgen.

»Aber«, überlegte Judith weiter, »allein ein Kartenspiel wird nicht ausreichen. Wenn ich an Karl und Anton denke, dann würden die beiden sicherlich ihr ganzes Geld in einen Automaten stecken, der irgendetwas ganz Besonderes macht. Die Schokolade ist dann gar nicht mehr so wichtig.«

»Stimmt. Vielleicht könnte eine kleine Eisenbahn für eine Minute umherfahren«, schlug Edgar vor. »Und auf den Waggons werden Schokoladentafeln transportiert.«

»Oder ein Glockenspiel erklingt«, sagte Judith.

»Geräusche sind immer spannend«, bestätigte Victor. »Was hieltet ihr davon«, fuhr er fort, »wenn eine Märchenfigur die Schokolade ins Ausgabefach fallen lässt? Beispielsweise Frau Holle, die ihre Betten schüttelt. Oder die Hexe aus Hänsel und Gretel, die die Kinder anlockt.«

»Huch, wie schauderhaft«, bemerkte Judith.

»Man könnte den Automaten auch eine ganz andere Form geben«, regte Edgar an.

»Auch eine gute Möglichkeit. Wie wäre es mit einer Kuh?«, spann Judith den Faden weiter.

»Warum eine Kuh?«, wollte Edgar wissen.

»Wegen des Milchpulvers. Milchschokolade ist gerade sehr begehrt.«

»Das passt sehr gut«, meinte Victor. »Also eine Kuh.«

»Ich male sie dann naturgetreu an«, bot Edgar an.

»Nein, nicht originalgetreu. Sondern als eine richtige Rothmann-Kuh in Rosa und Braun!«, protestierte Judith.

»Oder wir nehmen ein exotisches Tier, beispielsweise einen Elefanten«, warf Victor ein. »Der lässt sich auch gut nachbauen. Stellt euch vor: Der Rothmann'sche Schokoladenelefant in den Farben der Firma.«

»Also ich finde die Idee mit dem Elefanten auch sehr gut«, erklärte Judith und dachte an Nills Tiergarten. »Eigentlich noch besser als eine Kuh. Ein Elefant fällt wirklich auf!«

»Gut, dann mache ich mal ein kleines Modell aus Holz«, sagte Edgar.

»Tu das«, entgegnete Victor und wandte sich an Judith: »Daraus könnte etwas Großes werden, Fräulein Rothmann. Meinen Sie, Ihr Vater wäre bereit, in diese Ideen zu investieren?«

»Wir brauchen Geld, meinen Sie?«

»Ja. Für das, was wir vorhaben, braucht man einiges an Geld. Die ersten Automaten müssen wir auf eigene Kosten bauen lassen. Wenn wir zudem hinter dem Glas vielleicht ein kleines Spiel ablaufen lassen wollen, wird es noch aufwendiger. Außerdem braucht man eine Anlage zur Herstellung der passenden Schokoladentäfelchen. Interessant wäre es tatsächlich, Sammelbilder anzubieten, mit anderen exotischen Tieren und den Ländern, aus denen sie stammen. All das ist teuer. Aber wenn man den Verkauf richtig organisiert, kommt man schnell in einen Bereich, der mehr Geld einbringt, als man zuvor ausgegeben hat.«

»Und die Automaten werden dann verkauft?«, fragte Judith.

»Ja. Laden- oder Wirtshausbesitzer erwerben die Automaten und bestellen die Schokoladentafeln bei uns nach. Sie verdienen dann am Verkauf mit. Und haben eine Attraktion, die Kundschaft anlockt.«

»Ich werde meinen Vater fragen. Allerdings hält er sein Geld stets gut unter Verschluss.«

»Ihr Vater ist ein Geschäftsmann. Wenn wir ihn davon überzeugen können, dass es sich finanziell lohnt, denkt er vielleicht anders«, argumentierte Victor, wurde dann aber nachdenklich. »Allerdings stellt sich die Frage, ob er überhaupt genügend Mittel hätte.« Dieser Nachsatz schien ihm ungewollt herausgerutscht zu sein, denn er biss sich auf die Lippen.

Judith beschloss, ihn bei nächster Gelegenheit auf dieses Thema anzusprechen. Konnte es sein, dass ihr Vater wirklich in Geldschwierigkeiten steckte? An eine solche Möglichkeit hätte sie nicht im Entferntesten gedacht.

»Nun denn«, setzte Victor nach, das Thema Finanzierung fallen lassend. »Ich denke, unsere kleine Zusammenkunft hier war überaus erfolgreich. Jeder von uns widmet sich jetzt am besten seinen Aufgaben, und in einer Woche legen wir die weitere Vorgehensweise fest. Kann ich auf Sie zählen, Herr Eberle?«

Alois Eberle brummte etwas, das man mit einigem guten Willen als Zustimmung werten konnte, und Victor schien zufrieden.

Sie verabschiedeten sich von Alois Eberle und Edgar und machten sich mit Dora auf den Rückweg. Als sie das Fabriktor der Rothmanns erreichten, stand Theo bereits abfahrbereit am Straßenrand. Dora eilte erleichtert voraus, wechselte ein paar Worte mit ihm und setzte sich in die Kutsche. Es schneite noch immer.

Victor sah Judith an.

Sein intensiver Blick stöberte die Schmetterlinge in ihrem Inneren auf, und Judith spürte sie vergnügt tanzen, so wie die dicken Schneeflocken, die der Himmel in Scharen zur Erde schickte.

Bevor sie sich zum Gehen wandte, zog Judith ein kleines Papiertütchen aus ihrer Handtasche. »Ich habe noch etwas für Sie.« Mit einem neckenden Lächeln reichte sie es Victor. »Ihr Versucherle!«

Dann drehte sie sich um, lief zur Kutsche und stieg ein.

29. KAPITEL

Im Bankhaus von Braun

»Ich versichere Ihnen, meine Tochter wird Ihrem Sohn eine ausgezeichnete Gattin werden. Sie ist nur noch etwas jung.«

»Sie ist einundzwanzig Jahre alt, Herr Rothmann. Da sollte man sich zu benehmen wissen. Und zu beherrschen.«

Wilhelm Rothmann beobachtete den Bankier von Braun genau, der, einem Fürsten gleich hinter seinem ausladenden Schreibtisch thronend, eine Trumpfkarte nach der anderen ausspielte. Auch wenn Rothmann sich eingestehen musste, dass er es nicht anders gehandhabt hätte, wäre er nicht in der Situation des Bittstellers, musste er seine ganze Selbstbeherrschung aufbieten, um die notwendige Fassade souveräner Höflichkeit aufrechtzuerhalten. Schon seit Wochen machte er einen Bückling nach dem anderen, um Judiths Fauxpas auszumerzen.

»Sie wird diesen Schliff noch bekommen. Es mag zum Verständnis ihrer Reaktion beitragen, dass die Mutter seit Monaten abwesend ist und ihr daher der ruhige, weibliche Einfluss fehlt.«

»Das mag sein. Doch es erklärt keineswegs, warum sie meinen Sohn derart bloßgestellt hat.«

»Gewiss, das ist unverzeihlich. Das habe ich ihr bereits unmissverständlich klargemacht. Es wird an Ihrem Sohn sein, dieses Verhalten entsprechend zu ahnden, sobald sie in seiner Obhut ist.«

»Das wird er hoffentlich tun. Sonst tanzt sie ihm sein ganzes Leben auf der Nase herum.«

Wilhelm Rothmann musste ein Lachen unterdrücken, obwohl ihm keineswegs fröhlich zumute war. Aber die Vorstellung, was Albrecht mit Judith an seiner Seite womöglich blühte, erheiterte ihn.

»Und die Sache mit der Mutter, Ihrer werten Gattin, Herr Rothmann«, fuhr von Braun gnadenlos fort. »Auch diesbezüglich drücke ich an dieser Stelle meine Bedenken aus. Was, wenn Ihre Tochter ähnliche Attitüden zeigt?«

Diese Bemerkung wiederum versetzte Wilhelm Rothmann einen ernsten Stich.

Hélène war sein wunder Punkt. Sie brachte sein Selbstverständnis seit jeher ins Wanken. Zu Anfang, weil er ihr richtiggehend ergeben war, dann aber feststellen musste, dass eine Heirat zwar Fakten schaffte, aber keine Liebe. Und heutzutage, weil sie sich ihrer eigenen Familie vollkommen entzogen hatte und lieber im Sanatorium lebte als bei ihm. Doch er war kein Mann, der sich seinen Gefühlen auslieferte. Nicht umsonst rühmte er sich einer eisernen Disziplin. In allen Dingen.

Vordringlich war derzeit ohnehin seine fatale finanzielle

Lage. Und um diese zu lösen, musste er Judith ihre Hirnge-spinste austreiben. Im Augenblick, da musste er dem Bankier im Stillen zustimmen, verhielt sie sich so unreif wie ein Backfisch.

Der Bankier fixierte ihn durch seine runden, goldenen Augengläser. Wilhelm Rothmann wusste, dass von Braun genauso unbeirrt taktierte wie er selbst, und reckte die Brust, um in diesem Kampf nicht noch mehr in die Defensive zu geraten. Für ihn ging es hier um alles. Und von Braun wusste das. Es war sein Glück, dass dieser Albrecht dumm genug war und nach wie vor darauf bestand, eine Frau zu heiraten, die ihn öffentlich bloßgestellt hatte.

»Judith ist eine sehr patente junge Frau«, hob er nach einer kleinen, kalkulierten Pause an. »Gerade durch die häufige Abwesenheit der Mutter ist ihr schon in jungen Jahren eine große Verantwortung zugewachsen. Sie erzieht ihre Brüder und führt den Haushalt vorbildlich. Daher bringt sie große Erfahrung diesbezüglich mit in die Ehe.«

»Nun gut. Ich sage Ihnen ehrlich: Wäre Albrecht nicht so vernarrt in Ihre Tochter, hätte ich diese Verlobung auf der Stelle gelöst. Aber er lässt in dieser Hinsicht nicht mit sich reden. Also gebe ich dem Ganzen noch eine letzte Chance.«

»Judith wird sie zu nutzen wissen, das versichere ich Ihnen. Sie braucht einfach noch ein wenig Zeit, und darum bitte ich Sie. Einstweilen aber darf ich Ihnen einen ernstgemeinten Gruß von ihr ausrichten und Ihnen ein Präsent überreichen, welches sie eigens für das Bankhaus von Braun entworfen hat.«

Er ging zur Tür und winkte zwei Burschen herein, die ein großes Paket trugen.

»Wo darf es abgestellt werden?«, fragte er den Bankier.

Dieser war sichtlich überrascht und schien nicht so recht zu wissen, was er von der Sache halten sollte. Nachlässig deutete er auf einen Tisch an der Seite.

Wilhelm Rothmann wies die beiden Jungen an, das Gebilde abzusetzen, scheuchte sie dann hinaus und enthüllte mit einer theatralischen Geste persönlich sein Geschenk.

Dabei beobachtete er die Reaktion des Bankiers genau.

Von Braun bemühte sich zunächst um Gleichgültigkeit, doch Wilhelm Rothmann merkte genau, wie beeindruckt sein Gegenüber war, als dieser sein Bankhaus erkannte, spektakulär und detailgetreu verewigt in Schokolade und Zuckermasse.

»Donnerwetter«, meinte von Braun anerkennend.

Wilhelm Rothmann war hochzufrieden. Dieser Schachzug war gelungen. Der Bankier stand auf, um sich das Kunstwerk näher anzusehen. »Kann man das auch essen?«

»Es ist als Dekorationsstück gedacht und mit Schellack überzogen, damit es einige Jahre ansehnlich bleibt.«

»Es sollte hinter Glas. Ich werde es unten in der Eingangshalle ausstellen.«

»Wählen Sie einen kühlen, schattigen Platz. Den Sommer allerdings überdauert es besser im Keller. Zumindest während der ganz heißen Tage.«

Wilhelm Rothmann kostete noch einen Augenblick das Hochgefühl aus, von Braun aus der Reserve gelockt zu haben, dann zog er einen Brief aus der Innentasche seines Jacketts und übergab ihn an den Bankier.

Dieser sah ihn fragend an.

»Ein persönliches Schreiben meiner Tochter«, verkündete Wilhelm Rothmann mit angemessenem Pathos in der Stimme. »Damit dürften einige Unstimmigkeiten ausgeräumt sein.« In Gedanken sang er ein Loblied auf Margarete. Sie hatte Judiths Handschrift wirklich nahezu perfekt imitiert.

Von Braun nahm den Umschlag, legte ihn auf seinen Schreibtisch und nahm wieder Platz.

»Kommen wir dann zum Geschäftlichen, Herr Rothmann«, meinte er übergangslos, nun wieder ganz der Geldaristokrat. »Sie erhalten von mir einen Kredit über 30 000 Mark, auszahlbar in zwei Tranchen. Die erste Tranche in Höhe von 10 000 Mark fließt zum 30. November, die zweite mit dem Restbetrag zum Tag der Hochzeit zwischen Albrecht und Ihrer Tochter. Zugrunde gelegt wird der zum jeweiligen Auszahlungszeitpunkt übliche Zinssatz. Ich lasse den Vertrag entsprechend aufsetzen.«

»Ich danke Ihnen.« Wilhelm Rothmann fiel ein Stein vom Herzen, doch richtig zufrieden war er nicht. Insgeheim hatte er angesichts der künftigen verwandtschaftlichen Beziehungen auf einen besonders günstigen Zins gehofft. Diesen Gefallen tat von Braun ihm nicht; es war offenkundig, dass er damit Judiths Fehlverhalten sanktionierte. Wilhelm Rothmann wusste nicht, über wen er sich mehr ärgern sollte. Über seinen Bankier oder über seine Tochter.

»Darüber hinaus leiste ich Ihnen 10 000 Mark Soforthilfe«,

fügte von Braun unvermittelt an. »Zinslos. Unter einer Bedingung.«

Wilhelm Rothmann horchte auf. »Und die wäre?«

»Nach Ablauf von drei Jahren, gerechnet vom Tag der Hochzeit am 29. Januar 1904 an, übernehmen Sie Albrecht in die Leitung Ihrer Schokoladenfabrik. Als Ihren Stellvertreter.«

Wilhelm Rothmann war völlig überrumpelt. »Wird Albrecht denn nicht das Bankhaus übernehmen?«

»Nein.«

»Aus welchem Grund?«

»Meine Gründe haben Sie nicht zu interessieren«, erklärte von Braun kühl. »Sagen wir, es dient der engeren Verflechtung unserer Familien.«

»Lassen Sie mir bitte Zeit, darüber nachzudenken. Wir haben heute den 27. Oktober. In zwei Wochen nehme ich zu Ihrem Vorschlag Stellung. Diese Bedingung gilt nicht für die verzinsten Kredite, nehme ich an?«

»Nein.«

»Sie hören von mir. Einen guten Tag.«

»Den wünsche ich Ihnen auch.«

Wilhelm Rothmanns Geduld war am Ende, als er das Bankhaus verließ. Er wies Theo barsch an, ihn direkt zur Schokoladenfabrik zu fahren, denn er wollte umgehend noch einmal eine genaue Aufstellung seiner Schulden vornehmen, um zu sehen, ob er diese »Soforthilfe«, wie von Braun sein Angebot bezeichnet hatte, wirklich benötigte.

Ein zinsloses Darlehen war verlockend, und das wusste der Bankier. Doch dafür zu verlangen, Albrecht von Braun in die Geschäftsleitung zu nehmen, war erpresserisch und nicht Teil der Abmachung gewesen. Eigentlich hatte Wilhelm Rothmann Judith als gut versorgte und zudem zweckdienliche Bankiersgattin gesehen, und über den Mann, den sie deswegen heiraten sollte, nicht weiter nachgedacht. Nun fragte er sich jedoch ernsthaft, weshalb von Braun seinen eigenen Sohn nicht in der Firma haben wollte.

30. KAPITEL

Restauration zur Gardestube in Berlin,
Ende Oktober 1903

Paul Roux besaß ein besonderes Talent: Mit sicherem Instinkt witterte er raffinierte Geschäfte und erfüllte sie anschließend auf seine eigene Art und Weise.

In diesem Sinne hatte er die letzten Wochen damit verbracht, den untreuen Gatten einer recht einflussreichen Berliner Matrone auszuspionieren und die Affäre aufzuklären. Das Ganze endete erfreulicherweise damit, dass nicht nur die Dame ihn für seine Dienste gut bezahlte, sondern der Fremdgänger ebenfalls – für sein Schweigen. So verdiente Roux auf beiden Seiten. Er erkannte darin nichts Ungebührliches, fand die Ehefrau doch ihren Seelenfrieden durch die beruhigende Nachricht, dass der Fremdgänger lediglich dem Spiel gefrönt habe. Der untreue Ehemann indessen wahrte sein Gesicht und den ehelichen Frieden, bis es ihn in nicht allzu ferner Zukunft wieder in junge, hübsche Arme treiben würde. Der erzählfreudigen Geliebten wiederum hatte er einen neuen Gönner empfohlen, und auch dieser hatte ihm seine Referenz angemessen vergütet.

Roux war hochzufrieden.

Allerdings hatte diese Angelegenheit Zeit gekostet und einen anderen Doppelauftrag verzögert, dessen er sich nun dringend annehmen musste: der Sache Victor Rheinberger.

Gestern war wieder einmal der Vater des jungen Mannes bei ihm vorstellig geworden und hatte mit Nachdruck Ermittlungsergebnisse verlangt. Und obwohl es Roux stets leichtfiel, andere zu vertrösten, spürte er genau, dass an dieser Stelle der Rahmen ausgereizt war.

Für heute hatte er sich deshalb mit Maximilian Harden zum Mittagstisch verabredet, einem schlitzohrigen Journalisten, den er bereits vor einigen Wochen erstmals kontaktiert und um Informationen gebeten hatte. Nun war er gespannt, ob Harden tatsächlich verwertbare Anhaltspunkte mitbrachte, um in der Rheinberger-Geschichte einen schnellen Durchbruch zu erzielen.

Harden hatte als Treffpunkt die Restauration zur Gardestube in Köpenick vorgeschlagen, vor der Roux jetzt stand. Er musterte kurz die Beschilderung, zog sich dann die Mütze vom Kopf und betrat den kleinen Gastraum.

Er erkannte den Publizisten mit dem vollen, schwarzen Haar und dem verkniffenen Gesichtsausdruck sofort. Harden saß an einem Ecktisch, hatte ein Bier vor sich stehen und las in der Zeitung. Als er ihn bemerkte, sah Harden auf.

»Paul Roux?«

Roux nickte.

Auch er selbst besaß mit seinem roten Haarschopf ein markantes Erkennungszeichen, das zufällig mit dem französischen Nachnamen seines Vaters korrelierte. Sein Gesicht dagegen war derart durchschnittlich, dass man ihn nur selten wiedererkannte, sobald er eine Mütze trug. Diese Anonymität wiederum war Voraussetzung für seinen Beruf, der oftmals ein Verschmelzen mit der Umwelt erforderte.

»Setzen Sie sich, Roux.« Harden deutete auf den freien Stuhl an seinem Tisch. Die Lokalität war gut besucht und der Duft nach Essen erinnerte Roux an seinen knurrenden Magen.

Er nahm Platz, bestellte ebenfalls ein Berliner Kindl und eine Kartoffelsuppe. Harden entschied sich für ein Eisbein mit Erbsenpüree und Kartoffeln.

»Sie suchen also einen Weg, nähere Erkenntnisse über den einstigen Festungsgefangenen Victor Rheinberger zu erhalten.« Harden zog ein zerknittertes Papier hervor. »Ich denke, dazu kann ich einige interessante Informationen beitragen.«

Roux erkannte seine eigene Handschrift. In dem kurzen Schreiben hatte er Harden sein Anliegen erklärt. »Sehr gut, das hatte ich gehofft.«

Maximilian Harden löste gekonnt das zarte Fleisch vom Knochen. »Es hat lediglich ein wenig Nachdruck an der rechten Stelle erfordert«, meinte er abgeklärt. »Die hohen Herrschaften sind alle erpressbar.«

»Das sind sie in der Tat«, pflichtete Roux bei.

»Doch bevor ich Ihnen das Dokument mit den wichtigsten Hinweisen übergebe, Roux, lassen Sie uns über die Gegenleistung sprechen.«

»Wie mitgeteilt, biete ich Ihnen 200 Mark. Die erste Hälfte bekommen Sie sofort, die zweite, wenn sich die darauf befindlichen Hinweise als stichhaltig herausgestellt haben.«

»Das wird nicht reichen«, entgegnete Harden. »Immerhin handelt es sich um Namen, die nicht leicht zu beschaffen sind.«

»Was hatten Sie sich vorgestellt?«

»Es geht nicht um mehr Geld. Dahingehend nehme ich Ihr Angebot an. Vielmehr schwebt mir vor, dass Sie mich im Gegenzug bei meinen eigenen Nachforschungen unterstützen.« Harden nahm einen großen Schluck Bier.

Roux ärgerte sich. Nichts hasste er so sehr wie Abhängigkeiten. »Welche Nachforschungen meinen Sie?«, fragte er unwirsch.

Maximilian Harden wischte sich mit dem Handrücken den Bierschaum von den Lippen. Diese unkultivierte Geste passte gar nicht zu dem ansonsten recht distinguiert auftretenden Journalisten. »Eine Gruppe einflussreicher Männer in unmittelbarer Nähe des Kaisers macht sich gewisser Verfehlungen gegen Paragraf 175 des Reichsstrafgesetzbuches schuldig.« Er senkte vertraulich die Stimme. »Das ist eine Gefahr für das Reich, Roux. Stellen Sie sich vor, der Kaiser steht unter dem Einfluss einer Gruppe Päderasten. Böse Zungen behaupten, er selbst sei diesem Laster nicht ganz abgeneigt. In jedem Fall gilt es, diese Kamarilla auszumerzen und ihrer gerechten Strafe zuzuführen.«

Roux ließ seinen Löffel sinken. »Sie meinen, ich soll in Hofkreisen ermitteln?«

»Nicht unmittelbar. Aber ich hätte einige Aufgaben auf Schloss Liebenberg in der Uckermark zu erledigen. Diese würde ich gerne Ihnen übertragen.«

»Dem Sitz des Fürsten zu Eulenburg?«, fragte Roux.

»Exakt. Sie schließen sich als Treiber bei Jagdgesellschaften an, knüpfen Kontakte und sammeln Neuigkeiten.«

»Über Päderasten?«

Harden grinste. »Wenn Sie so wollen. Ich muss ein belastbares Profil von Verfehlungen einzelner Personen erstellen, die auf Schloss Liebenberg verkehren. Außer dem Fürsten gibt es noch andere, deren Orientierung nicht eindeutig ist.«

Roux überlegte.

Dass sich Männer mit ihresgleichen vergnügten, war nichts Neues, und eigentlich war ihm das völlig egal. Sollten sie tun, was und mit wem sie wollten. Allerdings machten solche Neigungen erpressbar, was ihm wiederum schon so manchen interessanten Auftrag eingebracht hatte. Dahingehend in allerhöchsten Kreisen zu stöbern, war also durchaus lukrativ.

»Nun gut«, meinte Roux, »wenn das Ihre Bedingung für Ihr Entgegenkommen ist, Harden, stehe ich Ihnen zu gegebener Zeit zur Verfügung. Doch zunächst muss ich in eigener Sache tätig werden.«

»Gewiss, gewiss. Erledigen Sie Ihren Auftrag. Ich komme bei passender Gelegenheit wieder auf Sie zu«, sagte Harden, sichtlich zufrieden mit dem Verlauf ihres Gesprächs.

»Dann wäre da noch besagtes Dokument«, deutete Roux an.

Harden nickte. Er legte das Besteck beiseite, zog einen

dicken Umschlag aus einer mitgebrachten Lederaktentasche und hielt ihn Roux hin. »Hier. Eine Liste der Gefangenen auf dem Ehrenbreitstein von Oktober 1902 bis Januar 1903.«

Roux pfiff durch die Zähne. »Alle Achtung, Harden!« Er nahm die Schriftstücke an sich. »Mit einer fertigen Liste hatte ich nicht gerechnet. Allenfalls mit ein paar Hinweisen, an wen ich mich wenden könnte, um einige Namen zu erfahren. Hiermit«, er hielt den Umschlag in die Höhe, »haben Sie mir eine Menge Arbeit erspart.«

Harden machte ein zufriedenes Gesicht, und Roux schob ihm nun seinerseits ein Kuvert hin. »Die Anzahlung.«

Harden steckte das Geld ein. »Die wesentliche Bezahlung besteht in Ihrem Geschick und der Zeit, die Sie mir später zur Verfügung stellen werden.« Er hielt Roux die Hand hin.

Der zögerte einen Moment. »Nicht länger als sechs Wochen, Harden.«

Der Publizist nickte. »Das dürfte reichen.«

Roux schlug ein.

Noch am selben Tag machte Paul Roux sich daran, die Listen auszuwerten und eine kluge Strategie zu entwerfen.

Dann schrieb er seinen Auftraggebern.

31. KAPITEL

Riva, in den letzten Oktobertagen 1903

Max stand auf dem kleinen Balkon seines Hotelzimmers und blickte über den Gardasee, dessen Blau mit den ersten Herbsttagen tiefer und zugleich weicher geworden war. Unter das dunkle Grün, das die felsigen Berghänge schmückte, mischten sich nun Ocker- und Rottöne, und die tieferstehende Sonne ließ alle Farben voller und satter erscheinen.

Es war, als vollendete der Herbst am Gardasee die Fülle des Sommers, brachte sie zu Reife und neuer Beschaulichkeit, ohne auf einen kalten, langen Winter hinzudeuten wie nördlich der Alpen. Hier behielt das Leben eine zurückhaltende Heiterkeit.

Max stützte die Ellenbogen auf das Balkongeländer aus verschnörkeltem Schmiedeeisen.

Wäre sein eigenes Leben doch nur ebenso unbeschwert. Aber seit jenem Ausflug zum Ponalefall und ins Ledrotal vor zwei Wochen hatte er das Gefühl, eine Wand aus Glas würde ihn vom Puls der Welt ringsumher trennen. Alles fühlte sich gedämpft an, belastet, ungewohnt schwer.

Hélène. Frau Rothmann.

Als ihm klargeworden war, dass Hélène die Mutter von Judith Rothmann sein musste, durch den achtlos dahingeworfenen Abschiedsgruß eines Fremden am Ende eines unglaublich wundervollen Tages, war etwas in ihm ins Wanken geraten. Ausgerechnet ihn, den Zyniker, dem alles in die Wiege gelegt schien, der die Frauen genoss wie ein gutes Glas Wein und dann ungerührt weiterzog, übermannten nie gekannte Gewissensnöte.

Seither haderte er.

Sie hatte ihn nicht erkannt, während er nun wusste, wer sie war. Die Familien Ebinger und Rothmann hegten aus nicht nachvollziehbaren Gründen wenig Sympathien füreinander. In Stuttgart war man sich deshalb aus dem Weg gegangen, zudem war allgemein bekannt, dass sie nervenkrank und deshalb oft zu Kuraufenthalten verreist war. Aus demselben Grund hatte sie auch kaum an gesellschaftlichen Anlässen teilgenommen. Er selbst hatte sie vermutlich vor mehr als zehn Jahren zum letzten Mal gesehen, genau konnte er sich gar nicht mehr erinnern. Kein Wunder, dass sie einander nun in Riva wie Fremde begegnet waren.

Max stieß sich vom Geländer ab und ging zurück in sein Zimmer.

Eine zur Hälfte geleerte Flasche Rotwein stand auf seinem Nachttisch, und er schenkte sich ein Glas ein. Während er es zum Mund führte, fiel sein Blick auf einen der halb fertig gepackten Koffer. Er lachte kurz auf; zeigte das Stillleben doch anschaulich, wie es derzeit um seinen Gemütszustand bestellt war.

Denn in einem ersten Impuls, gleich am Tag nach jener unglücklichen Begebenheit am Hafen, hatte er das Bedürfnis verspürt, möglichst schnell abzureisen und seinen ursprünglichen Plan, in Italien Bauwerke zu studieren, weiter zu verfolgen. Er hatte sich nach den nächsten Zugverbindungen gen Süden erkundigt und angefangen, seine Sachen zusammenzupacken.

Doch als er schließlich vor seinen Koffern gestanden hatte, den Zettel mit den Fahrzeiten in der Hand, war ihm gewesen, als hielte ihn ein unsichtbares Band in Riva fest.

Also hatte er die Tage dahinziehen lassen. Abends gönnte er sich regelmäßig einige Gläser schweren Rotweins, um danach in einen bleischweren Schlaf zu fallen. Den Morgen verbrachte er folgegerecht mit brummendem Kopf im Bett, erst gegen Mittag stand er auf und spazierte ein wenig durch Riva. Meistens erstand er dabei eine Zeitung und zog sich anschließend auf seinen kleinen Balkon zurück, um sie in Ruhe zu lesen.

Nur einmal war er Hélène im Ort begegnet. Flüchtig. Ihr fragender Blick hatte ihn bis ins Mark getroffen. Und die Geschehnisse wieder aufgewühlt, die alles so schwierig machten.

Noch immer zog sein Magen sich zusammen, wenn er an jene Nacht mit Judith im Musikzimmer zurückdachte. Viele Dinge hatten damals zu dieser unseligen Vereinigung geführt – sein Schockzustand und ein düsterer Fatalismus –, die, gepaart mit einigen Gläsern Champagner, die Wirklichkeit maskiert hatten. Dennoch gab es keine Entschuldigung für sein Verhalten. Er war der Erfahrene von beiden, er hätte sich beherrschen müssen, als von ihr kein entscheidender Widerstand gekommen war. Und anstatt sich seiner Verantwortung zu stellen, war er überstürzt abgereist, hatte sich feige aus dem Staub gemacht.

Max leerte sein Glas und stand eine Weile unschlüssig im Zimmer. Dann gab er sich einen Ruck. Irgendwann musste er eine Entscheidung treffen. Warum nicht heute?

Draußen schickte sich die Sonne an unterzugehen, und er beschloss, sich und Hélène endlich mit der Wahrheit zu konfrontieren. Auch wenn es unglaublich schwerfiel. Diese Situation war einfach absonderlich.

Zunächst gönnte er sich eine gründliche Rasur und zog einen frischen Anzug an. Dann setzte er seinen Strohhut auf und machte sich auf den Weg in die Via Santa Maria. Hélène hatte auf der gemeinsamen Wanderung irgendwann erwähnt, dort ein Zimmer zu bewohnen.

Riva war kein großer Ort, doch Max schlug aus lauter Nervosität zwei große Bögen, ehe er endlich vor dem schmalen, hohen Haus stand, das er gesucht hatte. Langsam glitt sein Blick an der Fassade nach oben. Dann nahm er seinen Mut zusammen und läutete.

Eine ältere Frau öffnete. »Oh, gnädiger Herr, des Zimmer is scho vergeb'n. Tut mir leid, aber da müssen'S weitersuchen«, meinte sie.

Er setzte sein liebenswürdigstes Lächeln auf. »Werte Frau,

ich bin nicht wegen eines Zimmers hier. Aber ich habe gehört, dass Hélène Rothmann hier wohnt.«

Sofort wurde das Gesicht der Frau misstrauisch. »Was wollen'S denn von der Frau Rothmann?«

»Ich bin ihr Cousin und auf der Durchreise nach Italien«, erfand er schnell. »Und habe eine Botschaft von meiner Mutter für sie. Es wäre sehr zuvorkommend von Ihnen, wenn Sie Frau Rothmann einen Augenblick herunterbitten könnten.«

»So, also der Herr Cousin sind Sie.« Die Frau klang noch nicht sonderlich überzeugt, aber Max hielt seine charmante Fassade so lange aufrecht, bis sie mit einem hörbaren Schnaufen die Tür weiter öffnete. »Na, meinetwegen. Warten'S bitte hier herunten. Ich sag ihr Bescheid.«

Die wenigen Minuten, die es dauerte, bis er Hélènes Schritte auf der Treppe hörte, dehnten sich endlos. Als Hélène ihm endlich gegenüberstand, brachte er keinen Ton heraus.

»Max?«, fragte sie erstaunt.

»Hélène, ich …« Er fuhr sich mit der Hand nervös durch seinen dunklen Haarschopf. »Es ist … Ich weiß nicht, was Sie jetzt von mir denken, aber …«

Er schüttelte den Kopf. So ging das nicht. Nicht hier und nicht jetzt. Die entscheidenden Worte kamen ihm einfach nicht über die Lippen. Außerdem befürchtete er, dass Hélènes Vermieterin alles mithören würde.

»Was sollte ich denn Ihrer Meinung nach von Ihnen denken?«, half ihm Hélène sanft.

Er sah zu Boden, dann zur Decke. Er war nicht bereit. Das

308

Ganze erschien ihm auf einmal völlig surreal. Erst musste er die Sache mit Judith in sich selbst einigermaßen ordnen.

»Möchten Sie mit mir essen gehen?«, brachte er stattdessen schließlich heraus.

Sie lächelte. Erst zurückhaltend, dann mit einem berückenden Funkeln in den Augen, das ihm augenblicklich erneut den Kopf verdrehte.

»Ja, sehr gerne! Warten Sie einen Moment, bitte. Ich hole meine Sachen.«

Während sie noch einmal nach oben ging, lehnte Max sich an die kühle Wand und tat einen erleichterten Atemzug. Sie hatte ihn nicht gleich vor die Türe gesetzt, obwohl er sich nach seinen Avancen auf dem Ausflug einfach nicht mehr bei ihr hatte blicken lassen. Er bekam die Gelegenheit, einiges wiedergutzumachen.

Später, als sie im Hotel Central eine wunderbar zarte Gardaseeforelle serviert bekamen, bat er sie um Verzeihung für sein langes Schweigen. Er fügte keine großen Erklärungen an, und sie drang nicht weiter in ihn. Stattdessen erzählte sie von einigen Bildern, die sie gemalt hatte, und von ihren Plänen für eine Ausstellung im kommenden Frühjahr.

»Ich helfe Ihnen«, bot Max spontan an.

»Das würden Sie tun?«, fragte sie erfreut, wurde dann aber nachdenklich. »Sind Sie bis dahin überhaupt noch hier? Sie hatten doch Reisepläne?«

»Ich bleibe auf jeden Fall bis zum Frühjahr in Riva. Ihre Ausstellung lasse ich mir doch nicht entgehen!«

An ihrem Lächeln sah er, wie glücklich sie das machte.

Und als er sich dabei ertappte, grinsend seinen Weißwein zu trinken, wusste er, dass es ihm selbst nicht anders erging. Was war sie doch für eine ungewöhnliche Frau.

Am Ende dieses Abends brachte er sie nach Hause.

»Danke, Hélène«, sagte er leise und nahm sie in die Arme. Sie blieb zurückhaltend, entzog sich ihm aber nicht. »Sie können nicht ahnen, was mir diese Stunden mit Ihnen bedeutet haben.« Er gab ihr einen zarten Kuss auf die Stirn.

Hélène suchte seine Hand und drückte sie fest. »Gute Nacht.«

Max wartete, bis sie die Tür aufgeschlossen hatte und ins Haus gegangen war, dann machte er sich fröhlich pfeifend auf den Weg zurück zum Hotel. Unterwegs nahm ein ganz besonderes Geschenk für sie in seinem Kopf Gestalt an.

32. KAPITEL

Die Villa Rothmann, Anfang November 1903

Fassungslos starrte Wilhelm Rothmann auf das Telegramm in seinen Händen. Wieder und wieder überflog er die Zeilen, immer wieder schüttelte er den Kopf.

Komme nicht. Wetter schlecht. Keine Zugverbindung. Hélène.

Etwas Derartiges hatte er befürchtet, nachdem sie zum vorgegebenen Zeitpunkt nicht in Stuttgart angekommen war. Mehrere Stunden hatte Theo vergangenen Freitag am Bahnhof gewartet und war schließlich unverrichteter Dinge nach Degerloch zurückgekehrt. Peinlich berührt hatte er ihm Bericht erstattet, und Wilhelm Rothmann war ein Schauer nach dem anderen über den Rücken gelaufen, so umfassend war die Demütigung gewesen. Hélènes Verhalten war vollkommen inakzeptabel.

Er hätte gewarnt sein müssen, denn nachdem er ihr die Fahrkarte für die Rückreise geschickt hatte, war lediglich ein kurzes Schreiben angekommen, das sich auf ihren nach wie vor instabilen Gemütszustand bezogen hatte. Dennoch war er davon ausgegangen, dass sie seiner klaren Aufforderung Folge leisten würde, schließlich hatte er angekündigt, die notwendigen Geldzuwendungen einzustellen. Wie wollte sie dort unten zurechtkommen ohne finanzielle Mittel?

Und nun dieses Telegramm.

Zugegeben. Der frühe Wintereinbruch in diesem Jahr hatte das Land fest im Griff. Unmengen an Schnee fielen Tag und Nacht in dichten Flocken, die weiße Decke lag bereits über einen Meter hoch. Robert und Theo hatten alle Hände voll zu tun, die Wege und Zufahrten freizuschaufeln. Auch die Straßen wurden immer wieder von Bahnschlitten geräumt, hölzernen Keilpflügen, die vor die Pferde gespannt wurden.

Dennoch steckte mehr hinter Hélènes Botschaft als eine rein wetterbedingte Verzögerung. Sie widersetzte sich ihm. Hätte sie »Komme später« oder »Komme noch nicht« geschrieben, wäre der Tenor ein ganz anderer gewesen.

Es war nun an ihm, ihr eindringlich klarzumachen, dass er diese Haltung nicht länger hinnehmen würde. Am liebsten wäre er unmittelbar nach Riva gereist und hätte sie persönlich nach Hause eskortiert. Doch die unsichere Lage der Schokoladenfabrik und die heikle Verlobungssache erforderten seine Anwesenheit. Daher hatte er zunächst einmal die Anweisungen für sie gestoppt. Vielleicht reichte das aus, um sie heimwärts zu treiben.

Wilhelm Rothmann atmete tief durch.

Es schien, als sei in letzter Zeit eine wahre Sintflut an Schwierigkeiten über ihn hereingebrochen, ganz so wie der

Winter über Stuttgart. So konnte und so würde es nicht weitergehen. Schließlich war er eine Autorität in der Stadt!

Es klopfte.

Wilhelm Rothmann legte die Depesche zur Seite und stand
auf. Ihm schmerzten Kopf und Rücken, und gerne hätte er sich
von Margarete ein wenig massieren lassen, doch zuvor stand
eine Unterredung mit seinem künftigen Schwiegersohn an.

Babette öffnete die Tür, ließ den Gast eintreten und zog
sie mit einem leisen Klacken zurück ins Schloss.

»Guten Tag, Herr Rothmann«, grüßte Albrecht von Braun
mit dem ihm eigenen, etwas schleppenden Tonfall.

»Guten Tag, Albrecht, schön, dass Sie es einrichten konnten herzukommen. Nehmen Sie Platz.« Er wies auf die Sitz-
ecke. »Zigarre?«

Albrecht nickte. Sie steckten ihre Zigarren an und bliesen
einige Augenblicke lang den blaugrauen Rauch in die Luft.
Dann kam Rothmann zur Sache.

»Albrecht, Sie wissen, dass ich Sie sehr schätze. Umso
mehr ist mir daran gelegen, im Zuge der Hochzeitsvorberei-
tungen einige Dinge festzulegen.«

»Das ist ganz in meinem Interesse«, konstatierte Albrecht
mit einer gewissen Überheblichkeit, die Wilhelm Rothmann
ärgerte.

»Judith ist dabei, sich umfänglich auf ihre neue Rolle vorzubereiten«, erklärte er und hoffte, dass seine Stimme überzeugend genug klang. »Sie ist ein besonders reger Charakter,
daher braucht sie dafür etwas mehr Zeit als Weiber mit einem
gesetzteren Gemüt.«

Albrecht grinste. »Das habe ich durchaus gemerkt«, meinte er nachsichtig. »Sofern sie bis zum Hochzeitstag die geforderten Eigenschaften an den Tag legt, soll's mir recht sein.« Er zwinkerte Rothmann verschwörerisch zu. »Ich vertraue ganz auf Ihre Autorität als Vater.«

»Worauf Sie sich verlassen können«, versicherte Rothmann, zog an seiner Zigarre und machte eine künstliche Pause. »Wie gedenken Sie denn, Ihrer beider Leben zu gestalten?«

Ein unsicheres Grinsen überzog das blasse Gesicht seines Gegenübers. »Nun, sie wird alle Annehmlichkeiten erfahren.«

»Ihr Vater deutete an, dass er Ihnen eine Stadtvilla überlässt.«

»So ist es. Mit genügend Raum für eine große Enkelschar.« Abermals zwinkerte Albrecht von Braun ihm zu.

Rothmann überging diese in seinen Augen anzügliche Bemerkung. »Sagen Sie, wann werden Sie denn in das Bankhaus Ihres Vaters eintreten? Führt er Sie bereits in die Geschäfte ein?« Diese Frage hatte er sich genau überlegt, obwohl er die Antwort bereits kannte. Ihn interessierte allerdings die Reaktion des jungen Mannes, deshalb beobachtete er Albrecht von Braun genau.

Dem stieg prompt eine beschämte Röte in die Wangen. »Ähm, ja. Ich bin dort regelmäßig tätig«, erklärte er ausweichend.

»Mit welchen Aufgaben sind Sie dort denn betraut?«, hakte Rothmann nach.

»Ich, äh, unterstütze die Zahlungsgeschäfte.«

»Aha. Ihr Vater zieht Sie sicher öfter bei wichtigen Entscheidungen und Verhandlungen hinzu, nicht wahr?«

»Hin und wieder. Natürlich!«

Albrecht von Braun wurde die Befragung sichtlich unangenehm. Wilhelm Rothmann bemerkte, wie er zu schwitzen begann und immer wieder mit dem Finger in den Kragen fuhr, als ob er ihm zu eng wurde.

»Es wird eine große Aufgabe werden, eine so erfolgreiche Bank weiterzuführen«, gab Rothmann zu bedenken.

»Mein Vater erfreut sich bester Gesundheit«, meinte Albrecht nun, und seine Stimme klang beinahe trotzig. »Es besteht keinerlei Grund, hier die Nachfolge zu diskutieren.«

Rothmann beließ es dabei. Es war offensichtlich, dass Albrecht von Braun nicht wusste, wie seine Stellung im Bankhaus einzuschätzen war. Es stand zu vermuten, dass er im Augenblick hingehalten wurde und später, wenn es spruchreif war, für seinen Verzicht auf die Unternehmensnachfolge eine hohe Abfindung erhalten würde.

Das war zwar ein Wermutstropfen in seinen Plänen, doch er hatte keine Wahl.

»Sie werden eine Familie unterhalten können«, stellte Rothmann abschließend fest. »Und das ist schließlich das Wichtigste.«

»Daran besteht überhaupt kein Zweifel!«, ereiferte sich Albrecht und legte seine Zigarre ab, damit sie verglühte. »Ich hoffe doch, Sie haben sich davon nicht eigens überzeugen müssen.«

»Wenn Sie einst eine Tochter haben, Albrecht, dann werden Sie mich verstehen«, sagte Rothmann diplomatisch und war insgeheim froh, dass er den angebotenen zinslosen Sofortkredit von Albrechts Vater nicht angenommen hatte.

Es war zwar eine Rechnung mit spitzem Bleistift gewesen, doch die absurde Bedingung, die der Bankier damit verbunden hatte, war Ansporn genug gewesen, alle Möglichkeiten auszuschöpfen, um den zinslosen Kredit zu umgehen. Wenn für Albrecht von Braun im Bankhaus kein Platz vorgesehen war, dann hatte er in der Rothmann'schen Firma erst recht nichts verloren. Der junge Mann besaß tatsächlich nicht das Format, das einem Firmeninhaber anstand.

Es war ein Jammer, dass er überhaupt auf dieses Gegengeschäft angewiesen war. Aber die im Zuge der Hochzeit verhandelten Kredite mussten wie vereinbart ausgezahlt werden. Sonst wäre der finanzielle Engpass der Schokoladenfabrik nicht zu überbrücken.

»Darf ich Sie zu Tisch bitten, Albrecht?«, meinte Wilhelm Rothmann denn auch versöhnlich und klopfte dem jungen Mann in einer, wie er hoffte, väterlich wirkenden Geste auf die Schulter.

Albrecht stand sofort auf. »Aber gerne! Wird Ihre Tochter ebenfalls anwesend sein?«

»Ich bedauere, leider nein.«

Sicher wäre es passend gewesen, wenn Judith mit ihnen gespeist hätte, doch ihre trotzige Haltung hatte sich keineswegs geändert, und er wollte nicht riskieren, dass sie Albrecht von Braun noch einmal vor den Kopf stieß. Es stand einfach zu viel auf dem Spiel.

»Ja, das ist wirklich sehr bedauerlich. Sie findet recht wenig Zeit, sich ihrem Verlobten zu widmen.« Albrecht ließ seine Enttäuschung durchklingen.

»Frauen haben in ihrer Verlobungszeit viel zu erledigen. Bitte sehen Sie es ihr nach«, bat Wilhelm Rothmann.

Albrecht von Braun gab sich mit dieser Antwort zufrieden und schien versöhnt, sobald das Essen serviert wurde. Er besaß einen beachtlichen Appetit und nahm von jedem Gang mindestens einen Nachschlag.

Auch Wilhelm Rothmann ließ es sich schmecken.

Der Köchin war das Wild mitsamt Beilagen wunderbar gelungen, der dazu servierte Rotwein bestach durch ein volles Bouquet und einen samtigen Geschmack, und auch die Apfelküchlein zum Nachtisch waren knusprig und köstlich.

Nachdem Albrecht von Braun sich verabschiedet hatte, kehrte Wilhelm Rothmann in sein Arbeitszimmer zurück. Trotz aller Bedrängnis machte sich eine gewisse Zufriedenheit in ihm breit. Wenigstens diese Angelegenheit entwickelte sich passabel und ließ Raum für einen vorsichtigen Optimismus. Judith wäre versorgt, die Firma gerettet, und wenn er dafür auch einen nur mäßig begabten Schwiegersohn in Kauf nehmen musste, so heiligte doch der Zweck die Mittel. In sein Comptoir allerdings würde Albrecht niemals einen Fuß setzen.

Den Gedanken an seine eigene Frau schob er vorerst beiseite. Sollte sie nach wie vor nicht heimkehren, würde er über weitere Schritte befinden.

Seine Kraft musste während der nächsten Wochen einzig der Bewahrung seines Lebenswerkes gelten.

33. KAPITEL

Nills Tiergarten, Mitte November 1903

Der Schneefall ließ allmählich etwas nach. Judith lächelte Victor zu, der neben ihr auf der schmalen Holzbank saß und die Schlittschuhe anschnallte, die er von Edgar Nold geliehen hatte. Als er ihren Blick bemerkte, zog ein breites Grinsen über sein Gesicht.

»Sie denken ganz bestimmt, dass ich Ihnen nun eine prächtige Vorstellung liefern werde«, argwöhnte er mit einem Schmunzeln. »Ein oder zwei Stürze inbegriffen.«

»Oh nein, gewiss nicht«, meinte Judith und nahm seinen Scherz auf, »ich weiß, dass Sie ein Naturtalent sind, Herr Rheinberger. Und als solches werden Sie in wenigen Minuten wie eine Feder über das Eis schweben.«

»So, das wissen Sie also.«

»Und wenn Sie stürzen, dann natürlich *très élégant*«, fügte sie hinzu.

»Und natürlich nur beabsichtigt«, spann Victor den Faden ihrer von leiser Ironie geprägten Unterhaltung weiter.

Sie lachten, und Victor zurrte den letzten Lederriemen um seine Schuhe fest. Dann stand er versuchsweise auf.

»Das sieht ja ganz hervorragend aus«, meinte Judith und übertrieb ihr Lob bewusst, denn Victor hatte sich noch keinen Meter bewegt.

Victor grinste vielsagend. Dann nahm er Judith ihren Schlittschuh aus der Hand. »Darf ich?«, fragte er und kniete vor ihr nieder, um ihr zu helfen.

Judith schaute sich rasch um, ob jemand zusah, doch obwohl der Nill'sche Tierpark gut besucht war an diesem Nachmittag, zollte ihnen niemand Aufmerksamkeit. Jeder hier war mit sich, seiner Ausrüstung und dem sportlichen Vergnügen beschäftigt.

Dora, die sie begleitete, saß ein ganzes Stück entfernt auf einer Bank und tat so, als beachtete sie sie nicht. Judith war dankbar, dass ihre Zofe die heimlichen Verabredungen mit Victor deckte und auch über diesen Ausflug kein Sterbenswort verlieren würde.

Mit geschickten Bewegungen schnallte Victor ihre Schlittschuhe fest. Er tat es mit Hingabe, fast zärtlich. Und wie er da so vor ihr kniete, dieser große, stolze Mann, die metallenen Kufen mit seinen Oberschenkeln stützte und ihre Stiefeletten in die Riemen führte, fühlte sie eine tiefe Zuneigung für ihn. Er war ihr so nah in diesem Moment. Aus einem plötzlichen Impuls heraus zog sie ihren Handschuh aus und fuhr mit bloßen Fingern durch seinen dunklen Haarschopf.

Er sah auf und in seinem Blick erkannte Judith dieselbe Sehnsucht, die auch sie in sich trug. Ganz langsam zog sie ihre Hand zurück, berührte dabei unbeabsichtigt seine Wange und seinen Hals. Ihre Finger schienen zu brennen, und sie sah, wie er trocken schluckte.

Zitternd zog sie ihren Handschuh wieder an, und Victor prüfte konzentriert den Sitz ihrer Schlittschuhe.

Dann stand er auf und reichte ihr die Hand. »Darf ich bitten, Fräulein Rothmann?« Und sofort war er wieder da, der Schalk in seinen Augen.

Sie räusperte sich und legte lächelnd ihre Hand in die seine. »Gewiss doch. Ich hoffe, Sie beherrschen den Eiswalzer.«

Victor lachte. »Den Eiswalzer? Aber ja! Diesen Tanz habe ich bereits als kleiner Junge erlernt.«

Judith kicherte. Sie hakte sich bei ihm ein und ließ sich aufs Eis führen.

Inzwischen hatte sich die Nachmittagssonne hinter den Wolken hervorgestohlen. Ihre Strahlen machten den Tiergarten zum Wintermärchen. Sie glitzerten auf der dicken Schneedecke, die über den Tiergehegen, Bäumen und Sträuchern, Wiesen und Wegen lag, und wurden von der großen Eisfläche reflektiert, die jeden Winter auf der Völkerwiese geschaffen wurde.

Hier tummelten sich Jung und Alt, drehten Pirouetten, erfanden Spiele und lieferten sich Wettrennen. Einige Kinder schlitterten in Straßenschuhen am Rand entlang. Wen es nicht aufs Eis zog, der beobachtete die Szenerie oder spazierte gemächlich über die angrenzenden Wege. In der winterlichen Luft lagen Ausgelassenheit und Lachen.

Aus beheizten Bauchläden heraus boten zwei Würstchenverkäufer ihre herzhafte Ware an, ein anderer verkaufte Süßigkeiten, Nüsse und Mandeln. Und Rothmann-Schokolade, wie Judith zufrieden feststellte.

Sie hielt sich noch immer an Victor fest. Zusammen begannen sie, langsam über das Eis zu gleiten.

»Nun, Fräulein Rothmann, wie beurteilen Sie meine Künste im Eiswalzertanzen?«, fragte Victor.

»Ich würde sagen, Sie besitzen durchaus Grundkenntnisse«, gab Judith neckend zurück.

»Grundkenntnisse?« Victor neigte den Kopf zu ihr. »Wenn ich könnte, würde ich mit Ihnen Eiswalzer tanzen, Fräulein Rothmann, dass Ihnen Hören und Sehen vergeht«, raunte er ihr ins Ohr. »Bedauerlicherweise sind mir hier enge Grenzen gesetzt. Doch lassen Sie mich zeigen, was ich damit meine.«

Er löste sich von ihr und begann, gekonnt und schwungvoll seine Bahnen zu ziehen.

Judith starrte ihm nach. Seine Andeutung hatte ihr das Blut in die Wangen getrieben. Und nicht einmal aus Scham, wie es sich geziemt hätte, sondern aufgrund einer unwillkürlichen Reaktion ihres Körpers. Die Vorstellung, mit ihm allein zu sein und einen Walzer zu tanzen, einen, der sogar etwas ungebührlich geriet, übte eine unerwartet heftige Erregung in ihr aus.

Wie alt er wohl sein mochte? Sie schätzte ihn auf Ende zwanzig, aber ganz sicher war sie sich nicht. In manchen Situationen wirkte er bereits viel älter und sehr abgeklärt. Das Leben hatte ihm wohl schon einiges abverlangt.

Eine jähe Neugierde stieg in Judith auf.

Bisher hatte sie sich kaum gefragt, wer er war und woher er kam. Nun wollte sie auf einmal unbedingt wissen, wie sein Leben ausgesehen hatte, bevor er nach Stuttgart gekommen war. Wer waren seine Eltern? Hatte er Geschwister? Gab es irgendwo ein Liebchen?

Judith zog den pelzbesetzten Paletot fest, den sie über ihrem dunkelgrünen Kostüm aus warmer Wolle trug, steckte die Hände in den Muff und begann, gedankenverloren ein paar Runden auf dem Eis zu drehen.

Sie hatte Victor aus den Augen verloren, aber das war bei den vielen Menschen hier kein Wunder.

Sie glitt an der Bank vorbei, auf der Dora saß, und winkte ihr zu. Ein junger Bursche und ein weiteres Dienstmädchen hatten sich dazugesellt. Die drei unterhielten sich rege und Judith wurde bewusst, dass sie und Dora in zwei verschiedenen Welten lebten, auch wenn sie unter einem Dach wohnten. Ein seltsamer Gedanke.

Zwei kleine Jungen kreuzten ihren Weg und wären beinahe in Judith hineingefahren. Sie musste sofort an ihre Brüder denken und verzichtete darauf, den beiden eine Standpauke zu halten. Stattdessen sah sie ihnen nach, wie sie über das Eis davonflitzten, und ging davon aus, dass ein anderer Erwachsener den fälligen Tadel über kurz oder lang nachholen würde.

»Na, die beiden jungen Herren müssen wohl noch etwas Anstand lernen!«, meinte Victor, der in diesem Moment wieder neben ihr auftauchte. Mit einem eleganten Schwung kam er zum Stehen.

»Das sehe ich ähnlich«, entgegnete Judith und beschirmte ihre Augen mit einer Hand, da sie das gleißende Licht blendete.

Victor machte eine halbe Drehung und kam ihr dabei so nah, dass sie seinen kräftigen Oberkörper an ihrem Rücken spürte. Obwohl sie wusste, dass sie das nicht tun durfte, lehnte sie sich an ihn. Er fasste sie um die Taille und gab ihr Halt. Die Berührung war berauschend. Judith schloss die Augen und gab sich diesem Moment hin, sie roch seine Seife und sie roch ihn, und die Welt ringsumher trat für einige kostbare Minuten in den Hintergrund.

»Ich hätte nicht erwartet, dass Sie das Schlittschuhlaufen derart perfekt beherrschen«, sagte Judith leise. Sie hörte sein verhaltenes Lachen an ihrem Nacken.

»Sie wissen vieles nicht von mir, Fräulein Rothmann … Judith …«

Er ließ sie vorsichtig los, nahm sie bei der Hand und zog sie mit sich in eine atemberaubende, schnelle Runde. Judith lachte vergnügt, als alles um sie herum zu einer Melange aus Weiß, Hellblau und Grau verschwamm. Sie verlor ihren Muff, aber das war ihr gleichgültig. Zum ersten Mal seit Monaten fühlte sie sich unbeschwert und leicht.

Und dann zog Victor sie doch in eine Umarmung und deutete einen Walzer an. »Nennst du mich ab jetzt beim Vornamen?«, fragte er sie mit einem verschmitzten Lächeln. Judith nickte und strahlte ihn an, spürte seine Arme um sich und hatte das Gefühl, ihr Herz müsse zerspringen vor lauter Glück.

»Ach du liebe Zeit!« Wenige Drehungen später machte Judith sich hastig los und sah besorgt in Richtung des Weges, der vom Affengehege her zur Völkerwiese führte.

»Was ist?«, fragte Victor irritiert.

»Dort kommen zwei Freundinnen von mir! Charlotte und Dorothea. Sie haben uns bereits gesehen!«

Victor schaffte sofort Abstand. »Das tut mir sehr leid, Judith. Ich wollte dich nicht in Bedrängnis bringen.« Er wirkte zerknirscht, und Judith versuchte sich an einem schwachen Lächeln.

»Ich weiß. Es ist nicht deine Schuld, Victor. Jedenfalls nicht nur. Ich hätte wissen müssen, dass jederzeit jemand vorbeikommen kann, den ich kenne.«

»Ist Dorothea von Braun die Schwester von Albrecht von Braun?«

Judith fuhr herum. »Ja. Kennst du ihn etwa?« Ihr Ton klang schroffer als beabsichtigt.

Victor sah sie verwirrt an »Er ist ein Freund von Edgar Nold, meinem Mitbewohner. Du kennst ihn ja«, erklärte er ratlos.

Judith tat ihre barsche Reaktion sofort leid. »Ja, natürlich. Edgar und Albrecht sind Freunde, da bist du ihm gewiss schon begegnet«, entgegnete sie versöhnlich, während sie aus den Augenwinkeln sah, dass Dorothea näher kam. Charlotte neben ihr redete heftig auf sie ein.

»Ich werde mich am besten zurückziehen, Judith. Aber ich bleibe in der Nähe deiner Zofe, bis ich weiß, dass du sicher nach Hause kommst.«

»Nein. Bleib noch einen Moment. Ich werde dich vorstellen. Das ist allemal besser, als wenn wir uns hastig verabschieden«, widersprach Judith.

»Wie du meinst. Wer ist denn die andere junge Dame?«

»Charlotte Wenninger. Wir verbringen viel Zeit miteinander, Dorothea, Charlotte und ich.«

»Ich verstehe«, meinte Victor.

Sie gaben vor, unbefangen zu plaudern, bis die beiden jungen Frauen bei ihnen stehen blieben.

»Ah, Judith, wer hätte das gedacht! Bist du heute nicht auf dem Feuersee eislaufen?« Dorothea begrüßte sie gewohnt herzlich, doch Judith entging nicht ihr argwöhnischer Blick Richtung Victor. »Sie kenne ich doch«, meinte sie dann auch prompt. »Wir haben uns doch bereits in der Schokoladenfabrik kennengelernt, nicht?«

Victor deutete eine Verneigung an. »So ist es. Es freut mich, Sie wiederzusehen, Fräulein von Braun.«

Jetzt fiel auch Judith wieder ein, dass Dorothea Victor an jenem Tag gesehen hatte, als sie ohnmächtig geworden war. Ihr selbst war diese Tatsache völlig entfallen. »Oh ja, das stimmt!«, beeilte sie sich jetzt zu sagen. »Herr Rheinberger und ich arbeiten an einer technischen Weiterentwicklung, Dorothea. Und haben uns heute zufällig getroffen und wie das so ist, kommt man gleich wieder ins Gespräch …«

»Gewiss. Ich habe gesehen, wie ihr euch unterhalten habt.« Dorothea schien verärgert. Das wiederum verstand Judith nicht. Dorothea wusste doch, dass sie ihren Bruder weder heiraten wollte noch würde.

»Bitte sehen Sie es mir nach«, schaltete sich nun Victor ein, »wenn ich Fräulein Rothmann ungebührlich nahegekommen bin. Sie hat daran keinen Anteil.«

Dorothea sah skeptisch von ihm zu Judith. »So sah es aber nicht aus!«

»Lass es gut sein, Dorothea«, mischte sich Charlotte ein. »Du siehst, dass er versucht, sie zu retten. Und das finde ich ziemlich romantisch.«

»Du hast zu viele Romane gelesen, Charlotte«, meinte Dorothea. »Aber meinetwegen.« Sie wandte sich an Victor. »Danke, dass Sie unsere Freundin vor einem schlimmen Sturz bewahrt haben.«

Der zwinkerte ihr dankbar zu. »Sehr gern geschehen. Dann lasse ich Sie nun wieder Ihres Weges gehen, Fräulein Rothmann. Wir sehen uns zu gegebener Zeit in der Fabrik. Meine Damen …« Damit zog sich Victor auf die Eisfläche zurück und mischte sich unter die anderen Schlittschuhläufer.

»Hui, der ist aber sehr eingenommen von dir, Judith!«, schwärmte Charlotte. »Wie ritterlich er war!«

»Menschenskinder, Charlotte!«, schimpfte Dorothea. »Das ist kein Spaß hier. Und du«, zischte sie Judith an, »was denkst du dir eigentlich dabei, hier zu turteln? Ich kann gewiss verstehen, dass Herr Rheinberger dir gefällt, und gegen eine harmlose Plauderei ist auch nichts einzuwenden, aber wenn du dich hier in aller Öffentlichkeit mit ihm zeigst, *so* zeigst, dann gibt es einen heillosen Skandal. Und das kannst du dir nicht erlauben!«

»Du hast recht«, gab Judith betroffen zu. »Aber du hast ja keine Ahnung …«

Niemand wusste, wie schlecht es ihr ging. Nach ihrer Episode mit Max und mit all der Unsicherheit, die auf ihr lastete.

»Aber Dorothea.« Charlotte bemühte sich um Frieden. »Die meisten, die Judith kennen, sind auf dem Feuersee. Ich denke, hier ist es sehr unwahrscheinlich, dass man sie sieht.«

»Aber man kann nie wissen …«, argumentierte Dorothea, doch allmählich wirkte sie einigermaßen beruhigt – wenn auch nicht unbesorgt.

»Du hast es gut gemeint, Dorothea«, meinte Judith versöhnlich. »Wer weiß, wie ich reagiert hätte, wenn ich dich in einer ähnlichen Situation gesehen hätte.«

»Oh Judith, wenn du wüsstest. Bei uns zu Hause steht alles Kopf. Albrecht ist völlig gefangen von der Aussicht, dich zu heiraten. Sollte ihm irgendwie zu Ohren kommen, dass ein anderer Mann … du weißt schon, dann weiß ich nicht, was er tun wird.«

»Ist es so schlimm?« Judith war erschrocken.

Dorothea nickte. »Ja, schon. Max ist weit weg, und auch Edgar kommt kaum noch vorbei. Es fehlt jemand, der ihm ab und zu klarmacht, wie die Welt wirklich funktioniert. Albrecht trinkt zu viel, redet nur noch von der Hochzeit, und Vater bestärkt ihn darin. Und abends verschwindet er irgendwohin.«

»Aber so einen Mann kann dein Vater doch nicht für dich aussuchen«, empörte sich Charlotte.

Judith hatte wieder das Gefühl, als würde ihr schwindelig. »Können wir uns vielleicht irgendwo hinsetzen?«

»Oh, war das zu viel für dich?«, fragte Dorothea besorgt. »Charlotte, nimm du sie an der anderen Seite!« Untergehakt bei ihren Freundinnen stakste Judith vorsichtig zur nächsten Bank.

»Ich ziehe dir die Schlittschuhe aus«, erklärte Dorothea pragmatisch und machte sich daran, die Kufen zu lösen.

Derweil hatte Charlotte tröstend die Hand auf Judiths Arm gelegt. »Das mit Albrecht macht dir Angst, nicht wahr?«

»Sogar sehr. Ich will ihn einfach nicht heiraten, und alle tun so, als täte das überhaupt nichts zur Sache.« Judith war plötzlich zum Weinen zumute.

»Du hast Sorge, dass du es letzten Endes doch tun musst«, stellte Dorothea fest und setzte sich neben die Freundinnen. »Und ehrlich gesagt befürchte ich dasselbe.«

»Aber warum muss es ausgerechnet Albrecht sein? Wenn sie ihn doch gar nicht mag?«, fragte Charlotte. »Mein Vater würde mich in eine solche Verbindung nicht zwingen. Da fände sich ein anderer.«

Judith ließ den Kopf hängen. »Dasselbe frage ich mich auch. Vielleicht liegt es daran, dass meine Mutter nicht da ist. Seit sie weg ist, lässt Vater kaum mehr mit sich reden.«

»Ach, wisst ihr«, meinte Dorothea resigniert. »Dein Vater ist die Ausnahme, Charlotte. Meiner würde mich auch verheiraten, ohne Rücksicht auf meine Gefühle. Wenn es ihm nur zunutze ist.« Sie seufzte. »Es ist ungerecht.«

In Judith wallte Zorn auf. »Genau das ist es. Ungerecht. Und genau deshalb brauchen wir uns das nicht gefallen zu lassen!«

»Was willst du tun?«, fragte Dorothea beunruhigt.

»Das weiß ich noch nicht. Jedenfalls werde ich mich nicht still in mein Schicksal ergeben.«

»Vielleicht müssen wir uns zusammentun und mit deinem Vater …« Dorothea hielt mitten im Satz inne, weil Judith plötzlich den Kopf senkte. »Judith?«

Die schüttelte den Kopf und hielt sich die Hand vor den Mund.

»Was ist, Judith? Du bist ja ganz weiß im Gesicht?« Auch Charlotte sah sie jetzt besorgt an.

»Mir ist schlecht.« Judith stand auf, stolperte zur nächsten Hecke und übergab sich.

34. KAPITEL

Die Villa der Rothmanns, Degerloch

»Ich brauche wirklich keinen Arzt, Frau Margarete«, betonte Judith zum wiederholten Mal. »Es handelt sich um eine kleine Unpässlichkeit. Wahrscheinlich habe ich mir den Magen verdorben. Mir geht es schon viel besser.«

»Aber Ihr Herr Vater besteht darauf, dass Sie untersucht werden, Fräulein Judith.«

»Und wenn hier zehn Ärzte aufmarschieren, wird mich keiner auch nur ansehen dürfen«, fauchte Judith gereizt.

Schon den ganzen Vormittag über versuchte die Haushälterin, sie davon zu überzeugen, Dr. Katz rufen zu lassen. Judith lehnte strikt ab. Ihr fehlte nichts, sie fühlte sich so weit gut und wollte keinesfalls mehr Zeit im Bett verbringen als unbedingt notwendig.

Die ganze Situation gestern war peinlich genug gewesen. Vor allem deshalb, weil Victor aus dem Nichts wieder neben ihr aufgetaucht war, sie gehalten und mit seinem Taschentuch ihre Lippen abgetupft hatte.

Sie hätte vor Scham im Boden versinken können und mochte gar nicht mehr daran denken. Auch wenn es, irgendwo ganz tief in ihrem Inneren, gutgetan hatte, so umsorgt zu werden, konnte sie sich nicht vorstellen, dass ein Mann eine Frau, die er in diesem Zustand erlebt hatte, noch anziehend fand.

Nachdem sie sich einigermaßen erholt und Victor so nonchalant wie möglich verabschiedet hatte, musste sie Dorothea und Charlotte davon überzeugen, dass sie sich kräftig genug fühlte, um mit Dora nach Hause zu gehen. Das war gar nicht so leicht gewesen. Erst als die beiden gesehen hatten, dass Theo vor dem Ausgang bereits mit dem Pferdeschlitten auf sie wartete, zogen sie von dannen. Allerdings nicht, ohne ihr noch unzählige gute Ratschläge mit auf den Weg zu geben.

Judith war noch immer flau im Magen gewesen, als sie den Schlitten bestiegen hatte, und der Heimweg entlang der kurvigen Weinsteige war ihrem Zustand nicht gerade zuträglich gewesen. Wenigstens hatte sie sich nicht noch einmal erbrochen.

Die Abendmahlzeit hatte sie ausfallen lassen, da der bloße Geruch von Essen erneute Übelkeit ausgelöst hatte, und war ohne weitere Erklärung zu Bett gegangen. Ihr Vater hatte zwar konsterniert gewirkt, war aber nicht weiter in sie gedrungen. Mit einem Ohr hatte Judith vernommen, dass Dora ihm etwas von zu viel Naschereien erzählt hatte, was zwar nicht stimmte, aber die Situation genügend erklärte. Zudem durfte sie heute Morgen den Kirchgang ausfallen lassen.

Nun galt es also, die Haushälterin zu beruhigen, damit die

ganze Sache keine übermäßigen Folgen nach sich zog. Denn Judith wollte morgen auf jeden Fall in die Fabrik.

»Sie möchten Dr. Katz doch sicherlich nicht unnötig herbestellen, Frau Margarete«, sagte sie deshalb. »Bei diesem Wetter!« Sie deutete auf ihr Fenster, vor dem der Schnee bereits wieder in dicken Flocken fiel.

»Nun gut.« Die Haushälterin gab sich endlich geschlagen. »Aber sobald Ihr Zustand sich verschlechtert, schicke ich Robert los.«

Judith nickte und war froh, als die gewissenhafte Margarete endlich zur Tür hinaus war.

Sie setzte sich gerade im Bett auf, als es erneut klopfte. Diesmal kam Dora herein, die ihr eine kleine Deckelterrine mit Brühe brachte.

»Die Gerti meinte, dass Ihnen das sicher guttut«, sagte sie und stellte das Tablett vorsichtig neben Judiths Bett ab. »Fühlen Sie sich besser, gnädiges Fräulein?«

»Oh ja, viel besser. Hat der Herr Vater noch etwas gesagt?«

»Nur, dass er gerne möchte, dass Sie untersucht werden.«

»Mir fehlt nichts.« Judith setzte sich auf den Rand ihres Bettes und hob den Deckel der Terrine. Doch sobald sie die Suppe roch, wurde ihr wieder schlecht. Rasch legte sie den Deckel auf und lehnte sich zurück in ihre Kissen.

»Mögen Sie nichts essen?«, fragte Dora besorgt.

»Noch nicht. Die Suppe ist noch ganz heiß. Ich esse sie später«, behauptete Judith. »Gehst du nicht zur Kirche, Dora?«

»Nein. Der gnädige Herr hat mir erlaubt, bei Ihnen zu bleiben.«

»Ach so.« Judith wäre zwar gerne eine Weile alleine gewesen, aber Doras Gegenwart störte sie nicht. »Wärst du so lieb, mir einen Zwieback zu bringen, Dora? Und anschließend würde ich mich gerne anziehen.«

»Sie sind aber noch immer recht blass, Fräulein Judith! Vielleicht wäre es besser, Sie bleiben heute liegen. Aber einen Zwieback besorge ich Ihnen sehr gerne.«

Während Dora sich wieder auf den Weg in die Küche machte, nahm Judith ein Buch zur Hand, *Jane Eyre,* das Dorothea ihr ausgeliehen hatte. Doch sie konnte sich nicht aufs Lesen konzentrieren.

Diese Übelkeit war eigenartig. Schon in den letzten Tagen war ihr ab und zu mulmig gewesen, vor allem am Morgen, hin und wieder auch gegen Abend, allerdings ohne dass sie sich hatte erbrechen müssen. Vielleicht war der Fisch nicht mehr gut gewesen, den es letzte Woche gegeben hatte. Aber dann hätte er auch den Zwillingen auf den Magen schlagen müssen. Die beiden waren jedoch putzmunter.

Judith war selten krank und beschloss, ihre Beschwerden so gut wie möglich zu ignorieren. Dann gingen sie vermutlich am schnellsten vorüber.

Victor stapfte durch das nachlassende Schneetreiben vom Zahnradbahnhof in Degerloch zur Villa der Rothmanns. In der Tasche trug er ein kleines Emailleschild, welches Edgar vergangene Woche nach seinen Angaben angefertigt hatte. Es zeigte ein Mädchen, das entfernt an Judith erinnerte, unter einem neuen, modernen Schriftzug der Schokoladenfabrik

Rothmann. Er hoffte, dass es ihr gefallen würde. Sie zeigte so viel Leidenschaft für Schokolade, die Zuckerbäckerei und die Fabrik. Dieses Geschenk sollte ihre Passion versinnbildlichen. Und seine Überzeugung, dass Judith eine besondere Verbindung mit der Firma hatte, gerade weil er den Eindruck hatte, dass ihr Vater die Fähigkeiten seiner Tochter nicht so schätzte, wie er sollte.

Im Gehen zog er einen Handschuh aus, griff in seine Jackentasche und strich über die glatte Oberfläche des ovalen Plättchens, das sofort die Wärme seiner Hand annahm.

Lange hatte er sich überlegt, ob er es wagen sollte, Judith zu Hause zu besuchen. Zwar wusste er, dass Wilhelm Rothmann den Sonntagnachmittag in letzter Zeit oft in der Fabrik verbrachte, um liegen gebliebene Arbeit zu erledigen, aber darauf verlassen konnte er sich nicht, zumal bei diesem Wetter. Also musste er damit rechnen, ihm zu begegnen.

Doch das hatte ihn letztlich nicht abhalten können. Seit es ihr gestern plötzlich so schlecht geworden war, machte er sich ernsthaft Sorgen um sie. Er hatte es kaum noch ertragen können, untätig im Zimmer zu sitzen und nicht zu wissen, wie es ihr ging. Irgendwann am Nachmittag hatte er sich dann einfach in die *Zacke* gesetzt und war nach Degerloch gefahren.

Jetzt, da er auf dem Weg zu ihr war, wuchs seine Nervosität. Eine Gemütsbewegung, die ihn nicht allzu oft erfasste und die ihm zeigte, wie viel Judith ihm inzwischen bedeutete.

Victor brauchte fast zwanzig Minuten, bis er die Villenkolonie erreichte, obwohl der Weg von der *Zacke* bis dorthin einigermaßen freigeräumt war. Auch auf der Straße vor dem Anwesen der Rothmanns war ein Bursche damit beschäftigt, den Schnee wegzuschippen. Als Victor näher kam, erkannte er Robert, den Hausknecht der Rothmanns.

Der junge Mann grüßte ihn.

»Das ist in diesem Jahr eine Last mit dem vielen Schnee«, meinte Victor und blieb einen Moment bei ihm stehen. »Und das schon im November!«

»Ganz gewiss. Ich mag gar nicht daran denken, dass der Winter erst angefangen hat«, antwortete Robert ehrlich und stützte sich auf seine Schaufel. »Sind Sie mit der Bahn heraufgekommen, Herr Rheinberger?«

»Das bin ich.«

»Mich wundert, dass die *Zacke* immer noch fährt.«

»Doch, aber natürlich eingeschränkt. Und es ging recht langsam voran heute.«

»Das kann ich mir vorstellen. Möchten Sie zu Herrn Rothmann?«

»Ja, wenn er zu Hause ist?« Victor hatte sich einige Gedanken gemacht, wie er es anstellen konnte, Judith überhaupt zu sehen, denn unmittelbar nach ihr zu fragen, erschien ihm zu dreist.

»Er ist vor zehn Minuten aufgebrochen, ich weiß aber nicht, wohin.«

»Tatsächlich? Das ist bedauerlich.«

»Ja, das tut mir jetzt richtig leid, wo Sie doch extra den Weg von Stuttgart herauf gemacht haben, Herr Rheinberger.« Robert dachte kurz nach und stellte dann die Schaufel an einen Pfosten der Umzäunung der Villa. »Wissen Sie was? Sie kommen mit in die Küche. Da gibt es etwas Warmes zu trinken, und Sie können sich ein wenig aufwärmen, bevor Sie wieder aufbrechen.«

»Das ist eine Einladung, die ich gerne annehme«, entgegnete Victor und war mit einem Mal sehr gespannt, wie sich dieser Nachmittag wohl weiter entwickeln würde.

In der Küche war es wohlig warm. Die Köchin servierte ihm eine dampfend heiße Schokolade und hängte Jacke und Hut über den Ofen, damit sie rasch trockneten. »Wie kommt man denn auf die Idee, heute einen Ausflug zu machen?«, fragte sie kopfschüttelnd, und Victor musste ihr im Stillen recht geben.

»Ich war nicht ganz allein in der Bahn«, meinte er entschuldigend.

»Ja, natürlich, es gibt immer ein paar Verrückte«, stellte die Köchin fest.

Victor grinste. »Die gibt es.«

»Ich wäre auch gefahren«, sprang ihm Robert bei.

In diesem Augenblick kam Dora in die Küche. »Das gnädige Fräulein möchte gerne einen Tee … Oh, grüß Gott, Herr Rheinberger! Das ist ja eine Überraschung!«

»Guten Tag, Dora. Ich wollte Herrn Rothmann gerne einen Besuch abstatten.«

»Der ist außer Haus«, sagte die Zofe.

»Ich weiß, Robert hat es mir bereits mitgeteilt.«

»Aber das Fräulein Judith ist da. Ich werde ihr gleich Bescheid geben. Wenn Sie schon den weiten Weg auf sich genommen haben, Herr Rheinberger, da werden wir Sie nicht wieder wegschicken. Robert, führst du ihn bitte in den Salon?«

»Wie du meinst«, erwiderte Robert.

»Was ist mit dem Tee?«, fragte die Köchin.

»Wir servieren ihn später im Salon.« Damit war Dora schon wieder zur Tür hinaus.

Die Köchin verrieb Fenchelsamen und Kümmel. Anschließend goss sie den Tee auf und stellte ihn auf den großen Holztisch, um ihn ziehen zu lassen.

Victor leerte seinen Becher und ließ sich dann von Robert in das Zimmer führen, in dem Karl versorgt worden war, damals, nach seinem schlimmen Unfall. Dieser Sommertag war wirklich ein bedeutender gewesen. Ihm verdankte er seine Anstellung in der Schokoladenfabrik und die Bekanntschaft mit der Tochter des Hauses. Wie manchmal augenscheinlich kleine Zufälle so weitreichende Auswirkungen mit sich brachten.

Während er auf Judith wartete, ging Victor zum Kamin, in dem ein munteres Feuer prasselte, wärmte seine Hände daran und ließ den Blick zu einem Porträt wandern, das darüberhing.

Es zeigte eine schöne, dunkelhaarige Frau in einem kostbaren Ballkleid. Sie wirkte sehr grazil und verströmte eine ungewöhnliche, sehr elegante Aura. Ihre Gesichtszüge und vor allem die bemerkenswert blauen Augen erinnerten ihn an Judith.

Einige Minuten lang versank er in der Betrachtung des

Gemäldes, dann zeigte ihm ein leises Klicken an, dass jemand das Zimmer betreten hatte. »Das ist meine Mutter.«

Als er Judiths Stimme hörte, überzog ein wohliger Schauer seinen Körper.

Langsam drehte er sich zu ihr um.

Sie wirkte noch ein bisschen blass, wie sie so dastand, in ihrem hellen Nachmittagskleid, aber in ihren Augen war schon wieder das Funkeln zu sehen, welches er inzwischen gut an ihr kannte und das ihn bei jeder Begegnung aufs Neue faszinierte.

»Du siehst ihr ähnlich.«

»Nun ja, ein wenig«, meinte Judith und ihr Lächeln ging ihm durch und durch.

»Diese Augen. Ein so wunderbares Blau. In einem wundervollen Gesicht.« Victor sah, wie ein kurzes Leuchten über Judiths Antlitz zog. Dann wurde sie wieder ernst.

»Sie fehlt mir.«

»Das kann ich gut verstehen. Wird sie nicht bald nach Hause kommen?«

»Wir haben sie Ende Oktober erwartet. Doch sie konnte nicht fahren, wegen des Wetters. Und bisher hat es sich ja noch nicht gebessert.«

Als Victor die leise Traurigkeit in ihrer Stimme hörte, wünschte er sich, all den Schnee beiseiteschieben zu können, nur um sie glücklich zu sehen.

»Selbst dieser Winter wird nicht ewig dauern, Judith. Eines Tages wird es so weit sein, und deine Familie ist wiedervereint.«

»Das wäre schön«, seufzte Judith.

Dann bot sie ihm einen Platz an dem runden, mit aufwendigen Intarsien verzierten Tisch an. Sie setzte sich ihm gegenüber auf einen der mit Seidenbrokat bezogenen Stühle.

»Was führt dich her, Victor?«

»Ich …« Victor stockte kurz, beschloss dann aber, ihr die Wahrheit zu sagen. »Ich wollte dich gerne sehen. Nachdem es dir gestern nicht allzu gut ging, habe ich mir Sorgen gemacht.«

Victor sah, wie eine plötzliche Röte über ihr Gesicht huschte. »Danke. Aber, nun ja, es tut mir sehr leid, dass du mich dabei ansehen musstest …«, stammelte sie.

Victor merkte, dass ihr das Ganze offenbar peinlich war. »Aber nein«, versicherte er. »Ich war sehr froh, dass ich in der Nähe war und helfen konnte.«

Sie sah ihn zweifelnd an.

»Es hat mir wirklich überhaupt nichts ausgemacht, Judith. Viel wichtiger ist mir, dass es dir wieder besser geht.«

In diesem Augenblick kam Dora mit einem Tablett herein und servierte Victor einen Kaffee und Judith ihren Tee. Daneben stellte sie eine Schale mit Gebäck.

Als sie wieder allein waren, zuckerte Judith ihren Tee und rührte gedankenverloren in ihrer Tasse.

»Es geht dir doch besser?«, hakte Victor vorsichtig nach.

»Jaja. Es geht mir gut.«

»Gab es noch Unstimmigkeiten mit deinen Freundinnen? Ich meine, weil sie uns gestern zusammen gesehen haben.«

Jetzt lächelte Judith. »Wegen des Eiswalzers? Oh nein. Ein wenig haben sie mich sicher beneidet.«

Jetzt musste auch Victor lächeln. »Beneidet? Dann haben wir ja alles richtig gemacht.«

»Dorothea und Charlotte sind einfach sehr besorgt um mich«, erklärte Judith. »Aber Nills Tiergarten wird von der Stuttgarter Gesellschaft eher selten aufgesucht. Es war eigentlich unwahrscheinlich, dass mich dort jemand erkennt.«

»Das mit dem Eislaufen war allerdings deine Idee, Judith«, scherzte Victor.

Sie blitzte ihn an. »Aber eine gemeinsame Unternehmung hattest du vorgeschlagen!«

»Gewiss. Und es war mir ein unglaubliches Vergnügen! Ich bin sehr erleichtert, dass ein so schöner Ausflug keine schlimmen Folgen für dich hatte.«

»Darf ich dich etwas fragen, Victor?«

»Nur zu!«

»Woher kommst du eigentlich? Nicht, dass ich zu neugierig erscheinen will …«

»Du bist neugierig, Judith, und das ist verständlich. Ich komme aus Berlin. Mein Vater ist Offizier bei der preußischen Armee.«

»Oh, das hätte ich nicht gedacht.«

»Nein? Was hättest du denn gedacht?« Victor blickte sie amüsiert an.

»Genau das ist es ja. Ich konnte mir bisher keinen rechten Reim machen.«

»Und das wiederum ist nur zu verständlich. Ich erscheine wohl nicht gerade wie ein Mann aus gutem Hause, aber wie ein Arbeiter hoffentlich auch nicht.«

»Genau«, meinte Judith und war erleichtert, dass er die Sache auf den Punkt gebracht hatte. »Was hat dich denn nach Stuttgart gebracht? Ist es hier so viel schöner als in Berlin? Ich stelle mir die Stadt phänomenal vor! Bei uns hier geht es dagegen doch eher ruhig zu.«

»So könnte man sagen. Aber ich bin sehr gerne hier. Stuttgart ist auf seine bedächtige Art charmant. Berlin ist eher hektisch und grell.«

»Ich würde gerne einmal hinreisen.«

»Und ich würde es dir gerne zeigen. Eines Tages.«

Judith wurde wieder rot, und Victor freute sich, dass auch sie ganz offensichtlich mit ihren Gefühlen zu kämpfen hatte.

Wäre er ein gemachter Mann, hätte er längst begonnen, um sie zu werben. Aber mitsamt seiner dunklen Vergangenheit und einer ungewissen Zukunft durfte er sich kaum Hoffnungen machen. Jedenfalls im Moment nicht. Noch gab es zu viele Dinge, die erst ins Reine gebracht werden mussten.

Er sah sie an. Wenigstens eine minimale Erklärung war er ihr schuldig. »Mein Vater wollte, dass ich ebenfalls eine militärische Laufbahn einschlage. Deshalb habe ich an der Kriegsakademie studiert.«

»Hat es dir dort nicht gefallen?«

»Nein. Ganz und gar nicht. Niemals hätte ich mein Leben einer solchen Sache widmen können.«

»Lieber der Schokolade?«, neckte Judith.

»Sehr viel lieber!«

Auf einmal schien es turbulent zu werden im Haus. Stimmen und Schritte waren zu vernehmen, etwas fiel zu Boden.

Victor sah Judith fragend an.

»Wahrscheinlich ist wieder einmal etwas mit meinen Brüdern.«

»Ich werde mich am besten verabschieden, Judith. Es war ...«

In diesem Moment klopfte es kurz. Babette kam ins Zimmer und knickste eilig. »Da ist der Albrecht von Braun für Sie, gnädiges Fräulein«, erklärte sie hektisch. »Ich sagte, dass Sie bereits Besuch haben, aber er bestand darauf, seine Verlobte zu sehen.«

Victor fühlte sich, als hätte ihn jemand mit Eiswasser übergossen. Hatte er gerade richtig gehört, Judith war mit Albrecht von Braun verlobt? Einige Gerüchte diesbezüglich waren ihm wohl zu Ohren gekommen, aber er hatte nicht viel darauf gegeben. In einer Fabrik wurde immer viel getratscht.

Fassungslos saß er da. Das erklärte natürlich die Reaktion der jungen Frauen gestern auf der Eisbahn. Hätte er das geahnt, wäre er gewiss niemals mitgegangen.

Er wusste nicht, was er denken sollte. All die zarten Momente der letzten Wochen bekamen auf einmal einen faden Beigeschmack. Warum hatte sie diese Tatsache verschwiegen? Und wie hatte er sich so sehr in ihr täuschen können?

Da bemerkte er, dass Judith ihn ansah. Ihr Gesicht war kalkweiß und in ihren Augen standen Tränen. »Victor, es ist nicht so, wie es den Anschein hat ...«

»Bemüh dich nicht, Judith.« Victors Stimme klang schärfer als beabsichtigt. Es fiel ihm schwer, angemessen zu reagieren, zu heftig tobten die widersprüchlichsten Gefühle in seiner Brust.

»Was soll ich denn jetzt machen?«, fragte Babette nachdrücklich.

»Schicken Sie den Herrn herein«, beschied ihr Victor, wohl wissend, dass ihm eine solche Aussage gar nicht zustand.

Und tatsächlich erschien auf Judiths Stirn eine zornige Falte. Auch diese kannte er inzwischen gut und es reizte ihn, sie glatt zu küssen. Während Babette den Raum verließ, trat er ganz nah an Judith heran.

»Ich wünsche dir einen angenehmen weiteren Nachmittag«, sagte er beherrscht und drückte ihr dabei das Emailleplättchen in die Hand. Sein Geschenk an sie, das er die ganze Zeit über in seiner Jackentasche getragen hatte.

35. KAPITEL

Venedig, zur selben Zeit

Hätte sie sich eine Jahreszeit aussuchen können, um erstmals Venedig zu besuchen, es wäre sicher nicht der Herbst und schon gar nicht der November gewesen. Doch was wäre ihr entgangen!

Hélène sah aus ihrem Hotelzimmerfenster.

Dichter Nebel verschleierte die Lagunenstadt. Nur schemenhaft schimmerten die Umrisse der prächtigen Häuser und Palazzi durch das Grau. Selbst das Läuten der Glocken, das die zahlreichen Kirchen zu dieser Stunde über die Stadt legten, erschien gedämpft. Und doch ließ sich die Schönheit Venedigs bereits erahnen, so als wartete sie nur darauf, endlich enthüllt zu werden. Hélène freute sich auf den Moment, da der Dunst sich auflöste.

Sie wandte sich vom Fenster ab und überlegte, was sie anziehen sollte. Nach wie vor verzichtete sie auf einengende Korsetts, auch wenn sie ihre schlichten Reformkleider in Riva gelassen hatte. Schließlich entschied sie sich für ein

Kleid mit mehrbahnigem Rock aus dunkelgrauer Wolle und einem blau-rot gestreiften Blusenoberteil aus Seide, das in hübschen Falten um ihren Oberkörper floss. Anschließend steckte sie ihr Haar auf und setzte eine passende Filz-Toque auf, die mit Samt, einem dunkelroten Seidenband und einer Agraffe verziert war.

Dann nahm sie Handtasche und Schirm und ging über die enge Treppe zur Rezeption des kleinen, familiären Hotels unweit des Campo San Polo hinunter, in dem sie sich einquartiert hatten.

Sie wartete geduldig, bis Max erschien, etwa zehn Minuten nach der vereinbarten Uhrzeit, ein entschuldigendes Lächeln auf den Lippen.

»Mussten Sie lange warten, Hélène?«

Hélène schüttelte schmunzelnd den Kopf. Max wusste, dass sie stets pünktlich war. Und sie wusste, dass Max ein saloppes Verhältnis zu allen Arten fixer Zeitpunkte pflegte.

Er setzte seinen Filzhut auf und bot Hélène den Arm. »So. Nachdem Sie in mir während der letzten Wochen einen geduldigen Zuhörer hatten, zeige ich Ihnen jetzt den Zauber Venedigs. Ich hoffe, Sie werden mit meiner Führung zufrieden sein.«

»Daran hege ich keinerlei Zweifel.« Hélène nahm seinen Arm.

Als sie auf die kleine Gasse vor ihrer Unterkunft traten, kämpfte sich bereits die Sonne durch die Nebelschleier.

»Wir haben Glück. Im November regnet es in Venedig eigentlich immer«, meinte Max, der die Stadt gut kannte, mit einem zufriedenen Blick gen Himmel.

»In Deutschland schneit es«, stellte Hélène fest. »In Riva wohnt in meiner Nachbarschaft eine Frau, deren Sohn in Ulm lebt. Sie hat mir erzählt, dass momentan sehr viel Schnee liegt.«

»Ja, mir hat ein Freund dasselbe geschrieben. Es muss richtig winterlich sein, zumindest in Süddeutschland«, sagte Max und legte seine Hand auf Hélènes. »Umso besser, dass wir nicht dort sind. Lust auf *La Serenissima?*«

»Oh ja!«

Sie gingen die wenigen Minuten bis zur nächsten Haltestelle der *Vaporetti* am *Canale Grande* zu Fuß und bestiegen eines dieser kleinen Dampfboote, die regelmäßig in den unzähligen Kanälen Venedigs verkehrten.

Während der langsamen Fahrt in Richtung der Piazza San Marco genoss Hélène den Anblick der wunderbaren Häuserfassaden, die an ihnen vorüberzogen. Sie leuchteten in warmen Rot- und Gelbtönen und standen direkt im Wasser. Dass Venedig auf Pfählen erbaut war, hatte sie schon viele Male gehört. Es mit eigenen Augen zu sehen, war faszinierend.

»Nahezu jedes Haus hier hat einen Anleger«, sagte sie zu Max. »In Venedig ersetzt das Boot wohl die Kutsche.«

»So könnte man sagen. Und das Wasser ersetzt die Straßen«, ergänzte Max.

»Sie ist so ganz anders, diese Stadt«, meinte Hélène. »Die Geräusche, der Geruch, die Menschen. Kein Wunder, dass sie eine so große Anziehungskraft besitzt.«

Max nickte. »Die Stadt der Liebenden.« Er nahm ihre Hand.

Hélène lächelte ihn an. Sie konnte kaum glauben, dass sie hier war, zusammen mit ihm.

Als er sich nach ihrem Ausflug ins Ledrotal so plötzlich zurückgezogen hatte, ihr wie ein Fremder begegnet war, hatte sie zwar einen echten und tiefen Schmerz verspürt, ihn aber gleichzeitig gut verstehen können. Sie war um einige Jahre älter als er, das war schlicht eine Tatsache, wer konnte ihm verdenken, dass er sich nicht wirklich mit ihr einlassen wollte? Sie war ihm nicht gram gewesen, sondern bereit, ihn in Liebe ziehen zu lassen.

Und dann hatte er auf einmal vor ihrer Tür gestanden, verlegen und unsicher, hatte seine Gefühle offengelegt und keine Zweifel daran gelassen, wie er zu ihr stand. Und sie hatte sich auf das Wagnis dieser ungewöhnlichen Liebschaft eingelassen. So, wie Hermione es mit Christl wagte, in dem Wissen, dass die gemeinsame Zeit begrenzt war. Aber war es nicht einzig der Augenblick, der zählte?

Max' Einladung nach Venedig war eine Überraschung gewesen. Entsprechend erwartungsvoll hatte sie vorgestern mit ihm das Dampfschiff nach Desenzano bestiegen, um tags darauf von dort aus den Zug nach Venedig zu nehmen.

Und hier waren sie nun. Hélène ließ den Blick über die prächtigen Häuser schweifen und versuchte, die Stadt aus dem Blickwinkel des angehenden Architekten zu betrachten.

Vor die symmetrisch angeordneten, oftmals bodentiefen Fenster mit Rund- oder Spitzbögen waren niedrige Brüstungen oder kleine, verzierte Balkone gesetzt, schmale Säulen betonten die wichtigsten Achsen, ab und zu schwebte ein

Baldachin darüber. Das Mauerwerk zeigte kunstvolle Ornamente und Verzierungen. Diese Domizile erweckten den Eindruck, als wären sie das Werk eines begabten Zuckerbäckers, so erlesen und edel, manchmal verspielt und grazil und doch monumental und präsent waren sie aufgeführt. Zeugen längst vergangener Epochen. Und doch nicht für die Ewigkeit gebaut. Die Wasserränder am Sockel deuteten auf eine Kraft hin, die stärker war als jedes Menschenwerk: das Wasser.

»Traumhaft, nicht wahr?«, flüsterte Max ihr ins Ohr. Sie saßen eng beieinander auf dem offenen Deck des Dampfschiffchens. Er drückte ihre Hand. »So nobel. Und doch auf Sand gebaut.«

Er hatte dieselben Gedanken wie sie.

»Wissen Sie, wie Venedig entstanden ist, Hélène?«

Hélène schüttelte den Kopf.

»Man hat es ursprünglich auf einzelnen sumpfigen Inseln erbaut. Einhundertzwanzig Eilande, die untereinander durch Brücken verbunden waren. Stellen Sie sich vor, mehr als vierhundert Brücken verbinden Venedig zu der Stadt, die wir heute sehen.«

»Das ist wirklich unglaublich.«

»Die meisten dieser herrschaftlichen Palazzi sind ehemalige Wohnhäuser des venezianischen Adels und reicher Patrizierfamilien und sehr, sehr alt. Viele davon wurden vor vier- bis fünfhundert Jahren erbaut. Manche sind sogar noch älter.«

»Um solch feudale Residenzen zu bauen, brauchte man doch sicher ziemlich viel Geld?«

»Allerdings.« Max spielte mit ihren Fingern und Hélène strich mit ihren leicht über seine.

»Woher kam denn dieser immense Reichtum?«, wollte sie wissen. »Allein vom Handel?«

»Venedig war ein Handelszentrum, das ist unbestritten, die hier ansässigen Kaufleute betrieben ganz früher sogar Fernhandel bis nach Asien. Aber auch der Schiffbau und später die Herstellung von Tuch, Seide oder Glas brachten den Venezianern viel Geld ein, vor allem, als die Handelsmacht allmählich schwand«, erklärte Max. »Ah, wir sind da!«

Sie hatten den Anleger der Piazza San Marco erreicht und stiegen aus.

»Gut, dass wir heute trockenen Fußes über die Piazza spazieren können«, bemerkte Hélène. »Ich habe gelesen, dass das Wasser während der Wintermonate mit der Flut oft so hoch steigt, dass man knietief durchwaten muss!«

»Da haben wir wirklich Glück. Obwohl es sicherlich ganz vergnüglich wäre, hier im Meer zu baden«, entgegnete Max.

»Na ja, es gäbe Erlebnisse, die ich dem vorziehen würde«, wandte Hélène ein. Max lachte.

Wie gestern Nachmittag bei ihrer Ankunft schien inzwischen eine milde Herbstsonne auf die Lagune, deren Kraft zwar nicht mehr ausreichte, um die Luft richtig zu wärmen, dafür aber ein bezauberndes Licht über Plätze und Gassen, Kanäle und Brücken warf.

Eine Novemberidylle mit völlig eigenem Reiz.

Als sie über den Markusplatz schlenderten, fiel Hélène sofort eine große Baustelle auf.

»Stand hier der Campanile?«, fragte sie Max.

»Ja, bevor er letztes Jahr eingestürzt ist.«

»Das habe ich in der Zeitung gelesen. Man hatte den Turm bereits gesperrt, weil es Risse gab. Gott sei Dank ist niemand zu Schaden gekommen.«

»Außer der Katze des Küsters.«

»Der Katze des Küsters?«

»Sie soll verschüttet worden sein. Sagt man.« Max grinste. »Ziemlich sicher ist das aber nur eine Mär. Wahrscheinlich hat sie einfach die Gelegenheit genutzt und sich ein neues Zuhause gesucht.«

Hélène knuffte ihn. Er legte den Arm um sie und zog sie für einen Moment fest an sich. »Und es gab noch etwas sehr Merkwürdiges, als der Turm einstürzte«, meinte er geheimnisvoll.

»Oh, was denn?«, fragte Hélène und ahmte seinen bedeutungsvollen Tonfall nach.

»Der goldene Engel Gabriel, der seit vielen Jahrhunderten auf dem Dach des Campanile Wache über Venedig gehalten hatte, landete bei dem Unglück direkt vor dem Haupttor der Basilika!«

»Ein Engel hat eben Flügel«, konterte Hélène. »Da kann er sich aussuchen, wo er hinfällt.«

Sie lachten beide.

»Also, Hélène, dann darf ich Sie ins Innere des Markusdoms bitten«, forderte Max sie übertrieben formell auf und deutete elegant auf die mächtige Kirche.

»Sie werden zuvor doch bestimmt etwas zu dieser

außergewöhnlichen Fassade zu sagen haben«, stichelte Hélène in strengem Ton.

»Gewiss! Bedauerlicherweise bin ich noch nicht so geübt als Fremdenführer. Sehen Sie es mir nach?«, bat Max diesmal unterwürfig.

»Nun ja. Ausnahmsweise«, meinte Hélène gnädig und drückte zärtlich seinen Arm.

Gemeinsam betrachteten sie die fünf Portale mit mosaikverzierten Bögen, von denen jedes ein eigenes Kunstwerk darstellte, wobei das in der Mitte die beiden anderen an Größe und Pracht deutlich übertrumpfte.

Max deutete nach oben. »Sehen Sie die vergoldeten Pferde auf der Galerie? Sie wurden in Konstantinopel geraubt, so wie viele der Säulen und Skulpturen der Fassade.« Max sah sie aufmerksam an und zeigte dann weiter auf die fünf Spitzbögen über den Portalen. »Auf jeder dieser Bogenspitzen steht einer der Stadtheiligen Venedigs.«

»Die Stadt braucht gleich fünf Heilige?«

»Sicher ist sicher, meinen Sie nicht? Also wachen hier Konstantin, Demetrius, Georg und Theodor. Und natürlich Markus, der in der Mitte.«

»Na, dann kann ja nichts mehr passieren«, scherzte Hélène. »Ein Heiliger für jede Himmelsrichtung. Und dazu noch einer, der aufpasst, dass die vier alles richtig machen.«

Max schmunzelte. »Eher eine Schutzheiligen-Dynastie ohne familiäre Bindungen. Wobei der Evangelist Markus der Wichtigste ist, nachdem zwei venezianische Kaufleute seine Gebeine einst in Alexandria stahlen und unter einer

Ladung gepökelten Schweinefleischs nach Venedig brachten.«

»Wo sie noch heute ruhen.«

»Angeblich.«

Als sie die Basilika schließlich durch das große Mittelportal betraten, verschlug es Hélène die Sprache.

Über ihnen wölbte sich eine Decke, die verschwenderisch mit wundervollen Mosaiken auf Goldgrund ausgestaltet war, die weit die Wände herabreichten. Auch der Boden, auf dem sie standen, war mit Mosaiken übersät, deren ornamentale Muster sich aus unzähligen Marmorsteinchen zusammensetzten. Das Zusammenspiel der Kuppeln, Bögen und Säulen mit den kostbaren Materialien erzeugte eine Illusion wie aus Tausendundeiner Nacht.

Max beobachtete sie zufrieden. »Man nennt sie auch die Goldene Basilika. Diese Mosaikkunst sucht im Abendland vergeblich ihresgleichen.«

»Es schimmert so unwirklich, nahezu sphärisch. Es würde mich nicht wundern, wenn gleich einer der Schutzheiligen erschiene und zu uns sprechen würde«, wisperte sie.

Max lächelte. »Vermutlich würde er nur zu Ihnen sprechen. Mein Sündenregister ist schlicht zu umfangreich. Aber jetzt«, flüsterte er ihr zu, »zeige ich Ihnen noch eine außergewöhnliche Kostbarkeit.«

Er legte ihr eine Hand auf den Rücken und schob sie sanft weiter, bis sie vor einem Altarbild standen, dessen Pracht sie fast blendete. »Das ist die Pala d'oro.«

»Unglaublich«, wisperte Hélène ehrfürchtig.

»Ja, das ist sie. Eine der prächtigsten Retabeln, die es gibt.«

»Gold und Silber, wohin man auch schaut …«

»Perlen, Smaragde, Rubine, Saphire und unzählige andere Edelsteine sind hier verarbeitet. Sehen Sie sich die Emaillearbeiten an, und auch die wertvollen Kameen.«

Die entrückende Atmosphäre der Basilika berauschte Hélène auch dann noch, als sie längst wieder auf dem Markusplatz standen.

»Nun?«, fragte Max, begierig auf ihr Urteil.

»Mir fehlen die Worte.« Hélène hakte sich bei ihm unter und drückte sich eng an ihn, als sie weitergingen. »Und ich verstehe gut, warum Sie sich der Architektur verschrieben haben, Max.«

»Sie nimmt einen gefangen«, bestätigte Max. »So, wie Sie es tun, Hélène«, fügte er leise an.

Hélène lehnte ihren Kopf an seine Schulter und er küsste sie verstohlen auf den Scheitel. Dann räusperte er sich und sagte: »So viel Herrlichkeit macht hungrig, finden Sie nicht? Wie wäre es mit einer kleinen Mahlzeit?«

»Gerne!«

Max führte sie entlang der Arkaden unter der *Procuratie Nuove* zu einem nobel anmutenden Kaffeehaus und öffnete ihr die Tür. »Nach Ihnen, Hélène.«

Sie traten ein.

Die Lokalität war außergewöhnlich exklusiv eingerichtet. Unter einer Stuckdecke mit vergoldeten Verzierungen und ornamentalen Malereien reihten sich kleine Tische an Stühle und Bänke. Die ebenfalls üppig verzierten Wände schmückten Spiegel in aufwendigen Rahmen.

Während sie sich einen Caffè und süßes Gebäck servieren ließen, erzählte Max von der bewegten Geschichte des Kaffeehauses.

Hélène lauschte aufmerksam seinen Ausführungen über Aufstieg und Fall der Republik Venedig und zu den im vergangenen Jahrhundert im Caffè Florian abgehaltenen konspirativen Zusammenkünften der Widerständler gegen die Herrschaft der Franzosen und Habsburger.

»Man hat hier sogar die Verwundeten des Aufstands versorgt, anno 1848. Aber ich möchte Sie nicht mit Jahreszahlen und Politik langweilen, liebe Hélène. Für Sie von besonderem Interesse dürfte die Tatsache sein, dass hier im Florian die Idee zur Internationalen Kunstausstellung Venedigs entstand.«

»Oh, wirklich? Ja, die Biennale. Ich habe die Berichte darüber gelesen, sofern sie mir zugänglich waren. Ich hätte die Ausstellung zu gerne besucht, sie fand ja auch in diesem Jahr statt. Bedauerlicherweise ging sie vor zwei Wochen zu Ende.«

»Das nächste Mal gehen wir gemeinsam hin«, versprach Max mit einem sanften Unterton und Hélène wurde in diesem Augenblick deutlich bewusst, wie außergewöhnlich ihre Beziehung zu ihm war. Selten war sie einem Menschen begegnet, der die Welt mit ähnlichen Augen sah wie sie, der andere Perspektiven einnehmen konnte und offen war für neue Inspirationen, auch wenn sie die anerkannten Normen sprengten. Wilhelm Rothmann, an den sie gar nicht mehr als ihren Ehemann denken wollte, hatte ihre Sehnsüchte und

Träume stets als Spinnereien abgetan und sie in ein Korsett aus Moral und Monotonie gezwungen, in dem sie beinahe erstickt wäre.

Max hingegen teilte nicht nur ihre Interessen, er nahm vielmehr ihre feinen Facetten wahr, und gab ihr zudem das Gefühl, geachtet und begehrt zu werden.

Sie sah ihn an. »Das wäre schön, Max. Das wäre so wunderschön.«

Er erwiderte ihren Blick und in seinen Augen las sie nicht nur Zuneigung und Bewunderung. Das pure Verlangen, das aus ihnen sprach, sandte ein Beben durch ihren Körper. Und wieder dachte sie an Hermione, die sich den Leidenschaften ihres Lebens so hemmungslos ergab, und fühlte in sich den unbedingten Wunsch aufsteigen, dieses pure Gefühl selbst auszukosten. Nicht an morgen zu denken. Sondern einfach zu leben.

Max beugte sich vor, fasste ihren Ellenbogen und streichelte ihn. Er schien die sinnlich aufgeladene Atmosphäre zwischen ihnen ebenso zu spüren wie sie.

»Auguste Rodin hat in diesem Jahr ausgestellt«, flüsterte Hélène. »Ebenso Pissarro und Renoir. Ich liebe die Kunst Frankreichs. Sie ist heiter und echt. Und natürlich.«

Max' Blick wurde noch eindringlicher. »Ich denke im Augenblick an Rodins Skulptur, die er *Der Kuss* genannt hat.« Seine Stimme klang rau.

»Ja«, sagte Hélène tonlos. Auch sie hatte Mühe, ihre Gefühle unter Kontrolle zu halten.

»Ein Mann und eine Frau. Hüllenlos und pur. Sonst

nichts.« Max fuhr mit seiner Hand ihren Unterarm entlang. Die Empfindungen, die er damit in Hélène auslöste, waren ihr bisher allenfalls als Ahnung begegnet. Sie schienen tief in ihrem Inneren zu entstehen, bereit, die Kruste des Anstands und der anerzogenen Zurückhaltung zu sprengen. Sie begehrte diesen Mann mit jeder Faser ihres Geistes und ihres Körpers.

Seine Finger begannen, mit den ihren zu spielen. »In inniger Umarmung. Voller Erwartung.« Er streichelte jede einzelne Fingerkuppe.

»Ihre Lippen berühren sich nicht«, flüsterte Hélène.

»Und doch wissen wir, dass sie sich einander hingeben.«
Hélène befeuchtete ihre Lippen. »Ja. Das tun sie.«

Max sah nachdenklich auf ihre verschlungenen Finger, dann zog er ganz langsam seine Hand zurück und gab dem Kellner ein Zeichen, dass er bezahlen wollte.

»Es ist ein echtes Glück, dass der Campanile nicht direkt neben der Basilika stand, so wie es in unseren Breiten die Kirchtürme immer tun«, sagte er mit fester Stimme, als er das Wechselgeld einsteckte.

Hélène war angesichts des abrupten Themenwechsels einen Moment verwirrt. Sie blinzelte. »Er hätte den Dom massiv beschädigt, als er einstürzte, nicht wahr?«

»Das steht zu vermuten«, antwortete er. »Sind Sie wieder bei Kräften, Hélène? Dann setzen wir unsere Erkundung fort.«

Als sie über die Piazza San Marco in Richtung des Dogenpalastes gingen, waren Wolken aufgezogen und Hélène fragte

sich, weshalb Max stets Abstand schuf, wenn zwischen ihnen eine sinnliche Atmosphäre entstand. Das wollte genauso
wenig zu dem passen, was in den letzten Wochen geschehen
war, wie der sich zuziehende Himmel, der nun plötzlich die
Sonne verdrängte.

36. KAPITEL

Tags darauf

Das *Vaporetto* pflügte durch die unruhigen, grauen Wasser der Lagune. Im Gegensatz zu gestern waren Wind und Regen aufgekommen, und die Gischt verteilte feine Wassertröpfchen auf die wenigen Passagiere, die es gewagt hatten, die Überfahrt nach Murano draußen auf dem überdachten Deck zu verbringen.

Max und Hélène hatten die Enge der Kajüte vorgezogen. Dort saßen sie nebeneinander auf einer der Holzbänke, zusammen mit einigen Einheimischen, die lautstark auf Italienisch diskutierten.

Max beobachtete die Gruppe amüsiert.

Alle sprachen gleichzeitig und durcheinander, vor allem die Frauen, und unterstrichen ihre Aussagen mit ausladenden Gesten und herzlichem Gelächter. Es war ihm ein Rätsel, wie man gleichzeitig reden und zuhören konnte, aber das schien eine Spezialität der Italiener zu sein. Sie besaßen einfach ein temperamentvolles Gemüt.

Außer ihnen war nur noch ein älteres Ehepaar an Bord, das, wie sie, auf Reisen zu sein schien. Vielleicht hatten sie die Biennale besucht und einen längeren Aufenthalt angehängt. Sie unterhielten sich leise auf Englisch.

Max hatte einen Arm auf den schmalen Sims des kleinen Fensters gelegt, an dessen Scheibe der Regen klatschte und in unzähligen Rinnsalen herablief. Er bedauerte, dass er Hélène heute nicht den hübschen Ausblick über das Wasser und die umgebenden Inseln zeigen konnte, der die Bootsfahrt bei gutem Wetter begleitete, und beschloss, noch einmal mit ihr herzukommen. Im nächsten Sommer.

Sein Blick wanderte zu ihr. Sie saß aufrecht, ruhig und aufmerksam neben ihm, so wie es ihre Art war, eine Hand lag in ihrem Schoß, die andere in der seinen. Er musterte ihr Profil und gestand sich ein, wie sehr er es lieb gewonnen hatte. Ihre zarten Gesichtszüge, die schmale, gerade Nase, die strahlend blauen Augen unter dem dichten, dunklen Wimpernkranz, die so viel Leben und Begeisterung versprühten.

Als spürte sie seinen Blick auf sich, wandte Hélène den Kopf und sah ihn einen Moment lang prüfend an. Er machte eine unauffällige Geste zu der noch immer in heftige Gespräche verstrickten Gruppe hin und sie nickte schmunzelnd.

Als er schließlich ihren Blick festhielt, zog ein helles Lächeln über ihr Gesicht.

»Ich bin schon sehr gespannt auf die Glasbläser«, sagte sie.

»Murano wird dir gefallen«, gab Max zurück. Nach einigen Gläsern Wein waren sie am Vorabend zum vertraulichen »Du« übergegangen. »Weißt du eigentlich, weshalb die

Glasherstellung einst von Venedig nach Murano verlegt wurde?«

»Nein, aber das wirst du mir sicher gleich verraten«, sagte Hélène scherzend.

»Bis zum Ende des dreizehnten Jahrhunderts befand sie sich in Venedig. Aber die Brandgefahr durch die Öfen in den eng aneinandergebauten Häusern dort war einfach zu groß. Deshalb übersiedelten die Glasbläser nach Murano.«

»Eine vernünftige Entscheidung.«

»Aber es gab noch einen Grund«, deutete Max an.

»Ja?«

»Das Geheimnis der Glasherstellung sollte gewahrt werden. Auf Murano lebten die Glasbläser abgeschottet vom Rest der Welt. Denjenigen, die das Wissen um ihre Kunst weitergaben, drohte sogar die Todesstrafe.«

»Trotzdem sickerte etwas nach draußen, nicht wahr?«

»So ist es. Manche Techniken gelangten nach Deutschland und in die Niederlande, später auch nach Böhmen und Schlesien.«

»Böhmisches Glas ist ebenfalls sehr apart.«

»Jede Glashütte hat ihre eigenen Merkmale, die Techniken werden stets verfeinert und weiterentwickelt. Und auch die verwendeten Rohstoffe sind nicht dieselben. Es gibt auf der ganzen Welt kein zweites Murano-Glas.«

Ein plötzlicher Ruck ging durch das *Vaporetto*.

»Wir dürften angekommen sein«, stellte Max grinsend fest. »Der Seegang macht es nicht gerade leicht, sanft anzulegen.«

Eine halbe Stunde später standen sie in einer der

Glaswerkstätten. Max hatte mit dem Besitzer gesprochen und dieser ließ sie nun zusehen, wie er, gemeinsam mit einem Gehilfen, unterschiedlich gefärbte, dünne Glasstäbchen in einem komplizierten Vorgang zu einem bezaubernden Geflecht verschmolz.

»Man nennt diese Art Murrine«, erklärte Max.

»Millefiori.« Hélène nickte. »Das kenne ich. Aber zugesehen, wie sie entsteht, habe ich noch nie. Es ist faszinierend.«

»Und sehr heiß«, meinte Max.

Im Laden der Werkstatt kaufte er ihr einen runden Briefbeschwerer im Millefiori-Dekor, dann gingen sie nach draußen und schlenderten durch die Gassen von Murano. Es hatte aufgehört zu regnen, und sie sahen sich die Auslagen in den verschiedenen Geschäften an.

»Es ist schon ein unglaubliches Geschick vonnöten, um diese Kunstwerke zu erschaffen«, bemerkte Hélène und blieb vor einer Sammlung Weingläser aus dünnwandigem, rot eingefärbtem Glas mit Golddekor stehen, deren Stiele ebenfalls aus Gold gefertigt waren. »Sieh doch, wie aufwendig all diese Details gemacht sind.«

Max sah genau hin. »Ja, sie sind fabelhaft. Kein Wunder, dass die Ausbildung zum Glasbläser mindestens zehn Jahre dauert, bis zum Meister noch viel länger.«

»Mich erstaunen auch die vielen unterschiedlichen Arten an Glas.«

»Sie sind Ergebnis unzähliger Arbeitsvorgänge. Quarzsand, Kalk und Soda sind die wesentlichen Zutaten, dazu kommen Mineralien und Kristalle für die unterschiedlichen

Färbungen. Doch wie die genaue Zusammensetzung ist, und ob es noch geheime Ingredienzen gibt, bleibt das Geheimnis der einzelnen Glasbläser und wird nur innerhalb der jeweiligen Familie weitergegeben. Jede macht also ihre eigene Kunst.«

»Und damit bleibt das Murano-Glas unnachahmlich. Und sehr teuer.«

»Genau.«

Es waren nur sehr wenige Menschen unterwegs. Max zog Hélène an sich. »Ich denke, zum Essen fahren wir zurück nach Venedig. Was meinst du?«

»Das ist eine gute Idee.«

Sie schlenderten noch eine Weile über die kleine Insel, bis ein *Vaporetto* sie schließlich zurück in die Stadt brachte.

Während der Überfahrt legte Hélène den Kopf an Max' Schulter und ihm wurde einmal mehr bewusst, welch starke, auch körperliche, Anziehung sie auf ihn ausübte. Gewiss, sie war einige Jahre älter als er, doch ihrer Schönheit tat das keinen Abbruch, im Gegenteil. In ihr verschmolzen Jugend und Erfahrung, Neugier und Gefühlstiefe, Verletzlichkeit und Stärke zu einem sinnlichen Charme, der ihre einzigartige Aura unterstrich.

Er nahm eine der glänzenden dunklen Haarsträhnen, die sich unter ihrer Toque hervorgestohlen hatte, und strich sie hinter ihr Ohr. Dabei streichelten seine Finger ihre Wange. Sie drehte den Kopf und küsste die Innenfläche seiner Hand. Ein warmes, inniges Sehnen erfüllte ihn und ihm wurde bewusst, dass er sich nicht mehr lange würde zurückhalten können. Bisher war der Gedanke an ihre Tochter immer zwischen seinem Begehren und dem letzten Schritt gestanden. Doch was geschehen war, war geschehen. Es lagen Hunderte von Kilometern zwischen Stuttgart und Riva und symbolisch noch viel mehr zwischen ihm und seiner Vergangenheit. Es war Zeit, einen Strich unter dieses Kapitel zu ziehen.

Als hätte Hélène seine Gedanken gelesen, seufzte sie leicht, richtete sich auf und begann in ihrer Handtasche zu stöbern, vermutlich auf der Suche nach einem Taschentuch.

Derweil erregte eine italienische Familie Max' Interesse, die in Murano mit an Bord gegangen war. Sie hatten sechs Kinder dabei und eines davon, ein munterer Junge, turnte lebhaft durch die Bankreihen. Als er merkte, dass er beobachtet wurde, grinste er breit und zeigte dabei seine Zahnlücken. Max schätzte ihn auf sieben oder acht Jahre.

In diesem Augenblick fiel eines der kleineren Kinder, ein Mädchen, von seiner Bank und fing durchdringend an zu schreien. Die Aufmerksamkeit aller wandte sich dem Kind zu, und als Max wieder nach dem Jungen sah, war dieser verschwunden.

Aus einem Instinkt heraus stand Max auf und suchte mit den Augen die Bankreihen ab. Hélène sah ihn fragend an, aber er beachtete sie nicht, sondern schob sich an ihr vorbei in Richtung der Kabinentür.

Als er diese öffnete, blies ihm heftiger Wind ins Gesicht, der Sturm hatte in den wenigen Minuten ihrer Überfahrt deutlich zugenommen.

Sein Blick huschte über die verlassenen Bankreihen unter

dem Baldachin, der über dem offenen Deck angebracht war, und erwischte im letzten Moment den Buben, der übermütig an der Reling herumturnte. Unheil ahnend ging Max auf ihn zu, um ihn von seinem gefährlichen Spielgerät wegzulocken. Da erfasste eine Böe das kleine Schiff und ließ es so heftig schaukeln, dass der Junge sich nicht mehr halten konnte. Entsetzt musste Max zusehen, wie er über Bord ging.

Noch während er an die Stelle eilte, wo das Unglück geschehen war, zog er Mantel und Jackett aus, warf beides achtlos auf eine der Bänke und sprang dem Kind hinterher in die Fluten.

»Max!« Hélènes schockierter Schrei war das Letzte, was er hörte, bevor die kalte See über ihm zusammenschlug und ihm für einige Augenblicke den Atem nahm. Gleichzeitig wusste er, dass nur wenige Minuten Zeit blieben. Wo war das Kind?

Im trüben Wasser war so gut wie nichts zu erkennen. Er holte noch einmal Luft und tauchte unter. Tatsächlich fiel ihm wenige Meter unter sich ein dunkler Schatten auf, es brauchte wenige Züge, dann bekam er gerade noch einen Arm zu fassen. Er packte fest zu, spürte aber gleichzeitig, wie ihm selbst der Atem ausging. Mit ruckartigen Stößen kämpfte er sich an die Wasseroberfläche zurück und holte keuchend Luft, während er gleichzeitig den leblosen Körper des Kindes an sich presste.

Für einen Moment verlor er die Orientierung, sah aufgrund des Wellengangs nicht sofort, wo sich das *Vaporetto* befand. Als er es schließlich ausmachte, merkte er bereits, dass auch ihn in dem kalten Wasser rasch die Kräfte verließen.

Da zeigte ihm Motorengeräusch an, dass man sie offenbar gesehen hatte. Das *Vaporetto* tauchte in der Nähe auf und ein Rettungsring mitsamt einem Seil wurde ins Wasser geworfen.

Max konnte sich später nicht mehr daran erinnern, wie er diesen zu fassen bekam. Das Nächste, was er wahrnahm, war Hélènes angsterfülltes Gesicht, das sich über ihn beugte.

»Wie geht's dem Jungen?«, fragte Max und hustete.

»Sie versorgen ihn«, antwortete Hélène gehetzt. »Meinst du, du kannst aufstehen? Du musst unbedingt ins Warme. Hier draußen holst du dir den Tod.«

Sie griff unter seinen Arm und er rappelte sich auf. Eng umschlungen gingen sie in die Kabine.

»Setz dich hier auf die Bank, ich hole schnell deine Sachen vom Deck«, sagte Hélène.

Sie verschwand, kehrte mit Jackett und Mantel zurück und setzte sich zu ihm.

»Die sind ja eiskalt«, stellte sie fest, entledigte sich ihrer eigenen Jacke und zog seinen Mantel an, offenbar in der Absicht, ihn vorzuwärmen. Dann streifte sie ihm das nasse Hemd ab und versuchte, ihn so gut es ging mit ihrer Jacke einzuhüllen.

Max zitterte, aber so von ihr gehalten zu werden, ließ seine Lebensgeister rasch zurückkehren. Er trieb viel Sport, und das kam ihm jetzt zugute.

»Wo ist der Bursche?«, fragte er noch einmal und Hélène deutete auf die andere Seite der Kajüte.

Erleichtert vernahm Max ein heftiges Husten, ein Zeichen

dafür, dass der Bub das verschluckte Wasser ausspie. Eltern und Geschwister überzogen den Geretteten mit einem heftigen Redeschwall und Max meinte, einige Worte des *Padre Nostro* zu vernehmen.

»Er wird es schaffen«, sagte Hélène.

Max nickte. »Gewiss.« Er versuchte sich an einem schwachen Lächeln, um ihr die Sorgenfalten von der Stirn zu vertreiben. Es gelang ihm nicht ganz und ihre Fürsorge rührte ihn. Als sie ihn schließlich in seinen Mantel packte, der ein wenig ihrer Körperwärme angenommen hatte, breitete sich ein nie gekanntes Gefühl in ihm aus. Die Gewissheit, angekommen zu sein.

Hélène hatte sich bereits zur Nacht fertig gemacht, doch an Schlaf war nicht zu denken. Stattdessen stand sie am Fenster ihres Hotels und sah hinaus in die Dunkelheit. Der Schock über das, was am Nachmittag passiert war, steckte ihr tief in den Gliedern.

Alles war so furchtbar schnell gegangen. Nachdem Max mit gerunzelter Stirn aufgestanden war und die Kabine verlassen hatte, war sie sofort hinterhergeeilt. Doch bis sie ermessen hatte, was dort draußen vor sich ging, war er bereits ins Wasser gesprungen.

Zum Glück war es noch nicht dunkel gewesen, sodass sie den Bootsführer in die Richtung dirigieren konnte, in der Max kurze Zeit später wieder aufgetaucht war, zusammen mit einem Bündel.

Dann hatten zwei Männer ihm den Rettungsring

zugeworfen, den er nach zwei Fehlversuchen schließlich gepackt hatte, und beide an Bord gehievt. Und während die
Familie sich um ihr Kind kümmerte, hatte sie sich Max' angenommen.

In diesen Minuten, als er hilflos vor ihr gelegen hatte und
sie nicht wusste, ob er gleich das Bewusstsein verlöre, war
ihr klar geworden, wie wichtig er ihr geworden war. Und die
restliche Zeit bis zu ihrer Ankunft in Venedig hatte sie nicht
aufhören können, seinen Oberkörper warm zu reiben.

Auf dem Nachhauseweg hatte er zwar schon wieder ge-
scherzt, dass sich in seinem Fall wohl alle fünf Schutzheilige
Venedigs einig gewesen wären, ihn noch nicht als Störenfried
im Himmel haben zu wollen, aber sie machte sich dennoch
große Sorgen. Eine Lungenentzündung kam rasch und war
gefährlich.

Es klopfte.

Hélène drehte sich überrascht um. Wer konnte das sein?

Max war im Bett, hoffentlich mit einer heißen Wärmfla-
sche und einem genauso heißen Tee, und sonst kannte sie
niemanden hier im Hotel. Wollte das Zimmermädchen noch
etwas von ihr?

Sie ging zur Tür und öffnete.

Er stand davor, ohne Jackett, die Ärmel seines wollenen
Hemdes aufgekrempelt. »Was …?«, fragte Hélène, aber er
schüttelte nur den Kopf und schob sie ins Zimmer.

Die Tür fiel zurück ins Schloss.

Mit einer Hand umfasste er ihren Hinterkopf und hob
ihr Gesicht an. Seine Augen hatten sich verdunkelt, als er

sich über sie beugte und mit seinen Lippen die ihren berührte. Behutsam und zärtlich erkundete er die zarte, empfindliche Haut, fragend zunächst, dann voller sachtem Verlangen.

»Max, du …«, setzte Hélène noch einmal an, aber er machte nur »Schscht« und küsste sie erneut.

Hélènes Puls beschleunigte sich.

Ohne den Kuss zu unterbrechen, drängte er sie langsam ein Stück zurück, bis sie die Wand neben der Tür in ihrem Rücken spürte. Dann hielt er einen Moment inne, schwer atmend, eine Hand neben ihrem Kopf abgestützt.

Während er sie eindringlich ansah, begann er, mit den Fingern der anderen Hand die Umrisse ihres Gesichts nachzuzeichnen, erkundend, erwartungsvoll.

»Mir geht es gut«, murmelte er. »Sehr gut.«

Sie nickte, während er seine Hand tiefer gleiten ließ. Seine Finger streichelten ihren Hals, erreichten die Träger ihres weißen Nachthemds aus Spitze und Batist, tasteten darunter, streiften sie von ihren Schultern. Der dünne Stoff fiel mit einem leisen Rascheln zu Boden.

Sie war nackt und fühlte sich doch nicht entblößt. Max' anerkennender Blick hüllte sie ein in ein feines Gespinst aus Bewunderung und Wertschätzung. Mehr noch. Sie fühlte sich beschützt und sicher.

Ihre Lippen fanden sich erneut und Hélène begann, seine lockenden Küsse zu erwidern. Als er mit einer Hand ihre Brust umfasste, lief ein berauschendes Prickeln über ihre Haut.

Sie seufzte.

Nie gekannte Empfindungen brachen sich Bahn, erfassten sie ganz, zeigten ihr, was es bedeuten konnte, wenn Mann und Frau einander in Zuneigung und Verstehen begehrten. Neugier und Lust erwachten, ließen ihre Hände wie von selbst auf Erkundungsreise gehen. Wärme wurde zu Hitze, Sinnlichkeit zum Rausch, und als er sie aufs Bett legte und zu ihr kam, bestand die Welt nur noch aus ihnen beiden. Staunend ergab sie sich der Wucht und der Schönheit ihrer Leidenschaft.

Als sie sich anschließend in seine Arme kuschelte, erfüllte sie eine große Dankbarkeit. So also fühlten sie sich an, die Wonnen der Liebe, unzählige Male beschrieben und besungen, Ursache von Liebesglück und Herzeleid, Ursprung allen Lebens.

Sie hob den Kopf und sah Max an. Er erwiderte ihren Blick, wickelte eine ihrer Locken um seinen Finger und zog Hélène sanft zu sich in einen weiteren, innigen Kuss. Und ihr schien es, als würde sie erst in dieser Nacht zur Frau. Die Vergangenheit fiel endgültig von ihr ab und machte einer ungewissen, aber verheißungsvollen Zukunft Platz.

37. KAPITEL

Die Villa der Rothmanns, am nächsten Tag

Judith betrachtete das kleine Emailleschildchen, das Victor ihr zum Abschied in die Hand gedrückt hatte. In welch einem Widerspruch dazu doch die harten Worte standen, die diese Geste begleitet hatten. Unbegreiflich.

Sie studierte die wunderschöne Arbeit, klein und filigran, ein Firmenschild *en miniature,* und trotz Trauer und Wut hatte sie verstanden, was Victor damit ausdrücken wollte: Seinen Respekt vor dem, was sie in der Schokoladenfabrik tat, und was ihr diese Arbeit bedeutete.

Zärtlich strich sie mit dem Daumen über die farbige Glasoberfläche und wünschte, sie trüge noch ein wenig von seiner Wärme in sich. Seit er letzten Sonntag mit harten Schritten den Gang zum Dienstbotentrakt entlanggegangen war, um das Haus durch den Seiteneingang zu verlassen, war ihr entsetzlich kalt ums Herz.

Sie konnte kaum noch schlafen. Und auch heute war sie völlig übermüdet, weil sie Tag und Nacht versuchte, die

Ereignisse dieses unheilvollen Nachmittags nachzuvollziehen und zu verstehen, weshalb er sie so verurteilte. Ohne
ihr überhaupt die Gelegenheit gegeben zu haben, alles zu
erklären.

Und dann hatte sie noch Albrechts Besuch über sich ergehen lassen müssen. Süffisant und affektiert wie immer hatte
er ihr eine Viertelstunde den Hof gemacht. Anders konnte
sie die Lobeshymne auf all ihre angeblichen Tugenden nicht
nennen, die er, aneinandergereiht wie die Perlen einer Kette,
vor ihr ausgebreitet hatte. Wäre sie nicht in einer derart kon-
fusen Gemütsverfassung gewesen, sie hätte ihn unmittelbar
des Hauses verwiesen. So aber hatte sie sich all die Schmei-
cheleien wortlos angehört und er, der ihren fehlenden Widerstand vermutlich als Geste des Sinneswandels interpretierte,
hatte sich in Zuneigungsbekundungen verstiegen, die in Judith erneut Übelkeit hervorgerufen hatten.

Zu ihrer großen Erleichterung war irgendwann Dora hereingekommen, um sie unter dem Vorwand, mit ihren Brüdern gäbe es Probleme, aus dieser schrecklichen Situation
zu erlösen. Allerdings war im selben Moment auch ihr Vater
heimgekehrt und hatte eine schnelle Flucht verhindert, indem er Albrecht in ein oberflächliches Gespräch verwickelt
und nachdrücklich auf ihrer Anwesenheit bestanden hatte.
Erst, als die beiden zum Rauchen in sein Arbeitszimmer gegangen waren, durfte sie sich in ihr Zimmer zurückziehen.

Am Abendessen hatte sie mit Verweis auf ihren noch immer unruhigen Magen nicht teilgenommen. Dennoch war
sie kurz vor dem Schlafengehen noch einmal zu ihrem Vater

zitiert worden, der, genau wie Victor und Albrecht, die ganze Situation völlig falsch verstanden hatte.

Judith ballte die Faust um das Emailleplättchen.

Ihr Vater hatte sich überschwänglich dafür bedankt, dass sie sich Albrecht gegenüber »recht entgegenkommend gezeigt« hatte, und fügte seine Hoffnung an, dass sie von nun an besser mit der Situation umgehen würde. Der Bankierssohn, berichtete er ihr zufrieden, habe sich bereit erklärt, ihr den holprigen Beginn ihrer Verlobungszeit nachzusehen, und freue sich, wenn sie sich ihm von nun an zugänglicher zeige.

Dabei war sie lediglich vollkommen überfordert gewesen.

Ohnehin wusste sie nicht zu sagen, was im Augenblick mit ihr geschah. Sie fühlte sich wie eine dünnwandige Glaskugel, die jederzeit zerspringen konnte. Ein ungewohnter Zustand, den sie auf die vielen belastenden Ereignisse der letzten Wochen schob. All die Erwartungen, die von verschiedensten Seiten an sie gerichtet wurden, setzten ihr zu – und nun auch noch diese unglückliche Situation mit Victor. Ihr war ganz elend zumute.

Etwas anderes konnte es einfach nicht sein.

Darüber nachzudenken, dass ihre einmalige Begegnung mit Max Ebinger möglicherweise Folgen gehabt haben könnte, verbat sie sich konsequent.

Sie sah auf die schlanke, mit durchbrochenen Mustern gestaltete Uhr auf ihrem Kamin. Halb zehn. Theo müsste bereits wieder hier sein, nachdem er ihren Vater in die Fabrik gebracht hatte.

Es tat ihr leid, den Kutscher ein zweites Mal nach Stuttgart bemühen zu müssen, doch mit ihrem Vater hatte sie heute Morgen auf keinen Fall mitfahren wollen. Seine Lobeshymnen auf Albrecht von Braun konnte sie genauso wenig ertragen wie seine Belehrungen, was von einer guten Ehefrau zu erwarten sei.

Eine Stunde später stand Judith an ihrem Tisch im Versuchsraum der Fabrik und überlegte sich, wie sie eine Idee umsetzen könnte, die ihr während der vergangenen schlaflosen Nächte in den Sinn gekommen war.

Irgendwo hatte sie gelesen, dass in Italien eine *Pasta Gianduja* hergestellt wurde. Dabei ersetzte man einen Teil des Kakaos in der Schokoladenmasse durch geröstete Haselnüsse oder Mandeln, etwas, was ihr Vater rigoros als »Fälschung« verteufeln würde. Da die Firma Rothmann bereits seit mehr als zwanzig Jahren Mitglied im Verband deutscher Schokoladenfabrikanten war, der auf die Reinhaltung der Schokoladenprodukte achtete und sogar ein entsprechendes Gütesiegel vergab, kam eine Verminderung des Kakaoanteils für ihn ganz bestimmt nicht infrage.

Doch probieren wollte Judith es unbedingt, denn sie versprach sich ein besonderes Geschmackserlebnis, und so machte sie sich eben heimlich ans Werk.

Sie hatte gerade damit begonnen, blanchierte Mandeln und Haselnüsse klein zu hacken, als es kurz klopfte und die Tür geöffnet wurde.

Sie spürte sofort, dass er es war.

Er war wiedergekommen. Freude und Erleichterung

durchrieselten Judith und ließen sie zaghaft Hoffnung schöpfen. Als Victor näher kam, machte ihr Herz einen Satz, doch sie bemühte sich, nach außen hin gefasst zu erscheinen.

»Was möchtest du, Victor?«

»Ich wollte mich entschuldigen.«

Judith legte das Messer hin, mit dem sie die Mandeln zerkleinert hatte, und wischte verlegen die Hände an ihrer Schürze ab.

»Das, was vergangenen Sonntag geschehen ist, war ungebührlich und wird nicht wieder vorkommen«, fuhr er rasch fort. »Es steht mir nicht zu, deine persönlichen Pläne und Vorhaben zu beurteilen. Dafür bitte ich dich in aller Form um Verzeihung.«

Judith sah ihn fassungslos an.

Er wirkte distanziert, beinahe gleichgültig. Seine Worte entbehrten jeglicher Emotion. Wieder zerbrach etwas in ihr. Konnte er wirklich so kalt sein? Genügte ein einziges, unglückliches Missverständnis, um alles infrage zu stellen, was zwischen ihnen gewesen war?

Ihr fiel keine Erwiderung ein. Wieder stieg das dringende Bedürfnis in ihr auf, ihm alles zu erklären. Gleichzeitig hatte sie das Gefühl, als stünde eine unsichtbare Wand zwischen ihnen, die sie nicht durchdringen konnte.

»Ich bedanke mich für das Emailleschild«, sagte sie nach einer Weile, ohne auf seine halbherzige Entschuldigung einzugehen. »Es ist wunderschön. Damit hast du mir eine große Freude gemacht. Ich werde es in Ehren halten.«

Victor sog hörbar die Luft ein. Dann räusperte er sich.

»Es gibt nicht viele Menschen, die wirklich sehen, wer ich bin«, fügte Judith an. Ihr wollten die Tränen kommen, aber sie rang sie nieder. Dann sah sie ihn an.

Ihre schlichten Worte schienen etwas in ihm zu bewegen.

»Judith, ich …« In einer hilflosen Geste fuhr er sich durchs Haar. »Ich konnte es einfach nicht glauben, kann es noch immer nicht! Aber so ist es, nicht wahr? Ein Bankierssohn mit einer glänzenden Zukunft bietet dir ein unbeschwertes Leben an. Natürlich akzeptierst du seinen Antrag. Was ist dagegen ein Fremder, der für sein tägliches Brot hart arbeiten muss? Der dir nichts bieten kann außer einer Menge Arbeit und einem Stall voll hungriger Mäuler, als Folgen seiner Liebe?«

In seinem Ausbruch lag so viel Verletztheit, dass Judith rasch die Schritte überbrückte, die sie noch trennten, und ihre Hände auf seine Oberarme legte.

»Manche Dinge sind nicht so, wie sie scheinen. Darf ich dir etwas erklären?«

Er nickte, reagierte aber nicht auf ihre Annäherung.

Judith ließ die Arme sinken und begann, leise zu erzählen. Von der erklärten Absicht ihres Vaters, sie prestigeträchtig und wohlhabend zu verheiraten, seinen Andeutungen und Drohungen und schließlich dieser absurden Verlobung, die in ihren Augen keinen Bestand hatte, für den Vater aber festgeschrieben war. Von Albrechts offenkundigem Festhalten an ihrer Verbindung, trotz der Demütigung, die sie ihm zugefügt hatte. Von ihrem Gefühl, als zöge sich eine Schlinge immer enger um ihren Hals, sosehr sie sich auch dagegen wehrte.

Was sie nicht erwähnte, war ihre Begegnung mit Max.

Victor hörte geduldig zu, und als sie geendet hatte und erschöpft die Augen niederschlug, nahm er sie in seine Arme. Diese Geste löste endlich all ihre Anspannung, Wut und Unsicherheit. Unzählige ungeweinte Tränen brachen sich in diesem Moment unaufhaltsam Bahn.

Er strich ihr beruhigend über den Rücken, während sein Hemd nass wurde, wartete geduldig, bis die Flut allmählich versiegte, und Judith schließlich nur noch ein paarmal trocken schluchzte. Dann schob er sie ein wenig von sich weg, um ihr in die Augen sehen zu können.

»Es tut mir leid, Judith. So viel Unglück, und ich habe nur meine eigenen Belange gesehen. Dabei weiß ich genau, wie es ist, wenn andere meinen, über die eigene Person bestimmen zu können, als hätte man keinen eigenen Willen.«

Judith schniefte, und er zog ein Taschentuch hervor. »Ich habe mir damit ein paarmal den Schweiß abgetupft, ein ganz frisches habe ich leider nicht …«

Judith nahm das Tuch, trocknete ihre Augen und schnäuzte sich dezent.

»Du … du hast so etwas auch erlebt? Bist du deshalb in Stuttgart und nicht mehr in Berlin?«

»Unter anderem. Auch mein Vater hat mich in etwas hineingezwungen, das ich überhaupt nicht wollte.«

»Ja, davon hast du erzählt. Wegen ihm musstest du an der Kriegsakademie studieren.«

»Genau«, sagte Victor und lächelte schwach. »Du hast es dir gemerkt. Er hat rücksichtslos seine Macht über mich ausgeübt, mit fatalen Folgen. Aber das erzähle ich dir einmal bei passender Gelegenheit.«

Für ein paar Augenblicke sahen sie einander nur schweigend an, und Judith war unglaublich froh über die zurückgewonnene Vertrautheit.

Auch Victor machte einen viel gelösteren Eindruck. Er lächelte und sah dann an ihr vorbei zu ihrem Arbeitstisch. »Was machst du gerade? Wieder eine deiner besonderen Leckereien?«

Jetzt kam Leben in Judith. »Oh ja. Ich bin dabei, eine *Pasta Gianduja* vorzubereiten und das ist wirklich anstrengend.«

»Eine was?«

Judith musste lachen. »Es handelt sich um eine Mischung aus gerösteten Nüssen, Mandeln, Zucker und Kakao. Man muss alles fein zerkleinern und zu einer glatten Masse verarbeiten.«

»Von Hand ist das wahrscheinlich sehr schwierig.«

»Schon. Aber ich kann ja nicht eine der wertvollen Maschinen dafür in Anspruch nehmen. Außerdem hält mein Vater nichts davon, in die Kakaomasse andere Zutaten als Kakao, Zucker und Vanille hineinzugeben. Er vermutet sofort irgendwelche Panschereien, auf jeden Fall ist es in seinen Augen dann keine gute, reine Schokolade mehr.«

»Nur weil andere Zutaten drin sind?«

»Weil Kakao weggelassen und durch die Nüsse ersetzt wird.«

»Ach, stimmt, es gibt ja dieses Gütezeichen. Aber das sieht er womöglich zu streng.«

»Das finde ich auch. Es ist dann zwar keine Schokolade mehr, so wie man es herkömmlich festgelegt hat, aber auch etwas sehr Leckeres. In Turin ist die *Pasta Gianduja* eine Spezialität.«

»Ich bin schon sehr gespannt, wie deine neue Schokoladenart schmeckt«, erwiderte Victor aufmunternd. »Du mischst ja nicht Kreide oder zu Pulver gemahlene Ziegelsteine darunter!«

»Genau«, bestätigte Judith. »Und auch keine Erde oder Sägespäne!«

Sie lachten, wissend, dass es Zeiten gegeben hatte, in denen die Schokolade tatsächlich mit solchen Beigaben gestreckt wurde, um den teuren Kakao einzusparen.

»Die Überzeugung, die hinter diesem Reinheitssiegel steht, ist ja grundsätzlich löblich«, resümierte Victor. »Aber heutzutage wird nicht mehr so dreist gefälscht.« Er blickte auf die gehackten Mandeln und Haselnüsse. »Mhm. Ich denke, du könntest Hilfe gebrauchen.«

»Ja, das stimmt. Ich werde nach Pauline schicken.«

»Nein, ich meinte richtige Hilfe.«

Judith sah ihn fragend an.

Er zog seine Jacke aus und hängte sie an einen Haken an der Wand.

»Heißt das, du willst mir helfen?«, fragte Judith freudig überrascht.

»Genau das heißt es.«

Gemeinsam kamen sie besser voran, rösteten gehackte Mandeln und Haselnüsse an und zerrieben die noch warmen

Kerne, so fein es eben ging. Anschließend mischten sie alles mit weichem Karamell und geschmolzener Schokolade. Judith gab noch etwas Kakaopulver dazu.

Es dauerte eine ganze Weile, bis sich alles zu einer geschmeidigen Masse verband, doch schließlich lag eine glänzende, schokoladenbraune Teigkugel vor ihnen.

»Du probierst«, sagte Judith zufrieden und zupfte etwas Masse ab. »Ein Versucherle.« Sie hielt es Victor hin.

»Gerne«, antwortete er, nahm ihre Finger und führte sie an seinen Mund. Als er vorsichtig naschte, berührte er ihren Daumen mit den Lippen.

»Und jetzt du«, flüsterte er, und bot ihr seinerseits ein Stückchen an.

Sie schloss die Augen, als er es ihr in den Mund schob und seine Fingerspitzen dabei über ihre Lippen strichen.

Und dann spürte sie plötzlich seinen Mund auf dem ihren. War es möglich, dass ein Kuss so wunderbar schmeckte? Nach Haselnuss, Mandel, Karamell und Schokolade.

Und nach Victor.

38. KAPITEL

Degerloch, erster Advent 1903

Karl und Anton hatten ihre rot lackierten Schlitten geschnappt und machten sich auf den Weg hinunter zum Steigeloch, einem kleinen See unterhalb des Villenviertels. Über
ihren Schultern baumelten die mit Lederriemen aneinander-
gebundenen Schlittschuhe. Wann immer es ging, setzten sie
sich auf ihre Schlitten und sausten johlend die abschüssigen
Straßen hinunter, auf denen die Schneedecke unter dem Gewicht von Fußgängern und Wagen zu einem festen Untergrund geworden war.

Vor drei Tagen hatte es noch einmal einen heftigen
Schneesturm gegeben. Sogar der Vater war an diesem Tag
zu Hause geblieben und nicht in die Firma gegangen, so wild
war es draußen gewesen.

Inzwischen hatte es aufgehört zu schneien. Zwar war es
eiskalt, aber nach den langen Tagen im Haus zog es die Zwillinge unbedingt nach draußen.

Zum Glück war der Vater von seiner allzu gestrengen

Anordnung, sie stets unter Aufsicht zu halten, wieder abgerückt. Nach dem Wespen-Unglück im Sommer hatten sie einige Wochen lang kaum entwischen können, und wenn, dann nur für kurze Zeit. Zudem kam inzwischen ein Privatlehrer ins Haus, der ihre Schulleistungen begutachten und verbessern sollte. Damit fehlten ihnen nicht nur ihre Schulkameraden, der Unterricht raubte ihnen auch viel mehr Zeit. Sie hatten das Gefühl, mit unnützem Wissen gemästet zu werden wie die Gans an Martini.

Doch heute war Sonntag, was bedeutete, dass weder der Herr Lehrer noch der Vater im Haus waren. Und Judith hatte sich wieder einmal in ihr Zimmer zurückgezogen. Sie war ohnehin ganz komisch geworden, ihre große Schwester. Aber vielleicht wurden Mädchen ja so, wenn sie heiraten mussten. Denn dass die ganze Zeit von einer Hochzeit mit Albrecht von Braun die Rede war, das hatten auch Karl und Anton mitbekommen.

Doch heute war endlich Zeit für einen richtigen Winterspaß. Die Schlittenjagd hatte begonnen.

»Mensch, pass doch auf!«, brüllte Anton, als Karl ihm einmal mehr den Weg abschnitt. Doch der lachte nur und überfuhr beinahe noch eine Mutter mit ihrem Kind, die am Straßenrand entlangliefen.

An der nächsten Wegbiegung wartete er wieder auf seinen Bruder, damit der Frohsinn von vorne beginnen konnte.

»Fahr doch gleich ganz runter«, maulte Anton. »Dann kommst du mir nicht immer in die Quere.«

»Mensch, das ist doch der Jux dabei.«

»Was? Mich von der Bahn abbringen?«

»Na klar! Einfach runterfahren kann ja jeder.« Karl schob seinen Bruder kräftig an, bevor er hinterherraste und ihn erneut zu einer scharfen Kurve zwang.

»Wenn du nicht aufhörst, dann geh ich wieder heim«, drohte Anton, und Karl begnügte sich für den Rest des Weges damit, elegante Kurven um die von den Pferden zurückgelassenen Haufen zu machen. Dass er ab und zu mit den Kufen oder einem Schuh in einen Pferdeapfel hineingeriet, scherte ihn nicht. Wofür gab es Robert? Der würde sich um die dreckigen Sachen kümmern.

Schließlich standen sie vor dem Steigeloch und stellten zufrieden fest, dass sie die ersten Kinder waren, die heute Nachmittag auf den See gehen würden. Der war beinahe bis auf den Grund zugefroren.

Unter der Woche schlugen die Erwachsenen dort Eisblöcke heraus. Große Stücke, die sie mit Fuhrwerken abtransportierten und verkauften, um im Sommer damit die Eisschränke zu kühlen. Deshalb war das Schlittschuhfahren auf dem Steigeloch eigentlich verboten, aber das scherte die Kinder nicht, denn praktischerweise fegten die Männer bei ihrer Arbeit auch immer wieder die Schneeschicht von der Eisfläche und schufen damit eine prima Schlittschuhbahn.

»Wir gehen erst mal mit den Schlitten drauf«, beschloss Karl, legte die Schlittschuhe am Rand ab und schob sein Gefährt in die Mitte der kleinen Eisfläche.

Anton tat es ihm nach. »Und was machen wir jetzt?«, wollte er wissen.

»Wir warten darauf, dass jemand kommt, und verlangen Eintrittsgeld«, schlug Karl vor.

»Wie, Eintritt?«

»Ja. Wer heute auf das Steigeloch will, muss zehn Pfennig dafür bezahlen.«

»Meinst du, das macht einer?«, fragte Anton zweifelnd.

»Klar machen die das.« Karl wirkte sehr zufrieden mit seiner Idee.

»Also gut. Wie sollen wir uns dann hinstellen, damit keiner, ohne zu bezahlen, auf den See kommt?«

Karl dachte nach.

»Wir bauen ein Tor aus unseren Schlitten. Dann holen wir ein paar Äste und sperren damit rundherum ab. Jedenfalls die Stellen, an denen man auf den See kann.«

»Aber das hält doch keinen auf«, gab Anton zu bedenken.

»Es kommt darauf an, wie viele Äste wir holen.«

Das Heranschaffen geeigneten Baumaterials erwies sich als ein herausforderndes Unterfangen. Aber durch Kälte und Schneelast waren die Zweige und kleineren Äste von Bäumen und Gebüsch, das rund um den See wuchs, leicht abzubrechen, und nach einer Weile bedeckte ein wildes Sammelsurium aus dünnem und starkem Geäst das Ufer zu beiden Seiten ihrer Schlitten.

Sie waren noch immer mit dem Erstellen ihrer Barriere beschäftigt, als die ersten Kinder ankamen und neugierig den ungewöhnlichen Aufbau beäugten.

»Was ist denn das?«, fragte ein kleines Mädchen, und Anton erklärte ihr, dass es heute etwas kostete, auf den See zu gehen.

Da keines der Kinder Geld dabeihatte, kam man überein, dass sie nichts bezahlen müssten, wenn sie beim weiteren Ausbau der Sperren halfen. So wurden es fünf, dann sieben und schließlich zwölf Kinder, die sie eifrig unterstützten. Diejenigen, die in der Nähe wohnten, entwendeten zu Hause heimlich stärkere Pflöcke und nützliches Werkzeug, und mit einigen Sägen ging das ganze Vorhaben noch viel schneller vonstatten. Im Lauf der Zeit trat der Grundgedanke, Geld für das Betreten des Sees zu verlangen, in den Hintergrund. Irgendwann ging es nur noch um den Bau eines möglichst hohen Walls, um den See als Hoheitsgebiet gegen einen nicht näher bestimmten Feind zu verteidigen. Sie wähnten sich in einem Abenteuer, das sie in Gedanken bis in die fernsten Länder trug, weit weg von einem ganz normalen Wintersonntagnachmittag im beschaulichen Degerloch. Immer eifriger bauten sie, immer dichter wurde ihr Werk und immer ausgelassener ihre Stimmung.

Bis drei kräftige Buben ankamen, einer jeweils einen halben Kopf größer als der andere, und sich breitbeinig vor ihrem Tor aus roten Schlitten aufbauten.

Anton knuffte Karl in die Seite. »He, guck, da!«

»Auwei, die Böpple-Buben!« Karl runzelte die Stirn.

»Was machen wir jetzt?«

Karl überlegte. Mittlerweile hatten auch die anderen Kinder gemerkt, dass Ärger drohte, und mit ihrer Arbeit aufgehört. Eine angespannte Stille legte sich über das Steigeloch.

»Was soll das?«, fragte jetzt der größte der Böpples, und

deutete auf das Chaos aus Ästen und Pflöcken, unter dem sich auch der ein oder andere Ziegelstein befand.

Karl konnte nicht anders. »Heute muss man bezahlen, wenn man auf das Eis will«, erklärte er selbstbewusst und stellte sich den drei Böpples in den Weg, ebenfalls breitbeinig. Anton tat es ihm nach, hielt sich aber hinter seinem Bruder.

»Bezahlen? Dass ich nicht lache!«, meinte nun wieder der große Böpple und machte einen Schritt vorwärts. »Wie willst du mich denn daran hindern, einfach so auf den See zu gehen?«

Karl, der etwa einen Kopf kleiner war als der älteste und damit genauso groß wie der jüngste der Böpples, machte einen winzigen Schritt nach hinten. »Hier kommt ihr nicht durch!«

»Was du nicht sagst!« Der große Böpple, dessen Stimme schon ein wenig tiefer klang, begann laut zu lachen. Seine Brüder stimmten ein. Dann drängten sie zu dritt durch den Durchlass bei den Schlitten.

Karl und Anton versuchten, sie am Weitergehen zu hindern, wurden aber grob zur Seite gestoßen. Als die anderen Kinder sahen, dass die Böpple-Buben in ihr Refugium eindrangen, bildeten sie eine Reihe gegen die Invasoren.

»He, was wird denn das jetzt?«, fragte der mittlere Böpple und versuchte, die Kinderschar mit Gewalt beiseitezudrücken. Seine Brüder halfen ihm dabei und schließlich wurde aus der wüsten Rangelei eine handfeste Auseinandersetzung.

Die meisten der Mädchen suchten vorsichtshalber das Weite, nur eine blieb und beteiligte sich rege.

Es gab Knüffe und Schläge, es wurde geboxt und geschubst, es hagelte Beleidigungen und Kraftausdrücke. Irgendwann waren die Kinder so vertieft in ihre Keilerei, dass sie nicht bemerkten, wie sich einige Erwachsene näherten, darunter der Schulmeister und der Pfarrer.

Erst als das Donnerwetter über den See schallte, kamen die Kinder zur Besinnung.

Die Böpple-Buben nahmen sofort Reißaus, wurden aber kurz darauf gestellt, da einige der Mädchen ein Seil über die Straße gespannt und sie damit zu Fall gebracht hatten. Der Schmied, der ebenfalls dazugekommen war, übernahm es, sie nach Hause zu eskortieren.

Und auch für die auf dem See verbliebenen Kinder wurde es ernst. Nachdem Anton, der einen ausgeprägten Gerechtigkeitssinn besaß, die Zusammenhänge erklärt und damit die Schuld auf sich und Karl verteilt hatte, durften alle anderen heimgehen.

»Soso. Die Rothmann-Zwillinge. Das nimmt mich nicht Wunder«, begann der Schulmeister dann seine Strafpredigt. »Da nutzt auch der Privatlehrer nichts, bei euch. Was will man auch erwarten, wenn in zwei Köpfen nichts als Unsinn steckt!«

»Wie wollt ihr das Ganze wiedergutmachen?«, meldete sich der Pfarrer zu Wort.

Karl schwieg trotzig. Anton dachte fieberhaft über eine Strafe nach, die angemessen schien, aber nicht gar so schlimm war.

Doch bevor ihm etwas Passendes einfiel, dröhnte bereits

wieder die Stimme des Schulmeisters über ihre Köpfe hinweg: »Ihr werdet zunächst den gesamten Unrat hier wieder aufräumen. Währenddessen gehe ich bei eurem Vater vorbei und berichte ihm von eurem Vergehen. Anschließend kehre ich zurück und werde nicht wieder gehen, ehe alles aufgeräumt ist!«

Karl und Anton ließen die Köpfe hängen.

»Ja, jetzt seid ihr auf einmal still«, stellte der Schulmeister fest. »Würdet ihr nur nachdenken, bevor ihr einen solchen Blödsinn anstellt!«

Damit stapfte er durch den Schnee davon. Der Pfarrer sah noch einmal mitleidig zu ihnen hin und zog dann ebenfalls seines Weges.

Karl und Anton machten sich daran, ihre Verteidigungslinie zurückzubauen. Das Ganze dauerte bis weit nach Einbruch der Dunkelheit. Als sie endlich wieder zu Hause ankamen, schlotterten sie vor Kälte. Judith, Babette und Gerti steckten sie sofort ins Bett.

Der Schulmeister war nicht mehr ans Steigeloch zurückgekehrt. Er saß stattdessen gemütlich mit Wilhelm Rothmann in dessen Arbeitszimmer und ließ sich einen edlen Brand nach dem anderen kredenzen. Die Idee, die Zwillinge in einem Knabeninternat unterzubringen, um eine Besserung ihres Verhaltens zu erreichen, fand er ganz ausgezeichnet.

39. KAPITEL

Die Schokoladenfabrik Rothmann,
Anfang Dezember 1903

»Es nennt sich *Torrone* und kommt aus Italien. Genauso wie die *Pasta Gianduja*. Die Eiweiße müssen ganz steif geschlagen werden, sodass der Schnitt eines Messers sichtbar bleibt.«

Judith beobachtete lächelnd, wie Victor sich alle Mühe gab, mit einem Schneebesen das Eiweiß zur erforderlichen Konsistenz zu schlagen. Wann immer er es einrichten konnte, schlich er sich inzwischen zu Judith in ihren Versuchsraum. Das war nur möglich, weil ihn seine Aufgaben oft durch die ganze Fabrik führten und er sich ohnehin stets an verschiedenen Orten aufhielt, um die Technik zu prüfen, Reparaturen zu planen und auszuführen oder nach Einsparungsmöglichkeiten zu suchen.

Hatte sich die Tür hinter ihnen geschlossen, tüftelten sie gemeinsam an neuen, süßen Ideen. Victor wusste, dass die Ergebnisse nicht im großen Umfang hergestellt werden konnten, aber es machte ihm Freude, zu experimentieren. Und in Judiths Nähe zu sein.

Sie hatten bereits einen großen Berg an Mandeln blanchiert und in einer großen Pfanne vorsichtig geröstet. Während diese abkühlten, erhitzte Judith hellen Honig in einem Kupfertopf.

Ihr Gesicht war vor Eifer und Wärme ganz reizend gerötet, und Victor beoabachtete sie mit unverhohlener Zuneigung. Kaum ein Mensch war ihm je so nahe gekommen wie sie. Wenn es einen Weg gäbe für sie beide, er würde ihn ohne Zögern beschreiten. Sein Jagdinstinkt war genauso geweckt wie der Wunsch, sie vor Albrecht von Braun zu bewahren, dem er bisher nur selten begegnet war, dessen aufgeblasene Art ihn aber jedes Mal angewidert hatte. Zumal er recht schnell gemerkt hatte, dass wenig Substanz dahintersteckte. Alles, was Albrecht von Braun ausmachte, entsprang seinem Status als Sohn des wichtigsten Privatbankiers der Stadt. Damit nötigte er Victor keinen Respekt ab, allenfalls Mitleid.

Judith hatte den Honig so lange gerührt, bis er eine cremige, weißliche Beschaffenheit angenommen hatte.

»Wie weit ist das Eiweiß?«, fragte sie Victor, und er zeigte ihr den Inhalt seiner Schüssel. »Das ist genau richtig«, meinte sie fachmännisch und gab das Eiweiß zum Honig. »Würdest du weiterrühren, bitte? Nicht zu schnell, aber gleichmäßig.«

Victor nahm ihre Stelle am Herd ein und tat, wie ihm geheißen. Es duftete nach Honig und gerösteten Mandeln und er freute sich schon darauf, die *Torrone* zu probieren.

Schließlich tauchte Judith einen Esslöffel in die Honigmasse und anschließend in eine Tasse mit kaltem Wasser.

»Siehst du, jetzt ist es richtig! Es sind kleine Risse entstanden, genauso muss es sein. So steht es im Rezept!«

Victor trug den schweren Kupfertopf zum Tisch und stellte ihn ab. Dann schüttete er die Mandeln in das Honiggemisch. Judith hob alles untereinander. Zu guter Letzt strichen sie die Mandelmasse auf einem Eisenblech aus.

»So, jetzt muss sie nur noch abkühlen«, meinte Judith zufrieden.

»Dann werde ich mal wieder an meine eigentliche Arbeit gehen. Nicht, dass ich vermisst und gesucht werde!«, meinte Victor. »Aber ich bekomme ein Versucherle!« Er zwinkerte ihr zu.

»Natürlich!«, sagte Judith. »Und danke, dass du mir hilfst. Es macht viel mehr Freude, wenn wir diese Dinge zusammen ausprobieren.«

Victor nahm seine blaue Arbeitsjacke vom Haken und zog sie an. Dann trat er von hinten an Judith heran und legte ihr die Hände auf die Schultern. Judith lehnte sich in einer vertrauensvollen Geste an ihn. Er vergrub seine Nase in ihrem Haar. Wie gut sie roch!

Judith drehte den Kopf, sodass er die zarte Haut ihrer Stirn an seinen Lippen spürte. Sachte liebkoste er ihren Haaransatz, glitt mit den Lippen bis zu ihren Schläfen.

Dann fiel ihm etwas ein, worüber er schon lange mit ihr sprechen wollte. Er nahm sie in die Arme und drehte sie vorsichtig zu sich herum. »Darf ich dich etwas zu deinem Vater fragen, Judith?«

»Ja, natürlich.«

»Auch etwas, das mich im Grunde nichts anzugehen hat?«

Sie kräuselte die Stirn. »Was sollte das sein?«

»Hattest du in den letzten Monaten den Eindruck, dass dein Vater nur noch über, sagen wir, eingeschränkte Mittel verfügt?«

»Wie kommst du darauf?«

Victor rieb sich den Nacken. »Hier in der Fabrik wird so sehr gespart, dass ich mich frage, wie lange wir noch mit der Konkurrenz mithalten können.«

»Das hattest du schon einmal angedeutet. Dass hier zu alte Maschinen stehen«, meinte Judith nachdenklich. »Meinst du wirklich, es fehlt an Geld?«

»Mir fällt kein anderer Grund ein. Und dann …«

»Was?«

»… diese Absicht, dich mit Albrecht von Braun zu verheiraten, obwohl du dich so dagegen wehrst. Das könnte natürlich darin begründet sein, dass von Braun dem dringenden Wunsch seines Sohnes nachkommen will, der sich diese Hochzeit partout in den Kopf gesetzt hat. Und dass dein Vater nicht ablehnen kann, weil er seinen Bankier nicht verärgern will. Aber das erscheint mir dann doch ein wenig schwach.«

»Wie meinst du das?«

»Wäre es denkbar, dass dein Vater dringend Mittel braucht, um die Firma zu retten? Und dass deine Heirat momentan der einzige Weg ist, sie zu beschaffen?«

Judith schien geschockt und Victor hatte Sorge, zu direkt

gewesen zu sein. Aber um seinem Verdacht auf den Grund gehen zu können, brauchte er ihre Hilfe.

»Darüber habe ich noch gar nicht nachgedacht«, gab sie zu, nachdem sie eine Weile still gewesen war. »Über seine Gründe, mich Albrecht von Braun zu versprechen …«

»Aber denkbar wäre es?«

»Ja. Jetzt, wo du es so formulierst … vielleicht schon.« Sie runzelte die Stirn. »Um das herauszufinden, müsste ich wissen, wie es um die Fabrik wirklich bestellt ist. Aber das geht nur, wenn ich mir die Bücher ansehen kann.«

»Ist das denn möglich?«

Judith schien abzuwägen. »Ich denke nicht, dass mir Vater einfach so Einblick gewährt. Und wenn ich ihn danach frage, wird er ganz sicher misstrauisch.«

»Also müssen wir einen anderen Weg suchen.«

»Ja. Es geht wohl nur, indem wir heimlich ins Comptoir gehen und die Unterlagen durchsehen.«

»Dann brauchen wir einen Schlüssel. Oder jemanden, der Schlösser knacken kann«, grinste Victor. »Ich wüsste da jemanden.«

»Wirklich? Du kennst einen Einbrecher? Wen denn?« Judith kicherte.

»Du kennst ihn auch. Edgar.«

»Edgar Nold?«

»Genau der. Er ist einfach sehr geschickt. Einmal hat er mir nach mehreren Gläsern Bier von seinen Versuchen erzählt, mithilfe eines Drahtes Schlösser zu öffnen. Aus Jux natürlich.«

»Dann frag ihn. An den Schlüssel zu kommen, ist schwierig. Und sobald Vater merkt, dass der Bund fehlt, wird er sein Comptoir bewachen lassen. Dann richten wir auch mit Schlüssel nichts aus.«

»Ist es dir wirklich recht, wenn Edgar und ich da miteinbezogen werden? Immerhin geht es um wichtige Firmengeheimnisse.«

Judith sah ihn an und legte eine Hand an seine Wange. »Ich vertraue dir. Und wenn du Edgar vertraust, dann tue ich es auch.«

Victor nickte und hielt ihre Hand fest. »Ich nehme an, dass die wichtigsten Bücher ohnehin noch einmal separat eingeschlossen sind. Vielleicht wäre es gut, wenn du dir in den nächsten Tagen einen Überblick verschaffst, wo was steht? Wenigstens ungefähr?«

»Ich kann es versuchen. Aber ich werde nichts wagen, das irgendeinen Verdacht aufkommen lässt. Kennst du dich eigentlich aus mit den Büchern? Also, wo was steht? Welche der Zahlen wichtig sind?«

Victor musste lachen. »Das ist eine berechtigte Frage. Ich habe etwas dazu gelesen, weil es mich schon seit längerer Zeit interessiert.«

»Du würdest gerne selbst eine Fabrik gründen, nicht wahr?«, meinte Judith, eigentlich scherzhaft, aber sie spürte, dass Victor ernst wurde.

»Ja«, gab er zu. »Das wäre etwas, wofür ich mich begeistern und einsetzen könnte. Und als Erstes würde ich dafür sorgen, dass es den Arbeitern gut geht.«

»Und ich wäre gerne an deiner Seite«, entfuhr es Judith.

Unendlich zärtlich umfasste Victor ihr Gesicht mit den Händen. »Attemptamus, Judith. Wir wagen es!«

Er küsste sie liebevoll auf den Mund und die Stirn. Dann machte er sich auf den Weg zum Maschinenhaus.

Nachdem Victor gegangen war, wandte Judith sich wieder ihrer Neuentwicklung zu. Sie nahm ein Stück der frisch hergestellten *Torrone* und schnitt sie in sehr kleine Stückchen. Dann knetete sie diese unter die *Pasta Gianduja,* die sie gekühlt frisch gehalten hatte. Die fertige *Gianduja-Torrone*-Masse füllte sie in einige mit Schokolade ausgegossene Hohlformen, die ebenfalls im Kühlkasten ausgehärtet waren. Dann gab sie flüssige Schokolade darüber und legte die fertigen Tafeln erneut in den Abkühlkasten.

Beim Einstellen der Bleche spürte sie die Blicke der Mädchen aus der Dekorationsabteilung in ihrem Rücken. Diese hatten bereits geäußert, dass durch Judiths Novitäten immer weniger Platz im Kasten war, und Judith dachte darüber nach, ob es nicht sinnvoll wäre, ein oder zwei weitere Eiskästen anzuschaffen.

Während sie zum Versuchsraum zurückging, beschloss sie, ihren Vater diesbezüglich zu befragen, und war gespannt, ob er ihrem Wunsch stattgeben würde. Vielleicht könnte sie an seiner Reaktion erkennen, ob Victors Einschätzung stimmte, dass er keine Gelder hatte, um sich um die Erneuerung und Erweiterung der Firmenausstattung zu kümmern?

Sie zog sich um und machte sich auf den Weg zum

Comptoir. Die unterschiedlichen Gerüche, die durch Gänge und Treppenhäuser zogen, verursachten ihr sofort wieder Übelkeit. Offensichtlich hatte sie sich doch einen recht hartnäckigen Infekt zugezogen, denn neben ihrem revoltierenden Magen fühlte sie sich erschöpft und schwindelig, ab und zu plagten sie Unterleibsschmerzen. Vielleicht sollte sie wirklich einige Tage pausieren und sich gründlich auskurieren.

»Was gibt's denn, Judith?«, herrschte ihr Vater sie an, als sie vor seinem Schreibtisch stand. »Ist es nicht genug, dass du dich hier in der Fabrik herumtreibst, anstatt deine Hochzeit vorzubereiten? Übrigens hat Margarete die Schneiderin bestellt, die sich um dein Kleid kümmern soll. Bitte besprich mit ihr die Termine für die Anproben und all diese Dinge.«

Judith schluckte eine garstige Erwiderung hinunter und bemühte sich um einen freundlichen Gesichtsausdruck.

»Ich habe eine wichtige Frage, Herr Vater.«

»Also, dann schnell. Ich muss gleich zu den von Brauns.«

»Äh, ja. Also. Ich möchte den Vorschlag machen, zwei neue Eiskästen zu beschaffen. Für die Dekorationsabteilung.«

»Gleich zwei? Bisher reichte der eine doch immer aus.«

»Man hat sich arrangiert, aber wirklich reibungslos ging es in den letzten Monaten nicht mehr. Sobald ein Sonderauftrag kommt, gibt es Probleme.«

»Aha. Und diese Sonderaufträge kommen vermutlich von dir.«

»Ich stelle auch ab und zu etwas hinein, aber im Wesentlichen geht es um die Belange der Dekorationsabteilung«, beharrte Judith. Nur weil sie im Versuchsraum herumexperimentierte, würde ihr Vater gewiss keine neuen Eiskästen anschaffen. Bestünde hingegen ein echter Bedarf, müsste er eigentlich reagieren.

Ihr Vater schien zu überlegen. Dann stand er auf und ging zum Fenster seines Bureaus. »Weißt du, Judith«, meinte er, während er hinausschaute, »wenn du Albrecht geehelicht hast, dann werde ich die beiden Eisschränke sofort bestellen. Da du sie ja nicht für dich brauchst, hat das sicherlich noch Zeit bis nach deiner Hochzeit.«

Judith verschränkte angespannt ihre Finger, um ihren aufkeimenden Widerstand einzudämmen. Trotz und Verweigerung brachten sie nicht weiter. Wollte sie etwas erreichen, dann musste sie besonnen vorgehen.

»Aber warum erst dann?«

»Weil ich Neuanschaffungen zunächst berechnen und verschiedene Angebote einholen muss. Genauso ist es mit deinem anderen Hirngespinst, diesem Schokoladenautomaten. Das ist grundsätzlich ja keine schlechte Idee, aber dafür muss man Mittel übrig haben.«

Schon vor einer Weile hatte Judith, Victors Bitte entsprechend, ihren Vater auf den Bau des Schokoladenautomaten angesprochen und nur eine ausweichende Antwort erhalten. Nun also bekannte er Farbe.

»Und die Firma hat keine, wollen Sie das sagen? Ich meine, da gibt es auch einige Maschinen, die wohl ersetzt werden müsst…«

»Sei jetzt still, Judith!«, fuhr ihr der Vater über den Mund. »Von diesen Dingen verstehst du nichts.«

Judith beschloss, nicht weiter in ihn zu dringen. Sie hatte genug erfahren, um zu wissen, dass Victors Verdacht aller Wahrscheinlichkeit nach der Wahrheit entsprach. »Nun gut. Danke, dass Sie mir zugehört haben, Herr Vater.«

»Noch etwas, Judith!«

»Ja?«

»Nach dem Weihnachtsfest wirst du dich endlich um deine Ausstattung kümmern. Das heißt nicht, dass du gar nicht herkommen kannst, aber allmählich wirst du dich auf deine Hochzeit und auf die neuen Aufgaben als Ehefrau vorbereiten.«

Judith verstand die unausgesprochene Botschaft. Sobald sie Albrechts Frau war, hatte sie sich um ihren Hausstand zu kümmern. Und nichts anderes.

Judith nickte mit zusammengepressten Lippen und verließ das Bureau. Doch anstatt in ihren Arbeitsraum zurückzukehren, wartete sie in der Nähe der Remise, bis sie sah, dass Theo ihren Vater zum Fabriktor hinauskutschierte. Wenn er zu den von Brauns wollte, würde er nicht so schnell zurückkehren. Diese Zeit wollte sie nutzen.

Sie raffte ihren Rock und ging zurück ins Comptoir.

40. KAPITEL

Die Werkstatt von Alois Eberle,
am Freitag vor dem zweiten Advent 1903

Edgar Nold beugte sich über eine Emailleform aus Kupfer und legte mit Draht die einzelnen Felder eines Blumenmotivs vor, in die er anschließend verschiedenfarbige Emaillemassen einbrachte. Nacheinander bearbeitete er mehrere Metallträger in ähnlicher Art und Weise, bevor er die vorbereiteten Schilder zum Trocknen auf ein Regal stellte.

Anschließend machte er sich daran, eine bereits gebrannte Emaillefläche von Hand zu bemalen, bevor diese, zusammen mit zahlreichen anderen Stücken, erneut in den Brennofen wandern würde.

Die Arbeit mit Emaille war enorm aufwendig. Um die zahlreichen Bestellungen abzuarbeiten, die bei ihm aufgegeben wurden, arbeitete Edgar inzwischen oft vom frühen Morgen bis spät in die Nacht.

Ein Glück, dass Alois Eberle ihm einen Raum neben seiner Werkstatt zur Verfügung gestellt hatte. Es war Victor gewesen, der den Tüftler danach gefragt hatte. Eberle war verwitwet und verfügte über ausreichend Platz, dagegen war der Betrieb einer Emaillewerkstatt in einer Wohnung, die sich zwei Männer teilten, selbst bei beiderseitigem guten Willen eine Zumutung.

Diese Lösung nun nützte allen.

Edgar zahlte keine allzu hohe Miete, und durch seine gute Auftragslage hatte er keinerlei Probleme, die monatliche Summe aufzubringen. Außerdem hatte er einen zweiten, größeren Brennofen anschaffen können, um seine kleine Emaillemanufaktur auszubauen. Er freute sich, dass sein Geschäft so florierte. Inzwischen beschäftigte er sogar einen jungen Mann, der bei ihm die Herstellung von Emailleschildern erlernte und inzwischen eine große Hilfe war.

Vor einigen Wochen hatte sogar Edgars Vater in der Werkstatt gestanden, völlig unerwartet, und mehrere Schilder für seine Seifenfabrik bestellt. Die Anerkennung, die Edgar in seinen Augen gesehen hatte, war ihm eine große Genugtuung gewesen. Aus dem Bohemien, der seine Tage mit Malereien vertat, die keiner kaufen wollte, und der seine daraus resultierende Enttäuschung in Absinth ertränkte, war ein findiger Geschäftsmann geworden, der es schaffte, seine Kunst zu gutem Geld zu machen.

Edgar wusste, dass seine Kunden hochzufrieden waren. Jedes einzelne Stück aus seiner Werkstatt war nicht nur handwerklich hochwertig gefertigt, sondern trug zudem wunderschöne, individuelle Dekore, die er nicht selten in mühevoller Kleinarbeit auspinselte. Die hohen Preise, die er dafür verlangen musste, wurden anstandslos bezahlt. Sollte sich seine Glückssträhne fortsetzen, müsste er bald größere Räume anmieten. Aber zuvor wollte er sichergehen, dass dieser Erfolg nachhaltig war.

Draußen war es bereits dunkel, aber das elektrische Licht leuchtete den Raum gut genug aus, um weiterzuarbeiten. Edgar wollte noch einen Entwurf für die Firma Ebinger skizzieren. Der Vater seines Freundes Max hatte eine große Anzahl an Schildern für seine Maschinenfabrik bestellt. Darunter schlichte Abteilungsbezeichnungen oder Nummern, aber auch Werbeschilder, deren Ausgestaltung etwas Besonderes werden sollte. Inzwischen kamen Edgars verspielte, ornamentale Entwürfe, die anfangs belächelt wurden, sehr gut an. Edgar vertiefte sich in seine Arbeit.

Als eine Stunde später die Tür leise knarrte, wusste er, dass Victor gekommen war.

»Bin gleich so weit«, murmelte er und setzte einige letzte Pinselstriche auf die weiße Fläche. Dann säuberte er die Pinsel, legte sie beiseite und stand auf.

»Ich sehe, du kommst gut voran«, meinte Victor und begutachtete einige Schilder, die fertiggestellt waren und auf ihre Abholung warteten. »Das sind hervorragende Arbeiten, Edgar. Weißt du noch, wie dagegen deine ersten Versuche aussahen?«

»Das werde ich nicht vergessen. Gesprungenes Glas, Krater, Risse, abgeplatztes Emaille.«

»Und auch die Farben hatten nach dem Brennen nicht immer den Ton angenommen, den du wolltest. Aber du hast schnell dazugelernt. Und sieh an, wo du heute bist. Respekt!«

»Danke, zu viel des Lobes. Möchtest du einen Most?«

»Sag bloß, der Eberle lässt dich schon an sein Mostfass!«

Edgar grinste nur und verschwand, um kurz darauf mit einem grauen Krug aus Steinzeug zurückzukehren, auf dem in groben Pinselstrichen einige stilisierte, blaue Blumen aufgebracht waren. Er stellte ihn auf den Tisch, räumte Papier, Bleistift und einige andere Dinge zur Seite, holte zwei Becher und schenkte ein.

»Der Alois ist nicht da. Ich hab keine Ahnung, wo er hin ist, aber er hat vorhin das Haus verlassen.«

»Schade. Ich wollte noch etwas mit ihm besprechen.«

Edgar prostete Victor zu und nahm einen großen Schluck Most. »Ah, hab ich einen Durst!«

»Wo ist denn dein Gehilfe?«, fragte Victor und setzte sich.

»Der ist nach Hause, er hat die letzten Tage lange gearbeitet, da hab ich ihn heute früh heimgeschickt.«

»Du wirst vermutlich eh noch jemanden einstellen müssen.«

»Das denke ich auch. Ein wenig halte ich bereits Ausschau, aber ich komme derzeit kaum dazu, richtig zu suchen. Außerdem bin ich bei dem vielen Schnee nur aus dem Haus gegangen, wenn ich unbedingt musste.«

»Da hast du recht. Und erfrieren wirst du hier, vor deinen Öfen, niemals«, frotzelte Victor und trank seinen Becher in einem Zug leer.

»Du kannst dir den Automaten aber trotzdem anschauen«,

bot Edgar an. »Vielleicht kann ja ich etwas Entscheidendes zum Fortgang der Arbeiten sagen.«

»Ich werfe gerne einen Blick darauf, bevor ich gehe«, meinte Victor und wechselte vorsichtig zu einem anderen Thema, das ihm auf der Seele brannte. »Du kennst doch auch den Sohn vom Bankhaus von Braun.«

»Den Albrecht? Natürlich. Aber in letzter Zeit habe ich ihn nicht mehr gesehen. Er hat sich doch mit der kleinen Rothmann verlobt, steht da nicht bald die Hochzeit an?«

»Das denkt er«, entfuhr es Victor.

»Ist es nicht so?«

»Da ist das letzte Wort ganz sicher noch nicht gesprochen.«

Edgar, der nicht wusste, wie nahe Victor Judith inzwischen stand, lachte leise. »Ja, sie scheint davon wenig begeistert zu sein, so jedenfalls erzählen es einige Leute. Er hat wohl schon einiges einstecken müssen. Aber Albrecht ist schon so lange hinter ihr her, da nimmt er das auch noch in Kauf.«

»Er ist schon lange hinter ihr her?«, hakte Victor nach.

»Ja. Du weißt doch, dass Albrecht, Max Ebinger und ich lange Jahre richtig gute Freunde gewesen sind. Du hast die beiden doch auch ein paarmal gesehen.«

»Ja, aber das ist schon einige Monate her.«

»Na, sei's drum. Auf jeden Fall hat Albrecht uns im, herrje, wann war denn das … ich glaube im Februar oder März erzählt, dass sein Vater mit dem Rothmann diese Heirat zwischen ihm und Judith ausgemacht hat.«

»Dann war das eine lang beschlossene Sache?«

»Schon. Nur hat der Rothmann offensichtlich versäumt, es seiner Tochter mitzuteilen.«

»Weil sie sich damit niemals einverstanden erklärt hätte«, sagte Victor bitter und Edgar horchte auf.

»Sag mal … Es geht mich ja nichts an, aber hast du irgendein Interesse an Judith Rothmann?« fragte er neugierig. »Ich kenne dich gar nicht so gesprächig, zumindest wenn es um Frauen geht. Du zeigst ziemlich viel Verve in dieser Sache!«

»Ich sehe sie fast jeden Tag in der Fabrik. Wir arbeiten in manchen Bereichen zusammen, und das ziemlich gut. Deshalb habe ich ihr auch den Schokoladenautomaten gezeigt.«

»Mich hat es schon gewundert, weshalb du sie in diese Entwicklung einbeziehst.«

»Weil sie das mitbringt, was es braucht: eine große Liebe zu dem, was sie tut.«

»Das hört sich geradezu schwärmerisch an.«

»Ich möchte gar nicht abstreiten, dass sie mir gefällt. Und ich denke, wir beide könnten einiges bewegen in der Rothmann-Fabrik.«

Edgar sah ihn erstaunt an. »Und was meint sie dazu?«

Victor spielte mit seinem Becher. »Ich denke, sie empfindet ähnlich wie ich.«

»Du denkst?«

»Ich weiß es.«

»Und ich denke, dass du ein großes Problem hast.«

»Das könnte sein.«

Edgar schenkte Most nach. »Was glaubst du, was Rothmann mit dir macht, wenn er das herausbekommt?«

»Aus der Stadt jagen?«

»Wenn er sich damit begnügt.«

»Rothmann hat im Augenblick andere Sorgen. Glaube ich jedenfalls.«

Edgar stellte den Mostkrug hin. »Also jetzt wird's aber langsam wirklich spannend! Lass hören.«

»In der Firma wird seit Jahren nicht mehr investiert. Und ich frage mich allmählich nach dem Grund. Wenn Rothmann so weitermacht, geht er bankrott.«

»Und das kannst du beurteilen?«

»Na ja, ich habe durch meine Arbeit einen guten Überblick über alle Abteilungen, und vor allem darüber, woran es fehlt. Und nun soll seine Tochter den Sohn von Rothmanns Bankier heiraten. Es würde mich nicht wundern, wenn nach der Hochzeit auf einmal Geld in die Firma fließt.«

Nun schien Edgar Victors Worte ernsthaft zu überdenken. »Ich habe auch einen Vater, der kurz davorstand, seine Firma zu verlieren. Ihn rettete ein Großauftrag. Auch er hat sich damals niemandem anvertraut. Für Judith wäre es eine Katastrophe, wenn sie auf diese Art und Weise verschachert würde. Und für Albrecht auch.«

»Ich habe den Eindruck, Albrecht verhält sich recht kindisch. Er will sie unbedingt für sich, koste es, was es wolle. Er hat keine Ahnung, was es bedeutet, in einer Ehe zu sein, die auf gegenseitiger Abneigung beruht. Ich habe es erlebt, bei meinen Eltern. Meine Mutter ist daran zugrunde gegangen.«

»Manche dieser Ehen funktionieren schon ganz leidlich. Aber ich kenne Albrecht. Er wird sich nicht mit einer Farce zufriedengeben. Er wird die ganze Macht eines Ehemannes gegen Judith ausspielen. Er ist ein schwacher Mensch, das ist sein Problem.«

Victor nickte. Dann wurde er konkret. »Judith und ich haben vor, die Bücher einzusehen, um uns Klarheit zu verschaffen.«

»Bei Rothmann? Das wird schwierig.«

»Deshalb brauchen wir deine Hilfe. Du musst uns ins Comptoir bringen.«

»Ich soll euch helfen, bei Rothmann ins Bureau einzubrechen? Wenn das herauskommt, Rheinberger, kann ich meine Werkstatt zumachen.«

»Ich weiß.«

»Also. Welchen Nutzen soll ich davon haben?«

»Ich wollte dich, unabhängig davon, ohnehin etwas fragen: Könntest du hochwertige Dosen aus Emaille herstellen? Und zwar in unterschiedlichen Größen? Für Kakaopulver, für Schokoladentafeln und für Konfekt. Ich fände es schöner, die hochwertigsten Waren nicht mehr in Holzkisten anzubieten, sondern in schönen Geschenkverpackungen mit modernem Dekor.«

Ein breites Grinsen zog über Edgars Gesicht. »Du hörst dich bereits an, als wärst du der Inhaber bei Rothmanns. Die Idee ist gut. Und natürlich kann ich das machen. Aber ...«

»Wenn wir etwas bewirken, würde Judith sicher versuchen, deine Arbeiten bei Rothmann unterzubringen. Als Hoflieferant sozusagen. Außerdem könnte man diese Dosen ja auch so verkaufen – für Präsente, Bonbons oder Ähnliches. Überleg es dir, Edgar. Ich bin ganz sicher niemand, der sich kopflos in etwas hineinstürzt.«

»Aber du bist vernarrt. Das beeinträchtigt dein Urteilsvermögen.«

»Hilfst du uns jetzt?«

Edgar schüttelte den Kopf und trank noch einen Becher Most. »Du stellst mich vor Fragen, Rheinberger. Hätte ich das gewusst, hätte ich dich niemals bei mir aufgenommen.«

»Das hast du schon einmal gesagt.« Jetzt grinste Victor.

»Wie genau stellt ihr euch das vor?«

»Wir brauchen dein Fingergeschick, um die Schlösser zu öffnen. Anschließend müssen wir in kurzer Zeit viele Bücher durchgehen, und wenn wir etwas finden, Abschriften anfertigen oder zumindest genau aufschreiben, wo sich welcher Eintrag befindet. Das ist zu zweit kaum zu schaffen.«

»Du suchst quasi einen Einbrecher und Sekretär in Personalunion«, stellte Edgar fest.

»So könnte man es ausdrücken.«

»Und wann soll das Ganze stattfinden?«

»Sobald wie möglich. Am besten noch vor Weihnachten.«

»Aber dann muss Judith in der Nacht nach Stuttgart herunterkommen.«

»Ich hole sie.«

»Also, Victor Rheinberger, es wundert mich nicht, dass sie dich einst auf dem Ehrenbreitstein festgesetzt haben. Aber meinetwegen. Ich bin dabei.«

»Tatsächlich?« Victor sprang begeistert auf und hielt ihm

die Hand hin. »Gib mir dein Wort, dass du keinen Rückzieher machst.«

Edgar schlug ein. »Weißt du, irgendwie habe ich Lust, dem Albrecht zu zeigen, dass man für Geld nicht alles bekommen kann. Denn mit dieser Einstellung geht er schon viel zu lange durchs Leben. Ein Dämpfer kann ihm da nicht schaden. Wenn ein Mann sich dem Spiel hingibt, dann hat er ein Mädchen wie Judith nicht verdient.«

Victor merkte auf. »Albrecht spielt?«

»Natürlich spielt er«, gab Edgar zurück. »Weit mehr, als seiner Börse guttut. Aber solange sein Vater ihn immer wieder finanziert, hat er keinen Grund, sich zu disziplinieren.«

»Wie wäre es, wenn wir diesem Bankierssöhnchen etwas auf den Zahn fühlen, Edgar?«, schlug Victor vor. »Vielleicht lässt sich sein Laster ja so weit aufdecken, dass Rothmann ihm seine Tochter auch dann nicht geben will, wenn er dringend Geld braucht.«

Edgar lachte. »Das ist ein frommer Wunsch. Aber diese Idee gefällt mir fast noch besser als der Einbruch.« Er rieb sich nachdenklich die Stirn. »Auch auf die Gefahr hin, dass wir ihm nichts Brauchbares nachweisen können außer den tolerierbaren Lastern eines jungen, verweichlichten Mannes aus bestem Hause – eine gute Quelle, um etwas über ihn zu erfahren, wäre sicherlich seine Schwester Dorothea. Frag doch Judith, ob sie einmal mit ihr sprechen kann. Vielleicht ergibt sich der eine oder andere interessante Anhaltspunkt.«

»Das werde ich machen.«

»Ich wünsche dir, dass wir Erfolg haben.«

»Ich mir auch, glaub mir.« Victor stellte den Becher hin. »Ich breche auf. Richtest du Eberle meine Grüße aus? Ich schaue dieser Tage noch einmal vorbei.«

»Möchtest du nicht nach deinem Automaten sehen?«

»Heute nicht mehr. Ich muss über einiges nachdenken. Gute Nacht!«

Als Victor zur Tür hinaus war, kehrte Edgar an seine Arbeit zurück. Er war sich nicht sicher, ob das, was Victor vorhatte, letztlich zum Ziel führen würde. Aber er verstand, dass er zumindest nichts unversucht lassen wollte.

Außerdem hatte er wirklich große Lust, ein paar Schlösser zu knacken.

41. KAPITEL

Im Dienstbotentrakt der Villa Rothmann,
Mitte Dezember 1903

»Da drückt sich ein junger Kerl vor der Türe rum«, sagte die Köchin zu Robert. »Ich hab nicht aufgemacht. Vielleicht schaust du mal nach, was der will.«

Robert ging zum Seiteneingang, öffnete die Tür und spähte hinaus.

Dort stand tatsächlich ein Bursche, den er nicht kannte, die Hände tief in den Taschen seiner leichten Jacke vergraben. Als er Robert sah, grinste er ihn mit schiefen Zähnen an.

»Was willst du?«, fragte Robert, bereit, ihm die Tür vor der Nase zuzuschlagen.

»Wohnen hier zwei blonde Zwillinge?«

»Was geht dich das an?«

»Ich hab die vor ein paar Wochen gerettet. In Stuttgart unten.«

»Gerettet?« Robert lachte. »Das kann ja jeder behaupten. Mach, dass du weiterkommst!«

Robert wollte die Tür zudrücken, doch der Junge stellte schnell seinen Fuß in den Spalt. »Hör mich doch an«, bat er.

»Weshalb sollte ich das tun?«, brummte Robert.

»Weil es wahr ist. Die zwei waren unten in Stuttgart und wenn ich nicht gewesen wäre, wären sie gar nicht mehr nach Hause gekommen.«

Nun wurde Robert doch hellhörig. Da war tatsächlich etwas gewesen, noch bevor der große Schnee gekommen war. Er erinnerte sich daran, dass sie bereits überlegt hatten, einen Suchtrupp loszuschicken, weil Karl und Anton den ganzen Nachmittag verschwunden gewesen waren. Doch bevor es so weit kam, waren die beiden wieder aufgetaucht.

»Warum meldest du dich erst jetzt, wenn das alles schon vor ein paar Wochen gewesen ist?«

»Weil ich die ganze Zeit nicht gewusst habe, dass es die Kinder vom Rothmann waren. Aber weil ich finde, dass ich eine Belohnung verdient habe, bin ich raufgelaufen.«

»Also, meinetwegen, komm mal rein. Die Kinder müssten dich ja wiedererkennen, wenn es so ist, wie du sagst.«

Robert führte den Jungen in die Küche. »Warte hier. Ich schaue, wo die Buben sind. Gerti, hast du ein Auge auf ihn?«

Die Köchin nickte, der unbekannte Bursche grinste.

Robert machte sich auf den Weg in den Salon. Dort wurden unter der Woche die Unterrichtsstunden abgehalten. Er klopfte und der Hauslehrer öffnete die Tür. »Ah, Robert. Was gibt es?«

Robert schielte an ihm vorbei zu den Zwillingen, die interessiert die Köpfe gewendet hatten. »Da ist ein Junge von Stuttgart heraufgekommen und behauptet, er habe Karl und Anton vor ein paar Wochen irgendwie gerettet. So ganz klar ist mir nicht, was genau er damit meint. Nun dachte ich, es wäre am besten, wenn die beiden kurz mitkommen und sich den Kerl anschauen. Sie werden ja am besten wissen, ob sie ihn kennen.«

»Nun ja«, meinte der Hauslehrer. »Dann nehmen Sie die Kinder kurz mit. Aber in zehn Minuten müssen sie wieder hier sein.«

»Versprochen«, antwortete Robert und war froh, dass sich die Sache schnell klären würde. Die beiden trabten hinter ihm zur Küche.

»Das ist ja Fritz!«, rief Anton denn auch erfreut aus, als er den Jungen bei der Köchin stehen sah. »Der hat uns die Feuerwehr gezeigt!«

»Ja, genau! Es hat sogar was gekostet!«, bestätigte Karl.

Fritz grinste noch immer, diesmal etwas verlegen.

»Also, Fritz. Die beiden kennen dich offenbar«, stellte Robert fest.

»Das ist doch klar. Ich hab ja gesagt, dass ich die beiden …«, hob Fritz an, doch Robert unterbrach ihn: »… gerettet hast, jaja, ich weiß. Jetzt würde ich gerne einmal wissen, vor was du sie beschützt hast.«

»Ja, das will ich auch gerne wissen!«, mischte sich Karl ein. »Nur dem Brandjakob ist was passiert, uns aber nicht!«

»Ihr hättet nicht mehr rechtzeitig nach Hause gefunden, bevor es dunkel geworden wäre, und euch irgendwo in den Weinbergen oder im Wald verlaufen«, erklärte Fritz mit wichtiger Miene.

»Das stimmt doch gar nicht!«, protestierte Anton. »Wir wären eh mit der *Zacke* heimgefahren.«

»Auf jeden Fall hab ich euch rechtzeitig zur Station gebracht«, beharrte Fritz.

»Also«, fasste Robert zusammen, »wenn ich das richtig verstanden habe, dann hat euch der Fritz die Feuerwehr gezeigt und euch anschließend zur Zahnradbahn gebracht.«

»Genau!« Die Zwillinge waren sich einig.

»Gut. Dann lauft ihr beide schnell wieder zum Herrn Lehrer zurück. Er hat euch nur zehn Minuten freigegeben.«

Anton machte sich gleich auf den Weg, Karl aber drehte sich in der Tür noch einmal zu Fritz um: »Spielst du mal wieder mit uns? Jetzt weißt du ja, wo wir wohnen!«

»Klar!«

Karl grinste zufrieden und folgte seinem Bruder.

Als die beiden außer Hörweite waren, nahm Robert Fritz beiseite. »Wir gehen jetzt nach draußen«, meinte er mit einem Seitenblick auf die Köchin, die schon dabei war, das Abendessen vorzubereiten. »Ich möchte gerne allein mit dir reden.«

Fritz nickte, und Robert zog seine Jacke an.

Sie verließen das Grundstück der Rothmann-Villa und gingen ein Stück die Straße entlang.

»Warum willst du unbedingt eine Belohnung?«, fragte Robert. »Du hast den beiden die Feuerwehr gezeigt, aber keineswegs ihr Leben gerettet.«

»Also, es ist so …«, begann Fritz. Auf einmal wirkte er ganz bedrückt. »Ich brauche Geld. Meine Mutter ist sehr krank.«

»Was hat sie denn? Eine Erkältung? Das haben gerade viele.«

»Sie hat die Schwindsucht.«

Robert blieb abrupt stehen. »Und du wagst dich in unser Haus? Am Ende schleppst du uns die Brustkrankheit noch ein!«

»Ich bin gesund. Man hat mich untersucht.«

»Was ist mit deinem Vater?«

»Lebt nicht mehr. Er hatte einen Unfall in seiner Fabrik.«

»Es gibt doch sicher eine Fürsorge. In Stuttgart gibt es doch für alles einen Verein«, überlegte Robert laut.

»Ja, für die jungen Mädchen gibt es viele Heime. Aber uns haben sie vergessen. Wir leben von der Hand in den Mund. Meine Mutter war viele Jahre Köchin bei einer Herrschaft in Stuttgart, aber sie musste gehen, als sie krank wurde. Ich verdiene ein bisschen etwas, indem ich Leute herumführe. Aber das ist im Moment schwierig, bei dem Schnee. Da geht doch keiner raus. Und es kommt auch niemand in die Stadt.«

»Ach, deshalb hat Karl gemeint, dass sie dir etwas bezahlt haben.«

»Mhm, ja«, meinte Fritz verlegen.

Eine Weile gingen sie schweigend nebeneinander her. Robert tat der Junge leid. Der Vater tot, die Mutter ohne Arbeit, weil sie krank war. Ein Teufelskreis.

»Hör zu, Fritz«, sagte er schließlich. »Das mit deiner Mutter ist schlimm und tut mir sehr leid. Aber ich weiß nicht, wie ich den Rothmann dazu bringen könnte, dir eine Belohnung zu geben.«

Fritz ließ den Kopf hängen.

»Such dir doch eine Arbeit in der Fabrik, Fritz. Das ist möglich, du bist jung und kräftig!«

»Ja, daran habe ich auch schon gedacht«, meinte Fritz zerknirscht. »Aber dann bin ich den ganzen Tag weg. Wer soll sich um Mutter kümmern?«

Robert spürte, dass Fritz mit der Situation überfordert war. Aber ihm zu helfen, war schwierig. Es gab viele Familien, deren Lage ähnlich war, und er musste selbst zusehen, wie er über die Runden kam.

Es war einfach nicht gerecht.

»Es ist schlimm«, sagte Robert bitter, »dass einige Leute alles haben und die anderen fast nichts. Irgendwann muss sich daran etwas ändern.« Er dachte an seine eigene Familie, arm, mit vielen Kindern. »Wenn man das verteilte, was die Reichen haben, hätten alle ihr Auskommen.«

»Als ob die was abgeben!«

»Sie sollten es müssen. Schließlich haben sie ihren Reichtum ja davon, dass andere für sie schuften.«

»Da hast du auch wieder recht. Trotzdem können wir ja nicht einfach hingehen und sagen, gib mir was ab!«

»Nein. Einer allein richtet da natürlich nichts aus. Aber wenn es viele wären, würde sich vielleicht etwas bewegen.«

»Meinst du?«, fragte Fritz zweifelnd.

»Ja. Ich meine schon. Das geht natürlich nicht so schnell. Aber man kann mal drüber nachdenken, oder nicht?«

»Mhm«, machte Fritz.

»Ich möchte bald in eine Fabrik gehen. Denn bei uns

Dienstboten ist es noch viel schlimmer. Wir müssen immer parat stehen, den Dreck der Herrschaft wegmachen. Komm hierhin Robert, geh dahin … Du darfst das nicht, du musst jenes. Viel Geld gibt es auch nicht dafür, weil wir ja Kost und Logis bekommen. Und wenn wir mal unsere Meinung sagen, dann schimpfen sie uns Revoluzzer.«

»Ja, wirklich?«

»Wirklich. Und die Mädchen haben es manchmal noch schwerer. Manche geraten auf die schiefe Bahn.« Wieder musste er an Babette denken, den einzigen Grund, weswegen es ihn überhaupt noch bei den Rothmanns hielt.

Im Herbst hatte er sie zweimal mit Männerbekanntschaften gesehen, es war jedes Mal ein anderer gewesen. Aber durch die neue Sonntagsregelung, die Rothmann eingeführt hatte, konnte er ihr nicht mehr so oft folgen, was seine Sorge, dass sie eines Tages als leichtes Mädchen enden würde, noch befeuerte.

»Ich glaube sogar«, fuhr Robert fort, »dass es in den Fabriken besser ist als bei einer Herrschaft. Dort hat man feste Arbeitszeiten und bekommt mehr Geld, auch wenn die Arbeit schwer ist. Und man muss nicht mit der Herrschaft unter einem Dach leben.«

»Meine Mutter meinte immer, sie habe es gut gehabt.«

»Es kommt vielleicht auch darauf an, was man als gut ansieht«, stellte Robert fest. »Komm doch irgendwann wieder hier rauf, Fritz. Ich schaue, ob dir der Rothmann ab und zu eine Arbeit hat. Dann verdienst du wenigstens ein bisschen etwas.«

Eine zaghafte Hoffnung glitt über Fritz' Gesicht. »Ja, wirklich? Das würdest du tun?«

Robert nickte. »Ich werde es jedenfalls versuchen. Kannst du mir noch sagen, wo du wohnst?«

Fritz erklärte es ihm, dann verabschiedeten sie sich mit einem Schulterklopfen.

Robert sah Fritz noch eine Weile hinterher, wie er in seiner abgewetzten Kleidung und den kaputten Schuhen allein durch den Schnee davonging.

Vielleicht war es wirklich Zeit, dass sich die Dinge änderten. Der Gedanke, was geschehen könnte, wenn sich Kräfte bündelten und vom unbedeutenden Tropfen zum reißenden Fluss wurden, hatte etwas Aufrüttelndes. Irgendwann musste er seinem Leben einfach eine andere Richtung geben.

Robert atmete tief durch. Dann stapfte er zurück zur Villa, um sich um das Feuerholz zu kümmern.

42. KAPITEL

Der Rosenstein-Park in Stuttgart,
dritter Advent 1903

»Ich weiß, dass es schwierig ist, seinen eigenen Bruder auszuspionieren, Dorothea«, sagte Judith und sah ihre Freundin an.

Die hielt den Blick geradeaus gerichtet. »Ja, es ist nicht einfach. Aber letzten Endes tue ich es auch für Albrecht. Und
für dich natürlich.«

»Hattest du bisher nie einen Verdacht?«

»Manches erschien mir schon seltsam. Dass seine Freunde
nicht mehr kommen, dass er abends oft noch mal verschwindet. Aber es steht mir ja nicht zu, seinen Lebenswandel zu
beurteilen. Ich habe es bisher einfach nicht beachtet.«

Judith und Dorothea spazierten flotten Schrittes durch
den tief verschneiten Rosenstein-Park zwischen Stuttgart
und Cannstatt. Theo hatte sie dort vor dreißig Minuten abgesetzt und versprochen, zwei Stunden später wieder vor Ort
zu sein.

Sie waren in dicke Pelzmäntel gehüllt. Judith trug Hut und Stola aus Chinchilla und hatte ihre Hände tief in einem großen Muff vergraben. Sie genoss es, draußen zu sein, auch wenn die klirrende Kälte Wangen und Nase rötete. Die Winterluft oben in Degerloch war zwar reiner und klarer, aber der große englische Park um Schloss Rosenstein hatte seinen ganz eigenen Zauber. Die im Sommer herrlich belaubten, unterschiedlichen Gehölze aus aller Welt zeigten sich dick verschneit, auch über das Koniferenwäldchen hatte sich dichtes Weiß gebreitet.

Die beiden jungen Frauen hinterließen ihre Spuren auf den winterlichen Wegen, die heute deutlich weniger Spaziergänger anlockten als an warmen Frühjahrs- und Sommertagen.

Judith hatte Dorothea einen Brief zukommen lassen, in dem sie nicht nur den heutigen Ausflug vorschlug, sondern auch den schrecklichen Verdacht benannte, den Victor ihr zwischen zwei Küssen im Versuchsraum mitgeteilt hatte: dass Albrecht dem Spiel verfallen war. Und um ihre Hilfe gebeten.

Sie war froh, dass Dorothea sich ihrem Anliegen nicht verschloss.

»Es ist seltsam«, sagte Judith. »Wir sind so lange schon vertraut miteinander, du und ich, haben aber über dieses Thema bisher kaum gesprochen«, sinnierte Judith.

»Albrecht ist eben mein Bruder. Das Ganze ist schon schwierig für mich. Auch die Verlobung, damals. Das war schrecklich! Ich habe dich ja gut verstanden, aber Albrecht hat mir so leidgetan, wie er dastand, nachdem du weggerannt warst. So verloren und bloßgestellt. Das wünscht man niemandem!«

Judith sah nachdenklich einem Eichhörnchen nach, das etwas von seinen Wintervorräten ausgegraben hatte und sie nun verspeiste. Anschließend huschte es auf den nächsten Baum. »Es waren unsere Väter, die ihm das angetan haben, nicht ich«, sagte sie leise.

»Das weiß ich ja«, seufzte Dorothea. »Deshalb habe ich dir auch keinen Vorwurf gemacht. Wir hätten vielleicht früher darüber sprechen sollen, aber … Glaub mir, als du damals ohnmächtig geworden bist, bei euch im Laden, da bin ich furchtbar erschrocken!«

»Ach«, wiegelte Judith ab, »das war ja nicht weiter schlimm. Aber«, knüpfte sie an ihr eigentliches Anliegen an, »noch mal zu Albrecht. Du sagtest, er verschwindet abends oft?«

»Ja. Er ist bald jede Nacht weg«, antwortete Dorothea und atmete tief durch. »Fast immer bis zum Morgengrauen. Judith, ich glaube schon, dass wir uns Sorgen machen müssen. Ich selbst kann ihm ja nicht nachlaufen in der Dunkelheit. Aber Edgar und Victor vielleicht …«

»Das ist eine gute Idee! Genau! Die beiden müssen ihm folgen und notieren, wohin er geht, wie lange er bleibt und in welcher Gesellschaft er sich befindet.«

»Ich habe schon unsere Mutter darauf aufmerksam gemacht, aber sie will davon nichts wissen. Sie meinte nur, dass er noch jung ist und seine Hörner abstoßen müsse, zumal er ja bald heiraten werde.«

»Sie verschließt einfach die Augen«, stellte Judith fest.

»Ja. Das ist schon immer so. Sie liebt ihn abgöttisch, ihren einzigen Sohn.«

»Und dein Vater?«

»Der ist, glaube ich, einfach froh, wenn er ihn aus dem Haus hat. Er ist enttäuscht von ihm, das hat er schon mehrfach durchblicken lassen. Im Augenblick lässt er ihn im Bankhaus mitarbeiten, aber ich glaube nicht, dass er ihm die Leitung irgendwann überträgt.«

»Oh!«, entfuhr es Judith. »Weiß mein Vater das überhaupt?«

»Ich habe versucht, Mutter ein bisschen auszufragen. Vater hat offensichtlich mehrere Gespräche mit deinem Vater geführt. Dabei ging es darum, Albrecht die Leitung eurer Schokoladenfabrik zu übergeben.«

»Das kann nicht sein!« Judith war erschüttert.

»Doch. Aber dein Vater hat sich wohl eisern widersetzt.«

Judith atmete hörbar aus. »Wenigstens das. Hat sie noch mehr erzählt?«

»Nein, mehr schien sie auch nicht zu wissen. Allerdings wollte mir unsere Zofe etwas dazu erzählen, aber dann kam unsere Mamsell und hat sie weggescheucht. Und seither habe ich sie nicht mehr allein sprechen können.«

»Das ist bei uns ähnlich. Die Dienstboten sollen nicht tratschen. Sie tun es aber doch. Untereinander jedenfalls. Ich erfahre manche Dinge von Dora, aber selbst sie ist ziemlich verschwiegen.«

»Ich verstehe sie ja, denn es kann sie die Stelle kosten.«

Eine Amsel flog auf und verbreitete eine Wolke feinen Schnees.

»Judith«, bemerkte Dorothea in diesem Moment. »Schau! Dort hinten kommen Victor und Edgar! Na, das ist ja ein Zufall!«

Als Judith sich umdrehte, erkannte sie sofort Victors stattliche Gestalt. Er lief schnell, so, als wollte er sie einholen. Edgar ließ sich etwas mehr Zeit und war einige Schritte hinter seinem Freund zurückgeblieben.

Dorothea und Judith blieben stehen und warteten.

Als Victor kurz darauf vor ihnen stand, wagte sie es nicht, ihn in Gegenwart von Dorothea mit dem vertraulichen »Du« anzusprechen. »Guten Tag, Herr Rheinberger«, sagte sie stattdessen höflich, doch ihre Augen funkelten vor lauter Freude, ihn so unerwartet zu sehen.

»Fräulein von Braun, Fräulein Rothmann«, grüßte Victor formell. »Macht es Ihnen etwas aus, wenn ich mich Ihrem Rundgang anschließe?«

»Äh, und ich auch«, fügte Edgar an, der sie nun ebenfalls eingeholt hatte und Victor vorwurfsvoll den Ellenbogen in die Seite rammte.

»Wer zuerst kommt …«, meinte Victor spöttelnd und zwinkerte seinem Freund zu.

»Wir haben gewiss nichts gegen Ihre Begleitung einzuwenden«, antwortete Dorothea versöhnlich. »Gehen Sie doch ein Stück mit uns, meine Herren.«

Zu viert setzten sie ihren Weg fort.

»Woher wussten Sie, dass wir heute hier unterwegs sind?«, fragte Judith neugierig.

»Sie hatten es dieser Tage erwähnt«, entgegnete Victor und

lächelte ihr zu. »Und da dachte ich, dass es doch eine schöne Abwechslung wäre, heute ebenfalls den Park zu besuchen.« Er sah sich um. »Und es ist herrlich!«

»Nicht wahr? Er ist so geheimnisvoll angelegt«, meinte Judith. »Hinter jeder Wegbiegung wartet ein anderer Blickfang.«

»Oh ja. Da hat sich der Architekt dieser Anlage wirklich viele gute Gedanken gemacht!«, bestätigte Victor.

»Aber das wird nicht die einzige Absicht gewesen sein, weshalb Sie hier spaziergehen?«, vermutete Judith augenzwinkernd.

Victor grinste. »Nein. Edgar und ich waren uns einig, dass es nur wenige Gelegenheiten gibt, in denen wir vier uns unbeobachtet unterhalten können. Das aber erscheint uns wichtig im Hinblick auf unsere Pläne.«

»Pläne? Meinen Sie etwa, Albrecht betreffend?« Dorothea war stehen geblieben und blickte von einem zum anderen.

»So ist es«, erwiderte Victor. »Judith hat Sie bereits in Kenntnis gesetzt?«

»Ja. Und ich habe ihr meine Unterstützung zugesagt.«

»Das ist außerordentlich hilfreich für uns, Fräulein von Braun«, bedankte sich Edgar, und Judith fügte an: »Sie hat mir bereits mitgeteilt, dass Albrecht die Nächte in der Tat so gut wie immer auswärts verbringt.«

»Was habe ich dir gesagt«, meinte Edgar zu Victor.

»Uns Frauen sind allerdings die Hände gebunden, was weitere Schritte angeht«, erklärte nun Dorothea. »Wir können ja nicht heimlich in der Nacht durch Stuttgart streifen.«

»Natürlich nicht, das gäbe einen Skandal«, bestätigte Edgar. »Das übernehmen wir.«

»Können Sie in etwa sagen, wann er immer aufbricht, Fräulein von Braun?«, fragte Victor.

»In der letzten Woche waren es unterschiedliche Zeiten. Meistens aber nach acht Uhr am Abend.«

»Also müssen wir uns an seine Fersen heften«, sagte Edgar zu Victor.

Der nickte. »Ist Albrecht zu Fuß unterwegs?«

»Soweit ich feststellen konnte, ja«, antwortete Dorothea, räusperte sich und richtete den Blick plötzlich auf die hellen Wolken, die über den blauen Winterhimmel zogen. Judith spürte, wie schwer es ihrer Freundin noch immer fiel, sich an diesem Geschehen zu beteiligen.

»Du hast das Gefühl, wir planen ein Komplott?«, fragte sie deshalb vorsichtig.

»Das tun wir ja auch«, wisperte Dorothea.

»Aber es soll Albrecht nicht schaden«, mischte sich nun Victor ein, der die Unterhaltung aufmerksam verfolgt hatte. »Wenn sich unser Verdacht nicht bestätigt, passiert gar nichts. Und wenn er etwas zu verbergen hat, dann ist es auch für ihn von Vorteil, wenn er rechtzeitig von diesem Weg abgebracht wird, und nicht nur für Fräulein Rothmann.«

»So denke ich ja auch«, sagte Dorothea und seufzte wieder. »Aber es ist halt nicht einfach für mich.«

»Das ist verständlich, Fräulein von Braun«, meinte Edgar freundlich. »Es ist umso bewundernswerter, dass Sie sich dazu durchringen.«

Dorothea atmete tief durch und runzelte leicht die Stirn. »Was kann ich denn überhaupt dazu beitragen?«

»Wir bräuchten eine Möglichkeit, uns morgen Abend auf Ihrem Grundstück zu verstecken. Geschützt und natürlich so, dass wir den Eingang Ihres Hauses im Blick haben und im Warmen sind. Wenn er zu unterschiedlichen Uhrzeiten aufbricht, ist es besser, nicht stundenlang in der Kälte warten zu müssen. Mehr braucht es vorläufig nicht«, erläuterte Victor.

Dorothea schien einen Moment abzuwägen. »Gut. Ich sehe zu, dass das Tor und die Remise offen sind. Von einem der Fenster haben Sie alles recht gut im Blick. Hoffe ich jedenfalls.«

»Gut. Wichtig ist, dass niemand Alarm schlägt und wir uns nicht im grünen Polizeiwägelchen wiederfinden.« Edgar grinste. »Wegen unerlaubten Eindringens auf privaten Grund und Boden.«

»Ich werde sehen, was ich tun kann«, entgegnete Dorothea. »Sollte es Schwierigkeiten geben, lege ich einen Tannenzweig auf den Steinsockel neben dem Tor. Als Warnung. Dann muss das Ganze verschoben werden.«

»Ausgezeichnet«, sagte Victor.

»Sehen Sie, Fräulein von Braun«, ergänzte Edgar, »es ist uns wichtig, dass Sie über unsere Absichten und Pläne informiert sind.«

»Deshalb haben wir Ihnen beiden schließlich hier im Park aufgelauert«, fügte Victor in lockerem Tonfall an.

»Ja, wie richtige Wegelagerer!«, scherzte Judith, und auch Dorothea musste jetzt lachen.

Sie warf ihren Muff in den Schnee, nahm eine Handvoll der weißen Pracht und formte daraus einen runden Schneeball. »Nun denn, meine Herren Wegelagerer, glauben Sie ja nicht, dass wir uns nicht zu wehren wüssten!« Damit zielte Dorothea auf Edgar.

Der drehte sich zwar rasch zur Seite, doch das Geschoss traf ihn am Ärmel.

»Na, warten Sie …«, rief er und griff seinerseits in den Schnee.

Judith blitzte Victor herausfordernd an.

Ohne den Blick von ihr zu nehmen, wischte er eine Ladung Schnee von einem Gebüsch in der Nähe.

»Das wagen Sie nicht«, drohte Judith lachend und bewaffnete sich ebenfalls. Bevor er den ersten Ball warf, sah Judith, wie sich seine Lippen verstohlen zu einem Kuss formten. Sie zwinkerte ihm zu, dann erwischte er sie bereits am Ärmel.

Sie warf zurück und traf ihn am Rücken. Judith gluckste fröhlich, bevor seine Retoure ihr beinahe den Hut vom Kopf fegte. Innerhalb weniger Minuten lieferten sie sich alle vier eine ausgelassene Schneeballschlacht. Schon lange nicht mehr hatte Judith sich so unbeschwert gefühlt.

Es fiel anschließend gar nicht auf, dass Victor Judith sehr gründlich von den Schneeresten befreite. Denn Edgar hatte sich Dorotheas angenommen.

43. KAPITEL

Am nächsten Abend

»Liegt ein Tannenzweig da?«, fragte Edgar mit gedämpfter Stimme.

Victor überprüfte noch einmal die Fläche auf den beiden Steinpfeilern rechts und links des imposanten Eingangstores der Stadtvilla der von Brauns. »Nein. Es ist nichts zu sehen. Auch keine Spuren, die darauf hindeuten würden, dass etwas heruntergerutscht ist oder ein Tier ihn sich geschnappt hat.«

»Dann geh'n wir rein!«

Victor drückte vorsichtig an der Tür des schmiedeeisernen Zaunes, der – in regelmäßigen Abständen von mächtigen Pfeilern unterbrochen – das Anwesen umgab, und prüfte, ob sie nachgab. Sie war nur angelehnt, Dorothea hatte also Wort gehalten.

Victor öffnete die Pforte gerade so weit, dass er und Edgar hindurchschlüpfen konnten, dann machte er sie vorsichtig wieder zu.

Neben dem großen Wohnhaus erkannten sie die schwach

erleuchtete Remise, genauso wie Dorothea es ihnen erklärt hatte. Konzentriert gingen sie ein Stück den gepflasterten Zugang entlang, dann querten sie eine kleine Rasenfläche und näherten sich der Remise von der Seite.

Mit einem Mal schlug ein Hund an.

»Dorothea hat nichts von einem Wachhund gesagt«, flüsterte Edgar.

»Nein. Sie dachte sicher, wir wüssten, dass das Haus einen hat«, gab Victor leise zurück. »So wie viele hier.«

Sie sahen sich besorgt um, doch das Gebell verstummte plötzlich und hob nicht wieder an.

Victor nickte Edgar zu. »Weiter!«

Sie erreichten die Remise, und auch hier verhielt sich alles so, wie es mit Dorothea abgesprochen war. Zwar wurde bei den Pferdeboxen noch gearbeitet, man hörte Schritte und leises Hüsteln, das Scharren eines Reisigbesens und das Klappern von Eimern, aber im Bereich der Kutschen war alles ruhig. Sie fanden das beschriebene Fenster hinter einem der verdecklosen Sommerwagen. Es bot tatsächlich einen recht guten Blick auf den Eingangsbereich der Villa.

»Wie spät ist es?«, fragte Edgar leise und Victor sah auf seine Taschenuhr. »Erst halb acht. Es kann also noch eine Weile dauern.«

»Hoffen wir, dass er nicht ausgerechnet heute einen Abend zu Hause verbringt«, meinte Edgar. »Ich habe mich schon auf eine Nacht voller Laster eingerichtet.«

Victor lachte verhalten. »Wenn es heute nichts wird, dann morgen. Denn wenn er wirklich spielt, bleibt er auf Dauer nicht daheim. Dann kann er gar nicht anders, als wieder los-zuziehen.«

Sie richteten sich auf ihrem Platz ein, so gut es ging. Edgar zog ein Lederfutteral aus seiner Jackentasche, in dem eine kleine Flasche steckte. Er schraubte sie auf und reichte sie Victor. »Willst du?«

»Was ist das?«

»Feinste Birne.«

Victor probierte. »Ah! Ja, der ist wirklich gut.«

Auch Edgar nahm einen Schluck. »Genau das Richtige, um sich die Zeit zu vertreiben.« Er schraubte den Deckel wieder zu.

Acht Uhr verstrich, es wurde neun, und nichts tat sich.

»Glaubst du, er kommt noch?« Edgar wurde allmählich unruhig.

»Es ist auf jeden Fall noch nicht zu spät. Wir warten.«

»Oder ist er heute am Ende gar früher gegangen?«

»Das glaube ich nicht, sonst hätte uns Dorothea darauf aufmerksam gemacht und den Zweig ausgelegt.«

Sie leerten das flache Fläschchen mit dem Birnenschnaps und unterhielten sich leise, bis Edgar endlich Victor anstieß. »Ich glaube, jetzt kommt er!«

Victor sah neben ihm aus dem kleinen, verstaubten Fens-ter und erkannte eine dunkel gekleidete Gestalt, die sich auf den Weg zu dem hohen Gartentor machte, durch das sie bei-de vorhin das Grundstück betreten hatten.

»Ist er es?«, fragte Victor. »Du kennst ihn besser als ich.«

»Ich bin mir ziemlich sicher«, erwiderte Edgar. »Ja,

Albrecht ist genauso korpulent und auch die Größe dürfte stimmen.«

»Dann los!«

Victor und Edgar verließen die Remise und folgten der davoneilenden Person, hielten aber einen größeren Abstand ein. Victor wollte vermeiden, dass Albrecht durch irgendeinen unerwarteten Zufall auf sie aufmerksam wurde.

Dieser allerdings schien ohnehin starr auf sein Ziel fokussiert zu sein.

Im Dunkel der Nacht war es schwierig, ihn nicht aus den Augen zu verlieren, zumal er einen für seine Verhältnisse ungewöhnlich flotten Schritt an den Tag legte. Glücklicherweise bedeckte noch immer eine festgetretene Schneedecke die Straßen und Gehwege der Stadt, sodass seine Silhouette gegen den hellen Hintergrund regelmäßig im Licht der Gaslaternen zu erkennen war.

Sie waren etwa zwanzig Minuten unterwegs, als Albrecht das Tempo verlangsamte. Vor der Elsässer Taverne, einem recht schlichten, mehrstöckigen Gebäude in der Esslinger Straße, blieb er stehen, straffte sich und trat ein.

Es begann, leicht zu schneien. Victor und Edgar besprachen kurz, wie sie weiter vorgehen wollten, und beschlossen dann, ihm hineinzufolgen. Doch in dem holzvertäfelten Gastraum war es derart laut und voll, dass Albrecht wie vom Erdboden verschluckt schien.

»Wir sollten uns aufteilen«, sagte Victor zu Edgar mit erhobener Stimme, um den Geräuschpegel zu übertönen.

Edgar nickte, und so drängelte sich jeder von ihnen einzeln

durch die Stuhlreihen der illustren Gäste, um Albrecht ausfindig zu machen. Die Elsässer Taverne war dafür bekannt, gerne von Künstlern und Artisten aufgesucht zu werden, und das war auch am heutigen Abend nicht anders. Albrecht aber befand sich nicht darunter.

»Vor einigen Jahren«, erinnerte sich Edgar, als sie wieder aufeinandergetroffen waren, »sind Max, Albrecht und ich einige Male hier gewesen. Damals haben wir uns gerne in ein Nebenzimmer zurückgezogen, vielleicht gibt es das ja immer noch.«

»Bestimmt. Am besten, wir fragen«, beschloss Victor.

Edgar erkundigte sich bei der Frau des Wirtes, und als diese nickte, wusste Victor, dass Edgar wohl den richtigen Riecher gehabt hatte.

»Ja, das gibt es noch«, bestätigte Edgar kurz darauf. »Sie hat mich erkannt. Wer weiß, ob sie mir sonst Auskunft gegeben hätte, denn ich denke, dass die Herren, die sich dort treffen, gerne unter sich sind.

»Um zu spielen«, vermutete Victor.

»Davon gehe ich aus.«

»Jetzt können wir natürlich nicht einfach dort hineinspazieren«, stellte Victor fest.

»Nein. Zumindest nicht zu zweit«, bestätigte Edgar. »Ich allein könnte es vielleicht schon wagen.«

»Gut«, gab Victor zu, »das ist nachvollziehbar. Ich werde in der Nähe bleiben und warte hier im Schankraum«, meinte er.

»Es könnte eine Weile dauern«, gab Edgar zu bedenken.

»Das spielt keine Rolle«, erwiderte Victor. »Sollte er sich früher als erwartet verabschieden, kannst du ihm unter Umständen nicht sofort folgen. Dann werde ich übernehmen.«

Während Edgar sich von der Wirtin zu einer Seitentüre begleiten ließ, suchte Victor nach einem freien Platz. Das war nicht ganz einfach; schließlich quetschte er sich an einen Tisch, an dem bereits einige junge Burschen zechten, und bestellte sich ein Glas Wein.

Aus einem Glas waren drei geworden, als sich die Tür wieder öffnete, durch die Edgar einige Zeit zuvor verschwunden war, und Albrecht von Braun in den Gastraum trat. Sein Gesicht war aufgedunsen und gerötet, sein Gang nicht mehr ganz so sicher. Er schien verärgert, beachtete den Abschiedsgruß der Wirtin nicht, setzte seinen Hut auf und verließ das Gasthaus.

Victor legte das Geld für den Wein auf den Tisch, zog sich an und folgte ihm. Albrecht hatte auf alle Fälle einiges getrunken, so viel stand fest. Was das Spiel anbetraf, hatte Edgar hoffentlich wichtige Hinweise gesammelt. Doch wo wollte der Bankierssohn nun hin? Er schlug nicht den Weg nach Hause ein.

Victor hielt sich unauffällig hinter ihm.

Albrecht ging deutlich langsamer als zuvor, er schwankte leicht, aber schien genau zu wissen, wo er hinwollte.

Zwei Häuserecken weiter blieb er vor einem Mietshaus stehen. Bevor er hineinging, sah er sich noch einmal um, und Victor zog sich rasch in den Schatten eines überdachten Hauseingangs zurück. Albrecht aber hatte ihn nicht bemerkt, klingelte und wurde kurz darauf eingelassen.

Noch während Victor überlegte, wie er weiter vorgehen sollte, sah er Edgar heraneilen und stellte sich ihm in den Weg.

»Wo ist er hin?«, fragte Edgar leicht außer Atem. »Hast du ihn aus den Augen verloren?«

»Du riechst nach Wein«, stellte Victor fest.

Edgar verzog das Gesicht. »Du auch.«

Victor grinste und deutete auf das Haus schräg gegen-über, in dem Albrecht verschwunden war. »Er ist dort hi-neingegangen.«

»Dann schauen wir doch gleich mal nach, wer dort wohnt«, sagte Edgar. Gemeinsam studierten sie die Türschilder, von denen einige nur schwer lesbar waren.

»Hm«, meinte Edgar. »Das scheint ein übliches Mietshaus zu sein, wenn auch kein besonders nobles Quartier. Aller-dings vermute ich, dass in einer Wohnung vielleicht andere Dienste angeboten werden als nur Kost und Logis.«

»Ich verstehe. Und wenn wir Dorotheas Beobachtungen in die Betrachtung der Lage einbeziehen, wird er vor dem Morgengrauen nicht mehr herauskommen.«

»Genau. Wir sollten nach Hause gehen.«

Victor nickte, obwohl er Albrecht am liebsten gleich in flagranti in den Armen einer Dirne erwischt und zur Rede gestellt hätte. Aber mit Ungeduld kamen sie nicht weiter. »Gehen wir in die Silberburgstraße?«, fragte er Edgar. »Oder nächtigst du lieber an deinem Ofen?«

Edgar lachte. »Also, in diesen kalten Nächten sind mir meine Öfen lieb und teuer. Aber heute Nacht gehe ich mit in unser altes Domizil. Allzu lange werde ich dort eh nicht mehr wohnen. Eberle hat mir ein Zimmer in seinem Haus angeboten.«

»Das habe ich mir schon gedacht, Edgar«, meinte Victor. »Und sicher günstig. Wann wirst du umziehen?«

»Schon im Januar. Meinst du, es geht bei dir mit der Miete? Zwei Zimmer sind nicht billig in Stuttgart, wenn man sie allein bezahlen muss.«

»Ich weiß«, erwiderte Victor, »und Rothmann zahlt nicht besonders gut. Ich werde mir jemanden suchen müssen, aber das wird kein Problem sein.«

»Das denke ich auch nicht. In Stuttgart fehlen an allen Ecken und Enden gescheite Wohnungen.«

So ließen sie den Abend bei einem weiteren Glas Wein ausklingen. Dabei erzählte Edgar, was er im Nebenzimmer der Elsässer Taverne erlebt hatte.

44. KAPITEL

Am nächsten Morgen erwachte Victor mit einem Brumm-
schädel. Der Wein hatte einfach zu gut geschmeckt. Er quäl-
te sich aus dem Bett, trank einen Schluck Wasser und aß ein
Stück hart gewordener Brezel. Edgar war schon gegangen,
und auch Victor machte sich auf den Weg zur Schokoladenfabrik. Er hatte eine Menge mit Judith zu besprechen.

»Guten Morgen!« Ihre blauen Augen strahlten ihn an, als
er zu ihr in den Versuchsraum kam. Anstatt etwas zu erwidern, schloss er nur die Tür und nahm sie in den Arm. Nichts
fühlte sich so gut an wie ihr weicher, warmer Mund, der nach
Schokolade schmeckte, weil sie gerade genascht hatte. Sie
drückte sich an ihn und entlockte ihm noch einige weitere
Küsse, ehe er sie losließ und sich neugierig über ihren Arbeitstisch beugte.

»Ah, du stellst deine *Pasta Gianduja* her.«

»Nein, ich stelle die Schokolade her, die *Pasta Gianduja* enthält. Und *Torrone*. Und drumherum feinste Rothmann-Schokolade.«

Sie ließ Victor probieren.

»Mhm, nicht schlecht«, meinte Victor.

»Nicht schlecht?«

»Ja, nicht schlecht«, bekräftigte Victor. »Aber damit sie ausgezeichnet schmeckt, fehlt noch irgendetwas. Hmm, lass mich überlegen ...« Er küsste sie erneut und Judith lachte an seinem Mund. »Das können wir aber nicht mitverkaufen.«

»Nein. Das ist nur für uns.« Er streichelte zärtlich ihr Gesicht. »Dieser Geschmack ist einzigartig.«

»Oh ja!«

Ihre Wangen hatten sich gerötet und Victor zog sie fest an sich. Sie beide waren eine Einheit. Er ließ seine Lippen über ihr Haar gleiten und schloss einen Moment lang die Augen.

Dann deutete er auf die ausgelegten Formen, die sie zum Teil bereits befüllt hatte.

»Du machst diese Tafeln für den Schokoladenautomaten?«, fragte er.

»Ja, wenn es bei dieser Form und Größe bleibt«, antwortete Judith. »Ah, da fällt mir ein, dass ich etwas für dich habe!« Sie griff in die Tasche ihrer Schürze, beförderte eine kleine, etwas zerknitterte Fotografie zutage und hielt sie Victor hin.

»Was ist das?« Victor nahm ihr das Bild ab und betrachtete es interessiert. »Das ist ja wunderschön!«

»Nicht wahr? Das ist der Festsaal der Wilhelma.«

»Der Wilhelma?«

»Ja. So nennt man die Gartenanlage neben dem Rosenstein-Park.«

»In Cannstatt?«

»Genau.«

»Da hätten wir ja unsere Schneeballschlacht dort weiter-
machen können ...«

Judith kicherte. »Hätten wir. Aber was ich dir mit diesem
Bild zeigen möchte, ist etwas anderes.«

»Ich bin gespannt!«

»Wie wäre es, wenn wir bei unserem Schokoladenautomaten eine sichtbare Bühne einbauen? Davor laufen kleine
Theaterstücke ab, und die Schokolade fällt währenddessen in
den Ausgabeschlitz.«

»Und der Festsaal auf diesem Bild soll dann die Kulisse sein.«

»Zum Beispiel. Ich fand ihn besonders schön, weil er einen orientalischen Charakter hat, mit den durchbrochenen
spitzigen Bögen und den Säulen. Aber wenn er dir nicht gefällt, können wir etwas anderes nehmen.«

»Nein, Judith, das gefällt mir sehr gut. Und es wäre am
Anfang sicherlich einfacher, ein schlichtes Gehäuse zu nehmen und das Innenleben interessant zu gestalten, als gleich
einen Elefanten nachzubilden. Ich finde deine Idee ausgezeichnet!«

Sein Lob trieb ihr gleich noch einmal das Blut in die Wangen.

»Weißt du«, ergänzte er. »Die Kulisse könnte Edgar in
Emaille malen. Und auch die Figuren machen wir aus Emaille. Alles passend. Und mit diesem ... ich würde sagen, mau-
rischen Stil grenzen wir uns von den Stollwerck-Automaten
ab. Weißt du was?«

»Ja?«

»Wir bauen einen Automaten fertig und befüllen ihn mit deiner *Torrone*-Schokolade.«

»Ich kann auch verschiedene Gewürze dazutun, zum Beispiel Kardamom, Zimt oder Anis. Orientalisch – dann passt der Geschmack zur Kulisse.«

»Perfekt! Und ich frage am Hauptbahnhof hier in Stuttgart nach, ob wir den Automaten dort aufstellen dürfen. Zur Probe. Dann sehen wir sehr schnell, ob die Menschen Interesse daran haben oder den anderen bevorzugen, der schon dort steht.«

»Da bin ich sehr gespannt!«

»Ich auch«, sagte Victor und zwinkerte ihr zu.

Dann wurde er ernst. »Aber es gibt noch etwas anderes, weswegen ich hier bin, Judith.«

»So? Was denn?«, fragte Judith besorgt.

»Ich habe mit Edgar zusammen Albrecht beschattet. Letzte Nacht.«

»Habt ihr etwas herausgefunden? Etwas Schlimmes?«

»Albrecht hat enorm hohe Spielschulden.«

»Oh, mein Gott. Aber so etwas hattet ihr ja befürchtet.«

»Die Schulden sind so hoch, dass er einige zwielichtige Gestalten am Hals hat. Offenbar ist sein Vater nicht bereit, alle seine Außenstände zu begleichen, oder er weiß gar nicht alles. Albrecht spielt zum Teil unter falscher Identität.«

»Also ist er auch noch ein Betrüger! Das müssen wir sofort meinem Vater mitteilen, er wird die Hochzeit absagen.« Judith war ganz aufgeregt geworden, doch als sie Victors zweifelnde Miene sah, stutzte sie. »Oder etwa nicht?«

»Wir können ihn nicht direkt anschwärzen. Er wird alles leugnen, und mit der Macht seines Vaters im Hintergrund, der diesen Verdacht ganz sicher nicht auf sich sitzen lässt, zählt unsere Stimme nichts. Er würde genügend Zeugen aufbieten, die für seinen Sohn aussagen. Am Ende landen wir beide noch im Kittchen, weil wir einem unbescholtenen Bürger übel nachgeredet haben«, erklärte er. »Im Augenblick können wir unser Wissen nur dazu nutzen, um Albrecht selbst unter Druck zu setzen.«

»Wie wollt ihr das denn tun?« Judith wirkte jetzt sehr angespannt.

»Das wird Edgar vorgeben. Ich treffe mich später mit ihm. Er beschreibt Albrecht als impulsiv und leicht zu kränken, und meint, dass seine Reaktionen unberechenbar sind.«

»Das kann ich mir gut vorstellen. Er ist sehr empfindlich.«

»So ist es. Und egal, was wir tun, wir möchten auf keinen Fall, dass du in Gefahr gerätst. Oder Dorothea.« Victor steckte das Wilhelma-Foto in seine Jackentasche und gab ihr einen raschen Kuss auf die Wange. »Ich muss jetzt los. Behalte das alles bitte für dich. Erzähle auch nicht Dora davon. Ich gebe dir Bescheid, wenn ich Näheres weiß.«

»Was ist mit Dorothea?«

»Siehst du sie?«

»Heute nicht, aber vielleicht morgen.«

»Mit ihr kannst du darüber reden. Aber nur, wenn ihr sicher allein seid. Du weißt ja, die Dienstboten …«

»Ich passe auf.«

Als Victor sah, wie unsicher sie auf einmal wirkte, ging

er nochmals zu ihr hin und zog sie ermutigend an sich. »Du wirst ihn nicht heiraten, Judith, das verspreche ich dir«, flüsterte er in ihr Ohr. »Du musst uns vertrauen.«

Er spürte, wie sie nickte, das Gesicht fest in seinem Jackett verborgen.

»Das tue ich.«

Am Spätnachmittag desselben Tages traf Victor sich mit Edgar vor der Elsässer Taverne. Es war schon ziemlich dunkel, aber es schneite nicht. Die Schneeberge an den Rändern der Straßen und Gehwege hatten eine schwärzliche Patina angenommen, bedingt durch den Ruß, der aus Tausenden von Schornsteinen in die Luft über Stuttgart geblasen wurde und durch die Kessellage der Stadt schlecht abziehen konnte.

Nachdem sie sich kurz beraten hatten, liefen sie noch einmal den Weg zu jenem Mietshaus ab, in das Albrecht im Laufe der vorangegangenen Nacht verschwunden war.

»Wir sollten die Nachbarn befragen«, schlug Edgar vor. »Diese Häuser sind sehr hellhörig. Vielleicht bekommen wir dadurch schon erste Hinweise, welche Wohnung möglicherweise in der Art genutzt wird, die wir vermuten.«

Victor nickte. »Dasselbe habe ich mir auch gedacht. Dann fangen wir am besten ganz unten an.«

Nacheinander läuteten sie an mehreren Wohnungen, bis ein Mädchen von etwa zehn Jahren die Tür öffnete.

Sie wirkte nicht vernachlässigt, war aber recht mager und sehr blass.

»Was wollet ihr?«, fragte sie.

»Wir würden gerne deine Mutter oder deinen Vater spre-chen«, antwortete Edgar.

Das Mädchen musterte die beiden und bohrte dabei in der Nase. »Warum?«

»Weil wir jemandem helfen wollen«, sagte Victor.

»Mei Mutter isch net da, bloß mei Vadder.«

»Kannst du ihn bitte holen?«, fragte Edgar.

»Noi«, erwiderte das Mädchen. »Er kann et laufa. Wenn ihr den seha wollet, müsset ihr raufkomma.«

Victor und Edgar sahen sich an, dann meinte Victor: »Bringst du uns zu ihm?«

Einen Moment zögerte die Kleine, dann ließ sie sie ein.

Die Familie bewohnte eine kleine Wohnung im ersten Stock, die aus einem größeren Raum bestand, der zum Woh-nen, Essen und Schlafen genutzt wurde. Der Vater saß auf einem der beiden Betten darin, sonst war niemand anwesend.

Als der Mann seine Tochter und die beiden Männer be-merkte, runzelte er misstrauisch die Stirn. »Was wollen Sie?«

»Entschuldigen Sie, dass wir einfach so eindringen. Aber wir haben eine Frage, und Ihre Tochter war so freundlich, uns zu Ihnen zu bringen. Es geht um Folgendes: Wir haben gehört, dass es hier im Hause unzüchtig zugehen soll, vor al-lem während der Nachtstunden. Um Näheres in Erfahrung zu bringen, bräuchten wir Hilfe«, sagte Edgar höflich, und ließ dabei ein Geldstück in seiner Hand aufblitzen.

Der Mann nickte. »Frida, geh raus«, befahl er seiner Tochter.

Als das Mädchen die Tür hinter sich zugezogen hatte, sah er Edgar an. »Da meinen Se bestimmt die Stellenvermittlerin.

War schon mal jemand hier, wegen der. Hat aber nichts je-
bracht.« Im Gegensatz zu seiner Tochter hatte er einen rhein-
ländischen Akzent.

»Sorgt sie für Unruhe hier im Haus?«, hakte Victor sofort nach.

Der Mann lachte auf. »Unruhe ist kein Ausdruck.« Er kniff
die Augen zusammen und fixierte Victor. »Die Hexe hat ein
Hurenhaus hier eingerichtet. Et kommen immer neue Mädche, immer jüngere. Und wat die dann treiben, hören alle!«

»Haben Sie Ihrem Vermieter Bescheid gesagt?«, fragte Edgar.

»Ha!« Der Mann lachte wieder höhnisch. »Jede Woche!
Den interessiert dat nich. Im Gegenteil. Ich denke, dass die
Alte«, er deutete mit dem Finger auf die Decke über sich,
»ihn jut bezahlt, damit sie hier ihr Sündenbabel haben kann.«

»Um welche Wohnung handelt es sich?«, wollte Victor wissen.

»Direkt über uns. Schlimm. Alle im Haus haben ihr Päckchen zu tragen damit.«

Plötzlich ließ er den Kopf hängen und stierte auf die
Erde. »Wenn dat so weiterjeht, is meine Frida irgendwann
auch dran. Sie lockt schöne Mädche an, die Kupplerin. Und
reiche Herrschaften. Die fühlen sich hier wohl.«

»Aber für die reichen Herren gibt es doch bestimmt andere Etablissements«, wandte Edgar ein.

»Aber keine mit so abwechslungsreicher Kost. Schauen Se
sich die Fräulein doch mal an!«

Edgar sah Victor an. »Das würden wir gern.«

»Ha, dann tun Se's doch!«

»Könnten Sie sich vorstellen«, setzte Edgar vorsichtig an, »dass wir hier in Ihrer Wohnung Posten beziehen und erst einmal die Vorgänge im Treppenhaus beobachten?«

»Nur zu, die Herren. Lassen Se die Tür einen Spalt offen, und Sie werden bald jenuch davon haben«, meinte der Mann. Dann schien er plötzlich nachzudenken. »Warum machen Se dat eigentlich? Sie wollen ja wohl nicht selbst …?«

»Ganz gewiss nicht«, sagte Edgar beruhigend. »Wir untersuchen gerade die sittlichen Verhältnisse in Stuttgart und werden anschließend einen Bericht darüber verfassen, damit gute Bürger wie Sie und Ihre Nachbarn ihre Ruhe haben.«

Victor grinste in sich hinein. Edgars Wahrheit war etwas weit hergeholt, aber der Mann schien insofern beruhigt, als er keine weiteren Fragen stellte. Edgar drückte ihm ein Zweimarkstück in die Hand, und er steckte es rasch ein. »Bleiben Sie hier, solange Sie wollen. Und verfassen Sie einen eindrücklichen Bericht, dat die Obrigkeit endlich etwas unternimmt gegen diesen Pfuhl!«

»Danke«, sagte Victor. »Wir werden tun, was wir können.«

Während der Mann nun erschöpft wirkte und sich hinlegte, begannen Victor und Edgar abwechselnd, das Treppenhaus zu observieren. Eine Zeit lang sah alles nach dem üblichen Leben in einem dicht bewohnten Mietsgebäude aus. Kinder rannten hinauf und herunter, Frauen schleppten Holz, Einkäufe und ihre Säuglinge, Männer kehrten von der Arbeit zurück. Manch einer von ihnen hatte seinen Tageslohn sichtbar und hörbar im Wirtshaus gelassen.

Doch irgendwann, als das Haus allmählich zur Ruhe kam, stieg tatsächlich ein junges Mädchen die Treppe hinauf, dessen Kleidung und Attitüde nicht zu den Bewohnern hier passen wollte. Sie summte einen Gassenhauer und wiegte die Hüften, bog mit Schwung um die Ecke und hinterließ einen Schwall aufdringlichen Parfums. Ein Stockwerk höher begrüßte man sie mit kicherndem Gelächter.

Dann waren wieder nur die gewohnten Geräusche zu vernehmen, die das enge Zusammenleben hier mit sich brachte. Ein Paar stritt sich lautstark, Kinder trampelten herum, ein Säugling schrie aus Leibeskräften.

Etwa zehn Minuten später beobachtete Victor dann eine weitere junge Frau, die dasselbe Ziel zu haben schien wie die Weibsperson zuvor. Doch als diese sehr nah an seinem Posten vorbeiging, glaubte er, seinen Augen nicht zu trauen.

Erstaunt machte er die Tür ganz auf und trat in den Flur.

Als das Mädchen sich ihm gegenübersah, schlug es erschrocken die Hand vor den Mund. »Herr Rheinberger«, flüsterte sie.

»Ja, der bin ich. Und du, was machst du hier, Pauline?«

»Ich, äh, ich wohne hier«, antwortete Pauline, doch Victor hatte einen anderen Verdacht.

»Soso, du wohnst hier. Weshalb bist du dann so herausgeputzt?«

Pauline trug ein hellrotes, tief ausgeschnittenes Kleid, einen ebenso roten, federnbesetzten Hut und war übermäßig stark geschminkt.

Sie sah sich unruhig um, so als wollte sie sich vergewissern, dass niemand in der Nähe sei. »Der Rothmann zahlt uns doch fast nix«, wisperte sie dann fast trotzig. »Und wenn ich mir mal was Hübsches kaufen möchte, dann muss ich mir was dazuverdienen.«

»Möchtest du hereinkommen und mir alles erzählen?«, bot Victor ruhig an.

»Oh nein, bestimmt nicht. Ich muss nach oben.«

»Hast du eine Verabredung?«

»Ja.«

»Heute Nacht?«

Sie kniff die Lippen zusammen und machte Anstalten, sich an ihm vorbeizudrücken. Victor vermied es, sie direkt anzufassen, sondern stellte sich ihr lediglich in den Weg, sodass sie nicht weiterkonnte. Sie schlug die Augen nieder.

»Pauline.« Victor wurde eindringlicher. »Du weißt, dass das, was du hier tust, bestraft werden kann? Man nennt es Gewerbsunzucht, oder Prostitution, wie du möchtest.«

»Nein!«, zischte Pauline. »Ich habe nicht mehrere Männer. Ich habe einen Freund!«

Es war unglaublich, wie einfach man leichtgläubige junge Mädchen ködern konnte. »Wer sagt das?«, hakte Victor nach. »Die Kupplerin?«

»Nein, die Frau von der Anstellungsvermittlung.«

»Aha. Es ist also eine Stellenvermittlung, zu der du gehst.«

»Ja«, meinte Pauline spitz.

»Und diese Stellenvermittlung hat dich an einen Mann vermittelt?«

»An einen *jungen* Mann. Und er ist sehr gut zu mir. Seither habe ich ein Auskommen. Und bei Rothmann werde ich bald kündigen«, setzte sie großspurig hinzu. »Dann kann mir keiner mehr etwas befehlen dort!«

»Ja, in dem Fall bekommst du ein oder zwei Anstellungen mehr hier im Haus, nicht wahr?« Victor versuchte bewusst, sie zu provozieren.

Ein empörtes Flackern trat in ihre Augen. »Und wenn? Was wissen Sie denn schon davon?«

Auch bei Pauline hatte sich offenkundig die Mär verfangen, dass ihr Verehrer in heißer Liebe zu ihr entbrannt sei und sie heiraten wolle. Immer wieder köderten Kupplerinnen und Zuhälter auf diese Art und Weise naive junge Mädchen und zogen sie in ein Leben, das fast immer in der Gosse endete.

»Ich biete dir noch einmal an hereinzukommen, Pauline«, setzte Victor erneut an. »Egal, was sie dir versprochen haben, es wird so nicht eintreffen. Selbst wenn du jetzt denkst, ein gutes Leben zu haben oder zu erwarten, so ist das ein Trugschluss. Es wird dich zerstören!«

Plötzlich füllten sich Paulines Augen mit Tränen. Victor konnte sehen, wie sie mit sich rang.

»Ich kann aber nicht einfach mit reinkommen«, meinte sie schließlich gepresst. »Ich werde erwartet. Und vielleicht stimmt es ja doch, dass er für mich sorgen wird, so gut er kann …«

»Nun gut. Wende dich an mich, wenn du Hilfe brauchst. Wir sehen uns wieder in der Fabrik.«

Sie nickte zögernd. Dann gab Victor den Weg frei und sie ging langsam die Treppe hinauf.

Er atmete hörbar aus.

»Glaubst du, dass sie jetzt überhaupt noch zur Arbeit kommt?«, fragte Edgar, der das Geschehen aus der Wohnung mitverfolgt hatte.

Victor zuckte mit den Achseln und ging an ihm vorbei zurück ins Zimmer. »Ich weiß es nicht«, sagte er. »Übernimmst du eine Weile den Flur?«

»Mache ich. Übrigens wundert es mich nicht, eine von Rothmann hier zu sehen. Gerade die Arbeiterinnen aus den Zucker- und Schokoladenfabriken verdienen so wenig, dass man damit kaum über die Runden kommt. Mein Vater hat mir das vor Jahren schon gesagt.«

Victor war sich über die Verhältnisse in den großen Städten des Reichs durchaus im Klaren; es hautnah selbst erleben zu müssen, war allerdings etwas anderes.

Die Stunden glitten dahin, und als die Nacht fortgeschritten war, fanden die ersten vergnügungssuchenden Männer ihren Weg in die Wohnung der sogenannten Stellenvermittlerin.

Alsbald waren tatsächlich Geräusche zu vernehmen, die auf Frivolitäten hindeuteten, und Frida, die inzwischen wieder da war, zog die Bettdecke über ihr Gesicht, um nichts hören zu müssen. Auch die Mutter war erschöpft nach Hause gekommen, hatte sich kurz die Anwesenheit von Edgar und Victor erklären lassen und anschließend an die Hausarbeit gemacht. Inzwischen saß sie mit Flickwäsche am Tisch, eine Petroleumlampe spendete noch etwas Licht. Immer wieder fielen ihr die Augen zu.

Es war wohl um die gleiche Stunde wie am Vortag, als Edgar sich an der Tür plötzlich anspannte. »Tatsächlich, er kommt wieder!«

Victor nickte ihm zu. »Lass ihn durch. Wir wissen für heute genug.«

»Und was machen wir nun?«, fragte Edgar.

»Wir gehen. Ich werde versuchen, Pauline in den nächsten Tagen näher zu befragen. Auch wenn ihre Aussage noch weniger wert ist als unsere, so dürfte sie unser Bild von Albrecht gut vervollständigen. Dann planen wir den nächsten Schritt.«

Als sie sich verabschiedeten, gab Edgar der Frau ein weiteres Zweimarkstück. Sie lächelte dankbar. Ihr Mann schnarchte laut, auch die kleine Frida war eingeschlafen.

»Arme Leute«, flüsterte Victor, als sie die Tür hinter sich zuzogen.

»Ja. Aber es gibt Familien, denen es noch viel schlechter geht.«

Als sie auf die Straße traten und vom Lichtkegel der nächsten Straßenlaterne eingefangen wurden, legte Edgar plötzlich die Hand auf Victors Schulter. »Ich hab mit Eberle gesprochen«, meinte er mit bedeutungsvollem Unterton.

»Worüber?«, fragte Victor irritiert.

»Darüber, ob er nicht einen zweiten Untermieter aufnehmen könnte.«

Victor stutzte, dann begriff er. »Du meinst, dass ich mit dir in die Hauptstätter Straße ziehen soll?«

»Genau das!«

Victor packte seinen Freund an den Oberarmen und

schüttelte ihn kurz. »Du bist doch ein … Aber natürlich! Sag bloß, er ist einverstanden?«

»Nun ja, es brauchte nicht viel Überzeugungsarbeit …«

»Wann ist es denn so weit?«

»Ich habe mit ihm vereinbart, dass wir am Tag vor Heilig Abend umziehen.«

»Ich dachte, erst im neuen Jahr?«

»Er lässt uns im Dezember mietfrei wohnen, und auch anschließend verlangt er nicht viel. Er sei froh, an Weihnachten nicht allein zu sein, hat er gemeint. Und du musst dich nicht mit einem Nachmieter arrangieren.«

»Mensch, Edgar, das ist die beste Nachricht, die ich seit Monaten bekommen habe. Eigentlich seit meiner Entlassung!«

»Stimmt ja! Ich habe ja einen ehemaligen Sträfling aufgenommen!« Edgar knuffte ihn. »Irgendwann wirst du mir sicher auch noch genauestens erklären, weshalb du auf dieser Festung eingesperrt warst.«

»Das werde ich. Es ist wohl an der Zeit.«

»Sicherlich wegen allergröbsten Unfugs«, spottete Edgar und Victor lachte. »So könnte man es nennen.«

»Also, wenn wir bei Eberle eingezogen sind, leeren wir als Erstes sein Mostfass!«, erklärte Edgar.

»Apropos Unfug: Vor dem Mostfass ist noch Rothmanns Comptoir dran!«

Edgar grinste. »Ich weiß. Der Einbruch. Ich habe schon geübt.«

45. KAPITEL

Coblenz, zur selben Zeit

»Was darf es denn sein?«, fragte der Anker-Wirt.

»Bringen Sie mir ein Bier«, antwortete Roux, verbesserte sich aber sofort: »Nein, doch lieber einen Wein! Und zu essen bringen Sie mir einfach etwas, das schmeckt und satt macht.«

Als der Wirt in die Küche gegangen war, legte er Maximilian Hardens Liste vor sich auf den Tisch und begann, sie noch einmal zu studieren.

Erst vor einigen Tagen war Paul Roux in Coblenz angekommen und hatte sich im Gasthof Zum Anker einquartiert. Lange Reisewochen lagen hinter ihm, und er ärgerte sich über sich selbst. Irgendwie hatte ihn sein sonst so sicherer Spürsinn verlassen und die lange Liste mit Namen, die er von Maximilian Harden ausgehändigt bekommen hatte, vom falschen Ende her abarbeiten lassen.

Zahlreiche der Anschriften waren veraltet, viele der Adressen, die er nach und nach herausfand, lagen zudem weit von Berlin entfernt.

Er hatte eine ergebnislose Reise nach Köln und Umgebung unternommen, zwei weitere nach Hamburg und in den Frankfurter Raum. Die Männer, die er schließlich aufgestöbert hatte, konnten oder wollten ihm keine Auskunft geben. Inzwischen drohten seine Auftraggeber nachdrücklich mit der Rückforderung ihres Geldes.

Der Wirt brachte den Wein und einen Teller mit Kartoffeln, Zwiebeln und Speck. Roux band sich eine Serviette um und begann zu essen.

Coblenz hatte er eigentlich schon vor Wochen auf seinem Reiseplan gehabt, denn hier, am letzten Ort, an dem sich Victor Rheinberger vor seinem Verschwinden aufgehalten hatte, ergab sich vielleicht am ehesten eine heiße Spur. Doch Hardens Liste hatte ihn dieses Vorhaben aufschieben lassen.

In Gedanken rekapitulierte er den Fall.

Ganz zu Beginn waren seine Untersuchungen rasch vorangeschritten, denn er hatte einen der Offiziere bestechen können, die in seinem Lieblingsbordell in der Friedrichsstraße verkehrten. Die Männer dort waren meist in spendabler Laune, wenn man ihnen damit drohte, ihre Besuche bei den Damen ruchbar zu machen, und so hatte Roux damals erfahren, dass Rheinberger nach Coblenz verlegt worden war. Möglicherweise auf eigenen Wunsch. Und dass er nach seiner Entlassung mit dem Zug weitergereist sei. Nach dieser Auskunft hatte der Mann sich nicht mehr blicken lassen, sodass Roux diese Quelle nicht mehr nutzen konnte.

Dann war ihm Hardens Liste zugekommen und er hatte sich bereits am Ziel gewähnt. Damit, dass es so schwierig werden würde, an brauchbare weitergehende Informationen zu gelangen, hatte er nicht gerechnet. Inzwischen war der Erfolgsdruck hoch. Seine Auftraggeber ließen sich kaum mehr vertrösten.

Die Wirtin kam vorbei und sah, dass er den Teller bereits geleert hatte.

»Hat's geschmeckt?«, fragte sie, und Roux nickte.

»Ausgezeichnet! Bringen Sie doch gleich noch eine Portion.«

»Aber gerne!«

Als sie kurz darauf den frisch gefüllten Teller vor ihn hinstellte, meinte sie: »Sie sind doch aus Berlin, Herr Roux?«

»So ist es«, antwortete Roux und beugte sich über sein Essen, um ihr zu signalisieren, dass er keinen weiteren Gesprächsbedarf hatte.

Sie holte gerade Luft, um weiterzureden, als ein beleibter Herr in einem tadellos geschneiderten, aber abgeschabten Anzug eintrat. Prompt wandte sie sich von Roux ab und begrüßte den Gast mit auffallender Herzlichkeit: »Ach, Herr Baldus, ich habe Ihren Platz freigehalten.«

Roux horchte auf. Der Name Baldus kam ihm irgendwie bekannt vor. Aus den Augenwinkeln verfolgte er, wie sie ihn an den Tisch neben ihm dirigierte. »So, bitte schön. Ihr Debbekooche kommt gleich!«

Der Mann nahm schwerfällig Platz, zog Papier und Bleistift aus der Tasche seines Jacketts und machte sich einige Notizen. Als sein Kartoffelkuchen serviert wurde, schob er das Ganze zur Seite und stürzte sich auf die Mahlzeit.

»Haben Sie denn heute wieder ein Gedicht für uns, Herr Baldus?«, flötete die Wirtin, die noch immer danebenstand und zufrieden zusah, wie ihr Essen vertilgt wurde.

Was für ein aufdringliches Weib, dachte Roux. Dennoch spitzte er die Ohren, denn dieser Baldus schien ein besonderer und gern gesehener Gast zu sein.

»Nachher pfielleicht«, meinte Herr Baldus mit vollem Mund, und die Wirtin ging zufrieden zurück hinter die Theke. Roux bedeutete ihr, dass er gerne noch einen Wein hätte.

Als sie den Krug vor ihn hinstellte, flüsterte sie ihm verschwörerisch ins Ohr: »Da drüben, das ist unser Herr Baldus. Ein begnadeter Dichter! Ich hoffe, er wird uns nachher noch etwas rezitieren!«

Roux hoffte das nicht, aber er nickte.

Sie sah schwärmerisch zu dem hastig Speisenden hinüber. »Und ihm schmeckt mein Debbekooche immer so gut!« Mit einem Seufzen zog sie sich wieder zurück.

Und dann schrillten in Roux' Kopf plötzlich alle Glocken.

Hastig nahm er seine Liste zur Hand und ging mit bebenden Fingern jeden einzelnen Namen durch. Und tatsächlich: Von ihm selbst als weniger bedeutend mit einem Fragezeichen versehen, fand sich dort ein Augustin Baldus.

Er zügelte seine Euphorie, denn er hatte ja nicht ohne Grund einen Dichter als weniger relevant eingeschätzt. Er war davon ausgegangen, dass Victor Rheinberger sich während seiner Gefangenschaft eher mit seinesgleichen abgegeben hatte. Doch als erfahrener Ermittler unterschätzte er niemals die Macht des Zufalls.

Roux wartete ab, bis Augustin Baldus seine Mahlzeit beendet hatte, dann ging er an dessen Tisch und grüßte höflich. »Augustin Baldus, der große Dichter?«

Die Brust des Mannes schwoll sichtlich an. »Der bin ich. Womit kann ich dienen?«

»Ich bin ein Literaturkenner, verehrter Herr Baldus. Aus Berlin.«

Augustin Baldus nickte anerkennend und wies auf den zweiten Stuhl an seinem Tisch. »Nehmen Sie doch Platz, Herr ...«

»Von Trauntin.« Roux hatte sich schon vor langer Zeit eine Reihe von Pseudonymen ausgedacht, die er abwechselnd verwendete, je nach Gelegenheit.

»Ah, ein adeliger Kritiker, sehr angenehm!«

»Da ich im Augenblick an einem Fachartikel über die Lebensumstände deutscher Dichter arbeite«, erklärte Roux wichtigtuerisch, »kommt mir unser zufälliges Zusammentreffen hier äußerst gelegen.«

Augustin Baldus lachte geschmeichelt. »Ganz meinerseits, Herr von Trauntin, ganz meinerseits. Stellen Sie Ihre Fragen, ich beantworte Ihnen jede in aller Ausführlichkeit. Vorausgesetzt, Sie lassen mir dann ein Exemplar Ihrer Abhandlung zukommen.«

Der gutgläubige Eifer des Dichters amüsierte Roux. Wie so viele Menschen zeigte er sich sofort auskunftsbereit, wenn man nur ein wenig seine Eitelkeit umgarnte. Und als Künstler wartete er zudem darauf, endlich entdeckt zu werden.

Roux stand noch einmal auf, holte seine Kladde und schlug mit wichtiger Miene eine neue Seite auf.

»Darf ich Sie zunächst um Ihre genaue Anschrift bitten, Herr Baldus?«

Binnen kürzester Zeit hatte er Augustin Baldus an der Angel. Bereitwillig erzählte der verkannte Poet von seinem Leben und von seinen Werken, zitierte Gedichte und erwähnte einen Roman, an dem er bereits seit einigen Jahren schrieb und der angeblich kurz vor der Vollendung stand.

Roux bekundete großzügig sein Lob. Dann kam er allmählich zum Thema. »Gibt es Menschen, die Ihnen Ihre Gabe neiden?«, fragte er listig.

»Oh«, jammerte Baldus im Bewusstsein der eigenen Wichtigkeit, »wo viel Ehr', da viel Feind.«

»Gibt es in diesem Zusammenhang ein besonderes Vorkommnis, von dem Sie berichten können?«

»Nicht nur eines, mein lieber Herr von Trauntin, nicht nur eines. Meine Person wurde bereits mehrfach wegen Verunglimpfung Preußens belangt.«

»Tatsächlich?«

Baldus nickte. »Man hat mich auf dem Ehrenbreitstein eingesperrt«, raunte er Roux zu. »Um mich mundtot zu machen. Zwar nie lange, dafür mehr als einmal.«

»Das ist ja unglaublich interessant, Sie sind also auch ein politischer Dichter?«

»Ich war es. Inzwischen habe ich mich dazu entschlossen, meine Gabe, wie Sie es vorhin genannt haben, anderen Themen zu widmen. Wissen Sie, wenn man älter wird, dann hat man keine Lust mehr auf eine Zelle. Auch wenn sie nicht unbequem sind, die Quartiere da oben.« Mit dem Kinn nickte er zur Tür und meinte damit wohl grob die Richtung des Ehrenbreitsteins. »Aber gerade dem Dichter bedeutet die Freiheit alles!«

»Da verstehe ich Sie sehr gut, Herr Baldus«, gurrte Roux. »Solch ein Talent wie das Ihre, eingesperrt! Welch eine Schande! Sagen Sie, wie haben denn Ihre Mitgefangenen auf Ihre besondere Gabe reagiert? Gab es Abende, an denen Sie Ihre Werke vortragen durften?«

»Ach. Das ist natürlich nicht der richtige Kreis, um zu deklamieren. Und ich war ja nicht der Einzige der schreibenden Zunft dort oben. Aber der eine oder andere hat gewiss einmal zugehört.«

»Ist Ihnen in diesem Zusammenhang jemand besonders im Gedächtnis geblieben?«

Baldus überlegte. »Ein paar Burschen gab es, mit denen ich engeren Kontakt hatte. Ach, einer war sogar aus Berlin, so wie Sie!«

»Sagen Sie nur!« Roux schlug sofort denselben begeisterten Ton an wie der Dichter.

»Ja! Oh, wie hieß der gleich. Ich erinnere mich gut an ihn, weil ich ihm die Anschrift meines Neffen gegeben habe, als er entlassen wurde … Ah, ich weiß es! Rheinberger! Victor Rheinberger aus Berlin. Bei dem ging es um irgendeine Ehrensache, was weiß ich. Das war ein feiner Kerl.«

Roux konnte sein Glück kaum fassen. »Das ist ja wunderbar, wenn es dort auch echte Freundschaften gegeben hat, Herr Baldus.«

»Nun ja, Freundschaft mag etwas übertrieben sein, aber geschätzt haben wir uns sehr.«

»Wo wohnt denn Ihr Neffe?«

»Der Edgar? In Stuttgart! Der Rheinberger wollte nicht mehr nach Berlin zurück, sondern ganz neu anfangen. Und ich hab gedacht, Stuttgart ist dafür doch gar kein schlechter Ort.«

»Das ist aber eine großzügige Geste gewesen, Herr Baldus. Sie sind nicht nur ein Dichter, sondern dazu auch noch ein guter Mensch. Ist Ihr Neffe auch Dichter und Poet?«

»Nein, der Edgar ist Maler.«

»Das wird ja immer unglaublicher, unser Gespräch! Dem Himmel sei Dank, dass ich Sie heute Abend hier getroffen habe, Herr Baldus!« Roux war in seinem Element. »Sie werden es nicht glauben, aber ich schreibe auch regelmäßige Kolumnen zu zeitgenössischen Künstlern.«

»Tatsächlich?«

»Ja. Denken Sie, Ihr Neffe würde mir auch für ein Gespräch zur Verfügung stehen? Sein Name könnte in den wichtigen Zeitungen und Zeitschriften stehen.«

»Aber ganz gewiss«, tönte Baldus in der Gewissheit, seinem Neffen etwas Gutes zu tun, »er ist so begabt! Und auch seine Kunst hat bisher völlig zu Unrecht ein Schattendasein gefristet. Zumindest, soweit ich darüber im Bilde bin.«

»Haben Sie denn eine gültige Adresse von ihm? Damit ich Kontakt aufnehmen kann?«

»Also, ob sie noch gültig ist, weiß ich nicht. Die letzte, die ich besaß, war … Einen Augenblick, ich muss überlegen …

Es hatte etwas mit Gold zu tun, oder nein, Silber. Silberburgstraße. Genau!«

»Die Silberburgstraße in Stuttgart«, echote Roux und schrieb seine Angabe säuberlich auf.

»Eine Hausnummer weiß ich nicht, ich bedaure«, meinte Baldus. »Aber Sie dürften ihn dennoch ausfindig machen.«

»Wenn Sie mir noch den Nachnamen geben würden?«

»Ach, natürlich. Nold. Edgar Nold. Aber sagen Sie, wann wird denn der Bericht über mich erscheinen?«

»Im nächsten Frühjahr«, log Roux.

Baldus wirkte enttäuscht. »Erst im nächsten Frühjahr?«

»Das ist ein großer Vorteil für Sie, Herr Baldus. Im Frühjahr sind die Leute glücklich, den Winter hinter sich zu lassen. Genau der richtige Zeitpunkt für ein Bändchen mit Frühlingsgedichten.«

»Mit Frühlingsgedichten? Da habe ich gar keine.«

»Nun, bis dahin sollten Sie welche haben. Wir drucken einige zu unserem Bericht ab.«

»Wo darf ich denn die Gedichte hinschicken?«, fragte Baldus.

Roux kritzelte eine Fantasieadresse auf einen Bogen seiner Kladde, riss das Blatt heraus und übergab es Baldus mit den Worten: »Es kann möglicherweise eine Weile dauern, bis Sie Antwort erhalten. Machen Sie sich in diesem Fall bitte ja keine Gedanken.«

»Ja«, Baldus lachte dröhnend. »Gut Ding will Weile haben.«

»So ist es. Und jetzt lassen Sie uns auf unsere Begegnung

trinken. Und auf Ihren künftigen Erfolg!« Roux winkte der Wirtin.

Sie zechten bis spät in die Nacht. Als Roux in sein Zimmer schwankte, war er sich nicht sicher, ob Baldus sich überhaupt an ihn erinnern würde, wenn er seinen Rausch ausgeschlafen hatte. Er hatte ihn sprichwörtlich unter den Tisch getrunken.

46. KAPITEL

Riva, in der Woche vor dem vierten Advent 1903

»Du solltest kürzere Touren anbieten.«

Hélène sah von ihrer Staffelei auf. »Was meinst du damit?«

Max lachte. »Na, die neuen Führungen von Hélène Rothmann im Frühjahr.«

Hélène schüttelte den Kopf. »Wie kommst du denn jetzt auf die Führungen?«

»Sie gingen mir gerade durch den Sinn.«

»Ach so. Und warum sollte ich sie kürzen?«

»Nicht alle. Aber die langen Dampfschifffahrten würde ich überdenken. Denn auch wenn ich dir stundenlang zuhören kann – eine solche Gewalttour an einem Tag ist schon recht anstrengend. Zumindest für die meisten Leute.«

Hélène setzte gerade helle Akzente in die Blautöne einer Ansicht des Gardasees, die sie nach einer noch im Sommer grob dahingeworfenen Skizze nun in Öl auf eine große Leinwand übertrug. Sie bediente sich dabei der Manier der französischen Impressionisten, verband die kleinen

Farbflecke aber gerne zu großzügigeren Flächen. Ihre Bilder erhielten dadurch einen abstrakteren Charakter, ohne die Lichteffekte einzubüßen, für die Monet oder Renoir so bekannt waren.

»Kritisierst du meine Arbeit als Fremdenführerin?«, fragte Hélène und drückte einen Gelborange-Ton aus der Tube auf ihre Palette.

»Nein. Nicht deine Arbeit. Eher die zeitliche Planung.« Max beobachtete sie mit einer Mischung aus Amüsiertheit und Verlangen. Hélène kannte diesen Blick und tat so, als konzentrierte sie sich nur auf ihr Bild. Sie wusste, dass ihn das ärgerte und zugleich reizte.

»Was schlägst du also vor?«, wollte sie wissen und begann, den Sonnenuntergang über dem Wasser farblich zu vervollständigen.

»Füge eine Übernachtung ein. Zum Beispiel in Sirmione.«

Hélène trat einen Schritt zurück und betrachtete einen Augenblick lang ihr Werk, bevor sie mit lichtem Ocker weiterarbeitete. Dabei befeuchtete sie mit der Zungenspitze ihre Lippen, eine Geste, die sie oft unbewusst machte, wenn sie malte, die sie inzwischen aber auch sehr gerne einsetzte, um Max sinnlich zu provozieren.

Aus den Augenwinkeln heraus erkannte sie, wie er sich in den Nacken fasste und sie von unten herauf ansah.

Sie musste lächeln.

Max war kein einfacher Mensch. Er trug eine Unrast in sich, die Hélène manchmal als anstrengend empfand. Gleichzeitig wusste sie, dass seine Gefühle für sie aufrichtig waren, voller Fürsorge und Aufmerksamkeit, und von einer Hingabe, die er sicherlich nur selten zeigte.

»Die Idee mit Sirmione ist gut«, erwiderte sie und gönnte ihm einen kurzen Blick. Er stand sofort auf.

»Diese Idee ist genial!«, berichtigte er sie grinsend. »Genauso genial wie die Idee, dich von diesem unförmigen Malerkittel zu befreien.«

»Untersteh dich!«, protestierte sie spielerisch, aber da war er schon bei ihr und nahm ihr den Pinsel aus der Hand.

»Wenn du so weitermachst, bist du binnen einer Stunde selbst ein Gemälde«, meinte Hélène mit Blick auf ihre farbverschmierten Finger.

Max lachte und nahm ein mit Terpentin getränktes Tuch, um ihr die Farbe abzuwischen. »Verkaufst du mich dann?«, fragte er neckend. »Da bekommst du bestimmt einen recht guten Preis!«

Sie küsste ihn auf die Wange. »Das werde ich mir allen Ernstes überlegen.«

Er knöpfte ihren Malerkittel auf und freute sich, dass sie darunter nur ein Unterkleid trug. Er begann, ihren Nacken zu liebkosen.

»Also gut, du darfst ein Hotel in Sirmione aussuchen, in dem man eine Reisegruppe gut unterbringen kann«, erklärte sie großzügig und legte den Kopf zur Seite.

»Hmmm, das werde ich … später«, murmelte er und ließ seine Hände über ihren Körper gleiten, während er an ihrem Ohr knabberte.

Hélène schnurrte wie ein Kätzchen, als er sie auf die Arme

nahm und zu ihrem schmalen Bett trug. Nachdem sie sich zärtlich geliebt hatten, setzte Hélène sich auf und schüttelte ihre dunklen Locken.

»Dein Haar ist genauso schön, wie deine Augen es sind, Hélène.« Max wickelte sich, wie so oft, eine ihrer Strähnen um den Finger. »Und alles an dir.«

Hélène schloss lächelnd die Augen und genoss diesen innigen Moment, dann reckte sie sich. »Hermione und Christl sind in Riva.«

»Ah, deine Freundin mit ihrem jungen Liebhaber?« Max zwinkerte ihr zu.

Hélène schmunzelte. »Genau die. Essen wir mit ihnen heute zu Abend?«

»Warum nicht?« Max strich ihr in massierenden Bewegungen über den Rücken. »Ich bin schon sehr gespannt auf die beiden.«

»Gut, dann schicke ich Hermione eine Nachricht. Sagen wir, gegen acht Uhr im Hotel Central?«

»Gut, das passt mir.«

»Welch ein Glück«, spöttelte Hélène kichernd.

Max stand auf und begann sich anzuziehen. »Ich hole dich natürlich ab.« Bevor er ging, küsste er sie noch einmal ausgiebig. »Bis später, sagen wir halb acht?«

»Ja, halb acht.«

Hélène wusste, dass er immer wieder Zeit für sich selbst brauchte und sich deshalb in sein Hotelzimmer zurückzog, dort einen Rotwein trank, sich in eine Zeitung oder seine Architekturbücher vertiefte, vielleicht auch schon ein paar

Reisepläne für den nächsten Sommer machte. Denn dass es ihn irgendwann nicht mehr in Riva halten würde, das war Hélène klar.

Nachdem er zur Tür hinaus war, zog Hélène ihren Malerkittel wieder an, ging aber nicht zurück an die Staffelei. Bereits seit einigen Tagen rumorte etwas in ihrem Inneren, das sie einfach nicht länger verdrängen konnte.

Sie musste ihrer Tochter schreiben.

Schon mehrfach hatte sie versucht, auf Judiths bekümmerte Briefe zu antworten, und den Bogen jedes Mal zerrissen, weil sie nicht die richtigen Worte fand. Erst jetzt, nachdem sie selbst wieder festen Grund unter ihren Füßen spürte, drängte es sie dazu, Judith alles zu erklären.

Sie sah kurz zu ihrer Farbpalette hinüber, fasste sich dann aber ein Herz und setzte sich an ihren Schreibtisch.

Meine liebste Judith. Ich weiß, dass ich Dir diese Zeilen schon lange schuldig bin. Sieh es mir bitte nach. Die letzten Monate waren voller Veränderungen, eine Zeit des Wandels, und erst jetzt, da ich meinen künftigen Weg deutlicher vor Augen sehe und eine Entscheidung getroffen habe, kann ich Dir darüber berichten.

Wie ich Deinem Vater bereits mitgeteilt habe, werde ich nicht mehr nach Hause kommen. In Stuttgart war ich sehr krank. Erst hier bin ich wieder gesund geworden, weit weg von allem, was mich erdrückt hat. Das mag für Dich enttäuschend sein, gar lieblos wirken, doch es ist alles andere als das. Vielleicht wirst Du eines Tages verstehen, was ich damit meine.

Denn auch wenn es widersprüchlich erscheinen mag, ist das Allerschwerste an diesem Entschluss, dass ich Dich, meine Tochter, und Deine Brüder zurücklassen muss. Aber Du bist schon groß, und die Buben werden ohnehin ihren Weg in der Firma gehen. Es ist eine Welt, dort in Degerloch, in die ich nicht hineinpasse. Nie hineingepasst habe.

Dennoch bleibe ich immer Deine Maman. Es vergeht kein Tag, an dem ich nicht an Dich denke. Und ich würde mich aufrichtig und von ganzem Herzen freuen, wenn Du irgendwann den Weg zu mir nach Riva finden würdest. Wer weiß, vielleicht fühlst Du Dich hier ja genauso wohl wie ich?

Bis dahin verspreche ich Dir, regelmäßig und intensiver zu schreiben, nicht nur kurze Billetts mit Banalitäten wie bisher. Aber dieser große Abstand, den ich zu allem genommen hatte, war notwendig, um meine schwere Melancholie zu überwinden. Dein Vater und Du habt mir von Deiner bevorstehenden Hochzeit berichtet.

Es tut mir zutiefst leid, dass Du mit diesem Arrangement so unglücklich bist. Deine Briefe zeichnen ein recht verwirrendes Bild von Albrecht von Braun und Eurer augenblicklichen Situation.

Offensichtlich verspürst Du keine Zuneigung zu ihm. Du hast Sorge, von ihm als Eigentum betrachtet zu werden, Deine Freiheit zu verlieren und fortan seinen Launen ausgesetzt zu sein. Ich kenne Dich gut genug, um zu wissen, dass Du genauso zugrunde gehen würdest wie ich, wenn man Deine wunderschöne Seele, Deine Fantasie und Deine reiche Gefühlswelt einsperrte. Deshalb kann ich Dir nur raten, Deinem Herzen zu folgen,

auch wenn es schwer ist, sich den Wünschen Deines Vaters zu
widersetzen. Wenn Du Dir ein Leben mit Albrecht partout
nicht vorstellen kannst, dann kämpfe für Deine Freiheit! Du
hast die Kraft dazu!
Und so vertraue ich Dich Deinem Leben an in dem Wunsch,
dass es Dich an die schönsten Orte und zu den liebsten Men-
schen führen möge.
Und eines Tages auch wieder zu mir. Meine Tür steht Dir of-
fen, das musst Du wissen!
Deine Dich liebende Maman.

Riva, im Dezember 1903

Sie las den Brief nicht noch einmal durch, sondern adressier-
te ihn und legte ihn bereit, um ihn auf die Post zu bringen.
Er war überfällig gewesen. An ihren Gatten Wilhelm Rothmann hatte sie schon kurz nach ihrer Rückkehr aus Venedig
geschrieben. Sie wusste nicht, wie er auf ihre Nachricht reagieren würde, ob er möglicherweise nach Riva kommen oder
zu anderen Mitteln greifen würde, um sie gefügig zu machen
und an den Platz zurückzutreiben, an den sie seiner Meinung nach gehörte. Sie würde abwarten. Denn inzwischen
fühlte sie sich stark genug, seine Vorstöße zu parieren, sollte er es tatsächlich wagen, ihre eigenständige Existenz infrage zu stellen.

Sinnierend hielt sie den Füllfederhalter in der Hand, und
als sich ein Tintenklecks auf einem der unbeschriebenen
Blätter darunter breitmachte, kam ihr die Idee, an Georg
Bachmayr zu schreiben. Er hatte seine Anschrift hinterlassen,

als er im September zurück nach München gereist war. Bisher war es ihr kein Bedürfnis gewesen, den Kontakt weiter zu pflegen, heute aber wollte sie ihm wenigstens ein paar Zeilen zukommen lassen. Und ihre neue Adresse.

So gesellte sich ein weiterer Brief zu Judiths, bevor Hélène sich wieder ihrem Gemälde zuwandte.

»Hélène, meine Liebe!« Die große Straußenfeder auf Hermiones keckem Samthut wogte hin und her, als sie Christl stehen ließ und ihr vor dem Hotel Central entgegeneilte. »Wie freue ich mich, Sie zu sehen!«

»Die Freude ist ganz auf meiner Seite, liebe Hermione!«

Hermione von Preuschen erdrückte sie fast in einer stürmischen Umarmung, dann fiel ihr Blick auf Max, der hinter Hélène stand. Augenblicklich ließ sie Hélène los. »Sagen Sie bloß, Hélène!«

Mit einem zufriedenen Lächeln sah Hélène zu, wie Max seinen Strohhut abnahm und sich formvollendet vor Hermione verbeugte. Der wohlwollende Blick, mit dem ihre Freundin ihren Liebhaber bedachte, entging ihr nicht.

»Das ist Max«, stellte sie vor. »Max, das ist meine liebe Freundin, Hermione von Preuschen aus Berlin.«

»Sagen Sie doch einfach Hermione, mein Lieber.« Hermione hakte Hélène unter. »Ich würde gerne ein paar Takte mit meiner Freundin unter vier Augen sprechen! Wir haben uns so lange nicht gesehen«, sagte sie zu Christl und Max. »Machen Sie sich einstweilen bekannt, meine Herren!«

Damit zog sie Hélène einige Meter zur Seite. »Stattlich,

stattlich, der junge Mann«, raunte sie ihr zu. »Ich hätte nicht gedacht, dass es so schnell gehen würde!«

»Ich auch nicht«, antwortete Hélène leise. »Aber es hat sich eines zum anderen gefügt.«

»Und wie fühlt es sich an?«

»Großartig!«

Hermione drückte ihren Arm. »Wissen Sie was? Das freut mich sehr für Sie! Wenn jemand einmal die Leidenschaft kennenlernen musste, dann Sie, liebe Hélène.«

Noch immer gelang es Hermione in ihrer direkten Art, Hélène in Verlegenheit zu bringen, doch inzwischen konnte sie ihre Unsicherheit gut überspielen. »Ich genieße es, genau wie Sie. In dem Wissen, dass es vermutlich irgendwann zu Ende geht.«

»Das muss es nicht«, meinte Hermione. »Der Altersunterschied bei Ihnen beiden ist offensichtlich lange nicht so groß wie bei Christl und mir.«

»Dennoch denke ich, dass wir letzten Endes sehr unterschiedliche Ziele haben. Er wird eine Familie gründen wollen und …«

»… sich noch ausprobieren. Das kann natürlich der Fall sein. Aber was ist schon sicher? Kein Mensch kann einem anderen gehören. Er kann sich nur immer wieder aus freien Stücken für ihn entscheiden.«

»Da haben Sie recht, liebe Hermione«, sagte Hélène. »Besser kann man es nicht ausdrücken. Und jetzt habe ich Hunger.«

Hermione lachte und die beiden Frauen schlossen sich

wieder den Männern an, die in der Nähe des Hoteleingangs auf sie gewartet hatten.

»Na, alle Neuigkeiten ausgetauscht?«, fragte Max frech und Hélène merkte, wie sie errötete. Er bot ihr seinen Arm.

»Oh, ganz gewiss nicht, Max! Wollte ich mit Hélène wirklich alle Neuigkeiten der letzten Monate bereden, würden Sie sie die nächsten Tage nicht mehr zu Gesicht bekommen!«

»Dem wüsste ich entgegenzuwirken«, konterte Max und grinste Hermione an.

Hermione zwinkerte ihm zu und nahm Christls Arm. Hintereinander betraten die beiden Paare das Hotel Central.

»Wie lange bleiben Sie denn in Riva?«, fragte Hélène, als sie beim Essen saßen.

»Ich denke, nur zwei oder drei Wochen. Uns schwebt vor, im Frühjahr noch einmal herzukommen. Allerdings haben wir noch andere Reisepläne«, antwortete Hermione und sah zu Christl hin.

»Wir möchten gerne Korfu besuchen«, meinte dieser und widmete sich dem zarten Fisch, der auf seinem Teller lag.

»Hélène wird im Frühjahr hier ihre Bilder ausstellen«, merkte Max an. Er hatte sich für Rindsrollen entschieden. »Ich denke, sie würde sich bestimmt freuen, wenn Sie dabei wären, Hermione.«

»Oh, wirklich?«, entgegnete Hermione erfreut und wandte sich an Hélène. »Lassen Sie mich auf jeden Fall wissen, wann das genau sein wird! Wenn es sich irgendwie einrichten lässt, schauen wir natürlich vorbei!«

»Es wird wohl im März sein«, sagte Hélène. »Aber bitte

kommen Sie nur dann, wenn es sich mit den anderen Reiseplänen vereinbaren lässt.«

»Das wird sich auf jeden Fall vereinbaren lassen, nicht wahr, Christl?« Der junge Mann nickte und Hermione fuhr fort: »Haben Sie denn schon einen Raum dafür?«

Hélène schüttelte den Kopf.

»Wissen Sie was? Wir fragen im Sanatorium nach«, schlug Hermione vor. »Dort haben Sie dann auch genügend Publikum, das gerne das eine oder andere Erinnerungsstück ersteht. Christl?«

»Ja, meine Liebe?«

»Wir können doch deinen Vater fragen, ob er einen Raum zur Verfügung stellt, nicht wahr?«

»Gewiss doch. Eventuell wäre es auch möglich, die Ausstellung über alle drei Häuser des Sanatoriums zu verteilen«, erwiderte Christl.

»Diese Idee ist noch besser! Ach, liebste Hélène, bis wir wieder abreisen, ist Ihre Ausstellung geplant. Wie viele Bilder sind denn schon fertig dafür?«

»Neun«, sagte Hélène. »Ich habe vor, bis dahin achtzehn bis zwanzig Ölgemälde anzufertigen.«

»Das ist eine gute Zahl. Wenn sie nicht zu klein sind«, meinte Hermione.

»Nein, die meisten sind von mittlerem Format. Und zwei oder drei große Blickfänge sind natürlich auch darunter.«

»Einige Zeichnungen dazu?«

»Ja, auf alle Fälle. Ich möchte das Ganze recht abwechslungsreich gestalten.«

Hermione klatschte vor Begeisterung in die Hände. »Sie könnten ja in dieser Zeit auch immer wieder vor Ort, also im Sanatoriumspark, malen. Dann sehen die Leute, wie Ihre Bilder entstehen! Oder Sie bieten zusätzlich noch Malkurse an. Ach, das wird wundervoll!«

»Das wird es«, bestätigte nun Max und hob das Glas. »Auf Hélène!«

»Und auf die Kunst!«, ergänzte Christl.

Später an diesem Abend bat Max Hélène zum ersten Mal, die Nacht bei ihm im Hotel zu verbringen. Und Hélène konnte sich zum ersten Mal vorstellen, dass er vielleicht doch bei ihr bliebe. In einer Beziehung, die frei von Zwängen jedem die Möglichkeit gab, sich selbst zu sein.

47. KAPITEL

Die Schokoladenfabrik Rothmann,
am späten Abend des 22. Dezember 1903

Vorsichtig steckte Edgar einen festen, vorne zu einer engen
Schlaufe gebogenen Draht in das Schlüsselloch der Tür zum
Comptoir und bewegte ihn vorsichtig hin und her. Dann schob
er ein zweites Drahtstück hinterher. In der Stille der Nacht erschienen Judith die schabenden Geräusche fast überlaut.

»Ein wenig höher, Judith«, bat Edgar mit gedämpfter
Stimme, und sie veränderte die Position der kleinen Lam-
pe in ihrer Hand so, dass ihr Schein ohne Schatten auf das
Türschloss fiel.

Es brauchte nicht lange, bis ein erstes Klicken, dann ein
zweites zu hören war. Edgar schob und zog ein letztes Mal,
dann sprang die Tür auf.

»Gut gemacht«, lobte Victor. »Ich werde dich als Einbrecher weiterempfehlen!«

»Nur zu!«

Sie betraten das Comptoir.

»Judith, nun bist du dran.« Victor legte ihr in einer ermutigenden Geste die Hand auf den Rücken. »Du hast doch nachgesehen, wo wir welche Bücher finden?«

Judith nickte. »Ja, so ungefähr kann ich es sagen.«

Sie gingen zu den Schränken, die an der Stirnseite des Comptoirs standen. Victor nahm Judith die Lampe ab und hielt sie so, dass Judith gut sehen konnte.

»Ganz oben links sind die ältesten Bücher, ab 1895. Die Jahre davor wurden in einen abschließbaren Kellerraum gebracht.«

»Die brauchen wir ohnehin nicht«, meinte Victor. »Uns interessieren vorläufig nur die Jahre von 1900 bis heute.«

»Dann beginnt es hier«, sagte Judith und deutete auf einen Schrank in der Mitte.

Edgar trat vor und besah sich das Schloss des Schrankes. Problemlos knackte er auch dieses und öffnete die Schranktüren. Die verwendeten Drähte verstaute er sorgfältig in seiner Jackentasche.

Während Victor eine zweite mitgebrachte Lampe entzündete, legte Edgar Stifte und Papier zurecht. Dann gab Judith den Männern die einzelnen Unterlagen und achtete darauf, dass die ursprüngliche Ordnung beibehalten wurde.

Sie vertieften sich in Cassa-Bücher, Journale und Sammeljournale, die Haupt- und Lohnbücher, verglichen Einnahmen und Ausgaben, überprüften Saldi, sahen die Inventur- und Bilanzbücher durch. Edgar hatte Erfahrung mit der Systematik der doppelten Buchführung, da er früher in der Firma seines Vaters mitgearbeitet und sich einiges an kaufmännischem Wissen angeeignet hatte. Er verwendete diese Vorgehensweise inzwischen auch in seiner kleinen Emaillemanufaktur. Mit seiner Hilfe fand auch Victor sich verhältnismäßig schnell zurecht.

»Also, das ist alles ziemlich ordentlich«, meinte Edgar, und Victor nickte. »Ja, so sehe ich das auch. Schreibst du die Bilanzwerte ab, Edgar?«

»Das kann auch ich übernehmen«, schlug Judith vor, die sich auf der Handelsschule ebenfalls genug kaufmännisches Wissen angeeignet hatte, um die meisten Aufzeichnungen ihres Vaters zu verstehen.

»Gut, mach das«, antwortete Victor. »Edgar, dann sehen wir beide uns die Bankkonten an.«

Sie legten die entsprechenden Unterlagen auf eines der Stehpulte und versuchten, die Geldströme der letzten drei Jahre nachzuvollziehen.

»Die Zinsen, die von Braun genommen hat, waren schon enorm hoch«, stellte Edgar fest.

»Aus welchem Jahr stammt der letzte Kredit?«, fragte Victor.

»Januar 1902«, antwortete Edgar. »Zugegeben, in den Jahren 1900 bis 1902 waren die Zinsen höher, allgemein, aufgrund der Wirtschaftslage, darüber hat mein Vater auch gejammert. Aber von Braun hat trotzdem noch etwas draufgeschlagen«, meinte Edgar.

»Vor allem sind die letzten … Aha!« Victor deutete auf einen Eintrag am Ende der Spalte. »Ende November dieses Jahres, also 1903, wurden noch einmal 10 000 Mark Kredit verbucht. Ausgezahlt vom Bankhaus von Braun.«

»Dieser Kredit ist separat aufgeführt.« Edgar sah sich die Eintragung genau an.

»Genau. Er scheint kurzfristig dazugekommen sein.«

»Um die drängendsten Verbindlichkeiten zu bedienen«, mutmaßte Edgar.

»Wir müssen nachsehen, welche Rechnungen er seither bezahlt hat«, sagte Victor. »Und vor allem, ob Rothmann zuvor überhaupt noch liquide war. Judith?«

»Ja?«

»Kannst du bitte einen Blick auf die letzten Ausgaben werfen?«

»Warte kurz …« Judith nahm eines der daumendicken, großformatigen Bücher zur Hand und ging die letzten Aufzeichnungen durch. »Es wurden bereits angemahnte Rechnungen bezahlt«, berichtete sie. »Kakao, Zucker, Gewürze, Ersatzteile für Maschinen. Und eine Anzahlung für einen weiteren Eisschrank gemacht.« Sie dachte an das letzte Gespräch mit ihrem Vater. Er hatte also daran gedacht. Diese Erkenntnis war verstörend.

»Gibst du mir bitte die Bilanz des letzten Jahres?«, bat Victor. Judith ging zum Schrank, nahm eines der dünneren, schwarz gebundenen Bücher und reichte es ihm.

»Also, wenn ich das hier richtig lese«, teilte Victor mit, »wäre die Schokoladenfabrik ohne diesen Kredit des Bankhauses Braun im Dezember zahlungsunfähig gewesen.«

Edgar hob den Kopf, stand auf und ging zu Victor. »Tatsächlich.«

»Dieser Kredit wurde mit deutlich niedrigeren Zinsen

belegt als alle Kredite, die er Rothmann-Schokolade in den Jahren zuvor eingeräumt hat«, murmelte Victor. »Das fällt auf.«

»Das fällt in der Tat auf«, meinte Edgar.

»Das heißt …«, überlegte Judith, »… von Braun hat meinem Vater einen Kredit gegeben unter der Bedingung, dass ich Albrecht heirate?«

»Es sieht ganz danach aus«, bestätigte Victor.

»Es würde mich nicht wundern, wenn er weitere Kredite in Aussicht hätte«, sagte Judith bitter. »Dann, wenn ich endgültig mit Albrecht verheiratet bin.«

»Das steht zu vermuten. Denn 10 000 Mark reichen zwar aus, um das größte Unheil abzuwenden, nicht aber, um die Fabrik in eine rosige Zukunft zu führen.«

Judith ließ den Kopf hängen.

Mit einem Mal spürte sie eine große Verantwortung auf sich lasten. Hier ging es nicht nur um ihr ganz persönliches Lebensglück. Hier ging es um die Existenz ihrer Familie. Erklärte sie sich bereit, Albrecht zu ehelichen, könnte sie die Schokoladenfabrik vor dem Ruin retten.

Victor schien zu spüren, was in ihr vorging, trat hinter sie und legte ihr eine Hand auf die Schulter.

»Judith«, sagte er leise. »Diese Kredite sind nur ein Köder. Selbst wenn die Fabrik damit noch einige Zeit über die Runden kommt, so ist doch viel mehr nötig, um sie wieder auf gesunde Beine zu stellen. Wäre Albrecht ein fähiger, junger Mann, würde das Ganze ja noch angehen. Aber er wird dich mit in einen vernichtenden Sumpf aus Sucht und Spiel ziehen. Am Ende ist nichts gewonnen. Nicht für dich, und auch nicht für deinen Vater und die Firma.«

Judith lehnte sich zurück, spürte seinen warmen, vertrauten Körper hinter sich und seufzte tief.

»Danke«, flüsterte sie. »Es ist nur … so furchtbar schwer. Bisher habe ich mich einfach nur gewehrt, aber nun, da ich mit eigenen Augen sehe, welchen Abgründen Vater täglich ins Gesicht sieht …«

Victor begann, sie sanft zu massieren. »Das ist das Risiko, welches jeder auf sich nimmt, der ein Unternehmen gründet oder führt. Rothmann ist es viele Jahre lang gut gegangen. Und jetzt müssen wir nachsehen, wieso eine florierende Fabrik überhaupt in die Nähe eines Bankrotts kommen konnte. Der Markt für Zuckerwaren und Schokolade steigt, auch die Rohstoffpreise in den vergangenen Jahren waren stabil. Das habe ich bereits während der letzten Wochen überprüft.«

»Du wärst wirklich der geborene Unternehmer!«, stellte Edgar schmunzelnd fest.

»Mag sein«, entgegnete Victor.

»Es muss also einen konkreten Anlass gegeben haben?«, fragte Judith besorgt. »Meinst du, Vater wurde betrogen?«

»Das wäre eine mögliche Erklärung. Edgar?«

Edgar war bereits zu den Aktenschränken gegangen und schien etwas zu suchen. »Wenn es sich so verhält, wie wir vermuten, dann muss es ein Jahr geben, in dem sich die finanziellen Verhältnisse der Firma dramatisch verschlechtert haben«, sagte er.

Sie gingen die letzten Jahre durch.

»Da! Ich glaube, hier müssen wir näher hinsehen! Da gab es eine hohe private Entnahme. Das war 1899«, stellte Edgar fest.

»Das ist fast vier Jahre her«, sagte Judith.

»Genau. Wenn ich richtig lese, dann war das ein sehr gutes Jahr für Rothmann-Schokolade. Allerdings hat diese hohe Entnahme die Liquidität enorm verringert«, folgerte Edgar.

»Vor allem ist nichts mehr zurückgeflossen. Die Frage ist, weshalb er so viel Geld aus der Firma genommen hat. Vielleicht für den Bau eurer Villa?«, fragte Victor.

»Das wäre eine Erklärung«, erwiderte Judith. »Allerdings ist, glaube ich, auch einiges vom Vermögen meiner Mutter dafür verwendet worden. Meine Eltern hatten deswegen einen großen Streit. *Maman* wollte einen Teil des Geldes für sich behalten, aber Vater hat ihr vorgehalten, dass er die Villa nur für sie bauen würde, wegen ihrer Nerven.«

»Sie hätte ohnehin keinen Anspruch auf dieses Vermögen gehabt. Mit der Hochzeit ist es in den Besitz deines Vaters übergegangen«, erklärte Victor.

»Wie dem auch sei«, resümierte Edgar. »Wo könnten wir Hinweise finden auf den Verbleib dieser Summe?«

»Er bewahrt einige besonders wichtige Dokumente in seinem Bureau auf«, wusste Judith. »Allerdings könnte es sein, dass er sie in seinem Tresor liegen hat.«

»Dann wird es schwierig«, meinte Edgar. »Das sind die höheren Weihen der Einbruchskunst. So weit bin ich bisher noch nicht gekommen.«

»Schauen wir nach«, sagte Victor. »Einen Versuch ist es wert.«

Sie verschafften sich Zutritt zu dem abgeschlossenen Raum.

»Der Tresor befindet sich in diesem Schrank«, sagte Judith und zeigte auf einen schmalen, hohen Schrank aus Holz mit verzierten Kassettentüren.

Edgar besah sich das Möbelstück, dann schüttelte er den Kopf. »Das bekomme ich nicht auf.«

»Nun gut«, antwortete Victor. »Dann lass uns das untersuchen, was auf seinem Schreibtisch liegt. Vielleicht gibt es andere Hinweise.«

Vorsichtig, um nichts durcheinanderzubringen, durchforsteten sie die ordentlich gestapelten Unterlagen auf dem Schreibtisch, sahen in die Schubladen und inspizierten ein angrenzendes Regal.

Schließlich hielt Judith etwas in die Höhe. »Victor!«

»Ja?«

»Vielleicht könnte uns das weiterhelfen?« Sie übergab Victor einen Bogen, auf dem handschriftlich einige Zahlen und flüchtige Notizen gekritzelt worden waren.

Victor sah sich das Geschriebene an, dann reichte er es an Edgar weiter.

Der schüttelte den Kopf. »Das sind einige Berechnungen, die aber nichts mit dem zu tun haben, wonach wir suchen.«

Sie forschten weiter.

Schließlich blieb Victors Blick an einem kleinen, zusammengefalteten Zettel hängen, der zwischen dem Schreibtisch und der dahinterliegenden Regalwand lag. Er schien heruntergefallen und dort vergessen worden zu sein.

Er hob ihn auf und faltete ihn auseinander.

»Judith! Edgar!«

»Hast du etwas gefunden?«, fragte Judith.

»Zeig!«, sagte Edgar. »Ja! Das könnte eine Spur sein!«

»Aber die Dokumente dazu liegen sicherlich im Tresor«, gab Victor zu bedenken.

»Das macht nichts«, meinte Edgar. »Wichtig ist nur, dass wir wissen, wohin zumindest ein Teil des Geldes geflossen sein könnte.«

Edgar machte sich einige abschließende Notizen, während Victor und Judith sorgfältig aufräumten und alle Spuren ihrer Durchsuchung verwischten. »Ich mach mich schon mal aus dem Staub! Ich bleibe heute Nacht bei Eberle, denn ich habe noch einige Aufträge, die ich vor Weihnachten fertig machen muss.«

»Ach ja, ich vergaß, dass du vom Einbrechen nicht leben kannst«, witzelte Victor.

»Noch nicht!«, meinte Edgar augenzwinkernd. »Aber wer weiß? Vielleicht habe ich ja Geschmack an der Sache gefunden.«

Sie verließen das Comptoir, und Edgar ließ das Schloss zweimal zuschnappen.

Als sie an der Eingangstür ankamen, hatte Edgar es auf einmal eilig. »Vergiss nicht, dass wir morgen umziehen! Einen schönen Abend noch, Fräulein Rothmann!« Damit war er weg.

Victor schloss Judith in die Arme.

»Was meint er mit morgen Abend?«, wollte sie wissen.

»Morgen Abend ziehen er und ich zu Alois Eberle.«

»Ach!«

»Ja. Die bisherige Wohnung geben wir auf. Bei Eberle leben wir billiger und ich kann besser am Schokoladenautomaten weiterbauen.«

»Wie weit ist er denn, der Automat?«

»Die Konstruktion ist so weit fertig, und Edgar hat einige Emaillearbeiten für die Gestaltung gemacht. Man muss es eigentlich nur noch zusammenfügen.«

»Das ist wunderbar! Die Schokoladentafeln sind auch so weit. Dann kann er nach Weihnachten aufgestellt werden?«

»Ich hoffe es. Noch fehlt die Erlaubnis. Die Mühlen der Bürokratie mahlen bekanntlich langsam«, erklärte Victor. »Aber jetzt«, er beugte sich über sie, »möchte ich noch ein Versucherle.«

»Ich habe aber keines …«

Victor verschloss ihren Mund mit seinem und küsste sie warm und innig. »Ach, so ein Versucherle meinst du«, wisperte sie an seinen Lippen.

»Mhm.«

Victor zog sie näher an sich, erlaubte sich zum ersten Mal, sein Gesicht in ihrer Halsbeuge zu vergraben, sie dort zu liebkosen. Judith seufzte und presste sich fest an ihn in dem Wunsch, ihm ganz nah zu sein. Sie ließ zu, dass seine Hände über ihren Körper glitten, spürte seine Berührungen trotz ihres warmen Mantels, fühlte das erwachende

Begehren zwischen ihnen, das mit so viel wunderbaren und feinen Empfindungen angereichert war.

Mit einem letzten, bedauernden Kuss ließ er sie los.

»Wo wartet Theo?«, fragte er, seine Stimme klang belegt.

»An der Ecke vorne.«

»Komm, ich bringe dich zu ihm.«

Gemeinsam verschlossen sie die Eingangstür und das große Tor, vergewisserten sich, dass niemand in der Nähe war und machten sich auf den Weg.

Hinter dem Pferdeschlitten küsste er sie noch einmal, streichelte ihr Gesicht, ihren Haaransatz. »Du bist eine wunderbare Frau, Judith.«

Seine Worte berührten Judith. Sie legte ihre Hand über die seine. »Ich liebe dich«, murmelte sie in seine Handfläche, wissend, dass er es vielleicht gar nicht richtig verstand.

Doch als Victor sie an Theo übergab, sah sie an der Tiefe seines Blicks, dass er jedes einzelne ihrer Worte gehört hatte. Lautlos formten seine Lippen denselben Satz.

48. KAPITEL

Die Villa Rothmann, am nächsten Morgen

Babette war verschwunden. Fassungslos stand Robert in ihrer kleinen Kammer unter dem Dach der Rothmann-Villa. Nachdem sie heute weder zur Arbeit noch zum Frühstück erschienen war, hatte er sich in die Mansarde geschlichen. Hier stand er nun, kurz nach 7 Uhr am Morgen, und hatte das Gefühl, als bräche ein Teil seiner Welt zusammen.

Babettes Tür war nicht abgeschlossen, das Bett fein säuberlich gemacht. All ihre Kleidung und sämtliche persönlichen Gegenstände hatte sie mitgenommen. Nichts erinnerte mehr daran, dass sie hier gewohnt hatte. Nur der leichte Duft ihrer Seife hing noch in der Luft und verursachte ihm ein Gefühl wütender Sehnsucht.

Er ahnte, was passiert war. Nicht nur, dass ihm während der vergangenen Tage immer wieder Fußspuren im Schnee rund ums Haus aufgefallen waren. Er hatte Babettes schrittweisen Fall gespürt.

Trotzdem. Die Hoffnung, dass sie rechtzeitig merken

würde, auf dem falschen Weg zu sein, dass sie zur Vernunft käme, sich ihm vielleicht sogar anvertraute, hatte ihn nie ganz verlassen.

Doch sie war innerlich schon fort gewesen.

Robert wischte sich eine Träne aus dem Augenwinkel. Er musste Frau Margarete Bescheid geben. Langsam drehte er sich um, verließ das Zimmerchen und schloss sorgfältig die Tür hinter sich.

Die Haushälterin reagierte teilnahmslos. »Das war zu erwarten. Sie hat ihr Schicksal selbst besiegelt. Es wird nicht lange dauern, bis sie das erste Mal von der Polizei aufgegriffen wird. Sie wäre hier im Haus ohnehin nicht länger tragbar gewesen.«

Diese harten Worte trafen Robert tief.

Ohnehin ging man im Dienstbotentrakt nahtlos zum Alltagsgeschehen über. Babette war weg und es hatte den Anschein, als sei sie nie hier gewesen. Weder die Köchin noch Dora fanden ein Wort des Bedauerns. Dora schien heute Morgen völlig übermüdet zu sein. Auch Theo machte einen überarbeiteten Eindruck. Die ganze Atmosphäre im Haus wirkte düster und bedrückt. Wenn nicht die Zwillinge ab und zu das Geländer hinunterrutschen oder um Kleinigkeiten streiten würden, man hätte den Eindruck gehabt, die Villa wäre ausgestorben.

Robert versuchte, sich mit Arbeit abzulenken. Doch seine Gedanken kreisten nur um Babette. Als er am Nachmittag den Auftrag bekam, in Stuttgart einige Dinge zu besorgen, beschloss er, die Zeit zu nutzen und sie zu suchen. Auch wenn er sich nicht sicher war, ob sie in der Stadt geblieben oder längst unterwegs an einen ganz anderen Ort war.

Als er in der *Zacke* saß, die langsam nach Stuttgart hinunterfuhr, überlegte er, wo er mit seiner Suche anfangen sollte. Es gab gewiss eine große Anzahl an Wohltätigkeitsvereinen in Stuttgart, aber ob diese Damen ihm helfen würden, bezweifelte er. Weder war er Babettes Bruder noch ihr Ehemann.

Da fiel ihm Fritz ein.

Vielleicht konnte der ihm einen Hinweis geben.

Als Robert am Marienplatz angekommen war, erledigte er so rasch wie möglich seine Aufträge. Dann suchte er nach dem Mietshaus, das Fritz ihm beschrieben hatte, neulich, als dieser die Rothmann-Villa aufgesucht hatte, um sich eine Belohnung zu erschleichen.

Die Gassen hier unten in der Stadt waren eng und schattig. Jetzt, im Winter, verirrte sich kein Lichtstrahl hinein und es roch widerlich nach Rauch, Unrat und Fäkalien.

Erstaunlicherweise hatte Robert keine Mühe, das Haus zu finden. Doch hineinzugehen kostete ihn Überwindung. Die Fassade war verwahrlost, viele der Fenster blind oder gesprungen. Einige Kinder spielten draußen und sie alle waren schmutzig, sahen hungrig und krank aus.

Als Fritz ihm die Tür der winzigen Einzimmerwohnung öffnete, die er zusammen mit seiner Mutter bewohnte, schien er zunächst seinen Augen nicht zu trauen. »Robert! Wie kommst du denn hierher?«

»Ich war gerade in der Stadt«, erklärte Robert. »Hast du Zeit, Fritz?«

»Nun ja, eigentlich …«

»Ich brauche deine Hilfe, unbedingt. Bekommst auch was dafür!«

Fritz nickte. »Warte.«

Die Wohnung bestand aus einem winzigen Flur, der in ein schmales Zimmer mündete, das nur mit dem Nötigsten ausgestattet war. Von den Wänden fiel der Kalkputz und der Fußboden war angefault. Es roch modrig.

Robert sah, wie Fritz an einen alten, zerschlissenen Lehnstuhl trat, der halb dem Fenster zugewandt im Raum stand. Eine alte Frau saß darin und schien zu dösen.

»Mutter«, sagte er leise.

Die Lider der Frau flatterten, sie hustete und hielt sich dabei ein Tuch vor den Mund. Fritz erklärte ihr in wenigen Worten, dass er für ein oder zwei Stunden weggehen würde, dann zog er ihr die Decke höher und stopfte sie liebevoll um ihren schmalen Körper. Anschließend nahm er seine Jacke vom Haken und sagte zu Robert: »Dann los.«

Bevor sie die Wohnung verließen, sah Robert noch einmal zu Fritz' Mutter hin. Im schwachen Tageslicht, das durch zwei schmale Fenster hereinfiel, wirkte ihr Gesicht wie das einer Greisin, obwohl sie höchstens in den mittleren Jahren sein konnte.

Das machte die Armut aus denen, die das Leben vergessen hatte.

Kaum standen sie auf der Straße, verzog Fritz sein Gesicht zu einem breiten Grinsen. »Was verdienen hört sich immer gut an«, meinte er. »Was soll ich denn tun?«

»Ich suche jemanden«, antwortete Robert und erzählte Fritz von Babettes Verschwinden.

»Und sie ist erst seit heute Morgen weg?«, fragte Fritz. »Da kann es ja sein, dass sie wieder auftaucht.«

»Nein. Sie hat alle ihre Sachen mitgenommen.«

Fritz überlegte. »Am besten, wir gehen mal zu Schwester Henny. Die kümmert sich um so was. Ist auch oft bei uns im Haus und guckt nach den Kindern der Nachbarin.«

»Wo finde ich diese Schwester Henny?«

»Im Stadtpolizeiamt.«

Robert fiel die Kinnlade herunter. »Im Stadtpolizeiamt?«

»Ja. Sie hat dort eine Kanzlei. So nennt sie es. Hoffen wir, dass sie da zu tun hat und nicht gerade auf Streife ist.«

Während Robert noch verarbeitete, dass auf dem Stuttgarter Polizeiamt eine Frau angestellt war, lief Fritz los. »Sie war in Berlin und an anderen Orten. In Stuttgart ist sie erst seit ein paar Monaten.«

Robert fand langsam seine Sprache wieder. »Ja, aber wie kommt sie überhaupt hierher? Und dann noch zur Polizei?«

»Eigentlich war sie Krankenschwester. Aber hier ist sie jetzt eine … Ich kann mir das Wort so schlecht merken, eine Polizeiasseste… Polizeiassistentin. Ja, genau, so heißt das.« Fritz war merklich stolz auf sich.

»Braucht man so eine in Stuttgart?«

Fritz zuckte mit den Schultern. »Also, ich hab viel Gutes von ihr gehört. Sie jagt ja keine Verbrecher. Sondern kümmert sich um junge Mädchen, die eingeliefert werden. Und bringt sie wieder auf die rechte Bahn.«

Robert wunderte sich zwar noch immer, aber nachdem er gehört hatte, dass Schwester Henny kein richtiger Schutzmann war, kam seine Welt wieder ins Lot. »Also, dann ist sie eine Art Fürsorgerin«, stellte er fest.

»Ja, so könnte man sagen«, bestätigte Fritz.

Als sie sich dem Stadtpolizeiamt näherten, beschleunigte Fritz plötzlich seinen Schritt. »Da vorne läuft sie! Schnell, wir holen sie noch ein!«, rief er Robert zu und setzte zum Spurt an. »Schwester Henny! Schwester Henny!«

Die Angesprochene, die gerade in entgegengesetzter Richtung unterwegs gewesen war, drehte sich um und blieb stehen.

Nun lief auch Robert schneller, während Fritz bereits ein Gespräch mit der großen, schlanken Frau im grauen Wollmantel begonnen hatte. Über ihrem aufgesteckten dunklen Haar trug sie eine weiße Haube.

»Sie suchen ein Mädchen, das heute fortgelaufen ist?«, fragte Schwester Henny ihn dann auch direkt, als Robert zu ihnen aufgeschlossen hatte. »Das wird nicht ganz einfach sein, denn bis sie sich bei mir meldet, muss es ihr recht schlecht gehen. Meistens finden die Mädchen den Beginn dieses unsittlichen Lebens noch interessant. Wie heißt sie denn?«

»Babette Schuster. Sie war Dienstmädchen beim Schokoladenfabrikant Rothmann in Degerloch oben.«

Schwester Henny schüttelte den Kopf. »Nein, ein Mädchen mit diesem Namen wurde heute nicht vorgestellt. Tut mir leid. Sind Sie denn mit ihr verwandt?«

»Er, äh, ist ihr Vetter«, kam ihm Fritz zuvor.

Robert nickte.

»Und wo arbeiten Sie, wenn ich fragen darf?«, fragte Schwester Henny.

»Auch bei den Rothmanns«, antwortete Robert.

»Ich begrüße es durchaus, wenn die Mitglieder einer Familie in einem Haushalt unterkommen«, meinte Schwester Henny. »Da haben Sie Glück gehabt. Schade, dass Ihre Base das offenbar nicht zu schätzen wusste.«

»Ja, sehr schade«, seufzte Robert. »Darf ich Sie um etwas bitten?«

»Es kommt darauf an, worum es sich handelt«, erklärte Schwester Henny und machte Anstalten weiterzugehen. Sie schien in Eile zu sein.

»Wenn Ihnen in den nächsten Tagen oder Wochen eine junge Frau mit Namen Babette begegnet, mittelgroß, blond, sehr schlank, würden Sie dann bitte eine Nachricht zu den Rothmanns schicken?«

»Aber gewiss. Ich bin froh um jeden Schützling, den ich wieder in guten Händen weiß. Derer gibt es nicht so viele. Guten Tag!« Damit ließ sie Fritz und Robert stehen.

Robert war tief enttäuscht.

Fritz stieß ihn an. »He, das war doch klar, dass wir sie nicht gleich heute wiederfinden. Aber Schwester Henny kommt wirklich viel rum hier. Wenn eine was machen kann, dann sie.«

»Wenn du meinst.«

Sie gingen langsam zurück. »Kann ich sonst noch was tun?«, fragte Fritz.

Auf einmal trat Robert kräftig gegen eine der Straßenlaternen. »Verdammt, verdammt, verdammt!«, schrie er. »Was ist das doch für ein verdammtes Leben!«

Fritz sah ihn erschrocken an. »He, was machst du denn da? Lass das besser, wir sind noch nicht weit genug vom Polizeiamt weg! Die sperren dich schneller ein, als dir lieb ist. Und dann kannst du gar nicht mehr nach deiner Babette suchen!«

Robert versuchte, sich zu beruhigen. »Es ist alles so ungerecht!«, presste er hervor.

»Weißt du was?«, sagte Fritz. »Hier in Stuttgart gibt es auch einige so soziale Umtriebe, Leute, die meckern und so. Ich hab in den letzten Wochen ein bisschen rumgehört. Du hast mir doch gesagt, dass man zusammen etwas ändern kann, daran, dass die Reichen so reich sind und wir so arm. Vielleicht hast du ja recht. Auf jeden Fall treffen sich manche von denen im Goldenen Bären. Sollen wir da mal hingehen?«

49. KAPITEL

Die Villa der Rothmanns,
am Morgen des 23. Dezember 1903

»Ich bin wirklich froh, dass gestern alles gut gegangen ist«,
sagte Judith zu Dora, während diese ihr Haar aufsteckte.

»Der gnädige Herr war den ganzen Abend in seinem Arbeitszimmer. Er ist nicht ein einziges Mal herausgekom-
men«, berichtete Dora. »Später ist noch die Frau Margarete
reingegangen zu ihm, mit dem Staubwedel. Seltsam, so spät
am Abend noch staubwischen zu wollen.« Sie schüttelte den
Kopf. »Außerdem hatte ich schon sauber gemacht. Vielleicht
war es ihr nicht gut genug.«

»Das kann ich mir nicht vorstellen«, meinte Judith. »Da
fällt mir ein: Wo ist eigentlich die Babette hin? Hat sie eine
bessere Stellung gefunden?«

»Ich weiß es nicht. Robert meinte, sie habe nicht mal ein
Zeugnis verlangt, sondern sei einfach verschwunden.«

»Aber warum? Ist es hier bei uns so schlimm?«

Dora zuckte mit den Achseln. »Für mich nicht.«

»Und für Babette?«

»Sie hat schon gejammert. Aber als Stubenmädchen hatte sie auch mehr und schwerere Arbeit zu tun als ich. Mir geht es sehr gut bei Ihnen.«

Doras Antwort stimmte Judith nachdenklich. Sie hatte schon so manche Geschichte gehört über Dienstmädchen, die auf engen, stickigen Hängeböden über dem Herd schlafen mussten, nur verschimmelte Reste zu essen bekamen oder unsittlichen Nachstellungen ausgesetzt waren. Da musste ein Mädchen doch dankbar sein für eine Anstellung wie die in der Rothmann-Villa. Saubere Kleidung, eine eigene kleine Kammer, ausreichende Mahlzeiten. Aber wer konnte schon in die Köpfe anderer Leute hineinsehen? Vermutlich hatte Babette einfach falsche Vorstellungen gehabt von der Arbeit eines Stubenmädchens.

»Hoffen wir, dass sie etwas findet, das ihren Wünschen besser entspricht«, beendete Judith das Thema.

»Wenn sie nicht schwanger ist«, setzte Dora hinzu und jagte Judith damit unwissentlich einen Schauer über den Rücken.

»Warum sollte sie schwanger sein?«, fragte Judith.

»Manchmal passiert es den Dienstmädchen eben.«

»Hat sie sich mit einem Kerl eingelassen? Robert?«

»Mit Robert sicherlich nicht, aber vielleicht mit einem anderen? Wer weiß das schon so genau.«

Judith nagte an ihrer Unterlippe. Doras Bemerkung traf auf eine vage Sorge in ihrem Inneren. Denn seit einiger Zeit kam ihr monatliches Unwohlsein sehr unregelmäßig und wenn überhaupt, dann so schwach, dass sie eigentlich keine

Vorlage brauchte. Wenn sie genauer überlegte, war in den letzten Wochen gar nichts mehr gekommen. Wenigstens hatte sich die Magenverstimmung weitgehend gelegt; schlecht wurde ihr nur noch selten.

Und das mit Max war schon so lange her, fast kam es ihr so vor, als hätte es nie stattgefunden. Bei all der Aufregung der letzten Wochen war es bestimmt möglich, dass die Periode durcheinandergeriet. Es würde sich irgendwann wieder einspielen.

Sie verscheuchte die lästigen Gedanken.

Dora hatte ihr Werk beendet und half Judith nun in einen dunkelgrauen, langen Rock aus weichem Wollstoff und eine helle Bluse mit Spitzenbesatz.

»Haben Sie denn etwas Wichtiges gefunden, bei Ihrer Suche letzte Nacht, Fräulein Judith?«, wollte Dora wissen.

»Leider genügend.«

»Und müssen Sie jetzt den jungen Bankier nicht heiraten?«

»Das wäre schön«, seufzte Judith. »Hoffen wir, dass mir mein Vater Glauben schenkt. Bankier ist Albrecht von Braun übrigens nicht. Das wird er auch nicht werden.«

»Ach nein?«

»Er ist ein Spieler und Betrüger, der sein Geld bei den leichten Mädchen lässt. Ich werde ihn niemals heiraten, und wenn ich dafür bis nach Amerika gehen müsste.«

»Sind Sie sich dessen sicher, Fräulein Judith? Ich meine, dass er spielt und betrügt?«

»Leider ja. Deshalb muss ich mir etwas Gutes einfallen lassen, um ihn mir vom Hals zu halten.«

»Dafür sorgt bestimmt der Herr Rheinberger«, meinte Dora verschwörerisch. »Und wenn Sie mit ihm nach Amerika gehen, dem Herrn Rheinberger, dann nehmen Sie mich bitte mit!« Ihre Augen leuchteten.

Judith lachte. »Aber gewiss doch. Ohne dich gehe ich nirgendwohin. Stell dir vor, was wir bereits alles miteinander durchgestanden haben! Aber jetzt hoffen wir erst einmal, dass es noch eine andere Lösung gibt. Ist Theo eigentlich schon abfahrbereit?«

»Ja, soweit ich weiß.«

Dora begleitete Judith noch bis zur Haustür. Dann ging Judith die Stufen hinab bis zu dem Schlitten, den Theo bereitgestellt hatte.

Er sah müde aus, als er sie begrüßte. Judith konnte es ihm nicht verdenken, war er doch bis weit in die Nacht hinein wach gewesen und zudem ein großes Risiko eingegangen, indem er sie gestern spätabends noch zur Fabrik gebracht und dort auf sie gewartet hatte. Aber ohne seine und Doras Unterstützung wäre es ihr gar nicht möglich gewesen, sich unbemerkt aus dem Haus und später wieder hineinzuschleichen.

»Wie geht es Ihnen, Fräulein Judith?«, fragte er besorgt, als er ihr in den Schlitten half. Der gute Theo.

»Oh, mir geht es gut, Theo, danke. Aber wie ist es mit Ihnen? Hatten Sie irgendwelche Schwierigkeiten wegen des langen Ausbleibens?«

»Nein. Ich habe allen gesagt, dass es Probleme mit einem der Schlitten gab und ich eine längere Probefahrt machen wollte. Aber es hat ohnehin keiner darauf geachtet, weil es so kalt war. Jeder war froh, dass er nicht mehr hinausgehen musste.«

»Da bin ich aber erleichtert«, erwiderte Judith. »Danke für Ihre Hilfe. Auch wegen der Schlüssel, die Sie mir überlassen haben, zum Tor und zum Haupteingang.«

»Jederzeit, Fräulein Judith. Ach …« Theo wollte eben auf den Bock steigen, als ihm etwas einfiel. »Ich habe hier einen Brief, der wurde vorhin abgegeben. Er kam per Eilpost, von Ihrer Frau Mutter.«

Er drückte ihr einen Umschlag in die Hand und stieg auf.

Das vertraute Bimmeln der Schellen am Schlitten begleitete ihre Fahrt nach Stuttgart hinunter. Währenddessen las Judith die Worte ihrer *Maman,* und ihr wurde bewusst, wie weit sie sich inzwischen von ihr gelöst hatte. Das nannte man wohl erwachsen werden. Der Brief rief dennoch eine schöne Regung in ihr hervor: Seit langer Zeit hatte sie endlich wieder einmal das Gefühl, ihrer Mutter auch über die große Entfernung hinweg irgendwie nahe zu sein. Welch unerwartetes, wunderbares Weihnachtsgeschenk.

Da fiel ihr ein, dass sie noch Präsente für die Zwillinge besorgen wollte. Und für Victor. Sie beschloss, gleich beim Kaufhaus Breuninger vorbeizuschauen, und sich erst dann in die Schokoladenfabrik bringen zu lassen. Auch wenn sie es kaum erwarten konnte, Victor wiederzusehen.

Am Nachmittag desselben Tages saß Wilhelm Rothmann in seinem Bureau und öffnete mit zitternden Fingern ein Schreiben seiner Frau. Schon seit er den Brief vor einigen Tagen zum ersten Mal in den Händen gehalten hatte, war ihm unwohl gewesen, deshalb hatte er ihn zunächst ungelesen zur Seite gelegt. Doch irgendwann musste Schluss sein mit dem Zaudern, und er setzte entschlossen den Brieföffner an.

Als er den Bogen auseinanderfaltete, fiel ihm ein mit Seidenpapier eingewickelter Gegenstand entgegen. Er legte ihn auf einen Stapel Papiere neben sich und begann zu lesen:

*Werter Wilhelm. Es fällt mir nicht leicht, Ihnen diese Zeilen
zu schreiben, aber sie müssen nun einmal niedergelegt werden.
Das bin ich Ihnen und mir schuldig. Und unseren Kindern.
Viele Monate sind seit meiner Abreise aus Stuttgart vergangen.
Diese Zeit hat mich sehr verändert. Niemals mehr würden Sie
in mir die Frau erkennen, die Sie einst geheiratet haben.
Wie so viele Ehen beruhte auch die unsere auf einer Vereinbarung und nicht auf einer Neigung. Dieser Zustand hat mich
krank gemacht. Und weil Ihnen eine kranke Gattin weder
Freude noch Stütze ist, biete ich Ihnen an, diese Verbindung zu
lösen.
Ich werde nicht mehr nach Stuttgart zurückkehren. Mein Platz
ist woanders.
Gewiss, eine Scheidung ist ein Skandal. Das ist mir bewusst.
Deshalb überlasse ich es Ihnen, ob Sie entsprechende Schritte
unternehmen wollen oder an dieser Ehe nach außen hin festhalten. Sie besteht ohnehin nur noch auf dem Papier.
Ich wünsche Ihnen alles Glück der Welt. Hélène.*

Riva, Dezember 1903

Einige Minuten lang sah Wilhelm Rothmann ungläubig auf das Papier. Dann schlug er heftig mit der Faust auf den Tisch.

Er hatte es geahnt. Dieses Natur-Sanatorium in Riva hatte ihr diese wirren Ideen in den Kopf gepflanzt, dessen war er sich sicher. Wie beiläufig sie das geschrieben hatte. So, als ginge sie ihre Ehe, ihre Familie, ihre Stellung in der Gesellschaft überhaupt nichts mehr an.

Wilhelm Rothmann lockerte seine Krawatte und fuhr sich mit den Fingern in seinen hohen, steifen Hemdkragen. Er hatte das Gefühl, die Luft im Raum reiche nicht aus, um frei zu atmen.

Eine kränkliche Gattin in der guten Stube konnte er tolerieren. Aber nicht eine Frau, die ihn auf diese Weise demütigte. Ihr Verhalten musste Konsequenzen haben. Am liebsten würde er sie an den Haaren von Riva nach Stuttgart zerren, doch das Unternehmen brauchte ihn. Möglicherweise aber waren solch drastische Mittel gar nicht vonnöten.

Sie würde zur Vernunft kommen, spätestens, wenn ihr Geld aufgebraucht war. Denn selbst wenn sie von seinen Zuwendungen etwas zurückgelegt hatte, würde sie davon nicht ewig zehren können. Irgendwann würde es sie nach Hause treiben.

Rothmann stand auf und lief unruhig in seinem Bureau auf und ab. Dann fiel ihm die Beigabe ein, die der Brief enthalten hatte. Er ging zum Schreibtisch, nahm das kaum visitenkartengroße Päckchen in die Hand und wickelte das helle Seidenpapier ab. Mit einem leisen Klingen fiel ein glänzender Gegenstand zu Boden. Als Wilhelm Rothmann sich bückte und ihn aufhob, erkannte er, dass es ihr Ehe-ring war.

Er stöhnte laut auf.

Sie meinte es wirklich ernst. Warum tat sie ihm das an? Hatte sie am Ende jemanden kennengelernt? Einen, der sie finanzierte, sie aushielt?

Der Gedanke, Hélène, seine Hélène könnte einen anderen Mann an ihrer Seite haben, stachelte seine Wut an. Er fing an zu schwitzen, sein Herz klopfte wie rasend in der Brust, sein Atem ging schnell und flach.

Er musste raus hier, sonst würde er verrückt.

Die Angestellten im Comptoir hielten mit der Arbeit inne, als er die Tür des Bureaus aufschlug, mit harten, schnellen Schritten den Raum durchmaß und hinaus ins Treppenhaus stürmte. Sein Jackett hatte er zurückgelassen.

Ziellos lief er durch die Fabrik, versuchte zu begreifen, was er in seinem Inneren doch längst gewusst hatte: Hélène hatte ihn verlassen.

Während alle möglichen Gefühle in ihm rangen, er eine nie gekannte Ohnmacht spürte, hatte er auf einmal das dringen-de Bedürfnis, zu handeln. Wenigstens dort, wo er noch Ein-fluss nehmen konnte: Judith.

Er musste seiner Tochter von dem schändlichen Verhalten der Mutter berichten. Und ihr noch einmal einbläuen, dass er keinen Widerspruch mehr duldete, was ihre Ehe mit Al-brecht von Braun anging.

Er hatte seine Frau verloren. Ginge auch noch die Firma zugrunde, wäre sein Leben zu Ende.

Rothmann wusste, dass Judith sich nachmittags oft im Versuchsraum aufhielt, also machte er sich auf den Weg dorthin. Alle, denen er unterwegs begegnete, wichen vor ihm zurück, so finster war der Ausdruck auf seinem Gesicht, so bedrohlich seine Körperhaltung.

Er überquerte den kleinen Innenhof und betrat ein anderes Gebäude, hetzte einen langen Flur entlang, der an einem Treppenabsatz endete. Zwei Treppenstufen auf einmal nehmend, eilte er ins zweite Stockwerk, hastete an der Dekorationsabteilung vorbei und stand schließlich außer Atem vor der geschlossenen Tür des Versuchsraums.

Er holte tief Luft, versuchte sich etwas zu beruhigen, und öffnete die Tür.

»Judith!«

Der heisere Schrei ihres Vaters ließ Judith zusammenfahren. Verstört löste sie sich aus Victors Armen. »Herr Vater, was machen Sie hier?«

»Was ich hier mache?«, donnerte Rothmann und stieß die Tür hinter sich zu. »Die Frage ist, was du hier machst! Aber das ist ja nicht zu übersehen!«

Er kam drohend auf sie zu. Victor legte schützend den Arm um sie, während Judith verzweifelt versuchte, ihre Bluse zurechtzuziehen.

»Und die nächste Frage geht an Herrn Rheinberger. Was machen Sie mit meiner Tochter?«

»Ich liebe Ihre …«

»Sparen Sie sich Ihre Worte, Herr Rheinberger! Meine

Tochter ist verlobt und das wird sich auch durch ihr …
schändliches Betragen hier nicht ändern.«

»Ich werde Judith heiraten, Herr Roth…«

»Heiraten? Sie? Meine Tochter?«, fiel Rothmann ihm ins
Wort. Er lachte höhnisch. »Ein dahergelaufener Fremder.
Was bilden Sie sich ein, Rheinberger? Sie packen sofort Ihre
Sachen und verlassen meine Firma.«

»Aber, Herr Vater, Victor ist ein …«

»Sei still, Judith. Du ziehst dich wieder anständig an und
gehst sofort in die Remise. Theo bringt dich nach Hause. Das
war dein letzter Tag hier in der Fabrik. Du verlässt dein Zimmer
erst wieder am Tag deiner Hochzeit – mit *Albrecht von Braun*.«

»Nein! Das können Sie nicht von mir verlangen!«

»Und ob ich das kann! Albrecht werde ich mitteilen, dass
er dich vom ersten Tag eurer Ehe an ordentlich in die Pflicht
nehmen soll. Als dein Gatte erwirbt er jedes Recht, dir deine
Aufgaben, deinen Umgang und dein Verhalten vorzuschrei-
ben!« Sein Blick fiel auf Victor. »Sie sind ja immer noch da,
Rheinberger! Machen Sie, dass Sie wegkommen, sonst lasse
ich Sie einsperren!«

Victor ließ Judith los. Er versuchte ihr mit Blicken klarzumachen, dass er sie nicht im Stich lassen würde, aber Judith
hatte keine Ahnung, wie er das anstellen wollte. Sie war ihrem Vater ausgeliefert.

»Geh, Victor. Bevor er dir etwas antut. Er kann mich verheiraten, er kann mich zu allem Möglichen zwingen, aber er
wird dich niemals aus meinem Herzen vertreiben.«

»Es reicht, Judith!«, drohte ihr Vater und hob die Hand.

Victor sah Judith ein letztes Mal eindringlich an. Dann nahm er seine Jacke und verließ leise den Versuchsraum.

Kaum war er weg, packte Wilhelm Rothmann seine Tochter grob am Arm.

Judith versuchte, sich ihm zu entwinden. »Du tust mir weh!«

»Das spielt keine Rolle. Je eher du Gehorsam lernst, desto besser. Ich habe dir deinen Eigensinn lange genug durchgehen lassen.«

»Weißt du überhaupt, was für ein Scheusal Albrecht ist? Er spielt und betrügt und geht zu Huren …«

Die Ohrfeige, die ihre Wange traf, brannte höllisch. Judith hielt sich die Hand an die schmerzende Stelle, während ihr die Tränen hinabliefen, obwohl sie nicht weinen wollte.

»Wage es noch einmal, solche Verleumdungen gegen deinen Bräutigam auszusprechen, und ich vergesse mich, Judith«, warnte der Vater kalt.

Er eskortierte sie zur Remise und gab Theo barsch Anweisung, sie nach Hause und unter der Aufsicht der Haushälterin auf ihr Zimmer zu bringen.

Theo schaute sie mitfühlend an.

»Ich verlasse mich auf Sie, Theo«, sagte Rothmann eisig. »Und passen Sie auf, dass sie Ihnen nicht davonläuft.« Damit machte er auf dem Absatz kehrt.

Als Judith in den Schlitten stieg, bemerkte sie Victor, der die Fabrik gerade durch das Tor verließ. Er blieb kurz stehen und sah sie an. In seinem Blick lagen Sehnsucht und Liebe.

Und Entschlossenheit.

50. KAPITEL

Die Villa der Rothmanns, Heiligabend 1903

»Ich bin in etwa zwei Stunden wieder da, Dora«, sagte die
Haushälterin. »Bitte achten Sie darauf, dass Fräulein Judith
im oberen Stockwerk bleibt.«

Judith, die noch nicht aufgestanden war, vernahm das Rascheln gestärkter Röcke, als Margarete zur Türe ging und das
Zimmer verließ. Kurz darauf bemerkte sie Doras Schatten,
der sich über ihr Bett beugte.

»Fräulein Judith?«

Judith schüttelte den Kopf.

»Fräulein Judith«, beharrte Dora. »Sie müssen sich zusam-
mennehmen. Ich will Ihnen helfen! Und das wollen von uns
unten alle, außer der Frau Margarete.«

»Was könnt ihr denn schon tun?«, fragte Judith resigniert,
drehte sich aber zu Dora hin.

»Es wird sich eine Lösung finden«, versicherte ihre Zofe.
»Wenn dieser Albrecht so schrecklich ist, wie Sie gesagt
haben ...«

»Er ist noch viel schrecklicher«, sagte Judith bitter. »Aber mein Vater ist wie von Sinnen.«

»Wenn Sie etwas ändern möchten, dann braucht es dazu Ihre Mithilfe, Fräulein Judith.«

Judith setzte sich seufzend auf und rutschte an den Rand ihres Bettes. »Du hast ja recht«, sagte sie. »Aber erst muss ich mich anziehen.« Sie stand auf.

Dora suchte ein passendes Nachmittagskleid heraus.

»Das Einzige, was ich unternehmen kann, ist wohl doch auszuwandern«, stellte Judith zynisch fest, als sie ihr Nachthemd über den Kopf zog und Dora das Korsett ansetzte.

»Wenn es denn sein muss, dann wandern Sie aus, Fräulein Judith. Ich komme natürlich mit, das hab ich Ihnen ja schon ein paarmal gesagt ... Könnten Sie bitte Ihren Bauch ein wenig einziehen? Es passt nicht so richtig.«

»Ich habe ihn eingezogen. Du musst den Sitz ein wenig ändern«, meinte Judith und verschob das fischbeinverstärkte Korsett selbst. »Siehst du? Jetzt müsste es gehen.«

Sie spürte, wie Dora die Bänder zusammenzog.

»Es tut mir leid, aber irgendwie geht es nicht weiter zu. Das war schon in den letzten Tagen schwierig«, sagte Dora ratlos. »Ich binde es jetzt einfach ein wenig lockerer.«

»Ja, tu das.«

Nachdem Dora das Korsett fertig geschnürt hatte, hielt sie Judith ein dunkelblaues Velvet-Kleid hin.

»Dieses Kleid habe ich diesen Winter noch gar nicht getragen«, stellte Judith fest, und Dora half ihr beim Hineinschlüpfen. Doch als die Zofe es schließen wollte, stand sie vor demselben Problem wie vorhin. »Also, ich weiß nicht, haben Sie zugenommen, Fräulein Judith? Es sind nur wenige Millimeter, aber ich kann das Kleid nicht zumachen. Man muss es etwas herauslassen.«

Judith versuchte, ihren Bauch noch weiter einzuziehen, aber sie merkte selbst, wie fest und hochgewölbt er war. Nur ein wenig, aber in den engen Korsetts und Kleidern ließ es sich einfach nicht wegschummeln.

Sie runzelte die Stirn. »Dora?«

»Ja, Fräulein Judith?«

»Woran merkt man, dass man guter Hoffnung ist?«

Dora sog scharf die Luft ein. »Fräulein Judith!«

»Weißt du es?«, drängte Judith.

»Ich hab es halt zu Hause mitbekommen, wenn die Mutter in anderen Umständen war. Und bei meiner letzten Stelle hat die Gnädige ein Kind bekommen. Aber das ist ja schon ein paar Jahre her.«

»Also, wie kann man das sicher feststellen?«

»Na, ich denke, wenn das monatliche Blut wegbleibt. Manchen ist auch schlecht. Und man wird natürlich dicker …« Dora schlug die Hand vor den Mund. »Aber das kann doch gar nicht sein, Fräulein Judith, oder? Sie müssten ja … hätten … ähm«, stotterte sie.

Judith holte tief Luft. »Ich habe«, sagte sie schlicht. »Dora, ich habe ein einziges Mal mit einem Mann …«

»Oh!«

»Ja. Und seither habe ich nur noch selten geblutet und wenn, dann ganz wenig. Und schlecht war mir auch öfter, wie du ja weißt. Eine Zeit lang, jetzt ist es besser. Aber dafür ist mein Bauch dicker geworden.«

»Na ja, also, von einem einzigen Mal …«

»Ich glaube, es lässt sich einfach nicht länger leugnen«, sagte Judith bestimmt. »Weißt du, an eine Schwangerschaft habe ich schon hin und wieder gedacht, es aber irgendwie sofort wieder vergessen. So, als ob meine Seele es einfach nicht wahrhaben wollte. Ziehst du mir das Kleid wieder aus?«

Dora half Judith aus dem weichen Samtstoff.

»Und auch das Korsett, bitte. Es ist mir zu eng.«

Dora tat, wie ihr geheißen, und Judith tastete mit den Handflächen über ihren Unterleib. Dann stellte sie sich in Hemd und Beinkleid seitlich vor Dora. »Und? Siehst du etwas?«

Es war Dora sichtlich peinlich, Judiths Bauch so eingehend zu betrachten, aber schließlich fasste sie sich ein Herz und schaute hin. »Mhm. Man könnte auch denken, Sie hätten eine wirklich reiche Mahlzeit gehabt, aber ja, er ist etwas … fülliger. Aber nur so ab dem Bauchnabel etwa.« Dora wurde rot.

»Ja. Dasselbe spüre ich, wenn ich darüberstreiche. Er ist wirklich fülliger. Und hier oben«, sie legte ihre Arme kreuzweise über ihre Brust, »empfinde ich mich auch als fülliger. Und empfindlicher. Manchmal tut es richtig weh.«

»Wer könnte da genau Bescheid wissen?«

»Warte.« Judith setzte sich wieder auf ihr Bett. »Wir müssen gut nachdenken.«

»Wie lange ist es denn schon … her, ich meine, dass Sie hätten schwanger werden können?«

»Das war Ende September. Auf dem Ball bei den Ebingers.«

»Auf dem Ball bei den Ebingers?« Dora war so fassungslos, dass Judith kichern musste. »Wie ist das denn möglich? Wo …?«

»Ach, Dora, glaub mir. Wenn man verzweifelt genug ist, dann ist es egal, wo. Nicht egal ist, mit wem.« Beim Gedanken an Max wurde Judith schwer ums Herz. »Weißt du, ich war schon eine dumme Gans. Ich dachte, er heiratet mich. Aber er hat nicht im Traum daran gedacht, es zu tun. Stattdessen ist er ein paar Tage später aus Stuttgart verschwunden.«

»Aber, ist es denn nicht der Herr Rheinberger?« Nun schien Dora vollends verwirrt.

Judith schüttelte den Kopf. »Nein«, antwortete sie bedauernd. »Victor ist es nicht. Leider. Max Ebinger ist … der Vater dieses Kindes.«

Sie legte sich eine Hand auf den Bauch. Es gab keinen Zweifel mehr. In ihrem Leib wuchs neues Leben heran, und nachdem sie ihren Zustand in den letzten Wochen erfolgreich verdrängt hatte, sah sie der Tatsache jetzt ins Auge. Es würden neue Schwierigkeiten auf sie zukommen, aber dieses Kind war zugleich ihr letzter Trumpf. In diesem Zustand würde Albrecht von Braun sie bestimmt nicht mehr haben wollen.

Zugleich verursachte ihr ein anderer Gedanke unerträglichen Schmerz. Auch Victor würde sich sicher enttäuscht von ihr abwenden, sobald er von ihrer Schwangerschaft erführe. Wie sollte er denn noch etwas für sie empfinden, wenn sie das Kind eines anderen unter dem Herzen trug?

»Ich bringe ein Morgenkleid«, sagte Dora jetzt pragmatisch. »Darunter braucht es nicht unbedingt ein Korsett.«

»Mach das«, seufzte Judith. »Ich darf das Haus ohnehin nicht verlassen.«

Kaum war Judith angezogen, wurde heftig an die Zimmertür geklopft. Anhand der zu vernehmenden, aufgeregten Knabenstimmen wusste Judith sofort, dass ihre Brüder davorstanden. Dora öffnete.

Immer noch plappernd marschierten Karl und Anton ins Zimmer, beide bepackt mit Bastelmaterial. Ihnen auf dem Fuß folgte Vladimir mit hocherhobenem Schwanz.

»Sie ist eine dumme Hexe«, sagte Karl noch rasch zu Anton. Der nickte eifrig.

»Wer ist dumm?«, fragte Judith.

»Ach, die Frau Margarete«, kam es von Anton.

»Die ist einfach ganz fürchterlich dumm«, bekräftigte Karl, während der Kater schnurrend um Judiths Beine strich und sich dann in einem der bequemen Sessel zu einem rotweißen Fellknäuel zusammenrollte. Die Zwillinge legten ihre Utensilien auf den Tisch.

»Heute ist Heiligabend«, erklärte Anton bedeutungsvoll.

»Genau«, ergänzte Karl. »Und du sollst für uns den Weihnachtsbaum schmücken, so wie jedes Jahr! Jetzt will es die Frau Haushälterin alleine machen, und das finden wir blöd.«

Judith und Dora sahen sich an. Dora lächelte und machte sich daran, einige Kleider aufzuräumen.

»Wisst ihr was? Ich kümmere mich später um den Baum«, versprach Judith ihren Brüdern. *Das kann Vater mir nicht verbieten,* setzte sie in Gedanken hinzu. »Was habt ihr denn da mitgebracht?« Sie deutete auf ihren Tisch.

»Das ist unser Weihnachtskalender!«, verkündete Karl wichtig. »Er heißt: *Im Lande des Christkinds!*«

»Und wir möchten, dass du das letzte Türchen mit uns zusammen fertig bastelst. Du hast in der letzten Zeit nämlich gar nicht viel mit uns gemacht«, ergänzte Anton, und Judith musste ihnen im Stillen recht geben. Im Trubel der letzten Wochen war ihr das Weihnachtsfest so fern gewesen wie noch nie.

»Ihr habt einen Weihnachtskalender?«

»Ja! Den hat uns der Herr Vater mitgebracht, und seit dem ersten Dezember dürfen wir jeden Tag etwas damit basteln.«

»Also gut, ihr gebt ja eh keine Ruhe.« Judith kapitulierte. »Dann zeigt mir doch mal diesen Weihnachtskalender.«

Karl und Anton präsentierten einen großen, mit weihnachtlichen Motiven reich verzierten Bogen aus festem Papier, auf dem bunte Bilder mit unterschiedlichen Darstellungen aufgeklebt waren. Judith ließ sich alles genau erklären, das Schaukelpferd, die Engel in der Weihnachtsbäckerei und die Holzeisenbahn, eine Mini-Armee aus Spielzeugsoldaten, die Puppenstube, von den Zwillingen verächtlich als »Mädchenkram« abgetan.

Schließlich hielt Karl ihr das letzte, vierundzwanzigste Bild unter die Nase. Es war bereits schief und krumm ausgeschnitten, und Judith bat sofort um die Schere. Dann begradigte sie den papiernen Rand um das Christkind, das in einem langen weißen Gewand vor einem Weihnachtsbaum stand, einen kleinen Engel zu seinen Füßen.

»Wer klebt es jetzt auf?«, wollte sie wissen.

»Na, du!«, sagte Karl feierlich.

»Also gut, habt ihr das Syndetikon?«

Anton reichte ihr den Klebstoff und Judith klebte das Bildchen sorgfältig auf das vorgesehene Feld in der Mitte des Bogens. Die beiden Buben grinsten zufrieden.

»Und jetzt darfst du es aufhängen«, erklärte Anton. »Das ist nämlich unser Weihnachtsgeschenk für dich!«

Judith war gerührt. »Danke, ihr beiden! Ich werde nachher einen schönen Platz dafür suchen, so lange lassen wir es auf dem Tisch liegen, einverstanden?«

Die Zwillinge nickten, schienen aber nicht ganz zufrieden. Am liebsten hätten sie das Bild sofort an Judiths Wand angebracht.

»So. Jetzt geht ihr wieder auf euer Zimmer. Denn ich soll ja den Weihnachtsbaum schmücken, nicht wahr?«

Die beiden nickten eifrig, und wollten gerade zur Tür hinaus, als Judith mahnte: »Nehmt bitte eure Sachen mit!« Murrend räumten sie den Tisch frei und verschwanden.

Dora sah erst auf das große Weihnachtskalenderbild, dann auf den Kater. »Er sollte nicht hier sein, er darf doch gar nicht in die Räume der Herrschaft.«

»Ich weiß«, erwiderte Judith und setzte sich aufs Bett. Sie war noch immer müde. »Wir scheuchen ihn nachher hinaus.«

Dora nickte und machte sich daran, die beim Basteln heruntergefallenen Papierschnipsel vom Boden aufzuheben. Plötzlich hielt sie inne.

»Mir fällt gerade noch etwas ein, Fräulein Judith«, sagte sie.

»Was denn?«

»Robert sucht wie verrückt nach Babette. Und er hat erzählt, dass es in Stuttgart eine Art Polizeifrau gibt, die für solche Sachen zuständig ist.«

»Eine Polizeifrau?«

»Er nannte sie Schwester Henny. Sie ist wohl erst seit ein paar Monaten in Stuttgart und arbeitet im Stadtpolizeiamt. Vor allem kümmert sie sich um die gefallenen Mädchen und auch die Kinder.«

»Um die gefallenen Mädchen …«, echote Judith leise.

»Oh, entschuldigen Sie! Damit habe ich natürlich nicht Sie gemeint, Fräulein Judith«, stellte Dora ihre Aussage richtig. »Aber vielleicht kann diese Frau uns helfen. Soll ich Robert fragen?«

Judith überlegte.

Ihren Vater in seinem momentan schlechten Gemütszustand auch noch mit der Nachricht zu konfrontieren, dass sie ein Kind erwartete, schien ihr zu riskant. Wer konnte denn schon wissen, wie er reagierte? Am Ende würde er sie wegbringen, irgendwohin aufs Land, bis das Kind auf der Welt war, und sie zwingen, es wegzugeben. Er wäre nicht der erste Vater, der das tat, und so etwas wollte sie keinesfalls riskieren.

Auf der anderen Seite stand eines fest: Würde sie diese Schwester Henny aufsuchen, käme das einer Flucht gleich. Sie stand unter Hausarrest. Wenn sie sich jetzt davonstahl, musste sie damit rechnen, nicht mehr nach Hause zurückkehren zu können.

»Ich weiß, es ist schwer«, sagte Dora mitfühlend und setzte

sich neben Judith. »Ich kann mir gut vorstellen, was Ihnen jetzt durch den Kopf geht. Aber vielleicht weiß ja der Herr Rheinberger einen Rat.«

Als Victors Name fiel, fuhr Judith auf. »Nein, Dora! Bitte nicht. Herr Rheinberger darf auf keinen Fall erfahren, wie es um mich steht.«

»Aber warum denn nicht?«

»Er wird mich verachten.«

»Sind Sie sich dessen sicher? Ich glaube, dass er Sie wirklich sehr gernhat.«

»Das ist es ja!« Judith kämpfte mit den Tränen. »Er würde vermutlich helfen. Aber ich könnte ihm doch nie mehr in die Augen sehen! Alles, was wir geteilt haben in den letzten Wochen, wäre irgendwie … beschmutzt!«

Dora sah sie zweifelnd an, ließ das Thema Victor aber fallen.

»Ich fürchte fast«, gab sie stattdessen zu bedenken, »dass Sie dann auf jeden Fall zu Schwester Henny gehen müssen.«

»Meinst du?«

»Die einzige andere Möglichkeit wäre, alles zu verheimlichen, und das Kind dann doch irgendwie diesem Bankierssohn unterzuschieben.«

»Dora!«

»Aber es stimmt doch! Oder wollen Sie wirklich schwanger auf ein Auswandererschiff gehen? Ich weiß, Sie sind stark, Fräulein Judith. Aber das ist zu gefährlich. Sie könnten sterben.«

Judith schwirrte der Kopf.

»Aber ich lasse Sie auf keinen Fall im Stich«, setzte Dora hinzu. »Ich bleibe bei Ihnen, ganz egal, was Sie machen. Ich habe fast eintausend Mark zusammengespart in den letzten Jahren. Davon könnten wir eine Weile leben.«

Dieses Angebot ihrer Zofe überwältigte Judith. In einer spontanen Regung umarmte sie sie fest. »Oh, Dora«, seufzte sie. »Das dürfen Sie nicht tun! Es reicht, wenn meine Zukunft ungewiss ist.«

»Die Zukunft ist immer ungewiss«, sagte Dora weise. »Soll ich Ihnen helfen, die Tanne zu schmücken? Denn wenn wir uns nicht beeilen, hat die Frau Margarete schon alles gemacht.«

»Du hast recht.« Das Wissen, nicht allein zu sein, gab ihr Kraft. »Wir schmücken jetzt den Weihnachtsbaum. Und dann reden wir mit Robert über diese Schwester Henny.«

51. KAPITEL

Die Werkstatt von Alois Eberle, zur selben Zeit

»Jetzt reiß dich zusammen, Victor! Du hilfst ihr nicht, indem du dich selbst bemitleidest«, meinte Edgar schonungslos und setzte schwungvoll den Pinsel an. Er bearbeitete einige Aufträge, die nach den Weihnachtstagen ausgeliefert werden sollten.

Victor, der neben ihm am Tisch saß, sah kurz auf, ließ dann aber wieder den Kopf hängen. Er war hoffnungslos frustriert wegen der Sache mit Judith, und zudem unglaublich müde.

Wenn er doch alles ungeschehen machen könnte! Sie hatten sich so sicher gefühlt in Judiths Versuchsraum. Nicht ein einziges Mal während der letzten Wochen war jemand unangekündigt hereingekommen. Und ausgerechnet gestern waren sie so ineinander versunken gewesen, dass sie nicht gehört hatten, wie Rothmann den Flur entlangkam. Erst als die Tür aufgeflogen war und Judiths Vater bebend vor Wut im Zimmer gestanden hatte, waren sie sich der Gefahr bewusst geworden. Zu spät. Die Katastrophe hatte ihren Lauf genommen.

Victor rieb sich die Stirn. Wie sehr sich das Leben von einer Sekunde auf die andere ändern konnte. Vom Himmel geradewegs in die Hölle.

»So. Jetzt reicht es, Rheinberger«, sagte Edgar entschlossen. »Ich habe den Hintergrund für deinen Automaten fertig und empfehle dir, endlich alles einzubauen. Du hast doch gesagt, dass du ihn im neuen Jahr im Bahnhof aufstellen willst. Bis dahin sollte er fertig sein.«

»Edgar hat schon recht!«, stimmte Alois Eberle zu, der soeben aus der vorderen Werkstatt zu ihnen herübergeschlendert kam. »Und ich hab auch noch andere Sachen zu tun.«

Victor brummte etwas Unverständliches, stand aber auf und folgte Eberle, der den Schokoladenautomaten kurz inspizierte, sich dann davor hinkniete und weiter an dem Mechanismus tüftelte, der später die Schokoladentäfelchen in das Ausgabefach befördern sollte.

Eine Weile trat Victor untätig von einem Bein auf das andere, dann gab er sich einen Ruck und nahm die Einzelteile der Wilhelma-Kulisse zur Hand, die Edgar bereitgelegt hatte. Sie waren unglaublich präzise gearbeitet.

»Wenn die Szenerie fertig ist, wirst du vor Ehrfurcht erstarren«, prophezeite Edgar, der ihnen gefolgt war und nun direkt hinter Victor stand.

»Meinst du?«

»Ganz gewiss. Und als Zeichen meiner Großzügigkeit

schenke ich dir nicht nur die Emailleplatten, sondern helfe dir jetzt dabei, das Ganze korrekt zusammenzubasteln.«

»Glaubst du, dass ich das nicht selbst kann?«, fuhr Victor ihn an.

»He! Lass deine Wut auf Rothmann nicht an mir aus. Natürlich kannst du es selbst, aber zu zweit sind wir schneller. Und ich möchte sichergehen, dass alles passt am Ende. Denn …« Edgar unterbrach sich. »Fangen wir an!«

Eine Weile arbeiteten sie schweigend, bauten die Teile zusammen und setzten sie vorsichtig an den vorgesehenen Platz. Das konzentrierte Arbeiten tat Victor gut, langsam fügte sich die Welt wieder zusammen, und als sie einige Stunden später fertig waren und er ein wenig zurücktrat, um das Ergebnis zu beurteilen, war er bass erstaunt.

»Mensch, Edgar! Das ist ja unglaublich!«

Edgar grinste.

Die Kulisse entsprach nicht nur nahezu exakt der Bildvorlage, die Judith ihm gegeben hatte – Edgar hatte darüber hinaus den Hintergrund perspektivisch so gestaltet, dass alles wesentlich größer und tiefer aussah, als es in Wirklichkeit war.

Nun stand auch Alois Eberle auf. »Ha, das ist wirklich einmalig«, meinte er. »Und die Mechanik tut's jetzt hoffentlich auch. Versuchen wir's?«

Victor gab Eberle einige von Judiths Schokoladentafeln, die er im Laufe der letzten Woche mitgenommen hatte. Nachdem der Automat bestückt war, nahm Edgar ein Zehnpfennigstück und warf es in den Geldschlitz.

»Abrakadabra! Los geht's!«

Es passierte – nichts.

Victor lachte.

Er konnte gar nicht mehr aufhören. Edgar und Eberle sahen ihn verwundert an, als er sich die Tränen von den Wangen wischte. »Ganz ehrlich, Edgar.« Er unterbrach sich, weil ihn ein weiterer Lachanfall erschütterte. »Das war so komisch. Wie du dagestanden bist …«, er kicherte, »… und die Münze reingeworfen hast, und es hat sich einfach nichts getan, gar nichts …«

»Nun, da ich mich selbst nicht sehen konnte, ergötzt mich das Ganze nicht so sehr wie dich«, sagte Edgar schmunzelnd, »aber wenn du dadurch heute etwas Aufheiterndes gefunden hast, dann soll's mir recht sein.«

Victor bemühte sich redlich, seine Belustigung zu zähmen, die die große innere Anspannung etwas löste.

Derweil war Eberle bereits wieder mit dem Automaten beschäftigt und vertiefte sich in dessen Innenleben, um den Fehler zu finden. Es dauerte nicht lange, und er bat Edgar, einen zweiten Versuch zu unternehmen. Als dieser ein weiteres Geldstück zückte, nahm Victor es ihm aus der Hand. »Jetzt bin ich dran. Wenn es wieder nicht funktioniert, darfst du mich auch auslachen!«

Er warf die Münze ein. Dann starrten alle drei gebannt auf die Glasscheibe.

Es ratterte. Eine Schokoladentafel rutschte aus dem Magazin auf ein durch Riemen angetriebenes Wägelchen, das von orientalischen Tänzerinnen flankiert wurde. Das Ganze setzte sich entlang einer Schiene in Bewegung. Mit jeder Umrundung veränderte sich die Position der Figuren. Vor der raffiniert angelegten Kulisse der Wilhelma entstand auf diese Weise die faszinierende Illusion einer kleinen Theateraufführung. Die Vorstellung endete nach etwa zwanzig Sekunden an einem größeren Schlitz, in dem die Schokolade wie von Geisterhand verschwand, um kurz darauf im Ausgabefach aufzutauchen.

Edgar lachte auf und nahm die Tafel an sich. »Es muss nur der richtige Mann das Geld einwerfen, und schon funktioniert alles!«

»Die Mechanik ist eigentlich robust«, stellte Eberle zufrieden fest. »Das muss sie auch sein, wenn ihr das Gerät auf dem Bahnhof aufstellen wollt.«

»Genau. Da gibt es genügend Vandalen«, ergänzte Edgar und naschte von der Schokolade. »Mhm, die ist aber lecker! Hat Judith die gemacht?«

»Ja. Sie hat in den letzten Wochen ganz wunderbare Sorten entwickelt.«

Victors Gesicht verdüsterte sich wieder.

Edgar rammte ihm den Ellenbogen in die Seite. »Nun versinke nicht wieder in deinem Elend, Rheinberger. Jetzt feiern wir ein bisschen Weihnachten.«

»Ich dachte, du gehst vielleicht zu deiner Familie«, sagte Victor.

»Ich hatte es eigentlich vor. Aber ich will Eberle und dich nicht allein lassen. Alois?«

»Hm?«

»Wer holt den Most?«

Alois Eberle hatte einen kleinen Christbaum aufgestellt und mit einigen Kugeln und Kerzen geschmückt. Letztere zündete er jetzt vorsichtig an, dann stimmten die drei »Stille Nacht« an, kämpften sich tapfer durch alle drei Strophen und prosteten sich anschließend mit ihren Mostkrügen zu.

Victors Gedanken wanderten zu Judith.

Wie sie wohl diesen Abend feierte? Ob den Zwillingen wieder irgendein Blödsinn einfiel? Trotz seiner gedrückten Stimmung musste er schmunzeln, als er an Karl und Anton dachte.

Eberles tiefe, nuschelige Stimme holte ihn in die Wirklichkeit zurück. Der Tüftler hatte seine Bibel genommen und las aus der Weihnachtsgeschichte vor. Vage Erinnerungen an seine eigene Kindheit stiegen in Victor auf, doch er wollte die Vergangenheit ruhen lassen. Noch immer fiel es ihm schwer, an seine viel zu früh verstorbene Mutter zu denken.

»So, und jetzt gibt's was zu essen«, verkündete Eberle schließlich, schlurfte in die Küche und tischte Brot, Butter und Würste auf. »Lasst's euch schmecken!«

Victor hatte zwar keinen Appetit, aber Hunger genug, um das Angebot nicht auszuschlagen.

»Wie gut, dass gestern Abend alles glattgelaufen ist«, stellte Edgar zwischen zwei Bissen fest und brachte damit ein ganz anderes Thema auf. »Ich hätte nicht gedacht, dass wir nach drei Wagenfuhren fertig sind.«

»Das war aber auch das Einzige, das gestern gut gegangen ist«, murmelte Victor.

»Aber wenigstens etwas«, entgegnete Edgar.

Am Vorabend hatten sie wie vereinbart ihre bisherige Wohnung in der Silberburgstraße geräumt und ihre Habe zu Alois Eberle gebracht, der über seiner Werkstatt eine verhältnismäßig große Wohnung besaß. Dort hatte jeder von ihnen ein möbliertes Zimmer bezogen, gut ausgestattet und zu einem günstigen Preis.

»Wie wollt ihr das eigentlich weitertreiben, mit dem Schokoladenautomat?«, fragte Eberle jetzt. »Einen können wir hier schon noch bauen, auch zwei. Aber wenn ihr damit Geld verdienen wollt, braucht ihr jemand, der das richtig macht. In einer Fabrik.«

»Darüber haben wir auch schon nachgedacht«, antwortete Edgar. »Wir wollten bei den Maschinenbauern in Stuttgart einmal nachfragen, ob sie Interesse daran haben, dieses Gerät zu produzieren.«

»Im Moment«, schaltete sich Victor ein, »müssen wir das verschieben. Ich habe ja neuerdings keine Arbeit mehr und daher kaum Mittel.«

»Na ja, der Verdienst bei Rothmann hätte da auch nicht viel genutzt«, meinte Edgar.

»Nein. Aber vielleicht hätten Rothmanns Kontakte etwas geholfen. Investieren kann auch er nicht, das haben wir ja selbst gesehen, vorletzte Nacht.«

»Ich könnte mal meinen Vater fragen«, schlug Edgar vor. »Vielleicht wäre er an einer Investition interessiert und gibt uns Geld, allerdings muss auch er noch vorsichtig sein, nachdem er erst kürzlich dem Bankrott ein Schnippchen geschlagen hat.«

»Jetzt stellen wir erst einmal den einen Automaten auf«, erwiderte Victor. »Und ich sehe zu, dass ich wieder in Lohn und Brot komme. Aber zuvor kümmere ich mich um Judith.«

»Was willst du denn tun?«, fragte Edgar. »Sie aus ihrem Zimmer befreien, wie der Prinz das Rapunzel?«

»Warum nicht?«

»Ich bin dabei!«

»Mach dich nicht lustig über mich, Edgar.«

»Tu ich nicht. Also, hast du dir bereits etwas ausgedacht? Ich helfe dir, das weißt du.«

»Da müsst ihr euch einen guten Plan ausdenken«, schaltete sich nun Eberle ein. »Ihr seid noch jung und euer Blut ist heiß, aber bei solchen Dingen braucht ihr einen kühlen Kopf.«

»Oha, Alois!«, konterte Edgar. »Da scheint jemand aus Erfahrung zu sprechen!«

Alois Eberle grinste in sich hinein, sagte aber nichts mehr.

»Er hat ja recht«, meinte Victor. »Lass uns gut überlegen, was sinnvoll ist und vor allem Judith nicht schadet.«

»Da fällt mir als Erstes unser Freund Albrecht von Braun ein«, erklärte Edgar. »Den knöpfen wir uns in den nächsten Tagen vor.«

»Ganz genau«, knurrte Victor. »Wenn wir mit ihm fertig sind, will er den Namen Rothmann ganz sicher nie wieder hören.«

»Allerdings«, bestätigte Edgar. »Hast du eigentlich noch mal mit diesem Mädchen aus der Schokoladenfabrik reden können, Victor? Die wir in diesem Haus beobachtet haben?«

»Ach, die Pauline. Ja, ich habe ein paar Dinge erfahren. Albrecht poussiert wohl recht heftig mit einer anderen Dame dort herum, einer, die sehr viel älter ist als er und das Ganze schon mehrere Jahre gewerblich betreibt.«

»Die muss ihn anleiten«, stichelte Edgar gehässig. »Vor allem aber sollte er aufpassen, dass er sich nichts einfängt. Mit der Franzosenkrankheit ist nicht zu spaßen.«

»Wir haben einen Menge Argumente, Edgar. Es ist nur noch die Frage, wann und wie wir sie einsetzen.«

52. KAPITEL

Die Villa Rothmann, am 26. Dezember 1903

Das Weihnachtsfest war sehr verhalten vorübergegangen. Zwar hatte Judith ihr Zimmer verlassen und an den Festlichkeiten teilnehmen dürfen, doch richtige Freude hatte sie dabei nicht empfunden. Weder bei den vertrauten Liedern noch bei der Weihnachtsgeschichte, die ihr Vater vorgetragen hatte. Immer wieder waren ihr die Tränen gekommen, wenn sie an Victor gedacht hatte und an ihr ungeborenes Kind. Und daran, was ihr wohl bevorstand, in den nächsten Wochen.

Ein klein wenig weihnachtlich war ihr nur in jenem Moment ums Herz geworden, als Karl und Anton vor dem Christbaum standen, staunend, und mit leuchtenden Augen. Sie liebte ihre Brüder, und beim Gedanken daran, bald nicht mehr bei ihnen sein zu können, zog sich etwas in ihr schmerzhaft zusammen.

Mit sehr viel mühsam zurückgehaltenem Eifer hatten die beiden dann ihre Geschenke ausgepackt. Bücher, ein Angelspiel und Zinnsoldaten vom Vater, einen Ball von der

Dienerschaft. Judith hatte ihnen zwei originalgetreue Automobil-Modelle geschenkt, die mittels eines Uhrwerkes sogar fahren konnten. Die Freude darüber war übergroß gewesen, und die beiden Automobile waren während des restlichen Abends ohne Unterlass über den Teppich im Wohnzimmer gekurvt.

Mit ernstem Blick hatte ihr Vater Judith irgendwann drei Päckchen in die Hand gedrückt. Ein Buch über Haushaltsführung und ein Nähkasten aus Leder – der Hinweis war deutlich. Das dritte Paket enthielt eine Schreibgarnitur aus Silber. Als sie den Namen sah, der darauf eingraviert war, wurde ihr schwindelig. »Judith von Braun« stand in geschwungenen Lettern auf dem Fuß vor dem Tintenfass, und als ihr Vater erwähnte, dass er dieses Präsent in Albrechts Namen überreichte, hätte sie es am liebsten samt Löschwippe auf den Boden geschleudert.

Dann dachte sie aber daran, dass es wohl doch einigen Wert besaß. Später, als sie wieder auf ihrem Zimmer war, hatte sie es zusammen mit Albrechts Ring in der Tasche verstaut, die sie bereits gepackt hatte. Denn sobald Robert und Theo eine Möglichkeit sahen, sie unauffällig aus dem Haus zu bringen, würde sie die Villa ihres Vaters verlassen.

Eine andere Möglichkeit, ihr Leben und das ihres Kindes in die eigene Hand zu nehmen, sah sie einfach nicht mehr. Andernfalls würde sie sich der Willkür eines anderen ausliefern. Entweder der ihres Vaters oder der Albrecht von Brauns.

Völlig überrascht reagierte sie daher, als es am frühen Nachmittag an ihrer Zimmertür klopfte und Dora ihre Freundin Dorothea ins Zimmer führte.

»Ach, Judith«, seufzte Dorothea, und Judith fiel auf, wie blass sie war.

»Was ist denn passiert? Du siehst gar nicht gut aus!«

»Albrecht ist weg.«

»Albrecht ist weg?«, fragte Judith.

Nun horchte auch Dora auf.

»Ja, er ist seit gestern Abend verschwunden. Und ich glaube, dass Victor und Edgar etwas damit zu tun haben.«

»Wie kommst du darauf?«

»Edgar ist gestern Nachmittag vorbeigekommen und hat sehr lange mit ihm geredet. In seinem Zimmer.«

»Am ersten Weihnachtstag?«

»Ja.«

Dorothea begann zu weinen. Judith gab ihr ein Taschentuch und setzte sich mit ihr an den kleinen Tisch, der in der Fensternische stand.

»Weißt du«, schniefte Dorothea, »ich hab so ein arg schlechtes Gewissen. Denn schließlich habe ich den beiden die Möglichkeit gegeben, ihn zu beobachten. Und jetzt ist alles so schnell gegangen.«

»Aber es kann doch sein, dass er wieder zurückkommt«, meinte Judith. »Er bleibt doch immer sehr lange … aus.«

Auf diesen Einwand ging Dorothea nicht näher ein. »Er kam aber sonst immer im Morgengrauen nach Hause. Mama ist außer sich vor Sorge. Und selbst Vater grämt sich.«

»Dann wäre es doch gut, Victor und Edgar zu fragen. Ich kann sie aber leider nicht suchen. Mein Vater hat mich unter Hausarrest gestellt.«

»Wie bitte? Warum denn das?« Dorothea wischte ihre Tränen ab.

»Er hat mich und Victor zusammen gesehen.«

»Ja, aber das ist doch nicht so schlimm … Äh, du meinst, er hat euch zusammen gesehen, also sehr nahe sozusagen?«

»Ja. Sehr nahe.«

»Ach, du liebe Zeit!«

»Und jetzt hat er vor, die Hochzeit mit deinem Bruder zu beschleunigen, musste aber Weihnachten noch abwarten. Und damit ich nicht mehr ungehorsam bin, wurde ich mehr oder weniger eingesperrt.«

»Aber im Haus darfst du dich noch bewegen, oder?«

»Ja. So gnädig war er dann doch.«

»Also haben wir«, resümierte Dorothea, »zwei sehr große Probleme. Jede von uns eines.«

Judith musste lächeln. Dorothea war einfach einmalig. Selbst im größten Elend verlor sie nicht ihren trockenen Humor. Die Anwesenheit ihrer Freundin tat ihr gut.

Dora hatte das Zimmer verlassen, um Tee und Kakao zu holen.

»Also, dann muss ich selbst zu Edgar und Victor gehen«, stellte Dorothea fest. »Dafür sollte ich aber wissen, wo die beiden wohnen.«

Judith zögerte. »Ich gebe dir die Anschrift. Unter einer Bedingung«, sagte sie dann.

»Und die wäre?«

»Du sagst zu niemandem ein Sterbenswörtchen, dass die beiden etwas mit Albrechts Verschwinden zu tun haben könnten. Erstens ist es nicht sicher, dass es sich so verhält. Zweitens haben sie mir viel geholfen in der letzten Zeit.«

»Und drittens liebst du Victor Rheinberger.«

Judith nickte.

»Und du? Magst du Edgar nicht auch?«

Dorothea zuckte mit den Schultern. »Vielleicht.«

Sie betrachtete ihre Freundin. Dorothea war vielleicht nicht im landläufigen Sinne hübsch, ein wenig zu kräftig, ein wenig zu klein. Aber sie hatte ein sehr schönes Gesicht mit großen, grünen Augen, die im Gegensatz zu denen ihres Bruders nicht wässerig, sondern von großer Tiefe waren. Ihr Teint, sehr hell, erinnerte an eine Porzellanpuppe. Und in ihrem braunen Haar tanzten goldene Lichter.

»Vielleicht?«

»Vielleicht ein wenig.« Dorothea lächelte versonnen. Dann wurde ihr Blick wieder ernst. »Weißt du, Judith, das kommt ja noch dazu. Ich fühle mich hin- und hergerissen.«

»Du weißt doch, was Victor und Edgar im Rosenstein-Park zu dir gesagt haben? Albrecht nützt es nichts, wenn man ihn weiter schützt. Er hat wirklich große Probleme, aber das hast du vermutlich noch gar nicht erfahren.«

»Nein. Ich weiß nur von eurem Verdacht. Und dass er spielt, aber das tun doch viele junge Männer.«

»Albrecht spielt nicht nur, Dorothea. Er hält eine Prostituierte aus, trinkt sehr viel. Und er hat hohe Schulden und sich deswegen mit den falschen Leuten eingelassen. Möglicherweise hat Edgar ihm eine entsprechende Warnung zukommen lassen und Albrecht versteckt sich deshalb. Wenn diese Gestalten ihr Geld wiederhaben wollen, das meinte jedenfalls Victor, dann schrecken sie vor nichts zurück.«

Dorothea sah sie ungläubig an. »Das haben Edgar und Victor herausgefunden?«

»Ja«, erwiderte Judith. »Es tut mir so leid, Dorothea. Es ist einfach schrecklich, dass auch ich eine Ursache bin für Albrechts Unglück.«

»An seinem Unglück ist er selbst schuld«, sagte Dorothea nüchtern. »Aber vielleicht hätte man anders mit ihm umgehen sollen.«

Dora kam herein und servierte ihnen Tee, Kakao und Gebäck. Dann zog sie sich leise wieder zurück.

»Er hat geglaubt, Dinge mit Geld erzwingen zu können«, fuhr Judith fort, als sie wieder allein waren. »Das ist sein Problem.«

»Ja, da hast du recht. Das haben ihn meine Eltern gelehrt. Und Mutter hat ihn dazu noch verwöhnt und verhätschelt. Das macht es ihm schwer.« Dorothea nippte an ihrem Kakao. »Hmm, lecker. Was ist da drin?«

»Kakao, Milch, Zucker und eine geheime Gewürzmischung.«

»Dein eigenes Rezept?«

»Ja. Meine Würzschokolade.«

»Bei Gelegenheit musst du mir diese besondere Mischung verraten«, sagte Dorothea und stellte den Becher ab. Dann wurde sie wieder ernst und kam auf ihren Bruder zurück. »Es wäre eine Erleichterung, wenn ich wenigstens wüsste, wohin Albrecht gegangen ist. Deshalb möchte ich Edgar so dringend sprechen.«

»Edgar und Victor sind am Tag vor Heiligabend zu Alois Eberle gezogen«, erklärte Judith. »Er besitzt eine kleine Werkstatt in der Hauptstätter Straße. Darüber ist seine Wohnung.«

»Danke, Judith. Ich weiß dein Vertrauen zu schätzen. Und ich werde es nicht enttäuschen. Eigentlich bin ich jetzt erleichtert. Denn wenn Albrecht wirklich so viele Dummheiten gemacht hat, dann ist es höchste Zeit, dass er sich helfen lässt.«

»Hoffen wir, dass er das tut. Und einen Vorteil hat es: Solange er verschwunden bleibt, kann Vater mich wenigstens nicht mit ihm verheiraten«, versuchte Judith zu scherzen.

»Das wirst du ohnehin zu verhindern wissen.« Dorothea stand auf und umarmte sie. »Weißt du, ich dachte immer, es wäre wunderbar, wenn du meine Schwägerin werden würdest. Aber Albrecht will dich einfach nur haben, so, wie er früher ein schönes Spielzeug haben wollte. Es ist besser, wenn er dich nicht bekommt.«

53. KAPITEL

Zur selben Zeit an diesem zweiten Weihnachtstag

»Bist du sicher, dass der Vater nicht hereinkommt?«, fragte Karl seinen Bruder und öffnete beherzt eine der Schnapsflaschen in Wilhelm Rothmanns Arbeitszimmer.

»Ganz sicher. Er ist gerade zur Frau Margarete ins Zimmer gegangen. Und wenn er das tut, kommt er eine ganze Weile nicht mehr heraus«, wusste Anton. »Ich glaube, die besprechen da all die wichtigen Dinge für das Haus und die Dienstboten und so.«

»Also gut. Aber wir beeilen uns trotzdem. Vielleicht ist er heute schneller mit der Besprechung fertig als sonst.«

Sie leerten sämtliche herumstehende Schnapsflaschen in eine Milchkanne und füllten sie anschließend mit klarem Wasser wieder auf, das sie zu diesem Zweck in einer Kanne mitgebracht hatten. Sogar an einen Trichter hatten sie gedacht. Zumindest Anton.

»So«, meinte Karl, als auch die letzte Flasche wieder verschlossen war. »Das merkt keiner!«

»Doch, das Wasser schmeckt schon anders, glaub ich«, widersprach Anton.

»Ja, aber er merkt's bestimmt nicht gleich.«

Sie schnüffelten an der Milchkanne, die jetzt voller Schnaps war. »Das riecht aber schon sehr scharf«, stellte Anton fest.

»Ich finde, es riecht gut«, entgegnete Karl. »Sollen wir mal probieren?«

»Nein, das machen wir lieber nicht. Sonst reicht uns das nicht mehr für die Feuerschlange.«

Karl kapitulierte und setzte den Deckel auf die Milchkanne. Ganz leise verließen sie das Arbeitszimmer, schlichen durchs Haus, zogen Schuhe, Jacke, Schal und Mütze an, und gingen weiter in die Küche.

Dort werkelte die Köchin, sonst war es ruhig. Keiner der anderen Dienstboten war zu sehen.

»Na, wollt ihr noch ein paar Lebkuchen naschen?«, fragte Gerti freundlich, aber die Zwillinge schüttelten rasch den Kopf.

»Nein danke, Frau Gerti. Vielleicht später!«

»Wir gehen jetzt ein bisschen raus«, erklärte Anton, der die Milchkanne hinter seinem Rücken verbarg.

»Ja, macht das!«, rief die Köchin, die ohnehin ganz in die Zubereitung des Schweinebratens für das Abendessen vertieft war, sodass sie die Kinder nicht weiter beachtete. »Und nachher kommt ihr vorbei. Dann gibt es warmen Kakao und Lebkuchen.«

»Das machen wir!«, riefen die beiden und schlüpften zur Türe hinaus.

Auf der Suche nach einem Platz für ihr Experiment stromerten sie erst durch die Villenkolonie, später dann durch den Degerlocher Ortskern.

»Ich glaube, wir müssen das mit der Feuerschlange verschieben, bis der Schnee weg ist«, sagte Anton enttäuscht, als sich einfach keine geeignete Stelle finden ließ.

»So schnell geben wir nicht auf«, widersprach Karl. »Eine Feuerschlange im Winter ist viel besser. Außerdem ist es nicht so gefährlich, weil im Schnee nichts brennen kann. Weißt du noch, als wir das Feuer am Zahnradbahnhof nicht mehr ausgekriegt haben? Das war nur, weil es Sommer war und so heiß.«

Anton war nicht überzeugt. »Aber wenn gar nix brennt, dann brennt auch unsere Feuerschlange nicht«, folgerte er logisch.

»Ach was«, wiegelte Karl ab.

Einige hundert Meter weiter rief er plötzlich: »Da ist es doch gut!«, ließ Anton stehen und lief über ein verschneites Wiesenstück hin zu einer Scheune. Diese hatte einen weiten Dachüberstand, sodass darunter eine schneefreie Fläche war.

»Hier sollen wir die Feuerschlange machen?«, fragte Anton zweifelnd. »Das ist ein Heuschober, und Heu brennt ziemlich schnell!«

»Mensch, ich hab's dir doch gerade erklärt.« Karl verlor allmählich die Geduld. »Das ist nur im Sommer so! Nämlich wenn es heiß ist! Jetzt im Winter ist es kalt und feucht, da brennt es nicht.«

»Da bin ich mir nicht so sicher …«, Anton wollte sich nicht so einfach geschlagen geben, aber Karl fuhr ihm kurzerhand über den Mund: »Weißt du was? Wenn du ein solcher Angsthase bist, dann geh doch nach Hause. Ich erwecke auf jeden Fall die Feuerschlange. Gib mir die Milchkanne!«

Karl griff nach der schnapsgefüllten Kanne, aber Anton war schneller und hielt sie hinter seinem Rücken.

»Was soll das?«, schnauzte Karl seinen Bruder an.

»Ich will auf jeden Fall dabei sein! Entweder wir machen die Feuerschlange zusammen oder gar nicht.«

Karl verdrehte die Augen. »Mann, du kapierst auch gar nichts! Gib mir jetzt die Kanne!«

»Nein, ich! … schütte den Schnaps aus«, verlangte Anton.

Karl überlegte, zeigte sich dann aber großzügig: »Von mir aus.« Allerdings ließ er es sich nicht nehmen, Anton auf seinem Weg rund um die Scheune ohne Unterlass zu korrigieren.

Anton zog die Schnapsspur möglichst weit von der Scheunenwand entfernt, denn er war keineswegs davon überzeugt, dass Karls Argumente hinsichtlich der Feuergefahr im Winter einer praktischen Überprüfung standhielten.

»Du leerst ja alles in den Schnee!«, beschwerte sich Karl denn auch prompt und griff immer wieder an die Milchkanne, um seinen Bruder zu korrigieren. Das hatte zur Folge, dass der Schnaps nicht nur den Boden, sondern stellenweise die Wand der Scheune benetzte, und zudem bereits nach der Hälfte der geplanten Strecke zur Neige ging.

»Oh«, meinte Anton und schüttelte die letzten Tropfen aus der Kanne.

»Was hast du bloß gemacht, Anton!«, schimpfte Karl.

»Für eine Schlange reicht es trotzdem«, verteidigte sich Anton. »Außerdem hast du mich dauernd geschubst!«

Karl schüttelte heftig den Kopf. »War ja klar, dass du es mir in die Schuhe schiebst.« Er kramte die Streichhölzer aus seiner Hosentasche. »Anzünden tu aber ich!«

Anton trat einen Schritt zur Seite, um ihm Platz zu machen. Sollte das Ganze schiefgehen, war es immerhin Karl, der das Feuer gelegt hatte, und nicht er.

Karl ging auf die Knie, zündete ein Streichholz an und hielt es an die feuchte Spur. Es flackerte ein wenig, dann ging es aus.

»Das wird nie was«, stellte Anton erleichtert fest, doch Karl war in seinem Element. Immer wieder versuchte er, das Feuer in Gang zu bringen. Schließlich fiel ihm eine Vertiefung ins Auge, in der sich der Schnaps zu einer kleinen Pfütze gesammelt hatte.

»Nein, Karl. Diese Stelle ist zu nah an der Scheune!«, warnte Anton, aber Karl lachte ihn aus.

»Du bist halt doch ein Feigling!« Sofort machte er einen weiteren Versuch, und diesmal griff die Flamme über. Karl sprang auf. »Ha! Siehst du, Anton! Es klappt!«

Das Feuer breitete sich tatsächlich ein Stück weit entlang der Schnapsspur aus, und die beiden Jungen liefen begeistert hinterher. »Die Feuerschlange!«, johlte Karl immer wieder, und Anton fiel in seinen Ruf mit ein.

Mittlerweile hatten sich einige Kinder aus der Nachbarschaft um sie herum versammelt und bestaunten das kleine Schauspiel. Karl und Anton sonnten sich im Glanz ihres flackernden Werkes. »Das ist eine Feuerschlange«, brüllten sie und hüpften ausgelassen herum.

Bis ein kleines Mädchen plötzlich rief: »Jetzt brennt auch der Kopf von der Schlange! Hui!«

»Der Kopf von der Schlange?«, fragte Anton ratlos, während Karl lachte und sang: »Die Schlange lodert mit Kopf und Haar ...«

»Die Scheune brennt!«

Der Ruf, der sich rasch fortsetzte, brachte Karl und Anton zur Besinnung. Sie drehten sich um und sahen, dass eine Seite der Scheune bereits lichterloh in Flammen stand.

Es dauerte nicht lange, da kamen die ersten Helfer herbeigestürmt, unter ihnen offensichtlich der Besitzer der Scheune, schütteten Wasser und Schnee auf den Schober und versuchten vor allem, das Feuer daran zu hindern, sich weiter auszubreiten.

Vergeblich.

Knisternd und knackend fraß sich die Feuerschlange durch ihr Opfer. Selbst der bald darauf anrückenden Feuerwehr gelang es nicht, den Brand zu löschen. Und als die Flammen nach und nach erstarben, war von der Scheune kaum mehr übrig als ein Haufen verkohlter Balken.

»Heilanzack!«, fluchte der Scheunenbesitzer. »Wer hat das g'macht?«

»Ja, wer hat denn das Feuer gelegt?«, wollte nun auch einer der Feuerwehrmänner wissen.

Da drängten sich zwei Knaben nach vorne, die, wie alle anderen, das Ereignis mit einer Mischung aus Angst und Neugier verfolgt hatten. Karl und Anton trauten ihren Augen kaum, als sie die zwei jüngeren der drei Böpple-Buben erkannten. Die hatten ihnen gerade noch gefehlt.

Der jüngste Böpple zeigte auf Karl und Anton.

»Die haben irgendwas ausgeschüttet und angezündet«, erklärte er mit wichtiger Miene, und eines der Mädchen drumherum ergänzte: »Ja, und dann haben sie getanzt und gesungen!«

Schadenfroh sahen die Böpple-Buben zu, wie der Feuerwehrmann Karl und Anton an den Ohren packte: »Was fällt euch eigentlich ein? Am zweiten Weihnachtstag zündet ihr einfach eine Scheune an? Was wäre gewesen, wenn es sich um ein Haus gehandelt hätte? Mit Menschen drin?«

»Wir sind doch nicht so blöd und zünden ein Haus …«, sagte Karl frech und bekam sogleich eine Kopfnuss.

»Ich hab dir doch gesagt, dass es gefährlich ist«, belehrte Anton.

»Und warum hast du dann mitgemacht?«, fauchte Karl.

Anton streckte ihm die Zunge heraus.

»Bei Schnee und Kälte kann doch eigentlich gar nichts brennen, oder?«, behauptete Karl trotzig.

»So eine saudumme Antwort hab ich noch nie gehört!«, brüllte der Scheunenbesitzer.

»Allerdings«, bestätigte der Feuerwehrmann und behielt die Zwillinge fest im Griff. »Was habt ihr da denn für eine Flüssigkeit verschüttet?«

»Äh … Das war Schnaps«, sagte Anton.

»Aha. Schnaps. Und wo habt ihr den her?«

»Von … unserem … äh … Aus einem Arbeitszimmer …«
Anton stotterte auf einmal und riss die Augen auf.

Karl folgte seinem Blick und erschrak genauso.

Die Straße entlang kam ihr Vater gelaufen, ihm voran der älteste der Böpple-Brüder, dem ein hinterhältiges Grinsen auf dem Gesicht festgefroren zu sein schien.

»Wer ist das?«, fragte der Feuerwehrmann.

»Unser Herr Vater«, antwortete Anton tonlos.

»Wird auch Zeit, dass der sich um euch kümmert«, brummte der Scheunenbesitzer.

Karl und Anton sahen zu Boden, als der Vater außer Atem bei ihnen eintraf.

»So, hier, Herr Rothmann«, hörten sie den größten Böpple selbstzufrieden erklären. »Ich hab recht gehabt! Die Zwillinge haben eine Scheuer angezündet. Und jetzt krieg ich meine Belohnung.«

Karl sah nun doch auf und hätte dem Kerl das Dauergrinsen am liebsten mit einem Faustschlag aus dem Gesicht getrieben. Da war der doch wirklich eigens zur Rothmann-Villa gelaufen, um sie zu verpetzen! Und verlangte auch noch Geld dafür!

Aller Wut zum Trotz wollte sich in Karl ein ganz leises Gefühl der Bewunderung für so viel Cleverness breitmachen, fiel aber unmittelbar einer Welle abgrundtiefen Hasses zum Opfer, als Wilhelm Rothmann sich diesen Verrat ein ganzes Markstück kosten ließ.

Anton liefen inzwischen die Tränen über die Backen. »Bitte, Herr Vater, bitte, ich hab ja gesagt, dass was passieren kann, aber der Karl wollte es nicht glauben …«

»Sei still. Ihr habt diesen Unfug wie immer zusammen

ausgeheckt und ihr werdet wie immer zusammen bestraft.«

»Des koschtet Sie was, hören Sie!«, meldete sich nun der Scheunenbesitzer zu Wort.

»Lassen Sie mich wissen, was ich schuldig bin«, antwortete Rothmann kühl.

»Wir müssen noch Ihre Angaben aufnehmen«, erklärte der Feuerwehrmann und ließ sich von ihm die Anschrift der Rothmann-Villa nennen.

Schließlich packte Wilhelm Rothmann seine Söhne im Genick und trieb sie vor sich her die Straße hinauf.

Bis sie zu Hause ankamen, heulten beide, doch ihr Vater ließ sich nicht beirren. Ohne dass er ihnen Zeit gab, sich auszuziehen, schaffte er sie in sein Arbeitszimmer.

»Ihr wisst, dass dies der letzte Unsinn war, den ihr euch erlaubt habt!«

Karl schniefte, Anton wischte sich die Tränen aus dem Gesicht.

Wilhelm Rothmann trat an den kleinen Beistelltisch, öffnete eine der Schnapsflaschen und goss sich ein Gläschen ein.

Die Zwillinge sahen sich entsetzt an.

»Herr Vater …«, rief Anton noch, doch da stürzte Wilhelm Rothmann den Trunk bereits hinunter, in Erwartung eines wohligen Brennens nach all dem Ärger. Seine Miene erstarrte. Er roch an der Flasche. Dann fixierte er die beiden Buben. »Was ist da drin?«

Keine Antwort.

»Was ist da drin?«, brüllte er.

»Wa… Wasser«, gestand Anton.

54. KAPITEL

Es war Robert gewesen, der dem ältesten Böpple-Bruder die Haustür geöffnet und nach kurzem Nachdenken Dora zum Zimmer der Haushälterin geschickt hatte, um Wilhelm Rothmann so dezent wie möglich von dort herauszuexpedieren.

Als dieser anschließend leicht derangiert und erzürnt das Haus verlassen hatte, wussten alle, dass die Gelegenheit gekommen war. Theo spannte rasch den Schlitten an, Judith nahm ihr Gepäck und huschte mit Dora verstohlen aus dem Haus. Robert blieb zurück, um die Haushälterin und später den Herrn so lange abzulenken, bis Theo und Dora wieder zurück waren.

So vorsichtig, wie es ihm möglich war, fuhr Theo die Neue Weinsteige hinunter. Abgesehen von der Haushälterin und der manchmal zu redefreudigen Köchin Gerti wusste das Personal der Rothmann-Villa inzwischen über Judiths Zustand Bescheid.

»Gut, dass Robert diese Schwester Henny kennt«, sagte Dora.

»Meinst du, sie ist heute überhaupt zu sprechen?«, fragte Judith besorgt.

Sie hatten sich in warme Decken gehüllt, denn noch immer herrschte klirrende Kälte, und im Schlitten war der schneidende Fahrtwind deutlich zu spüren.

»Ich weiß es nicht«, gab Dora zu. »Zur Not müssen wir die Nacht in einem Gasthaus verbringen.«

»*Ich* müsste sie in einem Gasthaus verbringen«, korrigierte Judith. »Du musst heute noch zurückfahren.«

Dora verzog das Gesicht. Judith wusste, dass die Zofe sie nicht gerne allein ließ. »Dora. Es nutzt mir viel mehr, wenn alle denken, ich sei allein und zu Fuß verschwunden. Erstens werdet ihr nicht hineingezogen. Zweitens können wir heimlich Nachrichten austauschen, und ich weiß dadurch, was Vater plant. Oder wo er nach mir suchen lässt.«

»Das könnte Theo Ihnen doch auch ausrichten«, widersprach Dora.

»Gewiss. Aber stell dir vor, du würdest auch fehlen! Da wird er doch gegenüber euch allen misstrauisch.«

»Lassen Sie mich wenigstens Herrn Rheinberger Bescheid geben«, bat Dora inständig, aber Judith schüttelte energisch den Kopf. »Nein. Und du weißt, warum.«

»Herr Rheinberger ist ein guter Mann«, beharrte Dora. »Und er ist Ihnen so sehr zugetan. Ich glaube, dass es ihm nichts ausmachen würde, dass Sie ein Kind erwarten.«

»Oh, doch, das glaube ich sehr wohl! Kein Mann will das Balg eines anderen in seinem Hause haben. Da kann er die Frau noch so sehr lieben.«

Dora schüttelte den Kopf, sagte aber nichts mehr.

Sie fuhren über den Charlottenplatz. In Stuttgart war es

verhältnismäßig ruhig an diesem zweiten Weihnachtstag. Einige Kinder trieben sich auf den Straßen herum, man sah Spaziergänger, die in die Parkanlagen strebten, aber nur wenige Kutschen und so gut wie keine Automobile.

Judith sandte einen stillen Dank an Robert, der ihre Abreise innerhalb kürzester Zeit möglich gemacht hatte.

Da fiel ihr plötzlich etwas ein. »Dora?«

»Ja, Fräulein Judith?«

»Wo musste mein Vater denn so dringend hin? War etwas mit den Zwillingen?«

Dora konnte sich ein Schmunzeln nicht verkneifen. »Sie haben angeblich eine Scheune angezündet.«

Judith erschrak. »Aber ihnen ist doch nichts passiert, oder?«

»Nein, soweit ich weiß, sind die beiden nicht verletzt oder so. Aber gut gehen wird es ihnen vermutlich nicht mehr, wenn Ihr Herr Vater seine Strafpredigt gehalten hat.«

»Er wird sie in ein Knabeninstitut stecken«, meinte Judith traurig. »Damit hat er schon seit längerer Zeit immer wieder gedroht. Er wird ihrer einfach nicht Herr.«

»Das wird den beiden nicht leichtfallen«, merkte Dora an.

»Nein. Aber nun, da ich weg bin und auch *Maman* nicht wiederkommt, ist es vielleicht das Beste so.« Judith sah auf ihre Hände, die in einem warmen Pelzmuff steckten. »Seltsam. Auf einmal sind wir keine Familie mehr«, stellte sie bedauernd fest.

»Das ist schade«, tröstete Dora. »Aber unsereins geht auch schon früh aus dem Haus, um sich seinen Unterhalt selbst zu verdienen. Bei so vielen Essern, wie wir es waren, sind die Eltern froh um jeden, der ihnen nicht mehr auf der Tasche liegt.«

Theo wurde langsamer, hielt schließlich an und drehte sich zu ihnen um. »Wir sind da, Fräulein Judith.«

Judith und Dora stiegen aus, während Theo die Koffertasche mit Judiths Habseligkeiten herabreichte. Er verabschiedete sich mit Bedauern im Blick und wendete dann das Gespann, um einige Ecken weiter eine geraume Zeit zu warten, für den Fall, dass sie die Polizeiassistentin nicht antrafen. Liefe jedoch alles wie geplant, würde er allein nach Degerloch zurückfahren. Dora würde später die *Zacke* nehmen und angeben, sie habe ein befreundetes Dienstmädchen besucht. Schließlich war Weihnachten.

Judith sah dem Schlitten nach, und auch wenn sie Dora neben sich wusste, fühlte sie sich schrecklich. Schlagartig wurde ihr bewusst, dass sie nun einen Weg ging, den sonst nur »gefallene« Mädchen nahmen.

»Kommen Sie«, forderte Dora sie sanft auf, und hakte sie unter.

Sie fanden das Dienstzimmer der Polizeiassistentin so, wie Robert es ihnen beschrieben hatte. Und es schien tatsächlich jemand anwesend zu sein.

Dora klopfte, wartete die Aufforderung ab, einzutreten, und öffnete die Tür. Sie nickte Judith aufmunternd zu, dann gingen sie hinein.

Das Erste, was Judith wahrnahm, waren freundliche braune Augen, die sie erst überrascht, dann mit einer gewissen

Strenge musterten. Dora stellte sich hinter Judith und setzte den Koffer ab.

»Sie wünschen?«, fragte die Frau, deren Blick nun weicher wurde. Sie trug eine Schwesterntracht.

Nichts an ihr erinnerte an eine Polizeibeamtin, und das nahm Judith zunächst die allergrößte Angst. Robert hatte erwähnt, dass Schwester Henny sich ausschließlich um Frauen kümmerte, die mit dem Gesetz in Konflikt geraten waren oder aus anderen Gründen nicht mehr weiterwussten. Sie hatte also gewiss schon schlimme Fälle erlebt. Judith spürte, wie sie ein hilfloses Vertrauen fasste zu dieser fremden Frau, die an einem schlichten Schreibtisch saß, einen Füllfederhalter in der Hand, und sie noch immer ansah.

Judith räusperte sich. »Ich, ich …«, ihre Stimme versagte. Scham, Aufregung und Trauer schnürten ihr die Kehle zu.

Die Polizeiassistentin schien augenblicklich zu spüren, dass eine Notsituation vorlag, obwohl Judiths gepflegte Erscheinung gewiss in krassem Gegensatz zum Äußeren der anderen Mädchen stand, die sonst bei ihr Hilfe suchten.

Rasch kam sie hinter ihrem Schreibtisch hervor. »Ich bin Schwester Henny«, sagte sie und hielt ihr die Hand hin.

Judith nahm sie zaghaft.

»Und wer sind Sie?«, fragte Schwester Henny freundlich.

»Ich heiße Judith.«

»Judith und weiter?«

»Judith.«

»Gut. Also Judith. Und Ihre Begleitung?«

»Dora.«

»Dora ist Ihre Zofe? Oder ein Dienstmädchen Ihres Hauses?«

»Sie ist meine Zofe.«

»Nun gut, Judith. Was führt Sie denn zu mir?«

»Ich …«, Judith schluckte noch einmal, riss sich dann aber zusammen. »Ich bin in anderen Umständen.«

»Und Sie sind nicht mit dem Vater des Kindes verheiratet«, vermutete Schwester Henny.

»Nein.«

»Er hat auch nicht vor, Sie zu heiraten.«

»Nein.«

»Weiß er von Ihrer Schwangerschaft?«

»Nein.« Judith kämpfte mit den Tränen.

»Wann erwarten Sie die Niederkunft? Können Sie dazu etwas sagen?«

»Ungefähr Ende Juni.«

Judith schniefte. Schwester Henny griff in ihre Schürzentasche und gab ihr ein Taschentuch.

»Dann wäre es sinnvoll, wir würden erst einmal nachsehen, ob tatsächlich eine Schwangerschaft vorliegt. Noch ist Ihr Zustand nicht allzu weit fortgeschritten. Da kann man sich durchaus täuschen.«

Judith sah zu Dora. Diese nickte ihr aufmunternd zu.

Schwester Henny führte Judith hinter einen Paravent, half ihr, sich so weit wie nötig frei zu machen, und tastete mit geübter Hand ihren Bauch ab. Währenddessen stellte sie ihr einige Fragen bezüglich der möglichen Empfängnis.

Als die Untersuchung beendet und Judith wieder

angezogen war, sah sie sie ernst an. »Ich muss Ihren Verdacht leider bestätigen. Und wenn Ihre Angaben der Wahrheit entsprechen, dürfte die Niederkunft tatsächlich Ende Juni erfolgen.«

Sie drückte ihre Hand.

Mittlerweile rannen Judith unaufhaltsam die Tränen über die Wangen, und Dora kam zu ihr, um sie in den Arm zu nehmen.

»Gibt es Probleme mit Ihren Eltern, Ihrer Familie?«

Judith nickte.

»Sie wissen nichts von Ihrem Zustand?«

»Nein.«

Während Dora Judith tröstete, setzte Schwester Henny sich an ihren Schreibtisch, nahm einen frischen Bogen Papier und begann, einige Dinge zu notieren.

»Ich werde Sie vorerst in meine Wohnung mitnehmen«, sagte sie, während der Federhalter rasch über das Papier glitt. »Vielleicht findet sich in den nächsten Tagen bereits eine Lösung. Denn in eine Besserungsanstalt kann ich Sie nicht einweisen, auch die Asyle halte ich für ungeeignet. Dort würden Sie mit Personen zusammenkommen, die kein passender Umgang sind.«

»Ich denke, das ist gut so«, flüsterte Dora Judith zu. »Bei ihr sind Sie erst einmal versorgt.«

»Ach ja, und Sie, Dora«, merkte Schwester Henny an. »Gedenken Sie auch zu bleiben, oder kehren Sie an Ihre Arbeitsstelle zurück?«

»Ich bleibe nicht«, antwortete Dora ausweichend.

Schwester Henny nickte, nahm einen neuen Bogen Papier und setzte ihre Aufzeichnungen fort.

Judith sah Dora fragend an. Diese zuckte mit den Achseln.

Schließlich faltete Schwester Henny einen der beiden Bögen zusammen und steckte ihn in einen Umschlag. Diesen gab sie Dora. »Ich denke, es ist angebracht, den Eltern mitzuteilen, dass ihre Tochter in guter Obhut ist. Bitte enthalten Sie ihnen diesen Brief nicht vor, Dora. Es steht nichts darin über den augenblicklichen Aufenthaltsort, aber ich habe eine Möglichkeit benannt, anonym in Kontakt zu treten.«

Sie wandte sich an Judith. »Ich weiß, es erscheint alles schwer und ungewiss. Aber wir werden einen Weg für Sie und Ihr Kind finden.«

»Danke«, sagte Judith leise.

Schwester Henny stand auf. »Wir suchen am besten gleich meine Wohnung auf. Für heute bin ich hier ohnehin fertig.« Sie räumte ihre Schreibutensilien auf, löschte das Licht und schloss sorgfältig ab.

Als sie nach draußen traten, war es fast dunkel geworden.

»Ist es weit für Sie, Dora?«, fragte Schwester Henny.

»Nein, Schwester Henny. Ich komme auf jeden Fall zurecht.«

»Es ist nicht ungefährlich, nach Einbruch der Dunkelheit allein unterwegs zu sein«, gab Schwester Henny zu bedenken.

»Ich weiß.«

»Kommen Sie gut nach Hause, Dora.«

»Danke, Schwester Henny.«

Sie hatten noch ein Stück weit denselben Weg, dann umarmte Judith ihre Zofe noch einmal fest.

»Bitte, sag dem Herrn Vater kein Wort«, bat Judith.

»Das tue ich nicht. Gewiss nicht«, versicherte Dora. »Und ich komme Sie besuchen, sobald ich kann!«

Damit trennten sich ihre Wege. Und Judith wusste, dass ihr Leben nie wieder so sein würde, wie es gewesen war.

55. KAPITEL

Die Silberburgstraße in Stuttgart,
am 11. Januar 1904

Roux stand vor dem Mietshaus, von dem er annahm, dass es dasjenige sei, welches er suchte. Schon den ganzen Morgen war er unterwegs, hatte den betreffenden Straßenabschnitt genau in Augenschein genommen und das infrage kommende Gebäude gründlich observiert.

In einer Nische zwischen zwei Häusern wartete er nun auf eine günstige Gelegenheit, seine Beute weiter einzukreisen. Denn dass er nah dran war, sagte ihm sein Instinkt.

Nachdem Augustin Baldus ihm die vielversprechende Stuttgarter Anschrift gegeben hatte, war Roux nicht direkt dorthin, sondern zunächst nach Berlin gereist. Gewiss, er hätte seinen Auftraggebern telegrafieren und den Stand seiner Ermittlungen durchgeben können, um anschließend direkt in die württembergische Residenzstadt zu fahren, aber er wollte mit beiden persönlich sprechen und sich dabei unbedingt weiteres Geld auszahlen lassen. Zumal die Weihnachtstage anstanden, eine für Ermittlungen denkbar ungünstige Zeit, die sogar ein Paul Roux bei seiner Mutter verbrachte, welche er sonst so gut wie nie sah.

So war das alte Jahr zu Ende gegangen und die ersten Tage des neuen waren ins Land gezogen. Gestern Abend war er endlich mit dem Zug in Stuttgart angekommen, hatte im Gasthaus Alte Post gegenüber der Stuttgarter Stiftskirche Quartier bezogen und konnte von dort aus bequem zu Fuß agieren. Er würde die Stadt nicht verlassen, ohne seinen Auftrag zu Ende gebracht zu haben.

Dabei fiel ihm auf, dass die Menschen hier Fremde schnell als solche erkannten und mit misstrauischer Neugier beäugten. Er versuchte also, sich mit einer gewissen Selbstverständlichkeit zu bewegen, trug Mantel und Filzhut in gedeckten Farben, wie viele der anderen Herren hier auch, dazu einen Spazierstock, damit er möglichst wenig auffiel.

Von Nachteil war vor allem der viele Schnee. Er verlangsamte das Leben der Menschen, alles war beschaulicher und auf eigentümliche Weise auch stiller. Roux recherchierte lieber, wenn er sich im Treiben einer Stadt unsichtbar machen konnte, je lebhafter, desto besser.

Er verlagerte sein Gewicht aufs andere Bein. Geduld gehörte genauso zu seinem Beruf wie das Handeln im rechten Moment. Was es heute allerdings deutlich unangenehmer machte, war die Kälte. Trotz warmer Strümpfe und Handschuhe kroch sie überallhin.

Dann erweckte etwas seine Aufmerksamkeit.

Zwei ältere Frauen verließen das fragliche Haus. Roux

wagte einen ersten Vorstoß, verließ sein Versteck und bewegte sich so auf die beiden zu, dass der Eindruck entstand, als kreuze er rein zufällig ihren Weg.

»Guten Morgen, meine Damen«, grüßte er höflich und zog den Hut.

»Morga«, blafften die beiden zurück, in diesem unsäglichen Dialekt, der hier gesprochen wurde, und eilten mit verschlossenen Gesichtern weiter.

Roux erkannte schnell, dass hier wenig auszurichten war, und ließ sie ziehen. An der nächsten Ecke wartete er auf eine bessere Gelegenheit.

Die kam kurz darauf, als eine junge Frau aus dem Haus auf den Gehweg trat, einen Korb im Arm, der recht schwer zu sein schien.

Roux näherte sich schlendernd, grüßte und tat, als würde er erst jetzt sehen, wie schwer sie trug. »Oh, so eine schwere Bürde. Darf ich Ihnen behilflich sein?«, fragte er zuvorkommend.

»Was wollen Sie?«, fragte die junge Frau.

»Nach den Weihnachtstagen ist es Zeit für eine gute Tat«, meinte er in scherzhaftem Ton. »Ihr Korb ist doch schwer, nicht wahr?«

Sie nickte, zögerte aber noch immer.

»Ich würde mich freuen, ihn für Sie zu tragen«, gurrte er. »Wenigstens ein Stück weit.«

Schließlich übergab sie ihm den Korb, blieb aber auf Abstand. Die Last war wirklich sehr schwer.

»Wo soll's denn hingehen?«, fragte Roux.

Er kannte die Anschrift natürlich nicht, die sie nannte, gab aber vor, Bescheid zu wissen, und ging aufmerksam neben ihr her. Vermutlich nähte sie in Heimarbeit, Konfektion, so wie es auch in Berlin vielfach üblich war.

Zunächst blieb sie seinen vorsichtigen Fragen gegenüber verschlossen. Roux hatte den Eindruck, dass sie ihn am liebsten schnell wieder loswerden wollte. Aber mit etwas einfühlsamer Geduld konnte er sie schließlich doch in ein Gespräch verwickeln.

»Meine Mutter hat auch genäht«, log er. »Das ist eine ganz schön kräftezehrende Arbeit.«

»Vor allem ist sie schlecht bezahlt«, meinte sie. »Ich arbeite vom frühen Morgen bis in die Nacht und bekomme einen Hungerlohn. Und daneben muss ich die Familie versorgen.«

»Haben Sie Kinder?«

»Ja, zwei.«

»Wenigstens haben Sie eine Wohnung«, meinte Roux.

»Ja.«

»Ich suche gerade eine Bleibe«, ließ Roux sie wissen. »Ich komme aus Berlin und habe hier Arbeit gefunden. Im Februar fange ich an und wohne noch im Gasthaus!« Er versuchte, etwas Trübsinn in seine Worte zu legen.

»Oh, bei uns im Haus ist kurz vor Weihnachten eine Wohnung frei geworden. Sie ist aber bereits schon wieder vermietet.«

»Oh, das ist in der Tat sehr schade. Ist sonst nichts frei? Also, soweit Sie wissen, natürlich.«

»Nein, leider. Aber fragen Sie doch einmal in der

Nachbarschaft. Oder den Vermieter, der hat, glaube ich, noch mehr Häuser.«

»Das ist eine sehr gute Idee. Wissen Sie, wo ich ihn finden kann?«

»Er wohnt nicht weit weg, in der Marienstraße. Sein Name ist Hämmerle.«

»Oh, vielen Dank! Ich werde mich auf jeden Fall bei ihm melden. Und mit den anderen Parteien im Haus, ist da ein gutes Auskommen?«, fragte Roux beiläufig.

»Nun, jeder hat seine Sachen zu tun, manchmal gibt es auch Unstimmigkeiten, wie das halt so ist. Sie wollen es aber genau wissen.«

Sie schien nun doch misstrauisch zu werden, und Roux fragte nicht mehr weiter. Er begleitete sie bis zu ihrem Ziel, übergab ihr den Korb und machte sich auf den Rückweg in die Silberburgstraße.

Vor dem Haus spielten nun zwei Kinder. Sie hatten bunte Holzstäbe in die Schneehaufen gesteckt und warfen einen Stoffball hin und her.

Roux näherte sich ihnen und fing in einem günstigen Moment den Ball auf.

»He! Geben Sie den wieder her!«, protestierte einer der beiden.

Roux warf ihn lachend zurück.

»Wohnt ihr hier?«, fragte er.

Die beiden nickten und nahmen ihr Spiel wieder auf.

»Ich bin auf der Suche nach einem Freund«, erklärte Roux. »Edgar Nold, heißt er, ein Maler. Kennt ihr ihn?«

»Ach, der Edgar«, meinte einer der Burschen. »Der ist erst weggezogen. Weil er eine Emaillefabrik aufgemacht hat und der Platz ausgegangen war.«

»Das ist auch gut, dass der weggezogen ist. Die Emaille hat schrecklich gestunken!«

»Wisst ihr, wo er jetzt wohnt?«

»Nö. Aber der andere Mann in der Wohnung, der ist auch ausgezogen. Am gleichen Tag. Und letzte Woche ist schon wieder jemand anderes eingezogen.«

»Ach so. Na, dann muss ich wohl woanders weitersuchen.«

Er warf ihnen ein Zehnpfennigstück zu, das der Kleinere geschickt auffing, dann machte er sich auf den Weg zurück zum Gasthaus, um etwas zu essen und sich ein wenig aufzuwärmen.

Zwei Stunden später war er wieder unterwegs.

Am Kiosk vor dem Kronprinzenpalais kaufte er eine Zeitung und klemmte sie sich unter den Arm. So wirkte er tatsächlich wie ein Wohnungssuchender, der darin die aktuellen Angebote studierte. Dann spazierte er gemessenen Schrittes in die Marienstraße.

Das gesuchte Haus war problemlos ausfindig zu machen. Hämmerle betrieb eine Druckerei, auf die ein großes Schild hinwies.

»Sie brauchen also ein Zimmer«, stellte der Vermieter fest, nachdem er ihn hereingebeten hatte.

»Ja. Vorerst würde es mich auch nicht stören, eine Wohnung oder ein Zimmer zu teilen«, erklärte Roux. »Ich brauche dringend ein Dach über dem Kopf, da ich demnächst meine Arbeit in Stuttgart beginne.«

»Was machen Sie denn, wenn ich fragen darf?«

»Ich werde in der Versilberungsanstalt arbeiten. Eine kaufmännische Tätigkeit.«

Das hatte den gewünschten Effekt. In den Augen des Vermieters blitzte etwas auf, das Roux »Geldlust« nannte. »Ja, da haben Sie sicher ein gutes Auskommen. Ich werde sehen, ob ich bald eine Wohnung frei habe. Wo kann ich Sie erreichen?«

»Ich melde mich nächste Woche wieder bei Ihnen, wenn es recht ist«, sagte Roux.

»Gut, bis dahin werde ich bestimmt etwas für Sie finden.«

Roux wusste, dass Hämmerle zum gleichen Zeitpunkt irgendjemanden auf die Straße setzen würde, der ihm weniger Miete zahlte. Ungerecht, aber nicht zu ändern. Allerdings hätte er Hämmerles Gesicht doch allzu gern gesehen, wenn er nächste Woche merkte, dass sein Mietgesuch nur eine Farce gewesen war. Nun ja, bis dahin war er schon wieder in Berlin, zumindest wenn alles nach Plan lief.

Bevor Hämmerle die Tür hinter ihm schloss, drehte Roux sich noch einmal um: »Ach, da fällt mir noch was ein!«

»Was denn?«

»Ich habe gehört, dass es in dem Haus in der Silberburgstraße nach Emaille stinkt. Ist das wahr oder nur ein Gerücht?«

»Ah, das war der Nold, der ist weg«, erklärte Hämmerle. »Es gab in letzter Zeit viel Ärger wegen dieser Emaillewerkstatt. Gerade wegen des Geruchs und wegen der Feuergefahr. Wenn er nicht von selbst gegangen wäre, hätte ich ihm demnächst gekündigt. Und seinem Freund gleich dazu.«

»Seinem Freund?«

»Ja, irgend so ein Reingeschmeckter. Hat auch nicht viel mehr verdient als der Nold. Den Nold hab ich ja nur geduldet, weil sein Vater manchmal bei mir drucken lässt.«

»Ach so. Was macht denn der Freund?«

»So genau weiß ich das nicht, aber ich glaube, er arbeitet beim Rothmann.«

»Rothmann?«

»Die Schokoladenfabrik.«

»Ach so. Natürlich, die Schokoladenfabrik. Und ja, seine Mieter sollte man sich gut aussuchen«, bemerkte Roux süffisant. »Haben Sie noch einen schönen Tag, Herr Hämmerle!«

Allerbester Laune ging Roux die Marienstraße zurück in Richtung Schlossplatz. Unterwegs fragte er nach dem Weg zur Schokoladenfabrikation Rothmann, die in Stuttgart wohlbekannt zu sein schien. Es dauerte nicht lange, bis er vor dem Firmentor in der Calwer Straße stand.

Ein aufgeregtes Kribbeln erfasste ihn. Das Gefühl, kurz vor dem Durchbruch zu stehen, hatte stets etwas Erhebendes; Roux liebte diesen Moment.

Im Grunde musste er jetzt nur noch warten, bis Victor Rheinberger nach Hause ging. Erkennen würde er ihn auf jeden Fall. Friedrich Rheinberger hatte ihm Fotografien gezeigt und seinen Sohn ganz genau beschrieben.

Roux sah auf seine Taschenuhr. Bis zum Feierabend waren es noch ein paar Stunden hin. Er überlegte, ob er die Zeit in einem Café überbrücken sollte, beschloss dann aber, sich trotz der Kälte eine geschützte Stelle zu suchen, und das Tor im Auge zu behalten.

Als die ersten Arbeiter endlich die Fabrik verließen, war er schon völlig durchgefroren. Doch das Wissen, am Ziel zu sein, ließ ihn ausharren.

Zunächst waren es viele junge Frauen, die das Tor passierten, erst später folgten einige Männer, die meisten von ihnen trugen Anzüge unter ihren Mänteln. Mit Sicherheit handelte es sich um die Angestellten des Comptoirs.

Wenig später fuhr ein zweispänniger Schlitten durch die weit geöffneten schmiedeeisernen Flügel mit dem geschwungenen Firmenschriftzug. In der Dunkelheit konnte Roux nicht wirklich erkennen, wer darin saß, aber er ging davon aus, dass es sich um den Besitzer oder den Direktor handelte.

Eine Zeit lang tat sich nichts mehr, dann verließen mehrere Arbeiter das Gelände. Roux wagte sich auf die offene Straße, um Victor Rheinberger keinesfalls zu verpassen, konnte aber niemanden entdecken, auf den seine Beschreibung zutraf. Im Laufe der folgenden Viertelstunde kamen immer wieder vereinzelt Beschäftigte durch das Tor, aber seine Zielperson befand sich nicht darunter.

Schließlich sprach Roux einen jungen Burschen an, beinahe noch grün hinter den Ohren, vielleicht vierzehn oder fünfzehn Jahre alt: »He, du!«

»Hä?« Der Junge drehte sich zu ihm um.

»Arbeitet hier ein Victor Rheinberger?«

»Der hat hier gearbeitet. Bis vor Weihnachten. Aber jetzt ist er nicht mehr da.«

Das waren die schlimmen Tage in dieser Profession. Die einen zurückwarfen, wenn man den Sieg schon vor Augen hatte. Innerlich kochend vor Wut machte Roux sich auf den Weg zurück in seine Unterkunft. Unterkühlt und mittlerweile auch durchnässt, weil es angefangen hatte, zu schneien, lief er die paar Ecken zurück zur Stiftskirche. Frustriert betrat er die Alte Post.

Als er in sein Zimmer kam, zog er Mantel, Jackett und Hemd aus und stellte sich vor den gusseisernen Ofen, um sich aufzuwärmen. Später würde er sich ein gutes Abendessen gönnen und noch einmal gründlich darüber nachdenken, wie er Victor Rheinbergers Fährte erneut aufnehmen konnte.

»Guten Abend, Roux!«

Roux fuhr herum.

In einem Sessel saß Friedrich Rheinberger, elegant gekleidet wie stets, die Beine übergeschlagen, die rechte Hand nonchalant auf einen seidenen Herrenschirm gestützt. Seine gelassene Haltung täuschte Roux jedoch nicht darüber hinweg, dass Rheinberger voller unterschwelligem Zorn war.

»Was machen Sie hier?«, fragte Roux mühsam beherrscht.

»Das fragen Sie?«

»Das frage ich.«

»Ich möchte mich persönlich davon überzeugen, mein Geld nicht einem Betrüger in den Rachen geworfen zu haben.«

Roux lachte laut auf.

Rheinberger erhob sich und setzte ihm die Spitze seines Schirmes auf die nackte Brust. »Entweder, Sie teilen mir innerhalb der nächsten drei Tage mit, wo mein Sohn sich aufhält, oder ich verlange mein Geld zurück! Von der Erfolgsprämie ganz zu schweigen.«

Roux grinste listig. »Ich bin ihm auf den Fersen.«

»Das behaupten Sie seit Wochen. Wer weiß, ob die Stuttgarter Spur überhaupt Erfolg versprechend ist?«

»Ist sie. Er hat bis vor Kurzem in einer Schokoladenfabrik hier gearbeitet.«

»Bis vor Kurzem?«

»Bis vor Weihnachten.«

»Das sind nahezu drei Wochen. In dieser Zeit kann er die Stadt schon wieder verlassen haben.«

»Das denke ich nicht, denn über die Feiertage lässt sich nicht so einfach etwas Neues finden. Ich habe eine andere Vermutung.«

»Ach, was Sie nicht sagen«, höhnte Rheinberger.

»Er wird sicherlich noch bei seinem Freund sein, diesem Maler. Von ihm habe ich Ihnen ja schon berichtet.«

»Na, dann machen Sie sich mal auf die Suche«, erklärte Friedrich Rheinberger und nahm den Schirm von Roux' Brust. »Ich bleibe in der Nähe. Drei Tage!«

Er drehte sich um und spazierte zum Zimmer hinaus.

Roux atmete tief durch.

Das hatte ihm gerade noch gefehlt. Ein Auftraggeber, der seine Ermittlungen verfolgte. Aber das durfte ihn jetzt nicht irritieren. Er brauchte seine gesamte Konzentration für das Finale – schließlich war er nicht nur Rheinberger gegenüber in der Pflicht.

Er zog frische Oberkleidung an, um in die Gaststube zu

gehen. Kurz bevor er sein Zimmer verließ, fiel ihm die Zeitung ins Auge, die er am Nachmittag gekauft hatte. Er nahm sie mit hinunter, um sie in Ruhe zu lesen.

Während er auf sein Essen wartete, blätterte er darin und überflog einige Artikel. Dabei stieß er auf eine Anzeige, die mit reichlich Ornamenten versehen war und großformatig über eine Viertelseite ging:

Emaillefabrik Edgar Nold. Emaillearbeiten aller Art. Für Geschäft und privat. Höchste Qualität. Außergewöhnliche Muster. Arbeiten nach Vorlage. Schnelle Lieferung. Hauptstätter Straße, Stuttgart.

Roux grinste.

Nun wusste er, wo seine Suche am nächsten Tag weitergehen würde.

Nicht bemerkt hatte Roux hingegen die Person, die ihm während der letzten Stunden wie ein Schatten gefolgt war und nun, nicht weit von ihm entfernt, in einer versteckten Ecke des Gasthofs saß und zufrieden ein Bier bestellte. Auch seine Mission stand nun kurz vor dem Erfolg.

56. KAPITEL

Die Werkstatt von Alois Eberle,
am 12. Januar 1904

Lustlos legte Victor letzte Hand an seinen Schokoladenautomaten. Er hoffte, den Apparat in den nächsten Wochen aufstellen zu können. Dazu brauchte er allerdings eine schriftliche Genehmigung, die bisher nicht erteilt worden war, auch wenn man großes Interesse bekundet hatte.

Heute befand er sich ausnahmsweise allein in der Werkstatt. Eberle hatte auswärts zu tun und auch Edgar war unterwegs, um Bestellungen auszuliefern, da sich sein Lehrbursche krankgemeldet hatte.

Die Stille im Haus empfand er als drückend. Am liebsten hätte Victor sich mit einem Becher Most ins Bett zurückgezogen und über Judith nachsinniert, aber er zwang sich zur Arbeit. Edgar hatte recht – er half ihr nicht, indem er sich selbst bemitleidete.

Mit einem leisen Fluch auf den Lippen kniete er sich vor den Automaten, begutachtete noch einmal genau alle Kanten und die Lackierung, und steckte schließlich eine Münze hinein, um zu sehen, ob er wirklich zuverlässig funktionierte. Inzwischen ertönte sogar Musik, während die Schokoladentafel zum Ausgabefach transportiert wurde.

Aber all das machte ihm keine rechte Freude mehr, seit Judith aus seinem Leben verschwunden war.

Das Gerät lief einwandfrei. Victor stand auf, um sich in der Küche einen Kaffee aufzubrühen.

Nahezu drei Wochen waren vergangen, seit er sie zum letzten Mal gesehen hatte, und er vermisste sie mit jedem Tag mehr. Unter seinem Kopfkissen lag das Weihnachtsgeschenk, das sie ihm an ihrem letzten Tag in der Fabrik gegeben hatte: ein kleiner Elefant aus Rosenquarz.

Oft träumte er von ihr, und nach dem Aufwachen spürte er ihr Fehlen umso deutlicher. Kreuzte auf der Straße eine Frau seinen Weg, die ihr in Figur oder Gang ähnelte, beschleunigte sich sein Herzschlag. Kam er in die Nähe der Schokoladenfabrik, wurde das bleierne Gefühl auf seiner Brust, das ihn durch die Tage begleitete, unerträglich.

Die Sehnsucht trieb ihn regelmäßig nach Degerloch, wo er durch die Villenkolonie streifte, nur um einen Blick auf ihr Zimmerfenster zu erhaschen. Einmal war er nahe dran gewesen, am Dienstboteneingang zu klopfen und nach Judith zu fragen, aber er hatte Sorge, dass ihr das womöglich mehr schadete als nutzte.

Albrecht von Braun allerdings war derzeit keine Gefahr für sie. Im Anschluss an ein Gespräch, das Edgar mit ihm geführt hatte, war er aus der Stadt verschwunden.

Sie hatten lange überlegt, wie sie vorgehen sollten. Victor hätte sich Albrecht gerne persönlich zur Brust genommen, aber Edgar hatte darauf bestanden, allein zu ihm zu gehen. »Du bist voller Wut, Victor«, hatte Edgar erklärt. »Und in diesem Fall braucht man einen kühlen Kopf.« Das hatte Victor eingesehen.

Die Konfrontation mit seinen Lastern und Straftaten hatte Albrecht wie erwartet sehr aufgebracht. Edgars Bericht zufolge war er zunächst empört gewesen und hatte alles abgestritten, dann jedoch, als Edgar ihn immer mehr in die Enge trieb, angefangen zu heulen.

Doch als Edgar ihm anbot, Stillschweigen zu bewahren, wenn er im Gegenzug die Verlobung mit Judith lösen würde, war Albrecht ihm an die Kehle gegangen. Erst als die Dienstboten den Vater alarmiert hatten und dieser ins Zimmer kam, hatte er von ihm abgelassen.

Der Bankier von Braun wiederum hatte seinen Sohn vorerst unter Hausarrest gestellt. Albrecht, der zunächst vergeblich versucht hatte, Edgar die Schuld an der Auseinandersetzung in die Schuhe zu schieben, war angeblich zurückgeblieben wie ein Häufchen Elend. Dass er sich seiner Verantwortung jetzt durch Flucht entzogen hatte, passte zu seinem kleinmütigen Charakter. Victor empfand keinerlei Mitleid mit ihm. Und eines war auf jeden Fall erreicht: Eine baldige Rückkehr Albrechts schien vorerst ausgeschlossen.

Ob Rothmann über diese Entwicklung bereits Bescheid wusste? Oder hielt die Familie von Braun damit hinter dem Berg, in der Hoffnung, Albrecht wäre bis zum Hochzeitstermin wieder zu Hause und sie das Problem mit ihm auf diese Weise los?

Edgar jedenfalls traf sich oft heimlich mit Dorothea, nicht nur, um Neuigkeiten in Sachen Albrecht zu hören, sondern auch, um sie zu trösten und ihr beizustehen – und ihr ab und zu einen Kuss zu stehlen.

Doch mit Albrechts Abwesenheit allein war Judiths Problem nicht gelöst. Ihr Vater hatte sie weggesperrt und Victor zermarterte sich das Hirn darüber, wie er ihr helfen könnte. Besonders beunruhigend war die Tatsache, dass er seit dem unglückseligen Tag, an dem sie von Wilhelm Rothmann überrascht worden waren, gar nichts mehr von ihr gehört hatte. Eigentlich hatte er damit gerechnet, irgendwann einen geschmuggelten Brief zu erhalten oder eine mündliche Botschaft, die sie ihm über Theo oder Dora zukommen ließ. Dieses beharrliche Schweigen brachte ihn beinahe um den Verstand. Er befürchtete, dass Rothmann sie tatsächlich unter so strenge Aufsicht gestellt hatte, dass ihr jeder Kontakt nach draußen unmöglich war.

Victor schenkte sich einen Becher mit Kaffee ein und ging zurück in die Werkstatt. Vor seinem Schokoladenautomaten blieb er nachdenklich stehen. Sie entwickelten bereits einen zweiten Prototyp, diesmal mit der Spielkartenszenerie, die Judith einmal vorgeschlagen hatte. Aber ohne ihre unnachahmlichen Schokoladenkreationen waren auch die Automaten ohne Wert. Jedenfalls für ihn.

Er wollte sich gerade wieder an die Arbeit machen, als es

schellte. Mit der Kaffeetasse in der Hand ging er langsam über den Flur zur Tür und machte auf.

»Guten Tag, Herr Rheinberger.«

»Dora!«

»Darf ich reinkommen?« Dora sah sich nervös um.

Er öffnete die Tür ein Stück weiter, um sie hereinzulassen. Im selben Moment fiel ihm auf der gegenüberliegenden Straßenseite ein Mann auf, der seine Aufmerksamkeit erregte. Unter einer schwarzen Melone lugten einige rote Haarsträhnen hervor, das Gesicht war auffallend blass, und er bewegte sich wie jemand, der sehen, aber nicht gesehen werden wollte.

Dora schlüpfte ins Haus, doch bevor Victor die Tür hinter ihr schloss, sah er noch einmal nach draußen.

Als der Mann bemerkte, dass Victor ihn fixierte, drehte er sich rasch weg und schlenderte davon, so als machte er einen Spaziergang, und habe nur angelegentlich die Gegend betrachtet.

Victor beschloss, in den nächsten Tagen besonders achtsam zu sein. Am Ende hatte Rothmann noch jemanden angeheuert, der ihm Schaden zufügen sollte. Man konnte nie wissen.

Nachdenklich führte er Dora in Eberles Küche. Dort stand ein Tisch, an dem sie normalerweise ihre Mahlzeiten einnahmen.

»Setzen Sie sich doch«, bot er ihr an und stellte seine Kaffeetasse ab.

»Danke, aber ich muss gleich wieder weiter. Theo wartet vorne auf mich.«

Dora schluckte und Victor bemerkte, dass sie sehr aufgeregt war. Augenblicklich geriet er in große Sorge um Judith. War ihr etwas passiert?

»Herr Rheinberger, Judith hat mir zwar verboten, mit Ihnen zu sprechen, aber ich kann einfach nicht mehr anders. Ihr Vater lässt in der ganzen Stadt nach ihr suchen und ...«

»Ist sie weggelaufen? Oder wurde sie entführt?« Er hatte sofort Albrechts Bild vor Augen.

»Sie ist weggelaufen, aber nicht so, wie Sie jetzt vielleicht denken.« Sie kramte in dem Weidenkorb mit Einkäufen, den sie über ihrem Arm hielt, und holte einen Brief heraus. »Hier. Dies wird Ihnen alles erklären.«

»Danke.« Verwundert betrachtete Victor das Schreiben, das nicht Judiths Handschrift trug. Dann sah er Dora fragend an.

Die schüttelte den Kopf. »Ich habe es nicht geschrieben. Lesen Sie es, bitte. Denn Herr Rothmann lässt nicht locker und ich befürchte, dass es nicht mehr lange dauert, bis er sie findet. Besser, Sie wissen vorher Bescheid und können zumindest überlegen, ob und wie Sie ihr helfen wollen.«

»Ihr helfen will? Das ist doch keine Frage!«

»Lesen Sie den Brief.«

Dora nestelte nervös am Henkel ihres Korbes, als Victor das Kuvert öffnete und das Schreiben überflog.

»Judith ... ist schwanger?«, fragte er tonlos.

Dora nickte. Und berichtete ihm in kurzen Worten, wie es dazu hatte kommen können und weshalb Judith nun die fatale Entscheidung hatte treffen müssen, ihre Familie zu verlassen und unterzutauchen.

Victor fuhr sich mit der Hand durchs Haar und begann, in der kleinen Küche auf und ab zu laufen. Judith bekam ein Kind. Ausgerechnet von diesem Schwerenöter Max Ebinger. Er konnte kaum einen klaren Gedanken fassen. »Ich weiß nicht, was ich dazu sagen soll«, meinte er konsterniert.

Dora stand wie angewurzelt an ihrem Platz und bearbeitete noch immer den Henkel ihres Korbes.

»Verstehen Sie, Dora, das kommt alles sehr plötzlich«, versuchte Victor sich an einer Erklärung, brach dann aber ab und schüttelte den Kopf. »Ich weiß nicht, wem ich lieber den Hals umdrehen möchte. Ihm oder ihr.«

»Der junge Herr Ebinger hat sie ausgenutzt. Das hätte er nicht tun dürfen, sie einfach so … zu kompromittieren.«

Victor ging zum Fenster, lehnte einen Unterarm gegen den Rahmen und stützte seine Stirn darauf.

»Sie hat einen großen Fehler gemacht«, fuhr Dora verzweifelt fort. »Und sie wollte auf keinen Fall, dass Sie davon erfahren. Ihre Verachtung, so sagte sie, könnte sie nicht ertragen.«

Victor lachte kurz auf. »Meine Verachtung. Die ganze Zeit, in der wir … in der sie mich glauben ließ, dass sie mich … Da war sie schwanger. Mit dem Kind eines anderen.«

»Sie hat es erst am zweiten Weihnachtstag erfahren.«

»Sagt sie.«

»Nein. Es war so. Herr Rheinberger, ich war immer in Fräulein Judiths Nähe. Nahezu jede Regung durfte ich, musste ich miterleben. Sie hat niemals einen anderen Mann angesehen, seit sie mit Ihnen … seit Sie … Ach! Judith liebt Sie. So, jetzt wissen Sie es. Sie liebt Sie so sehr, dass sie nicht möchte, dass Sie mit ihr und dem Kind belastet werden.«

Victor entfuhr ein leises Stöhnen. Dann drehte er sich zu Dora um.

»Wer ist diese Schwester Henny, die das hier geschrieben hat?«, fragte er übergangslos und hielt das Schreiben hoch, das er noch immer in der Hand hielt. »Sie bezeichnet sich als Polizeikommissarin?«

»Ja. Sie kümmert sich um Frauen und Mädchen, die nicht mehr weiterwissen.«

Allmählich brach Victors innerer Widerstand. Wie eine langsame, aber unaufhaltsame Welle überschwemmten ihn sämtliche Gefühle, die er für Judith in sich trug. Respekt und Achtung, Bewunderung und Begehren, Zuneigung und Sorge, Liebe, und ja, auch Enttäuschung.

Und gegen seinen Verstand, aber mit seinem ganzen Herzen, traf er eine Entscheidung.

»Wo finde ich sie?«, fragte Victor. »Auf diesem Schreiben ist nur ein Postschließfach angegeben.«

»Melden Sie sich bei Schwester Henny auf dem Stadtpolizeiamt. Wenn die Schwester nicht anwesend ist, dann warten Sie bitte. Judith ist in ihrer Wohnung, aber die Anschrift darf ich nicht preisgeben, auch wenn ich Ihnen vertraue. Schwester Henny hat es so angeordnet.«

»Weiß diese Schwester, wer der Vater des Kindes ist?«

»Nein. Ich muss weiter. Auf Wiedersehen, Herr Rheinberger.«

Damit ließ sie ihn stehen und huschte über den Flur, zur Tür hinaus.

Victor rieb sich mit der Hand den Nacken. Er fühlte sich, als hätte ihn gerade eine Dampflok überfahren. Doch der Gedanke an Judith trieb ihn voran. Er ging in sein Zimmer, rasierte sich, zog ein frisches Hemd und seinen noch recht neuen dunkelgrauen Anzug an und machte sich auf den Weg zum Stadtpolizeiamt.

Unterwegs überlegte er fieberhaft, wie man am besten einer Polizeiassistentin gegenübertrat. Er konnte sich nicht erinnern, diese Berufsbezeichnung jemals gehört zu haben. Nicht einmal in Berlin hatte es eine solche gegeben, zumindest nicht, dass er wüsste.

Als er schließlich vor Henriette Arendts Büro stand, fühlte er sich wie einer der Rothmann-Zwillinge, nachdem sie etwas Verbotenes ausgeheckt hatten. Er war nervös.

Bevor er jedoch dazu kam anzuklopfen, hörte er Stimmen und Schritte im Flur, und als er sich umdrehte, sah er einen Polizeibeamten, der eine verwahrloste junge Frau hinter sich herzog. Der Uniformierte schob Victor mit dem Selbstverständnis einer Amtsperson zur Seite und pochte hart an die Tür. Ohne abzuwarten, ob er hereingebeten wurde, verschaffte er sich Zutritt.

In diesem Moment versuchte das Mädchen sich zu befreien und während des kurzen Gerangels erkannte Victor Babette, das Stubenmädchen der Rothmanns. War etwa auch sie auf die schiefe Bahn geraten? Bevor Victor etwas sagen konnte, stieß der Polizist sie brutal in das Zimmer und entzog sie damit seinem Blickfeld. Die Tür fiel laut ins Schloss.

Ungeduldig wartete Victor darauf, dass das Gespräch vorüberging. Er vernahm die anklagende Rede des Beamten, die ruhige Stimme der Schwester, und, ganz vereinzelt, verhaltene Antworten von Babette.

Es ging wohl eine Viertelstunde dahin, bis sie wieder herauskamen. Schwester Henny hatte einen Arm um Babette gelegt und brachte sie in einen zweiten Raum, direkt neben ihrem Büro. Der Polizist entfernte sich straffen Schrittes. Seine Schuldigkeit war getan.

Victor wurde rasch klar, dass die Polizeiassistentin keine leichte Stellung hatte. Sie kümmerte sich um diejenigen, die die Gesellschaft ausgeschlossen und ihrem Schicksal überlassen hatte. Eine Aufgabe, die bestimmt sehr viel Arbeit erforderte, aber wenig Anerkennung fand.

Es dauerte etwa zehn Minuten, bis Schwester Henny zurückkehrte, und erst in diesem Moment bemerkte sie ihn.

»Sie wünschen?«

»Ich muss Sie dringend sprechen, Frau Arendt«, sagte Victor.

Sie musterte ihn kurz, dann bat sie ihn herein.

Victor trat ein, blieb aber stehen, während sich Schwester Henny an ihren Schreibtisch setzte und rasch ein paar Notizen vornahm.

Schließlich wandte sie sich ihm zu. »So. Entschuldigen Sie, aber hier geht es stets sehr unruhig zu. Was kann ich für Sie tun?«

»Ich suche eine junge Frau. Judith Rothmann. Mir wurde mitgeteilt, dass sie ein Kind erwartet und sich in Ihrer Obhut befindet.«

Schwester Henny betrachtete ihn noch einmal eingehend. »Wer sind Sie und in welcher Beziehung stehen Sie zu der betreffenden Person?«, fragte sie dann sachlich.

»Ich … bin der Vater des Kindes.«

Schwester Hennys Augen weiteten sich einen Moment. Dann flog ein leises Lächeln über ihr Gesicht. »Das ist die erste gute Nachricht des heutigen Tages. Wie heißen Sie?«

»Victor Rheinberger.«

»Und wo sind Sie wohnhaft?«

Victor gab bereitwillig Auskunft. Schwester Henny suchte derweil eine schmale Akte heraus und begann, seine Angaben zu dokumentieren.

»Dieses junge Mädchen, das gerade eingeliefert worden ist«, kam Victor auf Babette zu sprechen.

»Ja? Kennen Sie die auch?«

»Es mag seltsam klingen, aber ja, ich habe sie schon gesehen. Ihr Name ist Babette, und sie ist oder war Dienstmädchen bei den Rothmanns in Degerloch. Das ist ein merkwürdiger Zufall.«

»Das ist es in der Tat. Ich danke Ihnen für diese Auskunft. Sie wurde wegen gewerbsmäßiger Unzucht und Vagabondage hergebracht. Wieder eine verlorene Seele.« Schwester Henny seufzte leise. »Doch nun zu Ihrem Anliegen, Herr Rheinberger. Bitte haben Sie Verständnis dafür, dass ich Ihnen einige intime Fragen stellen muss, um Ihre Vaterschaft zu verifizieren, bevor ich Sie der Kindsmutter gegenüberstelle.«

Victor nickte und gab sich Mühe, den Sachverhalt, basierend auf Doras Angaben, glaubwürdig zu schildern. Er schien überzeugend genug zu sein, denn Schwester Henny zeigte sich zunehmend auskunftsfreudig.

»Fräulein Judith hält sich in meiner Wohnung auf, Herr Rheinberger. Bisher ist es mir nicht gelungen, eine adäquate Unterbringung für sie zu finden. Die gängigen Häuser würden sie in ein Milieu ziehen, das es unbedingt zu vermeiden gilt«, erklärte sie schließlich. »Doch bevor ich Sie einander gegenüberstelle, möchte ich Sie darüber in Kenntnis setzen, dass Fräulein Judith jede Angabe zum Kindsvater verweigert hat und darauf verwies, dass er weder von der bestehenden Schwangerschaft wisse noch ein Interesse an ihr selbst zeige.« Schwester Henny sah ihn streng an.

Victor trat von einem Bein aufs andere. »Das Letztere ist nicht wahr. Was stimmt, ist, dass sie mir gar nichts über ihren Zustand gesagt hat.«

»Ah. Und können Sie sich vorstellen, weshalb nicht?«

»Weil sie mir nicht genügend vertraut hat? Wissen Sie«, brach es aus ihm heraus. »Das Ganze ist alles andere als einfach für mich. Judith verschwindet plötzlich aus meinem Leben und ich muss auf Umwegen erfahren, dass sie ein Kind bekommt. Dabei hätte ich sie niemals im Stich gelassen! Bitte, das müssen Sie mir glauben. Ich … ich liebe sie. Mehr als sie ahnt.«

Die Polizeiassistentin schien nachdenklich. »Ich schlage

vor, das fragen Sie sie am besten selbst«, sagte Schwester Henny schließlich milde. »Frauen in solch dramatischen Lagen handeln nicht immer logisch. Nun«, schloss sie ihre Befragung. »Bitte erklären Sie mir abschließend, wie Sie von der Schwangerschaft erfahren haben.«

Victor holte Schwester Hennys Brief aus seinem Jackett. »Ihre Zofe gab mir heute dieses Schreiben«, sagte er und hielt ihr das Schriftstück hin.

Schwester Henny nahm es und sah ihn überrascht an. »Das war eigentlich für die Familie gedacht.«

»Es gibt gute Gründe, weshalb sie es mir und nicht der Familie zukommen ließ.«

»Sie nannten vorhin den Namen Rothmann. Der Schokoladenfabrikant?«

»Ja. Hat Ihnen Judith … Fräulein Rothmann nichts über ihre Herkunft gesagt?«

»Nein. Sie wollte Ihren Familiennamen nicht angeben.«

»Sie hatte Angst, dass Ihr Vater benachrichtigt werden würde«, erklärte Victor. »Die Mutter befindet sich seit Monaten zu einem Kuraufenthalt am Gardasee, und der Vater wollte sie in eine Heirat zwingen, die Judith ablehnte.«

»Ich nehme an, dass nicht Sie der erwählte Bräutigam waren?«

»Nein.«

Schwester Henny seufzte. »Nun gut. Ich schätze sehr, dass Sie die Vaterschaft anerkennen wollen. Das kommt leider nicht allzu häufig vor.«

»Ich möchte es auf jeden Fall!«

»Ich überlege gerade, wie wir Fräulein Rothmann dazu bringen, Sie anzuhören. Bisher lehnte sie jegliche Kontakte ab, abgesehen zu ihrer Zofe. Aber wenn es die Möglichkeit gibt, einen meiner Schützlinge in die richtigen Hände zu geben, möchte ich es wenigstens versuchen. Und deshalb mache ich in diesem Fall eine Ausnahme und bringe Sie zu ihr.«

»Jetzt sofort?« Victor hatte mit einem Mal das Gefühl, als übte sein Herz für einen Eilritt von Stuttgart nach Paris.

»Ja. Wozu noch warten? Allerdings muss ich Sie darauf hinweisen, dass die letzte Entscheidung über ihre Zukunft bei Fräulein Rothmann selbst liegt.«

»Selbstverständlich.«

Judith saß auf dem kleinen Sofa in Schwester Hennys Wohnung, eine Näharbeit in der Hand. Sie arbeitete bereits an ihrer Erstlingsausstattung, doch noch erschien ihr alles völlig unwirklich. Sie fühlte sich, als würde sie sich inmitten einer Nebelwand befinden.

Wenigstens ging es ihrem Kind gut. Schwester Henny hatte sie vor einigen Tagen zur Hebammenschule gebracht, wo man sie noch einmal untersucht hatte. Und aller Ungewissheit zum Trotz wuchs ihre Zuneigung für das kleine, ungeborene Wesen, das sie in sich trug, mit jedem Tag. Abends, im Bett, legte sie stets ihre Hände auf ihren leicht gerundeten Unterleib, sprach sich und dem Kleinen Mut zu und spürte manchmal sogar ein völlig unangebrachtes Glücksgefühl.

Schwieriger war die Planung ihrer Zukunft. Schwester

Henny hatte sich erkundigt, ob sie über besondere Fähigkeiten verfüge, woraufhin Judith vom Besuch der Töchterhandelsschule berichtet hatte. Schwester Henny hatte wohlwollend genickt, denn kaufmännisches Wissen eröffnete ihr die Möglichkeit, nach der Entbindung in einem Büro zu arbeiten. Judith konnte sich das gut vorstellen, aber wer sollte auf ihr Kind aufpassen, wenn sie den ganzen Tag außer Haus war? Zudem war ihr klar, dass sie Stuttgart über kurz oder lang würde verlassen müssen. Wenn sie irgendwann wieder Fuß fassen wollte, dann ginge es nur dort, wo niemand sie und ihre Familie kannte.

Judith betrachtete den feinen, weißen Batist in ihren Händen, aus dem irgendwann ein klitzekleines Hemdchen werden sollte.

Sie hatte noch nie besonders gerne genäht. Genauso wenig mochte sie Stickarbeiten, dazu fehlte ihr einfach die Geduld. Aber sie brauchte eine Beschäftigung, denn so froh sie über die Zuflucht bei Schwester Henny war, so langsam vergingen die Tage hier.

Die Polizeiassistentin selbst arbeitete rund um die Uhr. Neben Judith beherbergte sie derzeit drei weitere Mädchen, alle drei ebenfalls schwanger, ihre Bäuche allerdings schon so rund, dass Judith Sorge hatte, sie könnten jeden Augenblick niederkommen. Alle hatten sie Schlimmes erlebt, sodass sich Judith trotz all ihrer Sorgen noch privilegiert fühlte. Zugleich schürten diese Schicksale ihre Angst, eines Tages ebenfalls abzurutschen, weil sie sich und ihr Kind irgendwie durchbringen musste. Doch noch war es nicht so weit. Und solange es Menschen wie Schwester Henny gab, vertraute sie darauf, dass sie die Kraft fand, ihr künftiges Leben gut zu meistern.

Während zwei ihrer Mitbewohnerinnen gerade Einkäufe erledigten und außer Haus waren, saß ihr die dritte in einem Sessel gegenüber. Sie war eingeschlafen und schnarchte leise.

Davon abgesehen war es ruhig, und als Judith den Schlüssel im Schloss der Wohnungstür hörte, wunderte sie sich. Keine von ihnen besaß einen Schlüssel. Wenn die Mädchen vom Einkaufen zurückkehrten, würden sie klingeln. Also konnte es sich nur um Schwester Henny handeln. Doch weshalb kam diese mitten am Tag nach Hause?

Sie senkte den Kopf und machte pflichtschuldigst einige Stiche mit ihrer Nähnadel, sah aber wieder auf, als die Polizeiassistentin gleich zu ihr kam, ohne dass sie ihren Umhang abgelegt hatte.

»Fräulein Judith. Hier ist jemand, der Sie sehr gerne sprechen möchte.«

Judith erschrak. »Dora?«, fragte sie zögernd.

»Nein. Aber jemand, der es sehr gut mit Ihnen meint. Darf ich ihn hereinbitten?«

»Oh nein, lieber nicht …« Judith dachte sofort an Albrecht von Braun oder ihren Vater, aber Schwester Henny wirkte völlig entspannt, sodass sie sich etwas beruhigte.

»Sie können mir vertrauen, Fräulein Judith«, sagte Schwester Henny, als hätte sie ihre Gedanken gelesen. »Ich würde niemals jemanden herbringen, von dem ich annehmen müsste, dass er einem meiner Mädchen Schaden zufügt. Also?«

Judith legte ihre Näharbeit zur Seite. »Wenn Sie meinen …«

In diesem Moment trat ein Mann neben Schwester Henny. Judith entfuhr ein Keuchen.

»Victor«, flüsterte sie ungläubig. »Was machst du hier?«

Anstatt ihr zu antworten, war Victor auf einmal neben ihr auf dem Sofa und umfing sie zärtlich mit seinen Armen. Sie spürte sein Beben und ihr eigenes Zittern, bevor sie den Kopf an seine Brust sinken ließ und heftig zu schluchzen anfing.

»Schscht, Liebes, es ist alles gut«, tröstete Victor sie und strich ihr beruhigend über den Rücken. Doch an seiner erstickten Stimme erkannte Judith, dass er genauso bewegt war wie sie.

Schwester Henny stand daneben und lächelte. Einer ihrer Schützlinge war soeben ins Leben zurückgekehrt und würde jetzt eine von der Gesellschaft anerkannte Ehefrau und Mutter werden. Das waren die Sternstunden ihres Berufs.

Es kostete Victor einiges an Überredungskunst, Judith davon zu überzeugen, mit ihm zu kommen. Sie wollte einfach nicht glauben, dass er es ernst mit ihr meinte, obwohl er über ihren Zustand Bescheid wusste.

So atmete er erleichtert auf, als sie schließlich kapitulierte und ihre Tasche packte.

Der Abschied von Schwester Henny war herzlich und von weiteren Tränen begleitet. Judith versprach, ihr verbunden zu bleiben und umarmte sie fest und dankbar.

Im Schutz der Dunkelheit gingen sie dann zusammen in die Hauptstätter Straße. Die kalte Nachtluft tat gut und Victor bemerkte, wie Judith tief einatmete. Immer wieder sah sie ihn verwundert an, so als könnte sie nicht glauben, was da gerade geschah.

Unterwegs erklärte ihr Victor, dass er ihr Kind als das Seine anerkennen wolle. Und dass es das Beste wäre, über den leiblichen Vater zu schweigen.

Judith tat sich zunächst sichtlich schwer mit diesem Gedanken, sprach davon, ihn nicht in die Vaterrolle zwingen zu wollen. Victor versuchte, ihre Bedenken zu zerstreuen und ihr klarzumachen, dass diese Lösung für alle die beste sei. Letzten Endes käme es darauf an, was sie aus der Situation machten, nicht auf biologische Spitzfindigkeiten.

Doch erst als er stehen blieb und sie ausgiebig küsste, merkte er, wie sie sich und ihr Kind ihm anvertraute. Augenblicklich überkam ihn eine große Liebe für seine kleine Familie. Hier ging es um sie drei, und nichts sonst. Das war alles, was zählte.

Alois Eberle und Edgar staunten nicht schlecht, als neben Victor plötzlich Judith etwas verlegen am Abendbrottisch Platz nahm.

»Fräulein Rothmann, was verschafft uns die Ehre?«, fragte Edgar. »Das muss ich gleich Dorothea erzählen, dass er Sie gefunden hat! Sie hat sich schon große Sorgen gemacht.«

»Bitte Edgar, behalte es für dich. Judith erwartet ein Kind, und wenn ihr Vater erfährt, wo sie ist, dann könnte es für sie böse enden.«

»Ein Kind?«, fragte Edgar perplex. »Sag bloß, Victor ...?«

Victor nickte und Edgar klopfte ihm heftig auf die Schulter. »Na, du hast es ja eilig. Nägel mit Köpfen nennt man das wohl.«

»Ja, so nennt man das«, erwiderte Victor.

Alois Eberle grinste still in sich hinein, so wie es seine Art war. Judith schwieg und fasste unter dem Tisch nach Victors Hand.

»Weißt du, Rheinberger, der Albrecht soll gesehen worden sein. In Ludwigsburg«, erzählte Edgar und schnitt sich ein Stück von dem Rauchfleisch ab, das in der Mitte des Küchentischs stand. »Der Bankier hat einen Privatdetektiv angeheuert, damit der seinen Sohn aufstöbert und nach Hause bringt. Und dann, glaube mir, wird für Albrecht eine schwere Zeit anbrechen.«

Victor spürte, dass Judith seine Hand fester packte. Er strich beruhigend mit dem Daumen über ihre Finger.

»Hat Dorothea etwas darüber gesagt, ob Rothmann und von Braun sich ausgesprochen haben?«

»Sie meinte, dass ihr Vater noch immer hofft, Albrecht durch die Heirat mit Judith loszuwerden.«

Judith wurde blass.

»Er kommt zu spät. Judith wird meine Frau.« Er sah sie an. Eine zarte Röte stieg in ihre Wangen.

»Dann warte nicht allzu lange mit der Hochzeit, Victor«, riet Edgar. »Nicht, dass der Albrecht sie dir noch vor der Nase wegschnappt!«

»Bevor das passiert, drehe ich ihm den Hals um«, sagte Victor, und das meinte er ernst.

Später an diesem Abend lagen sie auf Victors Bett. Victor hatte Hose und Hemd angelassen, Judith sich eines ihrer Leinennachthemden angezogen, das bis zum Hals geschlossen war.

Victor lachte leise. »So hätte ich mir unsere erste gemeinsame Nacht wirklich nicht vorgestellt!«

»Oh doch, genauso habe ich mir das gedacht.« Judith fand allmählich ihren Humor wieder, und das machte Victor sehr glücklich.

»Du musst dich nicht bis obenhin zuknöpfen«, meinte er.

»Ich dachte, es gefällt dir«, erklärte Judith mit gespielter Enttäuschung. »Es hat sogar eine Spitze am Ausschnitt!«

»Ja, die sehe ich wohl. Aber das war nicht ganz das, was mir vorschwebte, wenn ich an dich gedacht habe.«

»Was hat dir denn vorgeschwebt?«

Er streichelte zart ihren Hals, spielte mit seinen Fingern an ihrem Ausschnitt. »Etwas mehr Haut«, flüsterte er, und begann, sie innig zu küssen. Eine Weile erkundeten sie einander, schmusend und liebkosend, genossen sich mit Händen und Lippen.

Schließlich zog Victor den Stoff ihres Nachthemds wieder über ihrer Brust zusammen und nahm sie fest in den Arm. »Jetzt wird geschlafen. Sonst kann ich für meine Zurückhaltung nicht mehr garantieren.«

Judith lachte und kuschelte sich in seinen Arm. »Da fällt mir etwas ein«, sagte sie.

»So, was denn?«

»Du hast mich noch gar nicht gefragt, Victor Rheinberger.«

»Was habe ich dich nicht gefragt?«

»Ob ich überhaupt deine Frau werden will«, meinte Judith mit einem verschmitzten Lächeln.

Mit einem sanften Ruck packte er sie, drehte sie auf den Rücken und legte ein Bein über ihre Schenkel. »So, Fräulein Rothmann. Sie wollen also gefragt werden.«

»Davon träumt jedes Mädchen.«

Er küsste ihren Mund, ihr Kinn, ihren Hals. Dann spürte sie seinen Atem dicht an ihrem Ohr. »Heiratest du mich, meine Judith?«

Sie schlang die Arme um seinen Hals. »Ich danke dir, Victor. Für alles. Deine Liebe ist ein unglaubliches Geschenk.«

Victor küsste sie erneut. »Du hast meine Frage nicht beantwortet.«

Judith schmunzelte. »Du hast recht«, wisperte sie. »Und ich sage Ja. Zu dir, und zu uns.«

Eine Weile lagen sie eng umschlungen da. Schließlich fragte Judith leise: »Victor?«

»Ja?«

»Was machen wir denn jetzt? Ich meine, was wird nun aus der Schokoladenfabrik? Wenn ich Albrecht nicht heirate, ist mein Vater bankrott.«

»Daran habe ich auch schon gedacht. Lass uns morgen darüber sprechen, einverstanden?«

Victor lag noch eine ganze Zeit lang wach, auch nachdem Judith längst in seinen Armen eingeschlafen war. In seinem Kopf nahm ein Plan Gestalt an, der ihm bereits in den Sinn gekommen war, als er auf dem Stadtpolizeiamt auf Schwester Henny gewartet hatte.

Judith erwartete ein Kind von Max Ebinger. Der wiederum hatte sich seiner Verantwortung entzogen, und sollte das publik werden, dürfte der Skandal dem Ruf der Familie Ebinger erheblichen Schaden zufügen. Ganz abgesehen von dem Geschwätz und den Gerüchten, die umherschwirren und die eine oder andere unliebsame Ausschmückung mit sich bringen würden.

Dem alten Ebinger sollte also daran gelegen sein, dass die unrühmliche Vaterschaft seines Sohnes niemals ans Licht kam. Und hier witterte Victor seine Chance.

Um die Schokoladenfabrik zu retten, Judith und dem Kind eine Zukunft zu bieten und sie zugleich vor Albrecht von Braun und Rothmann zu schützen, musste er bereit sein, auch mit harten Bandagen zu kämpfen. Und seine Trümpfe auszuspielen. Das würde er tun.

Zuvor musste er allerdings Edgar reinen Wein einschenken und ihm den wahren Vater von Judiths Kind nennen. Selbst auf die Gefahr hin, eine ganze Kaskade an Spötteleien über sich ergehen lassen zu müssen.

57. KAPITEL

»Du willst Ebinger wirklich erpressen?«, fragte Judith entsetzt, als Victor ihr am Spätnachmittag des nächsten Tages von seinen Plänen erzählte.

»Ja, das werde ich tun. Und ich werde keine Zeit verlieren. Judith, wir haben kaum eine Wahl. Denn wenn ich dich auch heirate, so müssen wir doch von etwas leben. Glaub mir, ich habe es gut durchdacht. Er wird sich sträuben, aber letzten Endes packt man diese Sorte Mensch immer am gleichen wunden Punkt. Ihrem Ehrgefühl und ihrer grenzenlosen Eitelkeit.«

Judith blieb skeptisch. »Und wenn er dich verhaften lässt? Glaub mir, der alte Ebinger ist nicht umsonst einer der reichsten Unternehmer Stuttgarts.«

»Zum Glück ist er das«, sagte Victor grinsend. »Sonst wäre ja nichts zu holen!«

»Ich hätte nicht gedacht, dass du so skrupellos sein kannst«, seufzte Judith.

»Wenn es um meine Familie geht«, sagte Victor ernst, »gehe ich zur Not über Leichen.«

Judith lächelte verhalten. »Ich werde es dir vermutlich nicht ausreden können.«

»Ganz sicher nicht«, bestätigte Victor und streichelte ihre Wange. »Mach dir keine Sorgen, Judith. Ich habe den Vorteil, dass ich mich auf dieses Gespräch gut vorbereiten kann. Vergleichen wir es mit einem Kampf. Der Angreifer hat das Überraschungsmoment auf seiner Seite, und das gilt auch hier. Ehe Ebinger richtig nachdenken kann, hat er bereits das Messer an der Kehle. Bildlich gesprochen, natürlich.«

Judith nickte. Natürlich hatte sie Angst um ihn, aber gleichzeitig war es an der Zeit, ihm und seinen Fähigkeiten zu vertrauen.

Sie küsste ihn. »Versprich mir, dass du auf dich achtgibst!«

Gegen Abend machte Victor sich auf den Weg. Er ging davon aus, dass Ebinger zu dieser Zeit am ehesten zu Hause anzutreffen war, und er behielt recht. Ein Dienstmädchen ließ ihn ein.

Im prächtigen Vestibül des Anwesens fiel sein Blick sofort auf ein imposantes Ölgemälde, das offensichtlich den alten Ebinger selbst darstellte. Victor dachte an Judiths Erzählungen von dem Ball der Ebingers und musste schmunzeln. Er hatte reichlich Zeit, das Bild ausführlich zu betrachten, denn er musste eine gute Viertelstunde darauf warten, empfangen zu werden. Eine typische Verzögerung, die Victor oft erlebt hatte, wenn er Männer aufsuchte, die sich selbst für bedeutend hielten. Victor überbrückte die Zeit, indem er in Gedanken noch einmal seinen Schlachtplan durchging.

Schließlich wurde er geholt, einige Korridore entlanggeführt und durch eine zweiflügelige Tür zu Ebinger vorgelassen.

Ein wenig erinnerte ihn diese Situation daran, wie er vor Monaten erstmals Wilhelm Rothmann begegnet war. Ein düsteres Arbeitszimmer mit schweren Möbeln und einer Standuhr, die laut tickte. Ein vordergründig viel beschäftigter Magnat, der keine Sekunde seiner wertvollen Zeit verschwenden durfte und auch dann noch wichtige Dokumente unterzeichnete, wenn der Besucher längst vor ihm stand. Ein erster Blick aus leicht zusammengekniffenen Augen, gefolgt von einer knappen Begrüßung, ohne dass ihm ein Platz angeboten wurde. Lächerliche Rituale anerkennungssüchtiger Kleingeistigkeit.

Victor schüchterte all das nicht ein, im Gegenteil. Er wusste genau, wo er ansetzen musste, um die Fassade einzureißen, und spürte eine gewisse Angriffslust, von der er wusste, dass sie ihm helfen würde.

»Nun«, begann Ebinger gewichtig. »Was kann ich für Sie tun, Herr … Herr Rheinberger?« Er tat so, als müsse er sich bezüglich seines Namens noch einmal besinnen.

»Victor Rheinberger, in der Tat.«

»Bitte fassen Sie sich so kurz wie möglich, Herr Rheinberger. Es ist unüblich, einfach ohne einen Termin hereinzuplatzen, und darüber hinaus außerhalb der Firma. Wie Sie sehen«, er machte eine ausladende Handbewegung über seinen mächtigen Schreibtisch hinweg, »steht mir noch eine Menge Arbeit bevor.«

»Ich werde mich kurzfassen, Herr Ebinger. Es geht um Ihren Sohn Max.«

Ein Schatten zog über Ebingers Gesicht. »Um Max? Worum denn genau?«

»Das werde ich Ihnen umgehend darlegen«, sagte Victor bedeutungsvoll und merkte, wie der alte Ebinger sich eine Spur aufrechter hinsetzte.

»Ihr Sohn Max Ebinger«, hob Victor an, und ahmte bewusst die Anklage eines Gerichtsverfahrens nach, »hat in der Nacht von Samstag, den 29. September 1903, auf Sonntag, den 30. September, Judith Rothmann, Tochter von Wilhelm Rothmann, zu sittenwidrigem Verhalten verführt.«

»Das ist eine infame Unterstellung!«, fauchte Ebinger sofort. »Machen Sie, dass Sie hinauskommen!«

»Nein. Sie werden mir zuhören müssen, Herr Ebinger, andernfalls könnten unangenehme Folgen auf Sie, Ihre Familie und Ihr Unternehmen zukommen.«

»Was wollen Sie? Mich erpressen?«

»Sagen wir eher«, erwiderte Victor betont gelassen, »ich würde gerne mit Ihnen ins Geschäft kommen.«

»Welche Geschäfte können Sie mir schon anbieten?«, höhnte Ebinger.

»Sie sehen sich als Begründer einer neuen Dynastie«, begann Victor und legte seinen Köder aus. »Da sollte man tunlichst ein reines Gewissen haben. Und das können Sie nicht, Ebinger. Denn Ihr Sohn hat Judith Rothmann in dieser Nacht nicht nur verführt, sondern zudem geschwängert.«

»Verlassen Sie ohne Umstände mein Haus, oder ich hole die Polizei! Sie beleidigen mich und meine Familie. Das wird Konsequenzen haben.«

Victor antwortete nicht gleich, sondern machte eine wohlkalkulierte Pause.

»Es gibt Zeugen.«

Ebinger begann, mit den Fingern auf seine Schreibtischplatte zu trommeln. »So. Zeugen. Wer sollte sich denn für eine solche Farce zur Verfügung stellen?«

»Der Kutscher der Familie Rothmann.«

»Das Wort eines Dienstboten gegen das Wort eines Unternehmers. Dass ich nicht lache.«

»Die Zofe von Fräulein Rothmann.«

»Machen Sie sich nicht lächerlich.«

»Judith Rothmann selbst.«

»Ein Weib«, meinte Ebinger verächtlich. »Sie hat sich dem Falschen an den Hals geworfen und will sich nun an mir schadlos halten.«

»Judith Rothmanns Ruf ist tadellos. Bei ihr handelt es sich nicht um eines der zahlreichen Dienstmädchen, die Ihr Sohn im Übermaß genossen hat.«

»Auch dies ist eine Unterstellung, für die ich Sie zur Rechenschaft ziehen werde.«

»Dann werde ich nun zwei Zeugen hereinbitten, die eine eidesstattliche Erklärung abgeben, dass Judith Rothmann von Ihrem Sohn verführt wurde und nun ein Kind von ihm erwartet.« Victor fixierte Ebinger. »Ihr Enkelkind.«

Das Zucken eines Mundwinkels signalisierte Victor, dass er mit dieser Bemerkung eine erste Bresche in Ebingers Abwehr geschlagen hatte.

»Und welche Zeugen sollen das sein?«, fragte der Unternehmer.

»Zum einen Fräulein Rothmanns Zofe.«

»Wie gesagt, eine Domestikin. Damit kommen Sie nicht durch.«

»Und zum anderen Edgar Nold. Sohn des gleichnamigen Seifenunternehmers und langjähriger Freund Ihres Sohnes.«

»Edgar Nold?«, fragte Ebinger ungläubig. »Welches Interesse sollte er daran haben, Max eine solche Sache anzuhängen?«

»Weil er die Wahrheit weiß und verhindern möchte, dass Judith Rothmann die Konsequenzen dieser Begegnung allein zu tragen hat.«

»Ha«, polterte der alte Ebinger plötzlich. »Der 29. September, das war die Nacht des großen Balls in unserem Haus. An diesem Abend«, erklärte er triumphierend, »wurde Judith Rothmann verlobt. Und zwar mit Albrecht von Braun. Wenn Sie also irgendwelche Ansprüche stellen möchten, dann wenden Sie sich an den Bankier von Braun und lassen mich und meine Familie in Frieden!«

»Wie Sie sich vielleicht erinnern, verschwand Judith Rothmann, unmittelbar nachdem diese Verlobung verkündet wurde und kehrte nicht mehr zum Festgeschehen zurück. Sie irrte durch Ihr Haus und traf auf Ihren Sohn Max. Im weiteren Verlauf kamen die beiden sich sehr nahe, mit dem erwähnten Ergebnis. Sie musste in ihrem beklagenswerten Zustand vom Kutscher der Familie in aller Heimlichkeit nach Hause gebracht werden.«

»Weshalb«, fragte Ebinger nachdrücklich, »schwingen ausgerechnet Sie sich eigentlich zum Beschützer Judith Rothmanns auf?«

Diese Frage hatte Victor erwartet. »Sagen wir, dass ich mich in der glücklichen Situation befinde, aus dieser Situation Kapital schlagen zu können. Und dabei nichts zu verlieren habe.« Seinen persönlichen Bezug zu Judith verschwieg er. Gefühle machten angreifbar.

Inzwischen konnte Victor förmlich sehen, wie sich die Gedanken in Ebingers Kopf überschlugen. »Ihr Sohn, den Sie am selben Abend zu Ihrem Nachfolger bestimmt haben, hat sich nur wenige Tage nach dem Vorfall aus dem Staub gemacht, Ebinger«, fügte Victor herausfordernd an. »Könnte es sein, dass er dadurch möglichen Konsequenzen aus dem Weg gehen wollte?«

Einen Augenblick lang breitete sich Stille zwischen ihnen aus und Victor merkte, dass er erneut einen wunden Punkt getroffen hatte.

»Ich denke, ich hole nun die beiden Zeugen«, sagte Victor, als Ebinger nichts sagte, und verließ das Zimmer, ohne eine weitere Antwort abzuwarten. Kurz darauf kehrte er mit Dora und Edgar zurück, die nach vorheriger Absprache vor dem Haus gewartet hatten.

Ebinger war die Situation nun sichtlich unangenehm.

»Edgar Nold«, begrüßte er Edgar, »wenn ich deinem Vater mitteile, dass du dich für eine solche Sache hergibst, wird er dich enterben.«

»Das glaube ich nicht, Herr Ebinger. Aber selbst wenn er es täte, so bin ich auf dieses Erbe nicht angewiesen.«

»Ah, das stimmt«, meinte Ebinger ironisch. »Du hast ja jetzt eine kleine Hinterhofwerkstatt. Wirft die tatsächlich so viel ab?« Er stand auf, kam hinter seinem Schreibtisch hervor, ging auf Edgar zu und sah ihn drohend an. »Wenn du nicht augenblicklich wieder gehst, erhältst du von mir keinen einzigen Auftrag mehr, hörst du? Und ich werde dafür sorgen, dass die meisten deiner Kunden dich keines Blickes mehr würdigen.«

»Max ist der Vater von Judith Rothmanns Kind. Es tut mir leid, Herr Ebinger, aber manche Dinge können nicht einfach totgeschwiegen werden. Fräulein Rothmann muss die Folgen ihr Leben lang tragen. Sie hat ein Recht darauf, angemessen entschädigt zu werden.«

Ebinger schnaubte. »Wieso behauptest du so etwas?«

»Weil es die Wahrheit ist. Welche Gründe hätte Fräulein Rothmann, sich so etwas auszudenken? Sie zieht keinerlei Vorteile daraus, im Gegenteil.«

»Weil sie Geld braucht? Verzweifelt ist? Ach, was weiß ich …« Ebinger sah Dora an, verzichtete aber darauf, sie ebenfalls zu befragen. Aus seinem Blick sprach Verachtung.

»Weshalb wohl, Herr Ebinger, hat Ihr Sohn das Weite gesucht nach dieser Nacht?«, fragte nun auch Edgar.

»Nun …«, setzte Ebinger an, als plötzlich ein leises Räuspern zu hören war.

»Ich glaube Judith Rothmann!«

Eine weibliche Stimme tönte laut und deutlich durch den Raum und alle drehten sich überrascht um. Frau Ebinger stand in der Tür und Victor fragte sich, wie viel sie wohl mitgehört hatte.

»Meine Liebe, dies ist eine sehr delikate Angelegenheit«,

sagte Ebinger. »Würdest du dich bitte wieder zurückziehen?«

»Nein.« Frau Ebinger kam langsam näher. »Ich kenne Judith Rothmann schon so lange von der Töchterschule. Niemals würde sie eine solche Aussage tätigen, wenn sie nicht der Wahrheit entspräche. Und«, sie stellte sich neben ihren Mann und legte ihm eine Hand auf die Schulter, »ich kenne unseren Sohn. In der Nacht unseres Hausballs ist etwas vorgegangen, ohne dass ich genau wusste, was. Judith Rothmann wurde in aller Eile aus dem Haus gebracht. Später hat Max mir gegenüber eine Andeutung gemacht, kurz bevor er Stuttgart verließ, die ich damals nicht in den richtigen Zusammenhang bringen konnte, die jetzt aber Sinn ergibt.« Sie holte Luft. »Er meinte, dass er erst wiederkäme, wenn er allen wieder in die Augen sehen könne.«

Victor konnte förmlich sehen, wie sie Ebinger damit den Wind aus den Segeln nahm.

Ebinger tat einen tiefen Atemzug. »Ich weiß nicht, was der liebe Gott sich einst dabei gedacht hat, als er die Weiber schuf, aber irgendeinen Grund wird er wohl dafür gehabt haben.«

»Davon bin ich überzeugt. Genauso wie ich davon überzeugt bin, dass du eine gute Lösung finden wirst«, lächelte Frau Ebinger und gab ihm einen zärtlichen Kuss auf die Wange. »Schließlich handelt es sich um unser Enkelkind.« Dann wandte sie sich Victor zu und sah ihn für einen Moment nachdenklich an. Und er hatte das Gefühl, als verstünde sie genau, was ihn hergetrieben hatte.

»Ich wünsche Ihnen allen einen guten Abend«, sagte sie schließlich und machte Anstalten zu gehen.

»Nun, da schließen wir uns doch gleich an.« Edgar wechselte einen kurzen Blick mit Victor. Der nickte.

Gemeinsam mit Frau Ebinger verließen er und Dora den Raum. Victor und der alte Ebinger waren wieder allein.

Der schüttelte wiederholt den Kopf, so, als könnte er nicht glauben, was gerade über ihn hereingebrochen war. Victor schwieg und wartete ab, bis Ebinger seine Gedanken einigermaßen geordnet hatte.

Schließlich lachte der Fabrikant.

»So ein Tunichtgut. Es scheint wohl so zu sein. Max ist der Vater von Judith Rothmanns Kind«, sagte Ebinger resignierend und fuhr sich mit der Hand durch sein dichtes, graues Haar. »Aber – was spricht eigentlich dagegen, dass er sie heiratet und es als seines anerkennt?«, versuchte Ebinger nun, die Diskussion auf eine andere Ebene zu heben. »Auch wenn ich dem alten Rothmann nicht gerade freundschaftlich verbunden bin, so wäre meine Frau gewiss nicht unglücklich darüber.«

»Was dagegenspricht?«, wiederholte Victor die Frage. »Beispielsweise die Tatsache, dass Ihr Sohn seit Monaten verschwunden ist. Oder wissen Sie, wo wir ihn auf die Schnelle finden können? Dazu ist Judith nicht adelig. Und für Ihre *Dynastie* wünschen Sie sich doch sicher eine adelige Schwiegertochter, nicht wahr? Außerdem: Was würde Ihr Bankier dazu sagen, dass ausgerechnet Max seinem Sohn die Braut vor der Nase wegheiratet, nachdem er sie in andere Umstände gebracht hat?«

Ebinger setzte sich wieder an seinen Schreibtisch und starrte eine Zeit lang ins Leere. Victor ließ ihn schmoren.

»Was schlagen Sie also vor?«, fragte Ebinger schließlich.

»Fünfzigtausend Mark in Form einer lebenslangen Rente für das Kind. Das ist für Sie keine große Summe, Ebinger, das wissen wir beide.«

»Ha! Fünfzigtausend Mark! Da kann ich das Kind ein Leben lang in Pflege geben!«

»Das wird Ihre Frau niemals dulden.«

»Nein«, gab Ebinger zu.

»Doch das ist nicht alles.«

»Wie bitte?«

»Sie gewähren der Firma Rothmann eine Kapitalspritze in Höhe von hunderttausend Mark. Nur auszahlbar an Judith Rothmann.«

»Was sind Sie, Herr Rheinberger? Ein Glücksritter?«

»Nein. Deshalb mache ich Ihnen ein Angebot. Für diese hunderttausend Mark erhalten Sie die Option auf zwei Prozent Anteile an der Schokoladenfabrik. Ich bin informiert über die ökonomischen Verhältnisse der Firma Rothmann und kann Ihnen versichern, dass die Nachfrage nach Rothmann-Schokolade sehr hoch ist und das Unternehmen gute Gewinne abwirft. Allerdings existiert eine vorübergehende Kapitallücke. Gelingt es, diese zu überbrücken, ist Rothmann-Schokolade eine Goldgrube«, führte Victor aus. »Mit Ihrem Kapitaleinschuss könnten wichtige Investitionen getätigt werden und Sie würden davon profitieren, Herr Ebinger. Diese Beteiligung spielt Ihnen in Zukunft richtig viel Geld ein.«

»Ich bin Maschinenbauer, kein Schokoladenfabrikant. Ein solches Investment kann ich schwer einschätzen.«

»Das glaube ich Ihnen nicht, Herr Ebinger. Aber wie dem auch sei, Sie wissen in jedem Fall, wie wichtig eine gute maschinelle Ausstattung ist. Und um wie viel mehr der Umsatz steigen könnte, wenn die Firma auf Vordermann gebracht ist. Rothmann ist hochprofitabel, aber momentan nicht liquide.«

Ebinger musterte ihn. »Welche Sicherheiten bieten Sie mir?«

»Mein Wort. Nach Ablauf von zwei Jahren kauft Rothmann die Anteile zurück, und zwar zum Preis von zweihunderttausend Mark. Das ist ein Angebot, das Ihnen nicht oft gemacht wird.«

»Ihr Wort?« Ebinger lachte laut und schüttelte den Kopf. »Vorher möchte ich Einsicht in die Bilanzen nehmen.«

»Das geht nicht.«

»Na, Herr Rheinberger, Sie glauben doch nicht im Ernst, dass ich mich auf einen solchen Schacher einlasse, ohne jede kaufmännische Vorsicht walten zu lassen.«

»Ich habe Abschriften dabei«, sagte Victor und nahm Ebingers Gegenargument gleich vorweg: »Aber diese können genauso gut gefälscht sein.« Er legte einen Umschlag auf den Tisch. »Ich lasse sie Ihnen dennoch hier. Letzten Endes ist dies hier ein Geschäft im Vertrauen.«

Es dauerte einige Minuten, bis Ebinger eine weitere Frage stellte: »Einmal angenommen, ich akzeptiere Ihr Angebot. Was bekomme ich dafür?«

»Neben der Möglichkeit, einen satten Gewinn einzustreichen?«, entgegnete Victor. »Ich heirate Judith Rothmann und nehme das Kind als meines an. Niemand wird jemals erfahren, dass Ihr Sohn der Vater ist.«

»Aha! Daher weht also der Wind. Wer weiß, wahrscheinlich haben Sie es ja doch selbst gemacht!«, entfuhr es Ebinger.

»Ich kann Ihnen bei der Ehre von Judith Rothmann versichern, dass das nicht der Fall ist. Bedenken Sie, dass mit unserem Abkommen jeder profitieren würde. Ein Skandal wird vermieden, und das Kind bekommt einen Namen. Und ein interessantes Geschäft machen Sie obendrein.«

Victor spürte, wie Ebinger seine Worte abwägte.

»Geschäftstüchtig sind Sie ja, Herr Rheinberger. Ich gehe davon aus, dass Sie mir keine längere Bedenkzeit zugestehen werden?«

»Das sehen Sie vollkommen richtig.«

Einige Minuten verstrichen.

»Wir setzen einen Vertrag auf«, erklärte Ebinger schließlich. »Vierzigtausend Mark für das Kind, als monatliche Rente bis zum 21. Lebensjahr. Weitere Achtzigtausend für Rothmann als Option auf zwei Prozent der Firma.«

Jetzt lachte Victor. »Hunderttausend.«

»Neunzig.«

»Hunderttausend Mark gegen 2,5 Prozent Anteile. Allerdings fallen diese bei Ihrem Tod an Rothmann respektive seine Erben zurück, sollten Sie von Ihrer Verkaufsoption keinen Gebrauch machen.«

Ebinger sah ihn durchdringend an und ließ noch einmal einige Zeit verstreichen.

»Sie sind ein geschickter Verhandler, Rheinberger. Ihr Angebot ist in Anbetracht der Umstände nicht ohne Reiz. Wir kommen ins Geschäft, um es mit Ihren Worten auszudrücken«, sagte er schließlich, und Victor fiel ein Stein vom Herzen. Nach außen hin gab er sich allerdings abgeklärt und beließ es bei einem schlichten: »Gut.«

»Weiß Rothmann eigentlich davon, dass Sie hier Beteiligungen verhökern?«, wollte Ebinger noch wissen.

»Er wird keine andere Wahl haben, als dem zuzustimmen.«

»So, wie ich kaum eine hatte«, stellte Ebinger fest. »Aber eine Bedingung muss ich stellen.«

Nun war es an Victor, ihn fragend anzuschauen.

»Meine Frau darf ihr Enkelkind ab und zu sehen.«

Victor lächelte. »Aber gewiss!«

Spät in der Nacht kehrte Victor nach Hause zurück, einen Vorvertrag in der Tasche, der die Einzelheiten ihrer Vereinbarung regelte und Victor dazu verpflichtete, niemals das Geheimnis um die Herkunft des Kindes zu lüften. Ferner musste er persönlich dafür bürgen, dass alle Personen, die um Max' Vaterschaft wussten, Stillschweigen bewahrten.

Für die schriftliche Fixierung der umfangreichen Einzelabsprachen brauchte Ebinger noch einige Tage Zeit, es musste alles notariell aufgesetzt und unterschrieben werden, aber das kümmerte Victor nicht. Ebinger hatte ihm eine Anzahlung von dreitausend Mark in bar mitgegeben. Für die

Auszahlung der weiteren Mittel hatten sie einen detaillierten Plan ausgearbeitet. Und nebenbei einige weitere interessante Dinge besprochen.

Am Ende hatte Ebinger ihm auf die Schulter geklopft und wohlwollend gemeint, dass er gerne einen Sohn wie ihn gehabt hätte. Diese Geste hatte Victor verwundert, war er doch in nahezu erpresserischer Manier vorgegangen. Zugleich hatte er gespürt, wie sehr Ebinger unter der Abkehr seines einzigen Kindes litt. Das wiederum erinnerte ihn daran, wie er selbst vergeblich um die Anerkennung seines Vaters gekämpft hatte, der nicht begreifen konnte, dass er nicht in seine militärischen Fußstapfen hatte treten wollen. Für Friedrich Rheinberger, den Premierleutnant, eine abgrundtiefe Enttäuschung, denn auch Victor war sein einziger Sohn. Väter sollten ihre Visionen nicht auf die Söhne übertragen, stellte Victor fest und nahm sich vor, seine Kinder ein selbstbestimmtes Leben führen zu lassen, egal, welchen Weg sie für sich wählten.

Zunächst allerdings standen andere Dinge an. Dank seines Schachzugs und einer gehörigen Portion Glück verfügte er nun über die Mittel, seiner Familie eine gute Zukunft zu bieten. Und Judith einen großen Traum zu erfüllen.

Jetzt musste er nur noch mit Wilhelm Rothmann sprechen. Und das würde die schwerste Aufgabe von allen werden.

58. KAPITEL

Die Fabrik von Robert Bosch,
am 14. Januar 1904

Das Fabrikgebäude aus Stahlbeton in der Stuttgarter Hoppenlaustraße wirkte groß und mächtig. Der Eingangsbereich befand sich in einer Art Turmgebäude, an dessen Fassade in großen, von unten nach oben verlaufenden Lettern »Elektrotechn. Fabrik. ROBERT BOSCH« geschrieben stand. Das gesamte Areal war sehr belebt, man spürte, dass hier ein florierender Betrieb ansässig war.

»Sie werden uns schon nicht rauswerfen«, meinte Robert und sprach sich damit selbst Mut zu.

»Nein, das werden sie sicher nicht«, erwiderte Fritz und ließ seinen Blick ehrfürchtig an der Fassade des erst drei Jahre alten Gebäudekomplexes entlangwandern.

Bereits seit einer halben Stunde trieben sich Robert und Fritz auf dem Gelände der Firma herum, unschlüssig, ob sie es wagen sollten, nach Arbeit zu fragen. Bosch stellte Magnetzünder her und hatte damit großen Erfolg. Das faszinierte die beiden Burschen. Außerdem hatten sie gehört, dass bei Bosch die Arbeiter besser behandelt würden als in vielen anderen Industriebetrieben.

»Du gehst vor«, sagte Fritz zu Robert.

Robert, der sich vor dem Jüngeren keine Blöße geben wollte, nickte und drückte die Tür auf.

Erstaunt nahmen die beiden die helle und luftige Atmosphäre wahr, die sie im Inneren empfing und genauso freundlich anmutete wie der Herr, der sich um neue Einstellungen kümmerte. Er befragte sie nach Herkunft, Fähigkeiten und ihren bisherigen Tätigkeiten. Schließlich bot er Fritz eine einfache Hilfsarbeit an. Bei Robert überlegte er etwas länger und wollte ihn schließlich auf Probe in einer der Werkstätten unterbringen. Falls er sich bewährte, stellte er ihm eine anspruchsvollere Beschäftigung in Aussicht.

»Gebt euch Mühe, dann könnt ihr hier etwas werden«, gab er ihnen mit auf den Weg, als er sie verabschiedete.

»Ich glaub es nicht!«, rief Fritz, als sie wieder herauskamen. »Ich glaub es einfach nicht. Stell dir vor, Robert, ich fange schon morgen an!«

»Das ist wirklich gut. Deine Mutter wird ohne dich zurechtkommen tagsüber. Wichtig ist, dass du Geld verdienst. Dann könnt ihr vielleicht eine andere Wohnung suchen, und vor allem kannst du ihr Medizin kaufen.«

»Der Lohn ist prima!«

»Das stimmt. Das hätte ich nicht gedacht.«

Robert, der inzwischen mit der Arbeiterbewegung liebäugelte, war wirklich beeindruckt. Bosch, der auch noch den gleichen Vornamen trug wie er selbst, tat etwas für seine Leute, das ließ sich nicht leugnen.

Dennoch würde er ganz genau hinsehen, wenn er am 1. Februar mit seiner Arbeit hier begann. Schließlich waren es eigentlich die Arbeiter, die mit ihrer Kraft das Geld hereinbrachten, von denen sich die Großen ein tolles Leben leisteten.

Nicht umsonst hatte er sich in letzter Zeit durch die Broschüre »Grundsätze und Forderungen der Sozialdemokratie« gekämpft. Auch wenn er nicht alles verstanden hatte, was darin geschrieben stand – es hörte sich auf jeden Fall gut an. Besonders gefiel ihm die Formulierung, dass die unterdrückte Klasse die Staatsgewalt erobern sollte. Da wollte er unbedingt dabei sein.

Zuvor aber konnte er endlich etwas tun, von dem er schon lange träumte: Wilhelm Rothmann mitteilen, dass er kündigte. Und dass er sich einen anderen Narren suchen sollte, der sich künftig von ihm herumkommandieren ließ.

»Also, Fritz, ich wünsche dir morgen alles Gute! Wir sehen uns spätestens am ersten Februar wieder! Oder im Bären, wenn du dort mal hinkommst«, verabschiedete sich Robert.

Im Gasthof zum Goldenen Bären in der Esslinger Straße, dem beliebten Treffpunkt der Arbeiter, fand Robert sich ein, wann immer er eine Minute erübrigen konnte. Es gab einen Billardtisch und eine Kegelbahn und vor allem jede Menge Gleichgesinnter, die zwischen einem Bier oder einem Glas Trollinger ihre Ideen einer neuen, gerechten Gesellschaft diskutierten.

»Ach«, antwortete Fritz verhalten, »da werde ich kaum Zeit dazu haben, jetzt, wo ich arbeiten geh. Ich muss mich doch um meine Mutter kümmern. Wenn ich schon den ganzen Tag nicht da bin.«

»Schade. Aber ich verstehe dich«, meinte Robert und dachte wieder einmal, dass es noch viel zu tun gab für die Arbeiterschaft. Allen Lippenbekenntnissen der Wohlfahrtsvereine zum Trotz.

Als Robert später die Villa Rothmann durch den Dienstboteneingang betrat, spürte er sofort, dass etwas nicht stimmte. Die Atmosphäre war merkwürdig angespannt. Zunächst befürchtete er, dass seine längere Abwesenheit aufgefallen war und zu Ärger geführt hatte, doch schnell wurde ihm klar, dass es sich um etwas ganz anderes handelte.

»Niemals wird diese Person mehr für die Familie Rothmann arbeiten«, ertönte die Stimme der Haushälterin.

Robert lugte vorsichtig von der Küche in den angrenzenden Raum, wo der große Esstisch stand. Und glaubte, seinen Augen nicht zu trauen.

An einer Seite saß Schwester Henny und neben ihr, zusammengesunken und mit verbittertem Gesichtsausdruck, Babette. Seine Babette.

Sie hatte sie also gefunden!

Rasch mischte sich Sorge in seine Erleichterung. Babette sah sehr verändert aus, war unnatürlich blass und dünn. Kaum mehr zu erahnen war ihr natürlicher Liebreiz, der ihn einst so angezogen hatte. Robert konnte kaum glauben, dass nur wenige Wochen ausreichten, um ein schönes Mädchen derart zu verwandeln.

Den beiden Frauen gegenüber hatte die Haushälterin Platz genommen. Vor ihr lag ein aufgeschlagenes Heft, vermutlich Babettes Gesindebuch. Die ganze Situation erinnerte an eine Gerichtsverhandlung und Robert musste sich beherrschen, um sich nicht sofort alles von der Seele zu reden, was sich dort in den letzten Monaten an Frust und Verzweiflung angestaut hatte. Doch bei allem, was er für Babette empfand – letzten Endes war es ihre eigene Entscheidung gewesen, sich in ein vermeintlich schillerndes Leben zu stürzen und jede angebotene Hilfe auszuschlagen. Mit einem Mal wurde ihm bewusst, dass seine Bewunderung und Liebe für sie in Mitleid umgeschlagen waren.

Da ihn noch keine der drei Frauen bemerkt hatte, blieb er im Hintergrund und verfolgte das Gespräch als verborgener Lauscher.

»Hat Babette Schuster ihre Arbeit nicht gut gemacht?«, fragte nun Schwester Henny.

»Nun ja, die Arbeit, wenn sie sie denn gemacht hat, war ordentlich. Weniger ordentlich war ihre Moral. Mit den bekannten Folgen.«

»Gewiss, Babette hat gefehlt. Aber hat nicht jeder Mensch eine Möglichkeit verdient, sein Leben noch einmal neu zu beginnen?«

Die Haushälterin sah Schwester Henny entgeistert an, so als könnte sie nicht begreifen, was diese dazu trieb, sich mit so viel Herzblut für eine Prostituierte einzusetzen.

»Jeder ist seines eigenen Glückes Schmied«, befand Frau Margarete kühl. »Babette Schuster hatte hier eine ordentliche Anstellung und ein Dach über dem Kopf. Wenn sie damit nicht zufrieden war, dann muss sie jetzt mit den Folgen leben.«

»Einen Hungerlohn habt ihr hier bezahlt! Für die Schufterei vom frühen Morgen bis spät in die Nacht!«, begehrte Babette mit einem Mal auf. »Jeder Staublappen in diesem Haus wurde besser behandelt als ich.«

Da allerdings musste Robert ihr recht geben. Während Dora als Zofe eine gute Behandlung genoss, hatte man Babette bis spät in die Nacht zu allen möglichen Arbeiten herangezogen und von ihr verlangt, am nächsten Morgen in aller Frühe wieder bereitzustehen. Ob sie ausreichend geschlafen oder gegessen hatte, war nicht von Belang gewesen.

»Sehen Sie, Frau Arendt«, erklärte die Haushälterin nun, »das ist ihr Dank.«

»Sie sind sich hoffentlich bewusst«, widersprach Schwester Henny, »dass es genau diese Verhältnisse sind, die die Mädchen in die Arme zwielichtiger Gestalten treiben, so wie es Babette geschehen ist.«

»Man kann immer Nein sagen«, beharrte Frau Margarete. »Und wagen Sie es nicht, die Verhältnisse in diesem Hause zu kritisieren. Es ist höchst ehrbar!«

Eher höchst scheinheilig, dachte Robert und hatte vor Augen, dass die Haushälterin dem Hausherrn deutlich näherstand, als es sich ziemte.

»Daran möchte ich nicht zweifeln«, versuchte Schwester

Henny es noch einmal. »Oftmals ist den Herrschaften gar nicht bewusst, dass die Mädchen am Rande ihrer Kräfte sind. Sie denken, dass ein Dach über dem Kopf und zwei Mahlzeiten am Tag ein großzügiges Angebot für die armen Dinger sind. Gleichzeitig sehen diese jedoch täglich ein Leben in großem Wohlstand. Das weckt Begehrlichkeiten.«

»Jeder sollte seinen Platz kennen«, sagte die Haushälterin verächtlich.

»Nicht jede ist von so starkem Charakter, Wünschen und den Versuchungen zu widerstehen«, entgegnete Schwester Henny. »Armut und Entbehrungen lassen die Menschen oft genug vom rechten Pfad abkommen.«

»Ihre Barmherzigkeit mag Sie ehren, Frau Arendt.« Die Haushälterin schien des Gesprächs allmählich überdrüssig. »Aber im Zusammenhang mit einer Arbeit in diesem Hause von Armut und Entbehrung zu sprechen, ist impertinent.«

»Dann stellen Sie Babette bitte ein ordentliches Zeugnis aus. Damit ich eine andere Stellung für sie finden kann.«

»Ich werde meinen Namen nicht für ein falsches Zeugnis hergeben«, entgegnete die Haushälterin, klappte Babettes Gesindebuch zu und schob es über den Tisch. Damit würde es für Babette sehr schwierig werden, künftig eine Arbeit als Dienstmädchen zu finden.

Babette nahm das Buch an sich. »Ich mache eh nie wieder den Dreck von so hohen Herrschaften weg«, sagte sie patzig und Robert sah, wie Schwester Henny zusammenzuckte.

Vorsichtig zog er sich zurück. Als er durch die Küche ging, sah die Köchin Gerti kurz auf und schüttelte den Kopf. Auch sie hatte alles mit angehört. Robert lief weiter in den Flur und blieb dort stehen, bis Schwester Henny und Babette an ihm vorbeikamen, um die Villa durch den Nebeneingang zu verlassen. Es war ihm ein Bedürfnis, Babette ein letztes Mal in die Augen zu sehen. Als sie ihn bemerkte, blieb sie kurz stehen.

»Der war auch immer hinter mir her«, erklärte sie verächtlich. »Jetzt bekomme ich wenigstens Geld dafür.«

»Babette! Bitte, Sie müssen sich beherrschen!« Schwester Henny zog sie rasch weiter.

Robert blieb erschüttert zurück.

59. KAPITEL

Die Schokoladenfabrik Rothmann,
am selben Tag

Wilhelm Rothmann begrüßte seinen Bankier mit ausgesuchter Höflichkeit und bot ihm einen Platz in seinem Bureau an. Während von Braun den Spazierstock abstellte und sich setzte, ging Rothmann zu seinem geöffneten Tresor, entnahm ihm einige Papiere und setzte sich damit an den Schreibtisch.

»Zigarre?«

»Ja, gerne.«

Wilhelm Rothmann reichte von Braun ein edles Etui mit erlesenen Zigarren, nahm selbst aber keine. Während sein Gast die Zigarre entzündete, sah er noch einmal die Dokumente durch, über die er mit seinem Bankier sprechen wollte.

Dieser blies genüsslich den würzigen Tabakrauch in die Luft. »Ausgezeichnet«, lobte er.

»Sie haben mir eine Nachricht zukommen lassen«, stellte Wilhelm Rothmann fest.

»In der Tat.«

»Darin stellen Sie unsere Kreditvereinbarung infrage.«

»Die Geschäftsgrundlage hat sich geändert. Darüber möchte ich mit Ihnen sprechen.«

»Sie meinen die Hochzeitsvereinbarung?«

»Genau. Mir kam zu Ohren, dass Sie Ihre Tochter vermissen?«

»Judith ist für eine Weile außer Haus. Das hat nichts damit zu tun, dass sie vermisst wäre.«

»Ah, dann können Sie ihr doch sicherlich mitteilen, dass sie sich binnen dreier Tage melden soll.«

Wilhelm Rothmann räusperte sich. »Gewiss.«

Bis dahin, so hoffte er, hätte er seine Tochter aufgespürt. Alles deutete darauf hin, dass sie sich noch in Stuttgart aufhielt. Zudem war er sich sicher, dass ihre Zofe etwas über ihren Aufenthalt wusste. Seit Judiths Verschwinden benahm sie sich eigenartig, das war auch Margarete aufgefallen. Er würde sie heute Abend eindringlich befragen.

»Da Sie gerade davon sprechen«, fuhr Rothmann fort. »Ich gehe davon aus, dass Ihr Sohn wieder zurückgekehrt ist von seiner Geschäftsreise?«

»Ähm, ja. Zumindest so gut wie.« Von Braun sah auf seine Zigarre.

Rothmann hatte Gerüchte gehört, wonach Albrecht von Braun ebenfalls untergetaucht sein sollte, doch diesen wollte er keinen Glauben schenken. Von Braun jedenfalls hatte mehrfach versichert, dass Albrecht sich lediglich auf einer Geschäftsreise befand.

»Um noch einmal auf Ihre Tochter zurückzukommen«,

hob der Bankier an. »Sollte sie sich innerhalb der angesprochenen drei Tage nicht melden, sehe ich mich gezwungen, die bereits ausgezahlten Gelder zurückzufordern.«

Rothmann stand empört auf. »Das können Sie nicht machen!«

»Aber selbstverständlich kann ich das machen.«

»Ich habe das Geld bereits investiert und keine Mittel in dieser Höhe verfügbar. Das wissen Sie genau!«

»Das ist bedauerlich.«

»Es besteht ein Kreditvertrag, den ich einhalten werde.«

»Diesen kann ich kündigen. Eine entsprechende Klausel ist enthalten. Wenn Sie allerdings Albrecht in die Geschäftsleitung übernehmen, dann lasse ich mit mir reden.«

»Jetzt hören Sie einmal genau zu, Herr von Braun«, brauste Rothmann nun auf. »Ich wäre auf Ihr Geld überhaupt nicht angewiesen, wenn ich diese elende Immobilieninvestition damals nicht getätigt hätte. Eine Anlage, die Sie mir empfohlen hatten!«

»Sie haben um das Risiko gewusst.«

»Sie hatten es erwähnt. Aber als unbedeutend abgetan.«

»Das behaupten Sie!«

»Das war so. Ich bin kein Spieler, von Braun, sondern habe darauf vertraut, dass Sie wissen, was Sie tun.«

»Sie haben privates Geld angelegt.«

»Geld, das ich aus der Firma entnehmen musste. Aber die Sache schien so sicher …«

»Das war fahrlässig, Rothmann. Auch wenn ich diese Empfehlung besten Gewissens aussprach. Mir ist es einerlei, woher die Anleger ihre Gelder haben. Aber Sie sollten wissen, dass man solche Geschäfte nur eingeht, wenn Geld übrig ist, verstehen Sie? Wenn Sie Mittel aus Ihrer Firma nehmen mussten, dann haben Sie einen großen Fehler gemacht, das ist nicht meine Schuld.«

»Sie haben daran verdient, von Braun!«

»Ich verdiene immer, Rothmann! Jeder ist für sich selbst verantwortlich.«

Mitten in ihren Disput hinein klopfte es an der Tür.

»Jetzt nicht!«, schnauzte Rothmann laut.

»Ich kann nichts machen«, ertönte die Stimme eines der Comptoirangestellten, »da ist ein Herr und besteht darauf, Sie zu sprechen. Sofort und ohne Verzögerung. Es ginge um Ihre Tochter, meint er.«

Rothmann sah von Braun an, dann ging er eilig zur Tür und öffnete.

»Sie!«, entfuhr es ihm, als er Victor Rheinberger erkannte.

»Ihnen auch einen guten Tag, Herr Rothmann«, sagte Victor und ging an Wilhelm Rothmann vorbei in den Raum. »Ah, Sie haben Besuch. Das trifft sich hervorragend, meine Herren.«

»Was erlauben Sie sich!«, brüllte Wilhelm Rothmann.

»Bitte, Herr Rothmann, lassen Sie uns wie vernünftige Menschen miteinander sprechen.«

Rothmann schnaubte, schloss dann aber die Tür, damit die Angestellten nicht mithören konnten.

»Was ist mit meiner Tochter? Haben Sie sie etwa entführt?«, donnerte er dann los.

»Bitte mäßigen Sie Ihren Ton, Herr Rothmann«, bat Victor ruhig. »Natürlich habe ich sie nicht entführt.«

»Was haben Sie mir dann zu ihr zu sagen?«

»Sie kam zu mir. Wenn Sie mir einige Minuten Sprechzeit einräumen würden, erkläre ich Ihnen alles in allen Einzelheiten.«

Von Braun richtete sich interessiert auf. Rothmann kehrte an seinen Schreibtisch zurück und stützte den Kopf in die Hände. Er wirkte verzweifelt, trotz der ruppigen Art, die er an den Tag legte.

Victor sah sich um und setzte sich dann an den kleinen Tisch, an welchem er schon einige Male geschäftliche Dinge mit Wilhelm Rothmann besprochen hatte.

»Bevor ich auf Judith zu sprechen komme, möchte ich Ihnen ein Angebot machen, Herr Rothmann. Ich weiß, dass Ihre Firma kurz vor dem Bankrott steht.«

»Was …!?«

»Lassen Sie ihn ausreden, Rothmann, das ist sehr interessant«, unterbrach der Bankier.

»Danke.« Victor nickte von Braun zu. »Zunächst biete ich Ihnen hunderttausend Mark als Finanzeinschuss an, gegen eine entsprechende Menge an Anteilen und ein Mitspracherecht in allen Belangen der Schokoladenfabrik.«

Nun lachte von Braun. »Woher wollen Sie denn dieses Geld nehmen? Das ist eine Täuschung, und eine billige noch dazu!«

Victor stand auf und legte Rothmann eine Urkunde vor. Der sah ihn überrascht an. Als von Braun ebenfalls einen

Blick auf das Schriftstück werfen wollte, zog Victor es ihm vor der Nase weg.

»Herr von Braun«, erklärte Victor. »Nun komme ich zu Ihnen. Sie werden der Firma Rothmann helfen, ihren Liquiditätsengpass zu überwinden. Das sind Sie ihr schuldig, nachdem Sie Rothmann faule Anteile an Immobilien verkauft haben, Bauten, die es niemals gegeben hat.«

»Unterstehen Sie sich!« Von Braun wurde dunkelrot im Gesicht.

»Sie haben nicht nur Rothmann getäuscht, sondern genauso die Maschinenbaufirma Ebinger«, fuhr Victor ungerührt fort. »Mit dem Unterschied, dass Ebinger wesentlich zurückhaltender investiert hatte und die Verluste dadurch gut verkraften konnte.«

»Dafür brauchen Sie Beweise!«

»Seien Sie versichert, dass ich diese habe. Und eine zweite Sache, Herr Bankdirektor. Es wäre Ihnen sicherlich nicht recht, wenn der anrüchige Lebenswandel Ihres Sohnes Albrecht einer breiten und ziemlich interessierten Öffentlichkeit bekannt werden würde.«

»Was heißt hier anrüchig? Was erlauben Sie sich?«

»Es gibt eine Erklärung Ihres Sohnes, eine schriftliche übrigens, in welcher er bekennt, spielsüchtig zu sein. Davon wissen Sie, von Braun. Oft genug haben Sie seine Schulden beglichen. In den Fällen, da Sie sich weigerten, ihn zu unterstützen, versorgte er sich mit Geld aus dubiosen Quellen, wo er nun weitere Schulden hat, was sehr unschön ausgehen könnte. Zudem verkehrte er über einen langen Zeitraum mit einer stadtbekannten Dame mittleren Alters, die ihm ziemlich kostspielige Freuden verschaffte. Alles in allem genügend Gründe für Albrecht, Stuttgart heimlich zu verlassen.«

»Die Geschäftsreise?«, fragte Rothmann den Bankier.

Von Braun schüttelte den Kopf. Einen Augenblick schien er wie versteinert. Dann schnappte er seinen Spazierstock, setzte seinen Hut auf und verließ fluchtartig das Bureau.

Rothmann saß konsterniert hinter seinem Schreibtisch.

»Stimmt das?«, fragte er schließlich.

»Was genau?«

»Das mit den Papieren. Und das mit Albrecht.«

»Das mit den Papieren ist durchaus zweischneidig. Soweit ich feststellen konnte, wusste auch von Braun nicht, dass es sich um einen Betrug handelte. Doch als er es später erfuhr, versuchte er es zu vertuschen, anstatt seinen Kunden zu helfen, aus der Sache herauszukommen.«

»Ich bringe ihn ins Gefängnis.«

»Das wird nicht so einfach sein. Dazu müsste man alles genau nachweisen können, und das wird schwierig. Sie haben die Anteilsscheine sicherlich auf eigene Rechnung gekauft.«

Rothmann nickte.

»So war es bei anderen Investoren auch«, erläuterte Victor. »Das Bankhaus taucht in den ganzen Geschäftsvorgängen nicht auf.«

»Das ist Betrug.«

»Es ist zu einem Betrug geworden. Doch von Braun zahlt die Zeche auf andere Weise. Denn im Fall seines Sohnes stimmt alles genau so, wie ich es soeben erzählt habe.«

Rothmann schüttelte den Kopf. »Das hätte ich dem Jungen nicht zugetraut. Gut, er war nicht der Hellste, aber ich dachte, er wäre leicht zu lenken. Und bei dem Elternhaus ...«

»Geld zu haben bedeutet nicht automatisch, einen aufrechten Charakter zu entwickeln. In Albrecht von Brauns Fall bewahrheitete sich das leider auf sehr unglückliche Weise.«

»Also habe ich meiner Tochter unrecht getan«, sagte Rothmann zerknirscht.

»Halten Sie sich zugute, dass Sie das Beste für sie wollten«, antwortete Victor versöhnlich, den der rasche Stimmungsumschwung Rothmanns erstaunte. »Aber Judith hat ein ausgezeichnetes Gespür für Menschen. Ich denke, sie hätte Albrecht auch unter Androhung sämtlicher Höllenqualen nicht geheiratet.«

»Vermutlich haben Sie recht.« Rothmann seufzte tief. »Aber nun muss ich meine Firma verkaufen. Ohne das Geld des Bankhauses kann ich Rothmann-Schokolade nicht weiterführen.«

»Wie gesagt. Ich verfüge über eine Summe von hunderttausend Mark«, knüpfte Victor an sein Angebot an. »Allerdings wird das Geld an Judith ausgezahlt, nicht an Sie selbst.«

»An Judith?«

»Judith wird in die Geschäftsführung der Firma Rothmann eintreten.«

»Wer sagt das?« Nun regte sich doch Widerstand.

»Sie wird gute Arbeit leisten.«

»Gewiss, sie hat kluge Ideen und ein Händchen für die

Arbeiterinnen, aber das wird nicht reichen, um eine Firma zu führen.«

»Sie werden sich die Aufgaben teilen. Und ich bin mir sicher, dass Judith froh sein wird, wenn Sie sie nach und nach in die Geschäfte einführen. Sie interessiert sich sehr für den kaufmännischen Aspekt. Außerdem behalten Sie Anteile an der Firma.«

»In welcher Höhe?«

»Neunundvierzig Prozent.«

»Damit kann Judith also alles entscheiden.«

»Könnte sie, ja.«

»Einundfünfzig Prozent der Firma sind aber viel mehr wert als hunderttausend Mark.«

»Das weiß ich. Der Rest ist Judiths Erbe. In diesem Falle haben Sie keine andere Wahl. Und es handelt sich um Ihre Tochter. Ich denke doch, dass Sie das Unternehmen lieber im Familienbesitz wissen, als es zu veräußern. Und wenn Sie entscheiden müssten, wem Sie die Fabrik anvertrauen, Judith oder Albrecht von Braun, zu welchem Schluss kommen Sie dann?«

Rothmann stöhnte. »Ich stelle Sie auf der Stelle wieder ein, Rheinberger! Sie würden meine Lieferanten in Grund und Boden verhandeln.«

»Ich werde mich mit ganzem Wissen und all meiner Kraft einbringen, dessen dürfen Sie sicher sein!«

»Ach, das ist auch schon beschlossen? Wer hat Sie denn eingestellt?«

»Judith.« Victor musste schmunzeln. »Doch sie hat mich

nicht nur für Rothmann-Schokolade eingestellt. Ich werde ihr künftig als Ehemann zur Verfügung stehen.«

Victor genoss Wilhelm Rothmanns verdutzten Gesichtsausdruck ausgiebig. Dem Fabrikanten war heute wirklich einiges zugemutet worden.

»Potztausend, Rheinberger. Ich habe Sie mächtig unterschätzt. Gibt es sonst noch etwas, was Sie mir an Außergewöhnlichem mitzuteilen haben? Wo wir doch gerade dabei sind?«

»Die Hochzeit wird Ende Januar stattfinden. Wir werden künftig limitierte Schokoladenautomaten vertreiben, ganz exklusive Einzelstücke. Und im Sommer kommt unser Kind zur Welt.«

60. KAPITEL

»Wie ist es gelaufen?«, fragte Edgar, als er Victor kurz darauf am Fabriktor abholte.

Victors Grinsen sprach Bände. »Gut.«

»Wie gut?«

»Er hat alles akzeptiert. Jetzt müssen wir die Dinge natürlich noch rechtlich festzurren. Aber im Endeffekt denke ich, dass er des Kämpfens müde war und eigentlich froh ist, dass er sich geschlagen geben musste. Am Ende war es nur noch eine Sache der Diplomatie …«

»Du hast ihn in der Luft zerpflückt. Wie schon Ebinger.«

»Ich sage ja, unterschätze niemals das Überraschungsmoment.«

»So, dann gehen wir jetzt auf einen Trollinger ins Wirtshaus.«

»Ich möchte lieber zu Judith, sie war schon den ganzen Tag sehr nervös, wie das Gespräch verlaufen wird. Ich muss ihr berichten.«

»Dann gehen wir nach Hause, Eberle hat sicher noch …«

»… etwas Most im Fass, ich weiß.«

Scherzend und feixend machten sie sich auf den Weg.

Der Winter gönnte sich derzeit eine kleine Pause, es schneite nicht, und deshalb waren die Straßen und Gassen noch recht belebt.

Als sie in die Hauptstätter Straße einbogen, fiel Victor sofort wieder der Mann auf, der ihm vor zwei Tagen schon nicht geheuer gewesen war. Wie damals auch, schlenderte er in der Nähe von Eberles Haus auf und ab.

Victor bekam augenblicklich Sorge um Judith.

»Dieser Kerl dort«, sagte er leise zu Edgar, »ist irgendwie dubios.«

»Wer?«

»Der mit dem Anzug und der Melone. Er war vorgestern schon hier. Es macht den Eindruck, als wollte er etwas ausspionieren.«

Edgar nickte. »Sollen wir ihn uns vorknöpfen?«

»Ich denke, das könnte nicht schaden.«

Sie beschleunigten ihren Schritt, doch an der Ecke, an der die Sophienstraße die Hauptstätter Straße kreuzte, trat ihnen ein Fremder in den Weg.

Victor stutzte.

Augenblicklich witterte er höchste Gefahr und wich instinktiv einen Schritt zurück.

»Victor Rheinberger?« Der Unbekannte hob die Hand.

Victor blickte unmittelbar in den Lauf einer Duellpistole.

Judith hörte den Schuss, als sie gerade dabei war, einige Schokoladentafeln für den Automaten zu sortieren. Einer bösen Ahnung folgend ließ sie die Tafeln fallen, griff nach ihrer

Wollstola und rannte zur Haustür. Alois Eberle, der wenige Meter neben ihr ein Blech bearbeitet hatte, legte sein Werkzeug hin und folgte ihr.

Als sie auf die Straße kamen, sahen sie nur wenige Meter vom Haus entfernt eine Menschentraube stehen, weitere Personen näherten sich neugierig oder spähten aus den Fenstern der angrenzenden Häuser. Jemand rief nach einem Arzt.

Judith lief es eiskalt den Rücken hinab. Sie betete, dass Victor sich noch nicht auf dem Heimweg befunden hatte, doch als sie sich durch die kleine Menge der Umstehenden schob, sah sie Edgar, der auf dem Boden kniete und sich über jemanden beugte.

»Victor!«, schrie sie, außer sich vor Angst und Entsetzen.

Edgar sah zu ihr auf und schüttelte nur den Kopf.

Judith ging neben ihm in die Hocke – doch bei dem Mann am Boden handelte es sich nicht um Victor. Die Erleichterung, die sie durchflutete, wurde sofort von neuer Unruhe abgelöst.

»Wo ist er?«, fragte sie Edgar.

»Ich weiß es nicht, es ging alles so schnell.«

Judith erhob sich sofort und sah sich angsterfüllt um.

Von Victor keine Spur. Was ging hier vor?

»Fräulein Rothmann!« Das war Alois Eberles Stimme.

Judith drängte sich in die Richtung, aus der der Ruf gekommen war, und sah tatsächlich Eberle, der suchend nach ihr Ausschau hielt. Als sie ihn erreicht hatte, deutete er in die Sophienstraße hinein. »Dort …!«

Im Schatten der Häuser sah Judith mehrere Personen, die miteinander rangen. Doch als sie sich anschickte, die Straße hinaufzulaufen, hielt Eberle sie am Arm zurück. »Er ist dabei. Aber für Sie ist es zu gefährlich.«

Judith zitterte am ganzen Körper, während sie hilflos mit ansehen musste, wie Victor nur ein paar Meter von ihr entfernt einen bitteren Kampf ausfocht.

Schließlich ging jemand zu Boden, wurde von den anderen Beteiligten fest auf das Straßenpflaster gepresst. Durch die einsetzende Dämmerung fiel es Judith immer schwerer, Einzelheiten zu erkennen, und sie machte unwillkürlich erneut einen Schritt in Victors Richtung. Eberle fasste sie fester.

In diesem Moment eilten mehrere Polizeibeamte zu Hilfe. Gemeinsam gelang es ihnen schließlich, die Person am Boden endgültig zu überwältigen. Handschellen wurden angelegt, der Unbekannte zum Aufstehen gezwungen. Die anderen Männer schienen noch zu diskutieren.

Erst jetzt konnte Judith Victor ausmachen, der mit einem der Polizisten sprach und in ihre Richtung deutete. Als er sie erkannte, machte er sich sofort auf den Weg zu ihr.

Eberle lockerte seinen Griff und Judith wollte Victor entgegenlaufen, als ein Flimmern vor ihren Augen einsetzte. Kurz darauf verengte sich ihr Blickfeld immer mehr, ihr Herz begann zu rasen, Hände und Füße wurden kalt und taub.

»Fräulein Rothmann? Geht es Ihnen gut?« Eberles Stimme schien von weit her zu kommen. Judith kämpfte tapfer dagegen an, nicht in Ohnmacht zu fallen, doch ihre Beine wollten sie einfach nicht länger tragen.

Bevor sie fiel, umfingen sie plötzlich zwei starke Arme, fest und vertraut. »Es geht mir gut, Liebste«, hörte sie Victors leise Stimme an ihrem Ohr.

»Gut«, wisperte Judith und schloss die Augen.

»Nicht doch«, Victor klang eindringlich, »du kannst jetzt nicht einfach das Bewusstsein verlieren, Judith.« Er hielt ihr eine Hand vor den Mund, sodass sie ihren eigenen Atem einsog. »Versuch, ganz ruhig und gleichmäßig zu atmen«, wies er sie an.

Judith gehorchte und merkte, wie die Symptome allmählich wieder verschwanden.

»Besser?«, frage Victor.

Sie nickte. »Ich hatte solche Angst!«

»Es ist vorbei«, erklärte Victor, und Judith hörte die Erschöpfung in seiner Stimme. »Was ist denn passiert?«, wisperte sie.

»Jemand hatte offensichtlich eine Rechnung mit mir zu begleichen«, antwortete Victor und nahm sie am Arm. »Fühlst du dich stark genug, um nach dem Verletzten zu sehen?«

»Ich denke schon.«

Als sie zu der Gruppe Schaulustiger stießen, die noch immer am Ort des Geschehens standen, war ein Arzt bereits dabei, dem am Boden Liegenden zu helfen.

Edgar bemerkte Victor und kam sofort zu ihm. »Es ist ernst, aber nicht lebensbedrohlich«, meinte er.

Judith sah Victor irritiert an. »Wer ist das dort? Kennst du ihn?«

Victor nickte. »Das ist mein Vater.«

Eine Stunde später hatte man Friedrich Rheinberger in die Werkstatt von Alois Eberle geschafft. Der Doktor war noch anwesend, ebenso zwei Polizisten. Eberle hatte Decken gebracht, auf die man den Verletzten betten konnte.

»Victor ...«, sagte der ältere Mann mit dünner Stimme.

»Vater?«

»Er wollte dich ...« Friedrich Rheinberger hatte Mühe zu sprechen.

»Ich weiß.«

»Ein glatter Durchschuss an der Schulter«, unterbrach der Arzt. »Eigentlich würde ich ihn gerne ins Marienhospital überstellen, aber man sollte ihn so wenig wie möglich bewegen.«

»Wir behalten ihn hier«, entschied Victor.

»Ich werde die Wunde pflegen«, bot Judith an, die sich wieder einigermaßen bei Kräften fühlte.

»Gut. Für heute habe ich ihn versorgt. Aber ich lasse Ihnen Kompressen und Verbandmaterial für die nächsten Tage da. Sie müssen den Verband täglich wechseln. Außerdem werde ich regelmäßig nach ihm sehen«, sagte der Arzt und gab Judith ein Fläschchen mit Lysoform. »Das hier ist ein Desinfektionsmittel. Bitte verwenden Sie es für Ihre Hände.«

Victor nahm das Präparat rasch an sich. »Das werde ich machen.«

Judith wollte schon protestieren, aber Victor schüttelte den Kopf und warf einen kurzen Blick auf ihren Bauch. Sie verstand. Er wollte nicht, dass ihr Kind Schaden nahm.

»Du darfst ihn dafür aufpäppeln«, meinte er entschuldigend.

»Also, dann werde ich morgen Vormittag wiederkommen«, sagte der Arzt und verabschiedete sich.

Judith setzte sich zu Friedrich Rheinberger auf eine der Decken. Er atmete ruhig und hatte die Augen geschlossen.

Victor wandte sich den Polizeibeamten zu. »Sie können uns jetzt befragen. Mein Vater wird Auskunft geben, soweit es sein Zustand zulässt.«

»Gewiss«, antwortete einer der beiden Polizisten. »Würden Sie uns dann bitte Ihre Sicht der Vorgänge schildern?«

Victor erzählte leise davon, dass er von einem Unbekannten mit einer Pistole bedroht und beschossen worden und nur deshalb unverletzt geblieben sei, weil sich jemand dazwischengeworfen hatte.

»Ihr Vater?«

»Genau, mein Vater. Ich hatte noch einen Schatten wahrgenommen, aber es ging alles sehr schnell.«

»Herr Nold, Sie waren dabei. Ist das korrekt?«

»Ja.« Edgar kam näher. »Der Kerl hatte eine Duellpistole, zielte auf Victor und drückte ab. Im selben Moment stieß jemand Victor zur Seite, sein Vater, wie jetzt klar ist. Victor konnte sich fangen, Herr Rheinberger brach sofort zusammen.«

»Sie haben dann die Verfolgung aufgenommen, Herr Rheinberger?«

»Ja, mit einigen anderen, die zufällig in der Nähe waren.«

»Können Sie den Angreifer beschreiben?«

»Er war sehr schlank und groß und hatte eine Mütze sehr tief ins Gesicht gezogen. Ich meine, er hatte braune Augen«, versuchte Victor sich zu erinnern.

»Wir werden den Verdächtigen heute Nacht vernehmen. Wenn Sie gleich mitkommen würden, meine Herren? Es wäre hilfreich, wenn Sie für die Identifizierung zur Verfügung stünden.«

Alois Eberle hatte in der Zwischenzeit Kaffee gemacht und bot nun jedem einen Becher mit dem heißen Getränk an.

»Kommst du solange hier zurecht, Judith?«, fragte Victor besorgt und nahm einen großen Schluck.

»Aber ja. Ich denke, es ist sehr wichtig, dass ihr feststellt, wer er ist.«

»Es ist … Sawetzki«, murmelte Friedrich Rheinberger, ohne die Augen zu öffnen.

»Sawetzki? Bist du sicher?«, fragte Victor ungläubig. »Woher sollte der wissen, wo ich mich aufhalte?«

»Von Roux«, antwortete sein Vater matt.

»Roux? Wer ist Roux?«

»Der Detektiv.«

»Er hat einen Detektiv auf mich angesetzt? Woher weißt du das? Und überhaupt – was machst du eigentlich in Stuttgart?«

»Auch Roux.« Friedrich Rheinberger atmete schwer.

»Er kann nicht mehr«, erklärte Judith mit einem besorgten Blick auf ihn. »Vielleicht sollte er sich erst noch erholen, bevor ihr ihn weiter befragt.«

»Also, ich fasse zusammen«, sagte Victor. »Du und

Sawetzki, ihr habt beide einen Detektiv namens Roux auf mich angesetzt.«

»Victor, der Mann vorhin …«, warf Edgar ein.

»Der mit der Melone?«, fragte Victor.

»Ja«, flüsterte sein Vater, »das war Roux. Er ist … gegangen, als Sawetzki mit der Pistole …«

»Aber wieso machst du mit Sawetzki erst gemeinsame Sache und rettest mir anschließend das Leben?«

»Ich wusste nicht, dass er auch für Sawetzki … ermittelt. Das wurde mir erst klar, als ich Sawetzki heute … gesehen habe.«

»Er hat für euch beide ermittelt und von euch beiden Geld kassiert«, stellte Victor fest.

»Ja.« Friedrich Rheinberger hustete.

»Victor …«, ermahnte Judith. »Bitte, lass ihn jetzt.«

»Dieser Roux ist auf jeden Fall geschäftstüchtig«, bemerkte Edgar.

»Noch eine Frage«, sagte Victor und sah Judith entschuldigend an. »Ist Roux aus Berlin?«

Friedrich Rheinberger nickte schwach.

»Edgar …«, setzte Victor an, doch Edgar war bereits aufgesprungen. »Ich bin schon unterwegs.«

»Gasthof … Zur Post«, brachte Friedrich Rheinberger noch heraus.

»Was ist denn nun mit der Gegenüberstellung, Herr Nold?«, fragte einer der Polizeibeamten, die das ganze Gespräch interessiert mitverfolgt hatten.

»Ich komme später zum Stadtpolizeiamt. Aber mir wäre es

recht, wenn mich einer von Ihnen jetzt begleiten würde. Ich denke, die Aussage des Herrn Roux ist durchaus interessant.«

Die beiden Polizisten verständigten sich kurz, dann trat einer an Edgars Seite.

»Zuerst zum Gasthof und dann zum Bahnhof?«, fragte Edgar.

»Das würde ich vorschlagen«, erwiderte Victor. »Ich weiß natürlich nicht, ob heute überhaupt noch ein Fernzug von Stuttgart abfährt. Und er wird sich gewiss Alternativen überlegt haben, falls er sich schnell absetzen muss.«

»Wir versuchen es«, sagte Edgar und machte sich gemeinsam mit dem Polizisten auf den Weg.

»Wer ist denn dieser Sawetzki überhaupt?«, wollte Judith wissen.

»Das erkläre ich dir später«, antwortete Victor. »Ich lasse dich jetzt mit Alois allein und bringe die Gegenüberstellung hinter mich.«

Judith nickte, und Victor verließ mit dem verbliebenen Polizisten die Werkstatt.

Sobald er fort war, schlug Friedrich Rheinberger die Augen auf. »Sie … haben ihn gern.«

»Ja, sehr.«

»Da … hat er Glück gehabt … mit Ihnen.«

Judith lächelte. »Und ich mit ihm.«

»Habe … Fehler gemacht.«

»Wir alle machen Fehler, Herr Rheinberger. Wichtig ist nur, dass wir sie erkennen, und wenn wir sie erkennen, versuchen, sie wiedergutzumachen. Wenn das geht.«

»Ich … werde es versuchen …«

»Sie haben heute alles wiedergutgemacht. Ohne Sie wäre Victor womöglich nicht mehr am Leben. Ruhen Sie sich jetzt aus. Sie sind schwer verletzt und brauchen Ihre Kraft, um gesund zu werden. Wenn es Ihnen besser geht, können Sie mit Ihrem Sohn über all die Dinge sprechen, die Ihnen auf der Seele liegen.«

Rheinberger lächelte sie dankbar an, dann schlief er endgültig ein.

»Ich glaube, ich muss dir wohl einige Dinge erklären«, sagte Victor leise, als er weit nach Mitternacht zu Judith ins Bett geschlüpft kam.

»Das glaube ich auch«, antwortete sie verschlafen und drehte sich zu ihm hin.

Er legte den Arm um sie. »Wie geht es meinem Vater?«

»Ich denke, dass er wirklich Glück hatte, aber die nächsten Stunden sind sicherlich noch kritisch. Alois wacht bei ihm heute Nacht.«

»Ich werde ihn später ablösen«, meinte Victor. »Seltsam, nicht wahr? Ich habe ihn nicht vermisst, meinen Vater, all die Zeit. Und nun, in dieser Sekunde, die über Leben und Tod entschieden hat, ist er auf einmal da.«

»Gott sei Dank«, seufzte Judith. »Ich darf gar nicht daran denken, was hätte geschehen können, wenn er es nicht gewesen wäre …«

Victor küsste sie.

»Um dich ein wenig abzulenken, erzähle ich dir jetzt einige

Dinge aus meiner Vergangenheit. Und dann kannst du immer noch entscheiden, ob du einen solchen Mann heiraten willst.«

Judith kicherte. »Ich werde ganz genau zuhören!«

»Bevor ich nach Stuttgart kam, war ich zwei Jahre als Strafgefangener auf der Festung Ehrenbreitstein interniert«, begann Victor.

Leise und ohne etwas zu verschweigen erzählte er ihr seine Geschichte. Von einer Kindheit mit einer liebevollen Mutter und einem strengen Vater, dessen Erwartungen er nie erfüllen konnte und wollte. Von seiner Zeit an der Kriegsakademie und dem Duell, das sein Leben in eine völlig andere Richtung katapultiert hatte.

»Und dieser Sawetzki?«, hakte Judith nach, als er geendet hatte.

»Ich habe ihn erkannt, bei der Gegenüberstellung. Er ist der Bruder des Mannes, der nach dem Duell gestorben ist. Er war an dem Morgen damals auch dabei, aber ich hatte ihn gar nicht richtig wahrgenommen. Ich war wie in einem Tunnel gefangen.«

Judith spürte, dass diese Sache Victor noch sehr beschäftigte. »Wenn man jemanden zum Duell fordert, kann auch einem selbst etwas passieren. Und du hast ihn ja nicht erschossen. Es war die Folge der Verwundung, die seinen Tod verursacht hat. Das hätte genauso gut dir widerfahren können.«

»Das mag sein. Trotzdem wäre mir leichter, wenn er überlebt hätte.«

»Warum hat dieses Mädchen überhaupt behauptet, dass du ihr zu nahegekommen seist?«

»In Wirklichkeit war sie es, die sich mir bei jeder Gelegenheit näherte. Sie hatte sich in den Kopf gesetzt, mich heiraten zu wollen, und hat bewusst eine kompromittierende Situation herbeigeführt. Als ich es ablehnte, ihr die Ehe anzubieten, forderte mich ihr älterer Bruder.«

»Und der jüngere wollte sich jetzt für dessen Tod rächen.«

»Ich kann es selbst kaum glauben. Aber so ist es wohl.«

Judith begann, mit den Fingern die Konturen von Victors Brust nachzufahren. »Und dieser Roux ist entwischt?«, fragte sie.

»Es hat den Anschein. Edgar konnte ihn nicht mehr aufspüren.«

»Willst du es dabei belassen?«

»Ich habe kein Interesse daran, ihn nach Berlin zu verfolgen. Der hat einfach den Hals nicht vollbekommen und deshalb dieses doppelte Spiel gespielt. Nicht, um mir zu schaden.«

»Aber er hat in Kauf genommen, dass etwas passiert. Das ist schlimm genug.«

»Dennoch. Es ist bereits Vergangenheit. Für uns beginnt jetzt etwas ganz Neues. Die Zukunft. Wenn du mich nun überhaupt noch willst.«

»Victor …«

»Ja?«

»Nimm mich bitte in den Arm. So, wie ein Mann seine Frau in die Arme nimmt.«

»Aber das Kind?«

»Dem Kind wird nichts geschehen.«

»Bist du sicher?«

»Ja.«

Er umfing sie fester, küsste sie drängender, zeigte ihr sein Begehren.

Und mit behutsamer Leidenschaft machte er sie zu seiner Frau.

61. KAPITEL

Die Villa Rothmann, am 24. Januar 1904

»Das können wir nicht machen!«, meinte Anton entsetzt, als er sah, wie Karl das Messer ansetzte.

»Warum denn nicht?«, fragte Karl arglos. »Es ist ein Hochzeitsgeschenk, sozusagen.«

»Ja, aber das ist …«

»Ach was.«

Für Karl war die Diskussion beendet. Voll kindlicher Ehrfurcht tauchte er das Messer in die fünfstöckige Hochzeitstorte, die auf dem Tisch in der Küche stand und auf ihren großen Auftritt wartete.

Die Köchin hatte sich alle Mühe gegeben, tagelang im Voraus gebacken und heute bereits am frühen Morgen, als das ganze Haus noch schlief, ihr Werk aus Mürbeteig, Biskuit, Schokoladenbuttercreme und Sahne vollendet.

»Weißt du, Anton, ich bin richtig gut im Schnitzen«, erklärte Karl seinem Bruder. »Deshalb wird das am Ende toll aussehen.« Konzentriert schnitt er in jede der Tortenschichten einige Buchstaben, während Anton skeptisch danebenstand. »Aber das hier ist kein Stecken«, stellte er fest. »Das ist eine Torte.«

»Das ist doch egal.« Die ausgeschnittenen Stücke wanderten umgehend in Karls Mund, sodass Anton sich genötigt sah, seine Ansprüche zu verteidigen. »Lass mir auch noch was übrig!«

Mit cremeverschmierten Händen gab Karl seinem Bruder ein kleines Stück.

»Das ist ungerecht!«, klagte Anton.

»Du tust ja auch nichts dafür«, rechtfertigte sich Karl und arbeitete weiter.

Als er fertig war, trat er ein paar Schritte zurück und betrachtete das Ergebnis.

»Ich kann irgendwie nichts erkennen«, meinte Anton.

»Oh doch!«, widersprach Karl, den Mund noch voller Kuchen. »Man muss sich halt ein bisschen Mühe geben.«

Judith war sehr früh aufgestanden, nachdem sie die Nacht alleine zu Hause verbracht hatte, ohne Victor. Das war ihr nicht ganz leichtgefallen, aber sie wollte diesen Wunsch ihres Vaters nicht abschlagen. Er hatte einiges mit ihr zu besprechen gehabt, auch Dinge, die die Schokoladenfabrik betrafen. Victor hatte derweil mit Edgar und Alois Eberle sein Junggesellendasein verabschiedet. Ab dem heutigen Tag würde er mit ihr hier im Hause ihres Vaters leben. Der ›Schokoladenvilla‹, wie er augenzwinkernd gemeint hatte.

Heute Morgen, gleich nach dem Aufwachen, hatte Judith

zum ersten Mal ein ganz leichtes Flattern unter ihrer Bauchdecke gespürt. Ihr Kind. Ein neues Leben. Beglückt und aufgeregt war sie aufgestanden.

Dora hatte besonders viel Zeit für ihre Frisur aufgewendet. Perlenbänder durchzogen die kunstvoll aufgesteckten blonden Strähnen, ein zarter Schleier umrahmte ihr Gesicht. Als es Zeit war, hatte sie ihr in das Brautkleid hineingeholfen, eine wunderschöne Robe aus elfenbeinfarbener, bestickter Seide und Spitze.

Es war ihr Hochzeitstag.

Theo hatte es sich nicht nehmen lassen, die Pferde und den Schlitten herauszuputzen, um mit Victor und Judith als Erstes eine große Runde durchs Dorf zu fahren, trotz des eisigen Wintertages.

Nun, im Anschluss an die Trauung in der Degerlocher Kirche, war die kleine Hochzeitsgesellschaft in die Rothmann-Villa geladen. Als Judith an Victors Arm in die Eingangshalle trat, hatten sich die Dienstboten aufgereiht und begrüßten das Brautpaar. Die Köchin wischte sich ein paar Tränen aus den Augen, und alle gratulierten herzlich.

Das Haus war schön geschmückt, mit grünen Zweigen von Buchs und Koniferen, und elfenbeinfarbenen Samtbändern, die farblich zu Judiths Brautkleid passten. Auf dem Tisch stand das gute Porzellangeschirr, umrahmt von Silberbesteck und Gläsern aus böhmischem Kristall.

Die Stimmung war gelöst, alle freuten sich mit dem Brautpaar, sogar der alte Ebinger und seine Frau, die Victor trotz der Bedenken von Judiths Vater eingeladen hatte – und die dieser Einladung zurückhaltend gefolgt waren. Dorothea war alleine gekommen und saß nun zwischen Edgar und Charlotte an der Festtafel. Die Familie Nold war ebenso anwesend wie Charlottes Eltern, die Wenningers. Besonders aber freute sich Judith darüber, dass Schwester Henny zugegen war, auch wenn die Polizeiassistentin recht bald wieder aufbrechen wollte.

Neben Judith hatte Friedrich Rheinberger Platz genommen. Er war noch schwach und blass, hatte es sich aber nicht nehmen lassen, an diesem Tag aufzustehen. Sollten ihn die Kräfte verlassen, war in einem der Gästezimmer ein Bett für ihn bereitet.

Bevor der Hochzeitsschmaus begann, stand Wilhelm Rothmann auf und erhob sein Glas. »Liebe Judith, meine Tochter. Hätte mir jemand vor vier Wochen prophezeit, dass du heute Victor Rheinberger heiratest, ich hätte ihn für verrückt erklärt. Doch du bist eine Kämpferin. Etwas, das mir all die Jahre über sehr große Sorgen und einige graue Haare bereitet hat.« Jemand lachte leise. »Als dein Vater glaubte ich, den Weg zu kennen, den du gehen solltest. Und habe mich gründlich geirrt. Vielleicht wirst du später, wenn eure eigenen Kinder erwachsen werden, ähnliche Erfahrungen machen.« Er räusperte sich. »Du hast um dein Glück gekämpft, Judith. Und ich … ich bin stolz auf die Frau, zu der du geworden bist. Und … deine Mutter ist es ganz bestimmt auch.« Er sah sie an, unsicher, aber voller Zuneigung, und Judith musste eine Träne wegblinzeln. Dann wandte er sich an Victor. »Nun, Rheinberger. Sie besitzen nicht weniger Willensstärke als meine Tochter. Meine Bitte als Vater: Geben Sie auf sie acht. Besser, als ich es getan habe.« Seine Stimme klang belegt, als er den Toast ausbrachte: »Werte Gäste, trinken Sie mit mir auf die Zukunft von Judith und Victor Rheinberger.«

Die Gläser klirrten, einige Hochrufe ertönten, und Victor küsste Judith liebevoll. In diesem Augenblick hallte ein markerschütternder Schrei durch das Gebäude.

Alle fuhren erschrocken zusammen. Victor und Wilhelm Rothmann sprangen auf und liefen eilends hinaus, um nachzusehen, was geschehen war.

»Das war Gerti«, meinte Dora, die Judith mit Engelszungen überredet hatte, ihre Brautjungfer zu sein.

Einige Minuten lang waren weitere Klagelaute zu vernehmen, dann kamen die beruhigenden Stimmen der Männer dazu, dazwischen keifte die Haushälterin. Geschirr klapperte und Judiths Blick glitt ahnungsvoll zu ihren Brüdern, die am anderen Ende des Tisches saßen. In ihren Matrosenanzügen, mit ordentlich gekämmtem Haar und sauberem Gesicht sahen sie aus, als könnten sie kein Wässerchen trüben.

Schließlich kehrten Victor und ihr Vater zurück und hielten die Tür auf für eine riesige Platte, die Robert und Theo trugen. Dahinter, völlig aufgelöst, folgte die Köchin.

Als Judith sah, was geschehen war, zuckte es um ihre Mundwinkel. Sie fing Victors Blick auf und bemerkte, dass auch er sich das Lachen verkniff. Karl und Anton starrten auf ihre Teller.

Auf der Porzellanplatte befand sich eine prachtvolle Hochzeitstorte, oder vielmehr das, was von ihr übrig geblieben war. Unzählige Löcher und Lücken waren hineingeschnitten worden, sodass sie an einigen Stellen zusammengesunken, an anderen auseinandergebrochen war.

»Oh, heute Morgen war sie noch so wunderbar ganz«, jammerte die Köchin. »Ich habe mir solche Mühe gegeben, es sollte mein Geschenk werden …« Dora nahm sie tröstend in den Arm.

»Liebste Judith«, fragte Victor und zwinkerte den Zwillingen zu. »Würdest du mit mir diese herrliche Hochzeitstorte anschneiden?«

Mit Tränen in den Augen sah die Köchin zu, wie die Reste ihrer cremig-schokoladigen Arbeit auf die Teller verteilt wurden.

Noch während sich die Gäste der Torte widmeten, legte Judiths Vater die Gabel zur Seite und erhob sich abermals.

»Ich denke«, sagte er, »geschmacklich ist diese Hochzeitstorte ausgezeichnet gelungen. Den kleinen, ästhetischen Schaden dürften wir alle verschmerzt haben.« Er klatschte kurz in die Hände, so, als gebe er jemandem ein Signal. »Ausschließlich fürs Auge bestimmt ist dagegen dieses Kunstwerk!«

Die Türe öffnete sich erneut und zwei Arbeiter der Schokoladenfabrik trugen eine weitere Platte herein.

Judith traute ihren Augen kaum. Rings um sie her brachen die Gäste in ungläubiges Staunen aus, die Ahs und Ohs schienen nicht enden zu wollen und auch Victor war sichtlich beeindruckt.

Es handelte sich um die Villa der Rothmanns, ganz aus

Schokolade. Jeder Erker, alle Fenster mitsamt Läden, der ausladende Balkon, ja selbst die Dachziegel waren detailgetreu nachgearbeitet.

»Sie ist nicht zum Naschen gedacht, diese Kreation«, schmunzelte Wilhelm Rothmann in dem Wissen, dass seine Überraschung gelungen war. »Aber sie soll euch immer daran erinnern, das Leben zu genießen, liebes Brautpaar!«

Alle applaudierten begeistert. Und die Augen der Zwillinge funkelten verdächtig.

Später nahm Victor Karl und Anton zur Seite. »Was hatte es eigentlich mit der Hochzeitstorte auf sich?«, fragte er.

»Das war unser Geschenk«, antwortete Karl.

»Euer Geschenk?«

»Ja. Die Torte stand da so, in der Küche, und wir fanden, dass sie ein bisschen zu langweilig aussah.«

»Du hast das gefunden«, korrigierte Anton.

»Jedenfalls habe ich dann ›Herzlichen Glückwunsch‹ hineingeschnitzt«, gab Karl zu. »Ich kann eigentlich ganz gut schnitzen«, schob er schnell hinterher.

»Dann danke ich euch vielmals für dieses Geschenk, auch im Namen eurer Schwester. Und das mit dem Schnitzen, das üben wir noch ein bisschen, einverstanden?«

ЄPILOG

Martin Friedrich Rheinberger kam am frühen Morgen des 26. Juni 1904 zur Welt, einem Sonntag. Judith hatte die ganze Nacht in den Wehen gelegen, doch am Ende war alles gut gegangen.

Sobald er den ersten Schrei des Kindes vernommen hatte, war Victor in Judiths Zimmer gestürmt, wo die Hebamme noch damit beschäftigt war, das Kind zu versorgen.

Ganz vorsichtig umarmte er seine Frau, die ein wenig blass in den Kissen lag, und strich ihr erleichtert die verschwitzten Haarsträhnen aus dem Gesicht.

Den winzigen Burschen, den man Judith kurz darauf an die Brust legte, nahm Victor vom ersten Augenblick an als seinen Sohn an. Ein heller Haarflaum bedeckte das Köpfchen und Victor war sich sicher, dass er später einmal seiner schönen Mama ähneln würde. Er hätte ihn gerne seinem Vater gezeigt, doch Friedrich Rheinberger war nach seiner Genesung nach Berlin zurückgekehrt.

Sobald sie etwas zu Kräften gekommen war, schrieb Judith an ihre Mutter und teilte ihr mit, dass sie Großmutter geworden war. In ihrem Antwortbrief drückte Hélène Rothmann ihre große Freude über das Enkelkind aus und lud die kleine Familie ein, sie irgendwann am Gardasee zu besuchen. Judith fragte Victor, und der war begeistert von dieser Idee. Sie fassten eine Reise für das folgende Jahr ins Auge, nicht ahnend, dass Max Ebinger nach wie vor eine Beziehung zu Hélène Rothmann unterhielt, obschon er begonnen hatte, immer ausgedehntere Reisen nach Italien zu unternehmen, um sein Architekturstudium vorzubereiten.

Die Schokoladenfabrik hatte ihre schwierige Zeit überwunden und prosperierte wieder. Wilhelm Rothmann hatte Victor und Judith in die Geschäftsführung aufgenommen und jedem einen eigenen Bereich zugeteilt. Im Laufe der Jahre würden sie weitere Aufgaben von ihm übernehmen, doch noch arbeitete er tatkräftig mit. Seine Erfahrung war unersetzlich.

Der Schokoladenautomat, den Victor im März endlich in der Halle des Stuttgarter Bahnhofs hatte aufstellen dürfen, war ein voller Erfolg, und die ersten Bestellungen für weitere Automaten gingen ein. Vor allem Hoteliers und Inhaber größerer Kaufhäuser interessierten sich für die exklusiven Einzelanfertigungen. Zu Victors Freude hatte der alte Ebinger begonnen, sie bei der Produktion zu unterstützen, sodass sie im Laufe des Jahres die Stückzahlen deutlich würden erhöhen können. Inzwischen baute Victor an einem Eiswagen, denn er hatte von italienischen Eismachern in Köln, Leipzig oder Wien gehört, die auf diese Weise Gefrorenes in den Städten verkauften.

Bei der Kundschaft sehr beliebt waren zudem Judiths

exotische Schokoladentäfelchen mit allerlei Gewürzen, die in kostbaren, emaillierten Dosen angeboten wurden. Die Motive, von Edgar entworfen, avancierten schon bald zu beliebten Sammlerstücken.

Edgar hatte um Dorotheas Hand angehalten und die beiden planten, im Anschluss an ihre Hochzeit nach München zu ziehen, um dort eine Emaillefabrik aufzubauen. Victor bedauerte das sehr, aber er wusste, dass die bayerische Metropole Edgar seit Langem begeisterte.

Von Albrecht hatte man nichts mehr gehört.

Karl und Anton waren frech wie eh und je, aber Judith hatte sich energisch dafür eingesetzt, dass ihre Brüder nicht in ein Internat gesteckt wurden. Stattdessen besuchten sie jetzt Tante Olgas Elementarschule in Degerloch, um danach hoffentlich auf das Gymnasium zu gehen. Jetzt, im Sommer, fand der Unterricht im Wald statt, dort standen Bänke, Tische und auch ein Lehrerpult. Den Zwillingen tat diese andere Art des Unterrichts gut, ihre Zensuren hatten sich merklich gebessert. Das Einzige, was sie ärgerte, war, dass die Sitzordnung an den Noten im Diktat festgemacht wurde. Da Anton hier stets deutlich besser abschnitt als sein Bruder, saßen sie kaum mehr nebeneinander.

Wilhelm Rothmann vermisste seine Frau noch immer schmerzlich. Eine Scheidung strebte er nicht an. Mit ihrer

Entscheidung, in Riva zu bleiben, hatte er sich schweren Herzens abgefunden. Große Liebe empfand er für sein Enkelkind, und wann immer es möglich war, nahm er sich Zeit für den kleinen Martin, der wuchs und gedieh. Trost fand er noch immer bei der Haushälterin Margarete. Die Liaison, von der inzwischen alle wussten, wurde stillschweigend hingenommen.

Robert hatte die Villa bereits kurz nach Judiths Hochzeit verlassen und arbeitete bei der Firma Bosch. Wie man hörte, traf er sich mit einigen »Sozialisten«, war sogar in die SPD eingetreten. Von Babette dagegen fehlte jede Spur, seit sie aus der Besserungsanstalt, in die Schwester Henny sie eingewiesen hatte, verschwunden war.

Dora war nach wie vor Judiths engste Vertraute und hatte die Rolle des Kindermädchens übernommen, da Judith ihren Sohn niemand anderem in Obhut geben wollte. Oftmals pendelte Dora mit dem Kind von Degerloch hinunter nach Stuttgart, wenn Judith in der Schokoladenfabrik war. Die Aufgabe, als Mutter berufstätig zu sein, war eine Herausforderung für Judith. Doch da Victor sie vorbehaltlos unterstützte, gelang ihr dieser Spagat mit Bravour. Sie liebte ihr Leben. Und das Leben liebte sie.

PERSONEN

Victor Rheinberger: Entlassener Strafgefangener aus Berlin, der in Stuttgart untertaucht, um dort sein Glück zu machen

Die Familie Rothmann …

Wilhelm Rothmann: Stuttgarter Schokoladenfabrikant. Ein Patriarch mit großen Sorgen

Hélène Rothmann: Seine französische Ehefrau, die sich in ein Sanatorium am Gardasee abgesetzt hat und in Riva ein neues Leben sucht

Judith Rothmann: Seine selbstbewusste Tochter mit ganz eigenen Plänen und einer großen Liebe zur Schokolade

Karl und Anton Rothmann: Seine Söhne, ein Zwillingspärchen mit allerhand Schabernack in den Köpfen

… und ihre Bediensteten

Margarete: die Haushälterin

Dora: Dienstmädchen und Zofe

Babette: das Stubenmädchen

Gerti: die Köchin
Robert: der Hausknecht
Theo: der Kutscher/Chauffeur

Die drei Freunde

Max Ebinger: Sohn eines Maschinenbauunternehmers. Wortgewandter Charmeur mit einer Schwäche für Frauen, Absinth und Architektur
Albrecht von Braun: Spross einer reichen Bankiersfamilie
Edgar Nold: Maler, Sohn eines Seifenfabrikanten, der zufällig Karriere macht

Judiths Freundinnen

Dorothea von Braun: Tochter des Bankiers von Braun, Schwester Albrecht von Brauns
Charlotte Wenninger: Tochter eines Architekten

In Riva

Georg Bachmayr: Sanatoriumsgast mit einem freundlichen Interesse an Hélène Rothmann
Egon Leitz: Papierfabrikant und Sanatoriumsgast
Frau und Herr Klock-Sander: Ehepaar, Sanatoriumsgäste

In Berlin

Friedrich Rheinberger: Victors Vater, Premierleutnant beim preußischen Militär

Paul Roux (Pseudonym: Herr von Trauntin): Privatermittler mit einem Hang zum Müßiggang

Otto Sawetzki: Bruder des von Victor in einem Duell verletzten Studenten der Kriegsakademie in Berlin

Sonstige Personen

Augustin Baldus: Schriftsteller und Dichter aus Coblenz, Verwandter von Edgar Nold, Mitgefangener Victors auf dem Ehrenbreitstein

Böpple-Buben: drei wilde Brüder aus Degerloch

Bankier von Braun: Bankier Wilhelm Rothmanns; Vater von Albrecht

Der alte Ebinger: Schwerreicher Maschinenbauunternehmer mit adeligen Ambitionen; Vater von Max

Frau Ebinger: seine Frau mit einem großen Herzen

Alois Eberle: schwäbischer Tüftler

Fritz: 15-jähriger Arbeiterjunge, der Roberts klassenkämpferische Ambitionen teilt

Frau Leitner: Hélènes Zimmerwirtin in Riva

Vladimir: die rot getigerte Hauskatze der Rothmanns

Historisch verbürgte Personen

Hermione von Preuschen: Die unkonventionelle Malerin und Literatin hat tatsächlich ein spannendes und bewegtes Leben geführt. Das meiste, was in diesem Zusammenhang in den Roman eingeflossen ist, entspricht ihrer Biografie. Die Bezeichnung *»Outsiderin«,* die im Text fast zu modern anmuten mag, hat sie sich selbst gegeben. Dass sie das Weihnachtsfest 1903 in Riva verbracht hat, ist allerdings dramaturgischen Gründen geschuldet.

Maximilian Harden: Deutscher Publizist und Herausgeber der Wochenzeitung *Die Zukunft* – mit dem sich der (fiktive) Ermittler Paul Roux in Berlin trifft. Im Jahr 1906 brachte Harden eine Enthüllungskampagne gegen hochrangige Homosexuelle (darunter der im Roman erwähnte Philipp zu Eulenburg) aus dem unmittelbaren Umfeld von Kaiser Wilhelm II. ins Rollen, die sich zu einer Staatsaffäre auswuchs und das Ansehen des Kaiserhauses stark beschädigte. Die daraus resultierende Prozesslawine beschäftigte die Justiz noch jahrelang.

Christl (Christoph) von Hartungen: Sohn von Dr. von Hartungen, Inhaber des gleichnamigen Sanatoriums in Riva. Er war tatsächlich etwa ein Jahr lang mit der sehr viel älteren Hermione von Preuschen liiert, die beiden hielten sich während ihrer etwa ein Jahr dauernden Affäre in Berlin und Riva auf, reisten aber auch viel, unter anderem nach Korfu. Christl von Hartungen beendete das Verhältnis schriftlich, als er sich, wie von Hermione erwartet, mit einer jüngeren Frau verlobte. Das Verhältnis mit Hermione von Preuschen war ihm später peinlich.

Henriette Arendt: Die Tante der bekannten Philosophin Hannah Arendt war die erste Polizistin im Wilhelminischen Reich und trat im Februar 1903 ihren Dienst bei der Stuttgarter Polizei an. Die damals 29-jährige Krankenschwester, meist »Schwester Henny« genannt, kam aus dem Umfeld der Frauenbewegung und kümmerte sich engagiert um die »gefallenen Frauen«. Henriette Arendt versah ihren Dienst nicht mit der stillen Hingabe, die damals von Frauen erwartet wurde. Stattdessen prangerte sie bald öffentlich die Missstände bei Behörden, Gemeindegremien und innerhalb des Polizeiapparates an. Sie stellte sich zudem mit ihrem Engagement gegen die etablierten Wohlfahrtsvereine und schaffte sich auch hier einige Feinde. Ihre kompromisslose und unnachgiebige Art mündete 1907 schließlich in einen Skandal, der damit endete, dass Henriette Arendt unter wüsten Anschuldigungen aus dem Dienst entlassen wurde. Gedemütigt schrieb sie 1910 ihre Erinnerungen nieder: *Erlebnisse einer Polizeiassistentin,* mit denen sie einen Skandal im Wilhelminischen Reich entfachte – mit der Stuttgarter Polizei im Mittelpunkt. Eine Wiederbesetzung ihrer Stelle in Stuttgart erfolgte nicht. Erst zwei Jahre später wurde im deutschen Kaiserreich überhaupt wieder eine Polizeiassistentin eingestellt.

Die Quellen zu Henriette Arendt erlaubten mir Einblicke in das Stuttgarter »Milieu«, und ließen zudem allgemeine

Rückschlüsse auf die Denkweise der Frauen damals zu, die an der Schwelle zu einem neuen Selbstbewusstsein standen.

Übrigens verdienten die Arbeiterinnen in der Stuttgarter Schokoladenindustrie tatsächlich so wenig, dass einige der Prostitution nachgehen mussten, um über die Runden zu kommen.

Personen aus Degerloch, wie Dr. Katz, der Schulmeister oder der Pfarrer, haben nichts mit den damals tatsächlich tätigen Personen gemein. Sie sind fiktiv ausgearbeitet, obwohl ich sie natürlich recherchiert habe.

Erwähnung finden außerdem:

Robert Bosch
Wilhelm Maybach
Gottlieb Daimler
Wilhelm & Emil Fein,
allesamt erfolgreiche Stuttgarter Unternehmer.

GLOSSAR

Agraffe: Schmuckspange

Beinkleid: Unterhose für Damen (weit und bis zum Knie reichend, wo sie mit einer Borte oder Spitze zusammengefasst waren)

Die Zeit: Wiener Tageszeitung

Franzosenkrankheit: Syphilis. Die Geschlechtskrankheit war damals weitverbreitet, vor allem unter Prostituierten

Grüne Fee: Farbveränderungen des Absinths nach der Zugabe von Zucker und kaltem Wasser

Mamsell: Haushälterin

Maßeinheit: 1 Zoll – etwa 2,5 cm

Päderast: Begriff für einen homosexuellen Mann im Kaiserreich

Paletot: Dreiviertellanger Mantel

Pasta Gianduja: Spezialität aus Turin. Dunkler Nougat, der entstand, als man Teile des Kakaos während Napoleons Kontinentalsperre durch geröstete Haselnüsse ersetzte. Die *Pasta Gianduja* entwickelte sich zu einer eigenen Spezialität. Sie hat nichts gemein mit dem hellen Nougat, der keine Kakaobestandteile enthält

Syndetikon: Weitverbreiteter Alleskleber um 1900 in Deutschland. Aufgrund seiner Inhaltsstoffe stank er stark nach Fisch, da er auf Fischleim-Basis hergestellt wurde

Toque: flacher Hut mit aufgeschlagenen Rändern

Vagabondage: Häufiger Straftatbestand um die Jahrhundertwende. Er wurde vor allem Frauen und Mädchen angelastet, die allein in den Straßen der Städte, so auch in Stuttgart, aufgegriffen wurden

Währungen: Mark (Kaiserreich), Kronen (Österreich), Lire (Italien).

HISTORISCHER HINTERGRUND

Das Stuttgart der Jahrhundertwende

In Stuttgart erfolgte die Industrialisierung deutlich später als in den anderen großen Städten des Kaiserreichs. Dies lag vor allem an seiner verkehrsungünstigen Kessellage. Doch als die Stadt endlich zu prosperieren begann, überzeugte sie durch Erfindergeist und unternehmerischen Mut. Um die Jahrhundertwende hatten sich große, teilweise bis heute bekannte Firmen etabliert, darunter Robert Bosch. Neben Maschinenbau und Konfektionsbetrieben war Stuttgart ein Zentrum des Klavierbaus und der Süßwarenherstellung. Bis heute am Markt befindliche, bekannte Schokoladenunternehmen hatten dort ihren Ursprung: Moser-Roth, Waldbauer, Eßzett, Ritter Sport.

Zur Kulisse des Romans

Die »Zacke« fuhr damals schon und wird auch heute noch liebevoll so genannt.

Die prächtigen Villenbauten, die mir Vorbild für die ›Schokoladenvilla‹ und die anderen herrlichen Villen waren, standen an exponierten Stellen der Stadt. Als »Villenkolonie« bezeichnete man eine Ansiedlung mondäner Wohnsitze im Grünen, am Ortsrand von Degerloch gelegen. (Degerloch wurde 1908 zu Stuttgart eingemeindet.)

Die Beschreibung der Schokoladenfabrik der Rothmanns hat Bezüge zur damaligen Bonbon- und Schokoladenfabrik Moser-Roth.

Die Beschreibung des Kaufhauses Breuninger folgt dem Neubau von 1903.

Die Elektromechanische Fabrik C. & E. Fein gab es wirklich in Stuttgart. Auch die dargestellte Geschichte der Erfindung der ersten elektrischen Bohrmaschine ist belegt. Heute hat das Unternehmen seinen Sitz in Schwäbisch Gmünd.

Die Straßenzüge Stuttgarts sind alten Bildern und Beschreibungen nachempfunden.

Der Nill'sche Tiergarten existierte von 1871 bis 1906, alle Beschreibungen von Gebäuden und Tieren habe ich in Quellen gefunden. Selbst die kleine Kamel-Anekdote am Schluss des Tiergarten-Kapitels ist einer historischen Quelle entnommen (Julius Bazlen: Beim Nill. Erinnerungen an den Tiergarten. 1926).

Die Elsässer Taverne in der Esslinger Straße hat es wirklich gegeben, allerdings ist von einem Nebenzimmer, in dem verbotenerweise dem Spiel gefrönt wurde, nichts bekannt. Das Gasthaus war ein beliebter Treffpunkt von Künstlern und Artisten.

»Tante Olgas Elementarschule«, eine private Schule, gab

es wirklich in Degerloch, und ihr Konzept des Unterrichts im Freien (im Sommer) war damals ungeheuer progressiv.

Den Adventskalender *Im Lande des Christkinds* gab der Münchner Verleger Gerhard Lang 1903 erstmals heraus. 1904 wurde er dem *Stuttgarter Neuen Tagblatt* sogar als Präsent beigelegt.

Die Arbeiterbewegung in Stuttgart, mit der Robert sympathisiert, war zwar gemäßigter und weniger radikal als in anderen Gegenden des Kaiserreichs, aber durchaus lebendig. Das Gasthaus Zum Goldenen Bären war ihr Gewerkschaftshaus.

Anekdoten: Bei Regen bekamen die Passagiere der Straßenbahn unter Umständen wirklich den einen oder anderen elektrischen Schlag verpasst. Auch die Episode mit dem König, der leutselig in seiner Kutsche durch die Stadt braust, ist belegt. Ebenso wie der Unfall des Brandjakobs (aus: Alltagskultur, Erinnerungen von Wilhelm Hampp um 1900).

Historische Wetterbedingungen: Der Winter 1903/04 brachte im November große Mengen an Schnee über Süd- und Südwestdeutschland.

Zur Schokolade

Um 1890 gab es tatsächlich die ersten Schokoladenautomaten der Firma Stollwerck aus Köln, die damit auch international sehr erfolgreich waren, z. B. in New York.

Die Idee mit der Kuh stammt natürlich von Milka. 1901 kam die Milka-Schokolade (Milka steht für »Milch + Kakao«) auf den deutschen Markt, eingepackt in lila Papier. Die Kuh war damals als Zeichnung aufgedruckt. Die lila Kuh, wie wir sie heute kennen, gibt es erst seit 1973.

Schokoladenautomaten in Tierform wurden übrigens gerne hergestellt. So gab es (allerdings erst einige Jahre nach der *Schokoladenvilla*) ein Huhn von Stollwerck, das sogar gackerte, wenn es eine Schokolade »legte«.

Riva und der Gardasee um die Jahrhundertwende

Im Gegensatz zum zurückhaltenden Stuttgart sprengten in Riva die Geistesgrößen Mitteleuropas den engen Rahmen und die Moralvorstellungen ihrer Zeit. Thomas und Heinrich Mann, Hermione von Preuschen, Christian Morgenstern, Karl May und seine Frau, später auch Franz Kafka – sie alle suchten dort Gesundheit und Inspiration, gepaart mit einem neuen Körperbewusstsein und – bei einigen von ihnen – einer freizügigen Sexualität. Das Hartung'sche Sanatorium hat es wirklich gegeben. Das charmante Gelände direkt am Ufer des Gardasees ist heute noch zugänglich, wenn auch die Gebäude schon verfallen sind.

Riva gehörte damals zu Tirol, war daher deutsch und italienisch geprägt. Währung war die Krone, teilweise die Lira. Angesichts der vielen deutschen Gäste bin ich davon ausgegangen, dass es kein Problem darstellte, in Mark zu bezahlen.

Zur Kulisse

Die Piazza Benacense ist die heutige Piazza Tre Novembre, der Torre Apponale (erbaut im 13. Jahrhundert, im 16. Jahrhundert aufgestockt) noch heute eines der Wahrzeichen Rivas.

G. Georgis Buchhandlung war zu Beginn des 20. Jahrhunderts die »Auskunftstelle für alle Angelegenheiten des Fremdenverkehrs und der Reise«.

Der Venedig-Ausflug

Das Caffè Florian in den Arkaden der Alten Prokuratien, den Amtsräumen der venezianischen Baubehörden, wurde 1720 eröffnet und besteht unter wechselnden Besitzern bis heute. Es erlebte die wechselhafte Geschichte Venedigs hautnah mit. Im Übrigen war es eines der wenigen Caffès, das Frauen Zutritt gewährte, daher war es eine der bevorzugten Lokalitäten Casanovas. Das »Florian« blickt auf eine Reihe berühmter Besucher zurück, darunter Goethe, Lord Byron, Honoré de Balzac, Marcel Proust, Thomas Mann, Richard Wagner, Hugo von Hofmannsthal und Jean Cocteau. Die Biennale wurde tatsächlich dort ersonnen.

Keine historischen Vorbilder gibt es für die Familien Rothmann, Rheinberger, von Braun, Ebinger, Wenninger. Sie wurden nach der damaligen gesellschaftlichen Struktur Stuttgarts entworfen.

MEIN DANKESCHÖN

Die *Schokoladenvilla* entstand in einer für mich persönlich tur-
bulenten Zeit, die geprägt war von großen Veränderungen
und viel Neuem, aber auch von unglaublicher Kraft. Deshalb möchte ich von ganzem Herzen all jenen Danke sagen,
die mir mit Motivation und Rat zur Seite gestanden haben
und in vielen entscheidenden Momenten für mich da waren.

Als Erstes nehme ich meine Kinder ganz fest in die Arme.
Ihr habt alles unglaublich toll mitgetragen und eine Mama
akzeptiert, die ihr unzählige Stunden mit dem Schreibtisch
teilen musstet.

Und dann sind da meine Eltern und Geschwister, die un-
erschütterlich an mich und meine Buchideen geglaubt haben. Mama, Papa, Ursula, Martin – wie so oft habt ihr mir
vieles abgenommen, als es in die »harte« Schreibphase ging.
Ihr seid die Besten!

Richtig froh bin ich zudem über einen unglaublichen
Freundeskreis, der mir auch dann verbunden bleibt, wenn
ich mal wieder unter Zeitdruck stehe und mit dem Kopf
ganz woanders bin.

In der Württembergischen Landesbibliothek fand ich wie

immer hervorragende und unkomplizierte Unterstützung. Und das trotz der großen Umbauphase, die den Bibliotheksbetrieb im Augenblick in Atem hält. Ich freue mich schon sehr darauf, fortan in den neuen Räumen zu recherchieren!

Ein richtig großes Dankeschön geht auch an meinen Agenten Dr. Uwe Neumahr vom Team der Agence Hoffman in München, der mir mit seiner Erfahrung und einem ausgezeichneten Gespür für den angebotenen Stoff den Weg zum Penguin Verlag eröffnet hat.

Dort hat sich meine Lektorin Dr. Britta Claus der »Schokovilla« sofort liebevoll und mit viel Engagement angenommen und mich sicher durch eine von großem Zeitdruck geprägte Schreibphase begleitet – mit viel Kompetenz und einem außergewöhnlich guten Gefühl für Autorin und Text. Friederike Achilles hat der Geschichte schließlich den richtigen Feinschliff gegeben. Danke auch an das ganze Team bei Penguin und Random House in München. Jeder Einzelne hat dazu beigetragen, die *Schokoladenvilla* und ihre Figuren so wunderbar lebendig zu machen. Und sie schließlich in die Welt hinauszutragen!

Nicht alle kann ich namentlich erwähnen, die mir in dieser Zeit mit Ideen, Kraft und unerschütterlichem Optimismus zur Seite standen. Aber jeder, der sich mir verbunden weiß, darf sich meines innigen Dankes gewiss sein.

Und nun, am Schluss eines Buches, nachdem man lange Zeit mit seinen Protagonisten gelebt, geliebt, gelitten und manchmal auch gekämpft hat, wird es Zeit, loszulassen und darauf zu vertrauen, dass sie fortan ihren Weg alleine gehen. Ich freue mich, wenn die *Schokoladenvilla* Ihnen, meinen lieben Leserinnen und Lesern, einige wunderbare Stunden bereitet. Am besten mit einem Stückchen köstlicher Schokolade.

Von Herzen
Maria Nikolai

Ihr Aufstieg: vorherbestimmt.
Ihre Liebe: stark wie ein Felsen.
Ihre Geschichte: eine Legende.

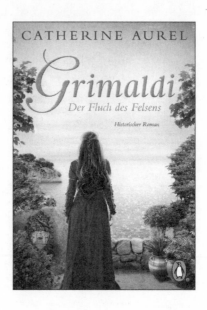

Genua im 13. Jahrhundert: Raniero, der Erbe der
reichen Familie Grimaldi, verliebt sich unsterblich in die
schöne Babetje. Als die Grimaldi nach einem blutigen
Umsturz aus der Stadt verbannt werden, opfert er sein
Glück für die Zukunft seiner Familie und heiratet die
Tochter eines Verbündeten. Mit Erfolg: Die Grimaldi
erobern den Felsen von Monaco – ihre neue Heimat.
Doch um die Macht zu wahren, begeht Raniero eine
grausame Tat. Wie durch einen Fluch brechen fortan
brutale Schlachten, perfide Intrigen und gnadenlose
Schicksalsschläge über die Grimaldi herein. Der Kampf
um das Fürstentum beginnt. Und um die Liebe.

»Den Wind kann man nicht festbinden.
Er tanzt, wo es ihm gefällt.«

Elizabeth und Emily wachsen in der rauen Einsamkeit
des Lake Superior auf; ihr Vater ist Leuchtturmwärter
auf Porphyry Island, einer kleinen, sturmumtosten Insel.
Die Zwillinge sind unzertrennlich, obwohl Emily nicht
spricht. Ihr Bruder Charles fühlt sich für die Schwestern
verantwortlich. Doch dann setzt ein schreckliches Ereignis
der Idylle für immer ein Ende …

Siebzig Jahre hat Elizabeth nicht mit ihrem Bruder gesprochen,
als am Ufer des Sees Charles' Boot angespült wird. Von ihm
fehlt jede Spur, doch sie weiß, dass es nur einen Ort gibt, zu
dem er unterwegs gewesen sein kann. Nur was hat ihn nach
all den Jahren dazu gebracht, nach Porphyry zurückzukehren?